Scrupules

JUDITH KRANTZ

Scrupules

Roman traduit de l'américain par
Alain Schiffres

LIVRES ROBERT LAFFONT

UNE ÉDITION SPÉCIALE DE LAFONT CANADA LTÉE,
EN ACCORD AVEC LES ÉDITIONS ALBIN MICHEL

Édition originale américaine
SCRUPLES

Crown Publishers, Inc. New York

Traduction française

22, rue Huyghens, 75014 Paris

ISBN: 2-89132-459-5

ISBN 2-89149-184-X

Création couverture: COMMUNIVOX

Pour Steve
Avec tout mon amour
Toujours

I

A BEVERLY HILLS, il faut être impotent ou sénile pour ne pas piloter soi-même sa voiture. D'où, entre les conducteurs et les véhicules, ces accouplements bizarres auxquels la police a dû s'habituer. Tels ce banquier à la retraite dans sa Dino Ferrari qui, aussi myope qu'il est distingué, tourne à gauche alors que c'est défendu, ou cet adolescent qui fonce vers sa leçon de tennis dans sa Rolls Royce Corniche à 55 000 dollars. En passant par la dame patronnesse qui range allégrement sa Jaguar rouge sang sur un arrêt d'autobus.

Les écarts de conduite n'étaient pourtant pas de ces choses qu'on pouvait reprocher à Billy Ikehorn Orsini. Du moins en principe. Car c'est en faisant hurler les pneus de son antique Bentley qu'elle s'arrêta nerveusement devant la porte de Scrupules, la boutique la plus somptueuse que la terre eût jamais portée, une espèce de club à l'usage du petit monde ondoyant des gens très très riches et des locomotives les plus en vue.

A trente-cinq ans, Billy se trouvait à la tête d'une fortune que les spécialistes du *Wall Street Journal* évaluaient à deux cents ou peut-être deux cent cinquante millions de dollars. Près de la moitié de ses biens était judicieusement placée en bons municipaux exonérés d'impôts, une de ces solutions toutes simples que le fisc appréciait modérément.

Si pressée qu'elle fût, Billy s'attarda sur le trottoir, histoire de jeter l'œil aigu du propriétaire sur l'immeuble situé à l'angle de Rodeo Drive et de Dayton Way. Là même où se tenait, quatre ans plus tôt, Van Cleef & Arpels, dans une sorte de monument de stuc, tout blanc, avec des dorures et du fer forgé; on aurait juré tout un pan du Carlton de Cannes, transplanté tel quel en Californie.

En cette fin d'après-midi de février 1978, il faisait un froid glacial et, pour s'en protéger, Billy portait sous sa cape en lainage beige une doublure de zibeline dorée. Elle s'y emmitoufla pour jeter un rapide coup d'œil sur Rodeo Drive. On était au cœur même du boulevard, un endroit magnifique. Des deux côtés s'alignaient des boutiques d'un luxe insolent. Elles rivalisaient d'éclat et cette affolante débauche d'opulence n'avait pas son pareil dans tout l'Occident. Pointus, brillants, éternellement verts, des ficus égayaient la grande avenue. A l'arrière-plan, des collines boisées campaient un décor à la Léonard de Vinci.

Quelques passants, d'un rapide coup d'œil en coin, signalèrent qu'ils l'avaient reconnue. C'est là tout l'hommage qu'un vrai New-Yorkais – ou un familier de Beverly Hills – se sent obligé de rendre à des célébrités qui, partout ailleurs, causeraient de véritables attroupements.

Depuis le jour de ses vingt et un ans, Billy avait été photographiée des centaines de fois mais aucun de ces portraits publiés dans la presse n'avait rendu vraiment justice au modèle, à son éclat. Ses cheveux, qu'elle portait longs, avaient cette couleur profonde de brun qu'on voit aux plus beaux visons : un brun si sombre qu'il en paraissait noir avec simplement, posée sur lui, la caresse d'un clair de lune. Elle les rejetait en arrière, dégageant ses oreilles où elle arborait toujours ses bijoux les plus célèbres : deux gros diamants de onze carats – les fameux Jumeaux de Kimberley, admirablement montés par un très célèbre joaillier – que son premier mari, Ellis Ikehorn, lui avait offerts en cadeau de mariage.

Avec son mètre soixante-seize sans talons, Billy était d'une beauté presque virile. Au moment de franchir le seuil, elle prit d'avance une longue inspiration. L'élégant portier balinais – tunique noire maison et pantalon cintré – s'inclina bien bas en ouvrant la double porte décorée d'écaille. Derrière s'étendait un autre monde, un pays entièrement conçu pour séduire, éblouir et tenter. Mais aujourd'hui, elle était vraiment trop pressée pour s'attarder sur tel ou tel aspect de son » commerce ». Car c'est ainsi qu'elle aimait en parler, plutôt que d'un caprice qu'elle se serait passé en claquant près de onze millions de dollars. On reconnaissait là son côté bostonien. N'était-elle pas née Wilhelmine Hunnenwell Winthrop, lignée la plus ancienne et la plus pure du Massachusetts, descendante directe des premiers colons anglais?

A grands pas, de sa démarche de chasseresse, elle se hâta de gagner l'ascenseur, bien résolue à éviter les regards de la clientèle : il lui faudrait s'arrêter, bavarder. Tout en marchant, elle avait ouvert sa cape toute grande, dévoilant son long cou énergique. C'était une femme d'une prodigieuse vitalité sexuelle et pourtant son allure, son style étaient résolument autoritaires. Combinaison des plus rares et des plus troublantes. Tout homme attentif à ce genre de choses recevait d'elle un message – il venait de ses yeux gris fumé, aux iris finement striés de lignes horizontales à peine esquissées, brun sombre ou couleur d'écaille, et de sa bouche charnue, d'un rose foncé sous la mince couche de fard transparent ; son message, aussitôt démenti par un autre venu de son corps long et mince, sévèrement enveloppé d'un pantalon en chevreau vert foncé et d'une stricte tunique de soie crème, dont la ceinture, négligemment nouée autour de sa taille, retenait l'ampleur. Mettre ses fesses en valeur, ou souligner ses seins, voilà qui jurait sacrément avec l'élégance et Billy le savait bien. Le chic parfait de ses vêtements faisait ainsi la guerre à sa sensualité naturelle. Elle déconcertait son monde – sans doute de façon consciente – en portant ainsi des toilettes à la fois très simples et extrêmement élégantes. Toute disposée, semblait-il, à les arracher pour plonger dans un lit, aussi bien qu'à s'en aller poser devant l'objectif d'un photographe du *Women's Wear Daily*.

Billy pénétra dans l'ascenseur et gagna tout droit le dernier étage où se trouvait le bureau de ses deux principaux collaborateurs : Spider Elliott, le directeur de Scrupules, et Valentine O'Neil, première acheteuse et styliste maison. Elle frappa légèrement à la porte, non pour obtenir une réponse, simplement pour s'annoncer, puis elle entra pour trouver la pièce vide. Le bureau de travail de ses associés donnait à l'endroit un air plus désert encore. C'était un meuble anglais, parfaitement incongru, dont l'acajou souffrait de nombreuses éraflures. Spider en était tombé amoureux chez un antiquaire de Melrose Avenue et il n'avait eu de cesse qu'on le transportât jusqu'ici. Il se dressait, abrupt, îlot détaché du réel, au beau milieu d'une pièce décorée par Edward Taylor dans des tons futuristes – fauve et taupe, grège et biscuit mêlés.

– Merde alors, où sont-ils donc passés ? marmonna Billy. Elle ouvrit en coup de vent la porte du bureau de la secrétaire. Cette apparition inattendue fit sursauter Mrs Evans, qui s'arrêta tout net de taper.

– Où sont-ils ? demanda Billy.

– Oh ! Mrs Ikehorn... je veux dire, Mrs Orsini...

La confusion l'étranglait.

Billy rassura machinalement la secrétaire.

– Ça va, ça va, tout le monde se trompe, dit-elle.

Il n'y avait qu'un an et demi qu'elle avait épousé Vito Orsini – le plus indépendant de tous les producteurs de films indépendants. Et tous ceux qui, des années durant, avaient entendu parler de Billy Ikehorn, faisaient encore l'erreur sans même s'en rendre compte.

— Mr Elliott est avec Maggie Mac Gregor, fit Mrs Evans. A dire vrai, l'entretien ne fait que commencer. Il m'a prévenue qu'il en avait pour une heure au moins. Valentine travaille dans son atelier avec Mrs Woodstock. Elles s'y sont enfermées dès la fin du déjeuner.

Billy serra les lèvres d'un air contrarié. Personne ne pouvait les déranger, pas même elle. Au moment précis où elle avait besoin d'eux, voilà Spider coincé avec la femme peut-être la plus importante de la télévision et Val occupée à dessiner une garde-robe complète pour l'épouse du nouvel ambassadeur des États-Unis en France. Mon cul! Mais Billy avait résolu de se déguiser en courant d'air: une bonne fois pour toutes, elle avait décidé de ne jamais s'abaisser à jouer les reines des abeilles à Scrupules, en se mêlant, par exemple, des rendez-vous ou des séances d'essayage. Que Dina Merrill joue la comédie si ça lui chante, que Gloria Vanderbilt s'amuse à manier le pinceau, Lee Radziwill à décorer les maisons de ses amies et Charlotte Ford, imitée en cela par toute une flopée de mondaines, à « dessiner » des collections... Son truc à elle, Billy Ikehorn Orsini, c'était de diriger une affaire prospère, le magasin de luxe le plus couru de la terre, un brillant complexe commercial, à la fois boutique de mode et de cadeaux, où l'on trouvait aussi bien la haute couture la plus sophistiquée que le plus beau prêt-à-porter du monde. Bien sûr, comparé à l'étendue de sa fortune, Scrupules n'était qu'une toute petite chose, mais cela ne diminuait en rien l'importance que l'entreprise avait à ses yeux. Car, de toutes ses sources de revenus, c'était la seule qui fût jaillie de ses propres mains. Scrupules était tout à la fois sa passion et son jouet, un désir secret qu'elle avait assouvi, quelque chose qui fût à sa mesure, qu'elle pût voir et sentir, toucher et posséder. Modifier. Perfectionner encore et encore.

— Écoutez, j'ai besoin de les voir *au plus tôt*. Dès qu'ils en auront fini, pouvez-vous leur dire que je suis là. Je serai quelque part dans le magasin.

Elle sortit à grandes enjambées et gagna son propre bureau avant même que, dans son émoi, Mrs Evans eût pu lui souhaiter bonne chance. Elle s'y préparait pourtant fébrilement depuis des semaines. On était à la veille de connaître la liste définitive des lauréats aux Oscars et le film de Vito Orsini, *Miroirs*, serait peut-être retenu, disait-on, parmi les cinq meilleures réalisations de 1977. Mrs Evans n'entendait pas grand-chose à l'industrie du cinéma mais elle savait, d'après la rumeur qui courait la boutique, que Mrs Ikehorn — pardon, Mrs Orsini — avait les nerfs en pelote à cause de ces remises de prix. La brusquerie que venait de marquer sa patronne lui fit penser qu'il valait peut-être mieux s'être abstenue. Elle ne connaissait rien des usages requis en ce genre de circonstances.

Ses achats avaient fait sur Maggie Mac Gregor l'effet d'une décharge d'adrénaline. Elle se sentait harassée et surexcitée tout ensemble. Ne venait-elle pas de dépenser sept mille dollars – au bas mot – pour choisir les toilettes qu'elle porterait devant les caméras de télévision au cours des deux mois à venir? S'y ajoutait une garde-robe complète pour le festival de Cannes qu'elle allait couvrir en mai, soit douze mille dollars de plus. Celle-ci serait confectionnée par Halston et Adolfo de New York, dans des coloris et des tissus exclusifs, et il faudrait les lui livrer à temps pour le voyage ou, alors, lui apporter la tête du responsable sur un plateau. Bien sûr, il était stipulé dans son contrat que ces requins de la télé auraient à régler la note. Jamais elle n'irait dépenser ses propres deniers de cette façon.

Si seulement quelqu'un lui avait dit, voici dix ans, quand elle n'était encore que Shirley Silverstein, cette petite gamine boulotte et gauche de Rhode Island, dont le père possédait la plus grosse quincaillerie de la minuscule cité de Fort John, oui, si quelqu'un lui avait expliqué que c'était un sacré boulot de dépenser dix-neuf mille dollars en toilettes, elle lui aurait sans doute ri au nez. Sans penser une seconde être concernée d'aucune façon. Même aujourd'hui, tout grand manitou de la télévision qu'elle était devenue, à vingt-six ans, elle n'arrivait pas à s'y habituer. Elle avait son propre show à la télé, au meilleur moment d'écoute – une tranche horaire vraiment épatante. Chaque week-end, un bon tiers des récepteurs à travers toute l'Amérique étaient branchés sur son émission d'une demi-heure. Secondée par une équipe totalement dévouée, qui semblait avoir des caméras dans le dos, elle dévoilait les dessous du monde du spectacle et, plus particulièrement, ceux des milieux de cinéma. Ses reportages s'appuyaient sur des recherches minutieuses et puisaient aux meilleures sources. Ils n'avaient rien de commun avec ces petites merdes, ces ragots mesquins qu'on servait encore en pâture, voici seulement trois ans, à l'inlassable curiosité du public.

Mais, pour l'heure, ce n'était plus qu'une pauvre créature épuisée. Ses yeux ronds et noirs, à la Betty Boop, avaient vu tant de toilettes depuis trois heures, qu'ils en étaient tout tourneboulés dans son visage impertinent. Seulement voilà : comme elle effectuait des reportages sur les milieux du spectacle, elle devait sembler appartenir elle-même à cet univers fascinant. La direction de la chaîne y tenait beaucoup.

Spider frappa à la porte et Maggie répondit simplement : « Au secours ». Il entra, ferma derrière lui et s'adossa au mur de la cabine d'essayage. Il la regardait d'un air à la fois moqueur et tendre.

– Dis-moi, Spidy, tu as piqué cette attitude nonchalante dans les vieux films de Fred Astaire, n'est-ce pas? Tout comme tu y as appris à marcher et t'asseoir. Où est passé ton haut-de-forme? demanda Maggie.

— N'essaie pas de changer de sujet. Je te connais. Tu as sûrement choisi un tas de trucs importables et tu essayes de me coller ça sur le dos.

— Tu n'es qu'une salope — elle détachait bien ses mots — tu n'es qu'un pauvre couillon, une arsouille, une vieille bite, un vendu. Et un sale réac, avec ça!

— Madââme — Spider lui baisa la main —, vous nous faites vraiment un cinéma de grande classe, mon petit. Je ne suis peut-être jamais qu'un ancien traîne-patin de l'université de Californie mais quand on me traite de « bite », je sais de quoi il retourne. Ainsi, tu as déjà mauvaise conscience alors que je n'ai même pas encore vu tes toilettes? Maggie, il est une chose que je ne comprendrai jamais chez les femmes: c'est pourquoi vous pensez nous insulter en nous traitant de « bite ». « Eunuque », là, ce serait vraiment vache!

Maggie eut un grognement résigné. Elle était bien consciente d'en avoir fait un peu trop, en choisissant ces robes du soir pour Cannes. Aucun doute là-dessus: cet enfoiré de Spider avait le don de lire dans vos pensées. Dans vos pensées de femme. Où donc un si bel étalon avait-il été pêché ce génie des femmes? Cette intuition fulgurante, cet instinct dont aucune théorie psychologique ne pourrait jamais rendre compte, il était bien rare — Maggie était payée pour le savoir — de les trouver chez un de ces robustes hétérosexuels américains. Et avec ça, obsédé comme un troupeau de jeunes boucs!

A trente-deux ans, Elliot Spider était, de l'avis de Maggie, l'un des hommes les plus séduisants de la terre. Or c'était précisément son job de comprendre ce qui pouvait bien rendre des êtres séduisants. Rien, des mécanismes de la séduction, n'échappait à son œil sagace qui savait jauger les êtres. Si un acteur n'est pas, d'une certaine façon, un séducteur, il n'a aucune chance de devenir une star. Même chose pour une actrice. A cet égard, pensa-t-elle, Spider avait certains atouts évidents: le stéréotype du grand bel Américain blond est absolument indémodable. Et il en avait précisément la chevelure, de ce blond naturel qui, avec les années, s'était assombri, devenait plus dense, plus nuancé aussi. Il en avait aussi les yeux, ces yeux de Viking, si bleus qu'ils semblaient ne jamais refléter autre chose que la mer. Il plissait les paupières quand il souriait, à presque les fermer, et les petites rides qui rayonnaient à leur coin se creusaient alors, lui donnant un air enjoué et sage, comme s'il s'en revenait de très loin, avec toutes sortes de bonnes histoires à raconter. Jusqu'à son nez, cassé au cours d'on ne sait quel match de football au collège, et puis cette dent de devant, avec sa brèche minuscule, qui lui faisaient un petit air de dur tout à fait agréable. Mais le plus important, trancha Maggie, c'était ce talent qu'avait Spider de percer les pensées d'une femme, de se mouvoir avec aisance dans son langage, de lui parler à nu, de violer la frontière des sexes sans verser dans le déconnage des pédés. Une osmose véritable, ardente, l'unissait au monde secret de la volupté féminine. Ce qui, tout naturellement, le plaçait au cœur même de l'ambiance qui régnait à Scrupules – érotisme et narcissisme mêlés. Il en était le contrepoint viril indispensable, au même titre qu'un pacha dans son harem. Tout incorrigible baiseur qu'il était, il demeurait toujours un vrai professionnel. Si d'ailleurs tous ces types de Beverly Hills, de la Jolla ou de Santa Barbara avaient seulement flairé la réputation secrète de Spider – celle d'un tringleur invétéré, d'une affaire de classe internationale – se seraient-ils résignés, avec tant de bonne humeur, à régler les notes pharamineuses que leurs épouses laissaient chez Scrupules?

Rosel Korman fit son entrée. C'était la vendeuse de Maggie, une femme sereine et bien élevée. Son assistante la suivait en poussant un lourd chariot. Dans le chariot, il y avait un long portemanteau, mais une housse de drap blanc en voilait le contenu. Billy Orsini avait imaginé ce système pour préserver l'intimité des clientes de Scrupules, alors que, pour la plupart, les autres boutiques chics de Beverly Hills la réduisaient à néant.

Rosel dévoila les toilettes et partit aussitôt; Spider s'occupait toujours seul de ses clientes. Il voulait éviter, dans leurs échanges, toute intrusion des vendeuses, celles-ci ayant la manie de s'enflammer pour des toilettes qu'elles enlevaient mieux que leurs destinataires.

Ensemble, ils passèrent en revue toutes les robes que Maggie avait choisies. Spider en laissa passer quelques-unes sans faire de commentaires. Il en élimina certaines autres et pria Maggie de repasser les troisièmes avant de se décider. Ce qu'elle fit derrière un paravent à quatre panneaux, dressé dans le coin de la grande pièce. Quand ils en eurent terminé, Spider décrocha le téléphone et demanda au chef de lui faire porter une grande théière d'Earl Grey, une bouteille de VSOP, ainsi qu'un plateau de canapés au caviar frais et au saumon fumé.

– Ton taux de glycémie va redevenir normal en un rien de temps, dit-il pour rassurer la pauvre fille complètement épuisée.

Ils burent du thé fort, coupé d'une bonne dose de cognac, et se détendirent enfin, avec le sentiment d'être venus à bout d'une besogne délicate.

– Te rends-tu bien compte, Maggie, dit paresseusement Spider, qu'il te reste à dénicher la toilette la plus importante?

– Hein?

La décompression et la fatigue l'avaient mise groggy. Et son dos se révélait particulièrement douloureux.

– Que vas-tu mettre pour la soirée des Oscars, mon petit?

– Bof, une chose ou l'autre. Tu trouves que je n'ai pas dépensé suffisamment d'argent, espèce de sangsue?

– Pas encore. Tu cherches donc à ruiner ma réputation?

Cette grandiose manifestation va être transmise par satellite dans le monde entier. Cent cinquante millions de spectateurs! Ce qui signifie *trois cents millions* d'yeux braqués sur ta personne! Autant porter quelque chose qui sorte vraiment de l'ordinaire.

– Oh! merde, Spider, tu me fais froid dans le dos.

– C'est la première fois que tu es le grand manitou dans une remise d'Oscars. On devrait demander à Valentine qu'elle te dessine quelque chose de vraiment exclusif.

– Valentine?

Maggie eut un regard indécis. Jamais encore elle ne s'était commandé de vêtements sur mesure. Son emploi du temps était trop serré pour qu'elle puisse se permettre de nombreux essayages.

– Ouais. Ne t'en fais pas, tu trouveras bien le loisir de venir essayer. Tu ne veux donc pas lui en mettre plein la vue, à toute cette foutue planète?

– Spider, dit-elle avec gratitude, si je te baisais les pieds, tu ne prendrais pas ça pour une avance, j'espère?

– Tu n'en aurais pas la force, répondit-il. Reste donc où tu es et contente-toi de répondre à quelques questions. Tout à fait entre nous, pour la sélection, quelles sont les chances de Vito?

– Passables, bonnes, excellentes, c'est selon. Il y a sept autres films bien placés sur pas mal de listes. En plus, ils ont un tas d'appuis derrière eux. Bien sûr, j'aimerais qu'il ait un prix... mais je n'irais pas juqu'à miser ma paye sur lui.

– Comment se peut-il que tu n'en saches pas plus que moi? se plaignit Spider.

– C'est ça le show business. Dis-moi, est-ce que Billy présente les signes avant-coureurs de la dépression? Elle a l'air vraiment dingue de cet adorable Rital qu'elle a épousé.

– Dépression? Parle plutôt d'obsession. Mais c'est aussi que je ne l'ai jamais vue faire dans la nuance. S'il lui fallait attendre encore quelques semaines, elle se réveillerait un beau matin, irait se regarder dans la glace et découvrirait quoi? Lady Macbeth en personne... Dieu sait que j'aime bien Vito et qu'il a beaucoup de talent. Mais il m'arrive de rêver qu'elle a épousé quelqu'un d'autre, avec des activités moins dangereuses. Un cascadeur. Ou un coureur automobile.

– C'est donc si terrible?

– Pire encore.

Tandis que Maggie et Spider devisaient ainsi, Billy explorait nerveusement le rayon cadeaux de Scrupules. Elle maraudait dans cette caverne d'Ali Baba, parmi les cache-pot chinois anciens, les boîtes à biscuits en argent de l'époque victorienne, les aumônières du soir brodés de perles du XVIIIe siècle, les boucles de soulier à la française en diamant taillé à la rose, les chandeliers Battersea, les tabatières anglaises, bref tout ce coin qu'elle appelait le « sac de Pékin ». Ce faisant, elle jetait aussi un œil discret dans le pub, sur les tables de trictrac où six hommes disputaient une petite partie en attendant que leurs épouses eussent fini leurs achats: trois mille dollars au bas mot allaient sans doute changer de mains. Scrupules était devenu le club masculin le plus coté de la ville. Son caractère informel ne l'empêchait point d'être très fermé.

Tout en observant les joueurs, Billy trouva le moyen de repérer deux Texanes qui venaient de s'offrir l'une et l'autre quatre robes d'intérieur parfaitement identiques, à pans de vigogne, ourlées de vison, de loutre et de chinchilla avec, petite touche rigolote, des rayures beiges, brunes et blanches. Des sœurs? Des amies intimes? Elle n'avait jamais pu comprendre ces femmes qui font leurs courses ensemble et s'achètent les mêmes choses. Quelle abomination! Si elle s'emportait ainsi contre elles, Billy le sentait bien, c'est en fait qu'elle était elle-même de plus en plus contrariée. Valentine n'en aurait donc jamais fini! Que sa cliente aille se faire foutre! Cette horrible Muffie Woodstock, qu'elle aille au diable! Et Spider, bon Dieu, pourquoi ne s'amenait-il pas?

Valentine O'Neil s'était bien amusée tout l'après-midi dans son atelier. Habiller une femme telle que Mrs Ames Woodstock, c'était tout à fait le genre de défi qu'elle aimait à relever: les belles toilettes inspiraient une véritable terreur à Mrs Woodstock et voilà que les circonstances — et Valentine — allaient pourtant l'obliger à les porter. Mieux encore: à les enlever avec panache! Sans parler de la somme fabuleuse que le mari de Mrs Woodstock — milliardaire jusqu'ici très versé dans la diplomatie du pétrole et qui venait d'être nommé ambassadeur en France — voulait bien investir dans ce privilège unique: une garde-robe complète et sur mesures réalisée chez Scrupules. Valentine ne négligeait pas cet aspect des choses. Quelle Française l'aurait fait?

Bien sûr, cela faisait cinq ans qu'elle avait quitté Paris, et puis elle était irlandaise du côté de son père. Pourtant, à vingt-six ans, elle demeurait française, aussi inévitablement française que la tour Eiffel. Et ce qui la rendait si française, ce qui démentait ses dehors fantasques d'Irlandaise, il fallait peut-être en chercher la clé dans certains détails: cette moue capricieuse, ce nez pointu si charmant, avec ses trois taches de rousseur, ou bien encore cette lueur méditative dans le vert de ses yeux, de cette couleur tendre qu'on voit aux jeunes pousses: de vrais yeux de sirène au milieu d'une petite figure pâle, d'un visage mobile, ô combien, que la tristesse jamais ne s'en venait noyer, ni figer la bouderie. Elle avait la vivacité d'une renarde et toute la drôlerie de cette chanson de Maurice Chevalier dont sa mère, qui avait connu son mari durant la guerre, lui donna, par nostalgie, le titre en prénom. Mais, derrière toutes ses mimiques, il y avait, chez Valentine, un fond de robuste bon sens, de cette logique têtue des Françaises, trop souvent mêlée d'emportement celtique. Ses cheveux eux-mêmes — songeait avec inquiétude Mrs Woodstock, tandis que Valentine drapait un nouveau coupon de soie sur ses épaules — ce casque de petites boucles rousses, c'était bien la crinière la plus autoritaire et la plus agressive qu'elle eût jamais vue.

Mrs Woodstock avait l'air parfaitement ahuri d'une femme qui, après avoir vécu toute sa vie en pantalon, parmi ses chiens et ses chevaux, se retrouve le nez sur le croquis d'une robe pour soir de grande réception à l'Élysée.

— Mais, Valentine, c'est un peu... enfin... je ne sais pas... balbutia-t-elle.

Elle était en plein désarroi. Washington lui avait énuméré tout ce dont elle pourrait avoir besoin pour le train-train diplomatique: au moins une demi-douzaine d'ensembles pour les déjeuners de dames, un bon nombre de robes pour les petits dîners et au minimum douze robes et manteaux de grande soirée.

— Faites-moi confiance, Mrs Woodstock, répliqua Valentine. Elle avait passé le plus gros de son enfance à Paris, blottie dans un coin du grand atelier de la maison Balmain, à regarder confectionner des robes de bal tout en faisant ses devoirs. Elle était parfaitement sûre d'elle et bien décidée à faire partager sa confiance à cette charmante dame.

— Ça n'a pas l'air de vous réjouir, ces grandes soirées en perspective, Mrs Woodstock...

— Bonté divine, mais ça me fait tout simplement horreur, ma chère!

— Voyons, Mrs Woodstock, vous avez pourtant beaucoup d'allure!

— Vous trouvez?

— Une de ces lignes! Exactement le genre de corps fait pour porter la toilette. Je ne dis pas ça pour vous flatter. S'il y avait des défauts, on s'arrangerait toutes les deux pour les cacher. Mais ce n'est pas le cas: vous êtes très grande et très mince et vous avez une ravissante démarche! Bien sûr, selon vous, le genre de robes du soir « appropriées », ce serait quelque chose de sobre et de simple, de sans prétention. La robe de Mme Tout-le-Monde avec, peut-être, un petit bijou au cou. Est-ce que je me trompe? Non? C'est bien ce que je pensais. Évidemment, ce genre-là irait très bien dans votre chalet de Sun Valley ou dans votre ranch du Colorado. Ou encore dans votre propriété de Santa Barbara. Mais au palais de l'Élysée! A l'Opéra de Paris! Aux grandes réceptions d'ambassade! Non et non, pour rien au monde! Vous vous trouveriez incongrue, déplacée. Si vraiment vous aimez vous sentir à l'aise et passer inaperçue, le seul moyen, c'est de vous habiller comme toutes les autres femmes de là-bas. Curieux, n'est-ce pas? Il vous faut être très, très chic, simplement pour ne pas avoir l'air pas comme les autres. Pour ne pas sembler une étrangère, une femme en dehors du coup.

— Je suppose que vous avez raison.

Muffie Woodstock prononça ces mots à contrecœur mais les terrifiantes épithètes que venait de lâcher Valentine avaient emporté sa conviction.

— Bravo! Voilà qui est réglé. Tout sera prêt dans deux semaines pour un premier essayage. Autre chose: auriez-vous la bonté d'extraire vos bijoux du coffre et de les apporter quand vous viendrez? Il faut absolument que je voie vos trésors.

— Comment savez-vous que je les garde dans un coffre?

— Tout simplement parce que vous n'êtes pas du genre à les porter plus de deux fois l'an. Et c'est sûrement dommage car je suis certaine qu'ils sont superbes.

Muffie Woodstock prit un air embarrassé. De toute évidence, cette Valentine était une manière de sorcière. Elle ferait aussi bien d'aller acheter de nouvelles chaussures avant de remettre les pieds ici. Sinon, Valentine ne manquerait pas de s'apercevoir que ses escarpins du soir avaient connu de meilleurs jours. Bonté divine, pourquoi son mari s'était-il mis en tête de devenir ambassadeur?

— Courage, dit Valentine. Songez aux merveilleuses promenades à cheval que vous allez faire là-bas dans la campagne.

Le visage de Muffie Woodstock s'éclaira. Voilà bien une chose pour laquelle elle dépensait volontiers : des bottes d'équitation. Seulement... Pourrait-elle monter en jeans et en vieux chandail?

— Dites-moi, Valentine, pendant que nous y sommes, si on faisait aussi quelques tenues de cheval?

— Ah non! répliqua Valentine, scandalisée. Pour ça, il faut, dès votre arrivée à Paris, vous rendre tout droit chez Hermès. Je peux vous faire tout ce que vous voulez, mais ça... ce serait tout simplement incorrect.

En reconduisant sa cliente à la porte, Valentine se sentit doublement satisfaite. Ses modèles, une fois de plus, allaient se trouver confrontés aux meilleures créations de la haute couture européenne. Puis Mrs Woodstock, qui n'avait pas la moindre idée de ses propres atouts, ne tarderait pas à les découvrir en portant les toilettes époustouflantes — mais d'une élégance véritable — que Valentine avait conçues pour elle. « Effacée », allons donc! Avec sa taille et sa démarche, elle rivaliserait avec n'importe quelle duchesse. Elle serait la coqueluche de Paris. Ils grimperaient sur leur chaise pour mieux la voir. Elle finirait bien par aimer ça! Ou peut-être non : toute magicienne qu'elle était, Valentine n'avait malheureusement pas le pouvoir de la métamorphoser.

Autre satisfaction: Valentine venait, encore une fois, de se prouver à elle-même qu'elle avait la bosse du commerce, qu'elle savait mener à bien une transaction. Un de ces talents que toute Française bien née apprécie à sa mesure. Faire des vêtements et les vendre, voilà le boulot qui comptait vraiment à ses yeux. Tant pis s'il fallait l'accomplir dans ce parc d'attraction luxueux, original et d'une extravagance parfaitement absurde, qui s'appelait Scrupules. Elle venait à nouveau de le montrer: même à Beverly Hills, qui est, avec Palm Springs, le quartier général des femmes riches les plus mal fagotées des États-Unis, oui, même là, on pouvait faire de la haute couture à l'intention de celles qui, pour une raison ou l'autre, voulaient bien s'y intéresser.

Sans prendre la peine d'ôter la blouse de toile blanche anonyme, impeccable, qu'elle portait toujours pour travailler, Valentine quitta son atelier pour son bureau. Elle emportait sous son bras les devis de la nouvelle garde-robe de Mrs Woodstock.

Elle trouva Spider assis dans sonfauteuil, derrière leur bureau commun, les pieds posés sur le cuir sang-de-bœuf tout usé.

— Oh! je ne m'attendais pas à te voir ici, Elliott! s'écria-t-elle brusquement embarrassée.

Depuis cette dispute ridicule qu'ils avaient eue à Noël, six semaines auparavant, ils ne discutaient plus tous les matins avant l'ouverture de la boutique, comme ils en avaient pris l'habitude, assis de chaque côté du grand bureau. Leur querelle n'avait duré qu'un bref instant mais elle continuait d'empester l'atmosphère.

— Je ne fais que passer, dit-il froidement. J'ai promis à Maggie que tu lui ferais une robe pour la remise des Oscars et je voulais t'en avertir.

— Mon Dieu, s'écria-t-elle, j'avais oublié les Oscars!

Elle s'écroula dans son fauteuil.

— Mrs Woodstock m'a complètement vidé la cervelle. Peut-être bien que je deviens folle...

Pour tout ce qui compte dans le commerce de Beverly Hills, la remise des Oscars est une manne tombée du ciel. On la fête à l'égal du Nouvel An. L'essentiel, bien sûr, ce n'est pas de savoir qui va remporter l'Oscar, mais qui va porter quoi.

— Peut-être bien, laissa tomber Spider d'une voix neutre, mais Valentine n'y fit même pas attention. Elle songeait toujours à son trou de mémoire.

— Durant trois heures d'horloge, je n'ai pas pensé un seul instant qu'il y avait cette histoire d'Oscars, s'étonna-t-elle. Et pourtant, c'est demain que nous apprendrons la sélection finale. Toutes ces femmes qui vont se ruer dans les magasins — car elles sauront enfin si elles vont assister à la remise des prix et se mettre en prière, ou simplement aller chez elles se poster devant la télé... Imagine un peu: durant les six semaines à venir, il va régner une tension absolument atroce, à la suite de quoi, en quelques heures, une poignée d'individus va se sentir merveilleusement soulagée. Ce n'est pas du beau spectacle peut-être, d'arriver ainsi à tenir en haleine une énorme industrie, d'amener tout un pays à discuter — et même à se soucier un brin — du sort de quelques acteurs et du destin de quelques films?

— Te voilà bien dédaigneuse.

— Pas du tout. J'admire simplement. Essaie seulement d'imaginer tout le bel argent que cette petite comédie va faire pleuvoir alentour. Les studios dépensent des sommes folles en relations publiques et en publicité. Les entrées dans les salles vont rapporter des millions et des millions de dollars... Mais en quoi cela me concerne-t-il après tout? La seule chose dont nous avons à nous soucier, nous autres, ce sont des robes qui seront portées le grand soir.

— C'est bien possible, répondit Spider d'un ton égal.

Le son de sa voix eut le don de l'exaspérer.

— Oh, je sais bien que c'est le cadet de tes soucis, cette histoire d'Oscars! D'accord, Elliot, tu diriges toute la boutique mais, pour ce qui est des vêtements, tu n'as pas à t'occuper d'autre chose que du prêt-à-porter et de savoir si tes petites bonnes femmes vont opter pour un truc de chez Holly Harp ou une babiole de chez Chloé. Nous autres, là-haut, on doit affronter les vrais problèmes. Que t'importe si la divine Streisand a pris sept kilos sur un cul qui n'est déjà pas si mince et que, bien sûr, la robe va devoir cacher — sans cesser un instant d'être moulante?

Elle bondit de son fauteuil et marcha sur lui. Ils s'affrontaient du regard, ses yeux verts contre les yeux bleus et fixes de Spider.

— Que t'importe à toi, Elliot, si Raquel Welch a décidé cette année d'avoir l'air d'une bonne sœur, mais attention, une bonne sœur qui montrerait ses nichons? Ou si Cher est absolument persuadée qu'elle va se noyer dans la foule à moins d'être parée comme une princesse zouloue le jour de son mariage? Et s'il fallait seulement s'occuper des présentatrices... Que fais-tu des lauréates? Et les femmes des producteurs, y penses-tu? Et les maîtresses des acteurs?

Et puis, songea-t-elle avec colère — mais cela, elle le garda pour elle — qui, sinon elle, devait toujours se sentir sur le qui-vive pour éluder les questions qu'on lui posait sur les activités sexuelles de Spider? Au seul ton faussement désintéressé de ses interlocutrices, à des nuances dans la voix de ses clientes, Valentine devinait toujours si Spider avait ou non couché avec telle ou telle, ou bien s'ils en étaient au milieu de leur aventure ou encore si leur liaison était finie. Elle savait à merveille faire mine de tout ignorer ou, mieux encore, avoir l'air de s'en contrefi-cher — ce qui était d'ailleurs le cas. Mais, en même temps, elle en avait marre et plus que marre d'être ainsi mise en douce sur la sellette — par les conquêtes de Spider ou leurs fouineuses d'amies.

— Écoute, Val, dit Spider de ce ton parfaitement indifférent et flegmatique qui achevait de la mettre hors d'elle, tu sais très bien que ce ne sont pas les robes des Oscars qui font marcher la boutique. Toute femme riche qui pose le pied à l'ouest de l'Hudson finit par atterrir chez nous. Alors, si ces enquiquineuses du spectacle t'emmerdent tant, pourquoi ne les renvoies-tu pas chez Bob Mackie, Ray Aghayan, Halston, et tous ces types qui s'occupaient d'elles avant que tu ne viennes leur mettre le grapin dessus?

— Ça ne va pas, non? explosa-t-elle avant de s'apercevoir qu'il y avait de la moquerie dans ses yeux.

Ils se défiaient ainsi du regard quand Billy les surprit. Elle leur jeta un méchant coup d'œil à tous les deux. Puis elle parla sans forcer le ton mais d'une voix si vibrante qu'ils en oublièrent leurs ressentiments.

— Mrs Evans avait dans l'idée que vous étiez en train de travailler tous les deux et qu'il ne fallait pas vous déranger. L'un d'entre vous a-t-il la plus petite notion du temps que j'ai passé à vous attendre?

Spider se leva de son fauteuil et lui décocha son fameux sourire. Un sourire parfaitement sensuel, sans le moindre soupçon de perfidie ni de sarcasmes. Un sourire qui affichait l'envie du plaisir. D'habitude, cela marchait.

— Foutez-moi la paix avec votre sourire à la con, Spider, fit sèchement Billy.

— J'en ai fini avec Maggie voici seulement cinq minutes, Billy. Elle est encore en train de se remettre dans le salon d'essayage. D'ailleurs, personne ne vous attendait aujourd'hui.

— Je viens à peine de reconduire Mrs Woodstock, expliqua Valentine avec dignité. Et je serais heureuse de vous montrer à quel point j'ai bien employé mon après-midi.

Elle tendit ses devis mais Billy n'y jeta même pas un coup d'œil.

— Mais enfin, bordel de merde, j'ai acheté un bon gros morceau du terrain le plus cher du pays, j'y ai fait construire le magasin le plus coûteux de la terre et je vous ai engagé tous les deux — je dirais même que je vous ai tiré des misères du chômage — pour que vous le dirigiez et que vous vous en mettiez plein vos foutues poches ; tout ce que j'attends en échange, c'est, pour une fois, de ne pas avoir à tourner en rond, comme une de ces imbéciles de clientes qui cherchent à tuer le temps, alors que j'ai *besoin* de vous !

— Ni l'un ni l'autre ne savons lire dans les pensées, Billy, fit doucement Valentine. Elle venait d'entendre un si singulier discours que ses nerfs étaient tombés d'un coup. Jamais elle n'avait vu sa patronne dans une rage aussi insensée.

— Pas la peine de lire dans les pensées pour savoir que j'aurais besoin de vous cet après-midi.

— Je vous croyais chez vous avec Vito, dit Spider.

— Chez moi ! — Billy n'en croyait pas ses oreilles — n'importe quel débile aurait su que je viendrais me commander une toilette pour la remise des Oscars. Demain on aura ici *absolument* tout le monde. Croyez-vous que j'aie l'intention de me laisser coincer par cette populace?

— Mais enfin, Billy, d'ici à demain... commença Valentine.

Elle agitait la tête d'une manière si éperdue que ses cheveux semblaient mousser.

— Qu'est-ce qui presse tant, Billy? fit doucement Spider. Vous avez au moins une centaine de robes dans vos placards. Tant que les nominations ne seront pas rendues publiques, vous ne saurez pas si...

Elle fit trois pas menaçants dans sa direction et il s'arrêta tout net.

— Je ne saurai pas si *quoi*?

— Eh bien, si vraiment...

— Si vraiment QUOI ?

Il se mettait lui-même en colère :

— Si *Miroirs* est sélectionné, répliqua-t-il brutalement. S'il ne l'est pas, vous n'aurez sûrement pas besoin de robe.

Il y eut un long silence. Puis Billy éclata d'un rire brusque. Elle les regarda en secouant la tête comme s'il s'agissait d'enfants étourdis et naïfs, à qui l'on pouvait pardonner quand même.

— Ainsi, c'est donc ça ? Une chance que vous ne soyez pas dans le cinéma, Spider, vous n'y feriez jamais rien de bon. Et vous non plus, Valentine. Que diable croyez-vous qu'on ait fichu toute cette année, Vito et moi ? Qu'on s'est préparés à perdre avec le sourire ? Allez, magnez-vous le train, vous deux. Et dites-moi donc ce que je vais bien pouvoir mettre pour ces foutus Oscars.

2

IL FALLUT la mort, à soixante et onze ans, d'Ellis Ikehorn pour que Billy Ikehorn le comprît : entre l'épouse d'un homme immensément riche et une femme immensément riche sans époux, il y avait une fabuleuse différence.

Ils étaient alors mariés depuis une bonne douzaine d'années. Les cinq dernières, Ellis les avait passées dans un fauteuil roulant, à demi paralysé par une attaque, privé de l'usage de la parole. Et si Billy partageait, depuis son mariage, le sort des riches et des puissants de ce monde, elle n'avait pourtant jamais, dans cette citadelle, acquis de position véritable, une position qui lui permît d'organiser son veuvage. Tout le temps qu'avait duré la dernière maladie de son mari, elle avait vécu, à bien des égards, en recluse dans leur forteresse de Bel-Air : pour autant qu'on le savait dans son milieu, elle y menait l'existence étriquée d'une femme de grand invalide. Et voilà qu'elle se retrouvait tout à coup, à trente-deux ans, sans la moindre responsabilité familiale et à la tête d'un revenu quasiment illimité.

Billy s'aperçut alors avec stupeur que ça lui foutait la trouille, tout cet argent dont on ne voyait pas le bout. Et pourtant : n'était-ce pas là ce dont elle avait rêvé dans son enfance, tout au long de ces années où on l'avait traitée en parente pauvre? Mais sa fortune était, d'un coup, trop vaste pour qu'elle n'en fût pas infiniment troublée. Les possibilités qu'offrait tant d'argent finissaient par perdre à ses yeux tout relief et toute consistance : elles composaient des horizons si vagues, des perspectives si floues, qu'elles ne conduisaient nulle part.

Ce dernier matin, quand l'un des trois infirmiers était venu lui annoncer qu'une attaque avait emporté Ellis dans son sommeil, Billy s'était sentie soulagée. Triste aussi, bien sûr, à cause du passé, de toutes ces années si belles de sa vie. Mais ce passé, elle l'avait déjà longuement pleuré. Cinq ans... La mort d'Ellis ne représentait plus pour elle une perte vraiment cruelle : elle avait eu trop de temps pour s'y préparer.

Ellis l'avait pourtant toujours protégée. Plus mort que vif, il le faisait encore : en fait, tant qu'il avait été là, jamais elle n'avait dû se soucier d'argent. Une armée d'hommes de loi, de comptables s'en chargeait à sa place. Bien sûr, elle n'ignorait pas qu'après leur mariage, il lui avait offert dix millions de dollars en bons municipaux dont lui-même avait acquitté les droits de donation. Il avait renouvelé ce geste à chacun des anniversaires de Billy — sept en tout — jusqu'à 1970, où il subit sa première attaque. Ainsi, Billy n'était pas encore sa légataire universelle, elle n'avait pas reçu toutes les parts qu'il détenait dans la firme Ikehorn, que déjà sa fortune personnelle s'était arrondie à quatre-vingts millions de dollars. Ce qui lui procurait un revenu de quatre millions de dollars par an — non imposables. Maintenant, voilà que toute une escouade d'inspecteurs des impôts s'efforçait d'évaluer le montant des droits à percevoir sur la succession Ikehorn. Ils y étaient depuis des semaines. Et ils auraient beau faire, il lui resterait encore cent vingt millions de dollars de plus. En gros.

Ce nouveau pactole la déroutait et l'effrayait. Elle comprit que, théoriquement, elle pouvait aller désormais n'importe où et faire n'importe quoi. Pour retrouver le sens des réalités, il lui eût fallu trouver quelque chose qu'elle ne pourrait sans doute pas s'offrir. Une expédition lunaire, par exemple.

Elle se sentit un peu rassurée quand elle se pencha sur son miroir grossissant pour se maquiller les cils : il lui restait toutes ces tâches familières... prendre un bain, se brosser les dents, se peser, comme elle le faisait soir et matin depuis ses dix-huit ans. S'habiller. Voilà qui avait les couleurs de la vie, lui rendait son épaisseur, en renouait la trame. Elle ne ferait qu'un geste à la fois, disait-elle à son reflet dans le miroir. Celui-ci ne laissait rien lire de sa panique : qui l'aurait alors vue pour la première fois, avec sa haute taille et son cou énergique, sa démarche fière et son port impérieux, l'aurait jugée inflexible et souveraine. Une jeune reine des Amazones...

S'occuper des funérailles, voilà ce qui était le plus urgent. Elle accueillit presque cette tâche avec gratitude. Enfin toute une série de décisions à prendre, précises, concrètes. Ellis Ikehorn n'avait jamais eu de religion. Ce n'était pas non plus un homme porté sur les sentiments, sauf pour tout ce qui touchait à Billy. Dans son testament, il n'avait pas laissé la moindre instruction pour ses obsèques et, sa vie durant, n'avait jamais exprimé de préférences pour tel ou tel mode d'inhumation : cette manière d'avis mortuaire anticipé, cette façon de suggérer qu'on doit mourir un jour ne le réjouissait pas plus que les autres hommes, riches ou pauvres. Ce qu'il fallait, se dit Billy, c'était l'incinérer. Voilà : l'incinérer puis donner un service à sa mémoire, en l'église épiscopale de Beverly Hills. Qu'importait son appartenance religieuse — il avait d'ailleurs toujours refusé d'en parler — puisqu'elle-même était une épiscopalienne de Boston ? C'est ainsi qu'on l'avait élevée et il fallait bien que cela servît à quelque chose. Par bonheur, il se trouvait ici suffisamment d'employés d'Ellis et de ses anciennes relations d'affaires pour remplir l'église. S'il lui avait fallu, pour faire nombre, compter sur ses propres amis, se dit-elle, elle aurait pu tout aussi bien faire célébrer ce service dans les coulisses de la Scala. Et encore : il serait resté assez de place pour y loger un chœur imposant. Et un trio de jazz... Elle téléphona à son homme de loi, Josh Hillman : pouvait-il faire le nécessaire ? Puis elle passa à un autre problème : il lui fallait une robe pour les obsèques. Une robe de deuil. Hélas, même si elle figurait, depuis des années, sur la liste des femmes les mieux habillées du monde, cela faisait vraiment trop longtemps qu'elle vivait en Californie. Bref, il n'y avait rien dans sa garde-robe pourtant considérable qui ressemblât à ce qu'elle cherchait : une toilette noire, courte et légère, comme il convenait pour une journée de ce mois de septembre 1975, avec des températures dans les 35, 40 degrés qu'augmentaient encore les vents chauds et secs de Santa Ana. Si seulement Scrupules avait ouvert, elle pourrait y aller voir, songea-t-elle avec envie. Mais le magasin était encore en travaux.

En choisissant chez Amelia Gray quelques dessous en soie noire de Galanos, elle se trouva une fois de plus confrontée à sa propre image. Une telle beauté, et qui ne servait à personne ! Elle en était accablée. Billy ne s'était jamais montrée modeste à l'égard d'elle-même. Adolescente, elle avait été ingrate à pleurer : comment ne pas être fière, maintenant qu'elle était si belle ? Jamais elle ne portait de soutien-gorge. Ses seins étaient hauts, épanouis, luxuriants presque : le moindre adjuvant n'aurait pu que les faire pigeonner davantage. Elle aurait eu alors trop de poitrine : mauvais pour le chic. Quant à son cul, elle remerciait le ciel qu'il restât plat au-dessous de la ceinture, sur une bonne largeur de main. Grâce à Dieu, ce n'est qu'après avoir franchi sans encombre cette ligne stratégique — où il aurait ruiné toute l'allure de ses toilettes — qu'il commençait à se remplir. Nue, qui l'aurait cru, elle était tout en chair. Une chair qui, depuis des mois et des mois, n'avait pas senti une main d'homme. A y songer, un sentiment de frustration l'accabla, aigre et morne : depuis ce dernier Noël où l'état d'Ellis avait commencé d'empirer tous les jours, elle avait renoncé – mouvement de pitié? conscience d'un tabou? – à toute vie sexuelle. A ce jardin secret qu'elle s'était ménagée depuis bientôt quatre ans...

Le temps de se rhabiller, d'attendre ses paquets, elle avait cessé de penser à elle pour s'attaquer au problème suivant. Celui des cendres. Tout ce qu'elle savait, c'est qu'elle devait en faire quelque chose. A l'époque où ils s'étaient connus, Ellis aurait sans doute souhaité qu'on les saupoudrât délicatement dans un maximum de récepteurs téléphoniques. Elle ne put s'empêcher de sourire. Il n'avait pas soixante ans alors, c'était un de ces robustes magnats de la finance internationale. Un homme qui avait fait son premier milliard depuis plus de trente ans déjà. « En économisant », disait-il.

A moins qu'il n'eût préféré autre chose. Par exemple, qu'on frottât ses cendres, pincée par pincée, contre la doublure des attaché-cases de son armée de directeurs. Il avait toujours adoré les mettre dans tous leurs états. Ou bien... avant de tomber malade, n'était-il pas arrivé à Ellis de faire quand même du sentiment? A propos de quelque chose qui ne fût pas leur vie à tous les deux? Voyons... il disait toujours que la meilleure façon de passer une soirée tranquille, c'était avec les derniers numéros de *Forbes* et de *Fortune*. Et un verre de bon vin. Mais bien sûr! Le vignoble! Silverado!

Ils n'auraient pu se servir du Learjet. Le chef pilote, Hank Sanders, lui expliqua pourquoi. Pour ce qu'elle voulait faire, il leur fallait un avion capable de voler à relativement faible allure, avec une vitre ouvrante.

Depuis un peu plus de cinq ans le jeune homme émargeait chez Ikehorn. Ce fut lui qui, après la première attaque d'Ellis, ramena tout le monde de New York en Californie. Lui encore qui tint les commandes lors des nombreuses excursions qu'ils firent ensuite tous les deux, jusqu'à leurs vignes de Santa Helena ou bien jusqu'à Palm Springs. Ou encore San Diego. Lui, le vieil homme malade et sa jeune femme rêveuse... Hank, de temps à autre, abandonnait alors les commandes au copilote. Il se rendait dans la cabine principale, donnait la météo à Mr Ikehorn. Simple formalité d'ailleurs : assis dans son fauteuil roulant près de la fenêtre, Mr Ikehorn n'y prêtait – ou semblait n'y prêter – aucune attention. Mrs Ikehorn, en revanche, le remerciait toujours d'une façon appuyée. Elle délaissait son livre ou sa revue pour lui poser quelques questions sur sa nouvelle vie en Californie – s'y plaisait-il? Ou bien pour lui dire combien de temps ils resteraient à Napa Valley. Ou même pour lui conseiller, pendant qu'il y serait, d'essayer tel ou tel cru. Il avait une admiration profonde pour sa dignité et se sentait flatté lorsque, au cours de ces brefs échanges, elle le regardait bien droit dans les yeux. Et puis, elle avait un de ces culs... un cul vraiment fabuleux, mais ça, il s'efforçait de ne pas y penser.

Voici qu'aujourd'hui, Mrs Ikehorn était assise à quelques centimètres de lui et il se sentait plutôt nerveux. C'était quatre jours après l'incinération. Ils venaient de décoller de l'aéroport Van Nuys, dans un Beechcraft Bonanza de location. Son malaise ne venait nullement de ce qu'il n'avait pas l'habitude des petits avions. D'ailleurs, Hank Sanders avait lui-même acheté un Beech Sierra d'occasion pour aller passer ses week-ends à Tahoe ou bien à Reno. Rien de tel, il l'avait remarqué, qu'emmener ainsi les filles se balader en avion pendant le week-end : c'était s'assurer autant de minettes qu'on pouvait en brouter.

Non, ce qui le troublait, c'était d'être assis tout près de Mrs Ikehorn, avec son air si grave, tellement préoccupé et si déraisonnablement sexy... Trop près vraiment, vu les circonstances, pour qu'il se sentît à l'aise. Il évitait soigneusement de la regarder. Si encore elle avait emmené des gens de sa famille, des sœurs, enfin quelqu'un!

D'après le plan de vol qu'il avait déposé, ils devaient aller jusqu'à Santa Helena puis revenir. Soit, au total, douze cents kilomètres environ. Un trajet que le Bonanza pouvait couvrir en quatre heures trente au plus, peut-être moins, ça dépendait des vents.

Ils approchaient de Napa quand Billy rompit enfin le silence.

— Nous n'allons pas nous poser sur cette piste, Hank. Je veux que vous remontiez la route 29, en perdant de l'altitude tout du long, jusqu'à ce que vous arriviez à Santa Helena. Après, vous virerez à droite. Et je vous prie de voler doucement dès que vous serez aux limites de notre propriété de Silverado. Là, vous descendrez aussi bas que possible — on a le droit jusqu'à cent cinquante mètres, n'est-ce pas? — et vous ferez des cercles au-dessus des vignes.

La vallée de Napa n'est pas très grande mais absolument ravissante. En septembre surtout, quand le soleil éclabousse le fond du val où se pressent toutes ces merveilleuses cultures, et qu'il inonde les collines pentues et boisées qui l'abritent de tous côtés. C'est ici, sur à peine dix mille hectares, qu'on produit les meilleurs vins de tous les États-Unis. Des vins capables, selon bien des experts, de rivaliser avec les plus grands crus français. Et même de les surpasser souvent. Les vignobles y sont pratiquement à touche-touche. Ils s'y serrent presque d'aussi près que sur les côteaux du Bordelais, mais sur des superficies infiniment plus vastes.

En 1945, Ellis Ikehorn avait racheté un vieux domaine des environs de Santa Helena : Hersent et De Moustiers. Un excellent vignoble, alors en pleine déconfiture. Il avait été terriblement négligé au temps de la Prohibition puis de la Grande Dépression, durant la Deuxième Guerre mondiale enfin, tous événements qui avaient porté des coups très rudes à la viticulture américaine. Le domaine comptait douze cents hectares et s'ornait d'un vaste manoir. Avec sa toiture ouvragée, ses tourelles jumelles, c'était une demeure excessivement victorienne. Ikehorn la rendit à ses fastes et la rebaptisa Château Silverado, du nom de l'ancienne piste de diligences qui suivait le fond de la vallée.

Il attira Hans Weber aux États-Unis et donna carte blanche à ce fameux maître de chais allemand. Quelque sept ans et neuf millions de dollars plus tard, le vignoble produisait un grand pinot chardonnay et un cabernet sauvignon tout aussi superbe : avec l'acquisition de ce domaine et l'intérêt qu'il prit ensuite à déguster ses crus, Ellis Ikehorn n'avait sans doute jamais été aussi près d'avoir un violon d'Ingres.

On était à quelques jours des vendanges et, petites taches mouchetant les vignes, des hommes s'affairaient un peu partout. Tandis que l'avion tournait dans le ciel, Billy ouvrit la vitre à sa droite. Elle tenait dans la main un lourd objet : une boîte ancienne, en or massif, avec tous ses poinçons anglais – celui du Goldsmith's Hall à Londres, daté 1816-1817, et celui du grand orfèvre Benjamin Smith, qui l'avait fabriqué.

Billy sortit avec précaution sa main droite, raidissant son poignet pour lutter contre l'appel d'air. Le Bonanza volait alors à 160 kilomètres à l'heure et tournait à très faible altitude au-dessus des vignes de Silverado. Doucement, elle relâcha sa pression sur le couvercle de la boîte, laissant petit à petit s'échapper les cendres d'Ellis Ikehorn. Elles allèrent, infimes particules, poudrer les rangs de lourdes grappes blotties sous leur sombre feuillage. Sa tâche accomplie, elle rangea le coffret vide dans son sac à main. « On dit que l'année sera bonne », murmura-t-elle à l'intention du pilote médusé.

Pendant le vol du retour, Billy s'enferma dans un silence étrange et frémissant. L'esprit aux aguets, Hank Sanders crut en percer le message : on attendait quelque chose de lui... Ils se posèrent pourtant à Van Nuys sans que rien ne se fût produit. Hank fit reculer le Bonanza sur ses cales puis il alla rendre les clés au Beech Aero Club. Le but de leur excursion, voilà qui expliquait, songea-t-il, cette sensation insolite qu'il venait d'éprouver. Mais, en débouchant sur le parking, il trouva Billy qui l'attendait, assise derrière le volant de l'énorme Bentley vert foncé. C'était la voiture préférée d'Ellis et Billy n'avait pas voulu la vendre.

– J'ai pensé qu'on pourrait aller faire un petit tour, Hank. Il est encore bien tôt...

Amusée, ses sourcils noirs en accent circonflexe, elle observait son air ahuri. C'était une invite à laquelle il n'était absolument pas préparé.

– Un tour! Et pourquoi donc? Enfin, je veux dire, si si, bien sûr. Tout ce que vous voudrez, Mrs Ikehorn.

Il faisait de grands efforts, dans sa confusion, pour rester poli. Billy se moqua de lui gentiment. C'était fou ce qu'il pouvait ressembler à l'un de ces jeunes et vigoureux garçons de ferme, avec ses taches de rousseur et son teint fleuri, son air bourru et ses cheveux paille. Et aussi son absence résolue d'intérêt, autant qu'elle eût pu en juger au fil des années, pour tout ce qui ne touchait pas aux avions.

Billy semblait savoir où elle allait. Elle conduisait avec adresse, en fredonnant gaiement entre ses dents. Hank Sanders essayait de se détendre, comme si une promenade avec Mrs Ikehorn était de ces choses dont il avait l'habitude. En fait, il était horriblement mal à l'aise. Que convenait-il de faire dans ce genre de situation? Ce problème l'occupait tant qu'il s'aperçut à peine que Billy quittait l'autoroute. Durant quelques kilomètres, elle prit la direction de Lankershim puis elle délaissa la grande route pour s'engager dans une voie étroite. Enfin, elle tourna brusquement sur sa droite et s'engouffra dans l'allée d'un petit motel.

— Je reviens tout de suite, Hank. C'est l'heure de boire un verre, non? Aussi, tâchez de ne pas vous éloigner.

Elle disparut un bref instant à la réception puis revint avec, dans une main, une clé qu'elle faisait tournoyer nonchalamment et, dans l'autre, un récipient de plastique empli de cubes de glace. Chantonnant toujours, elle lui tendit les glaçons, ouvrit le coffre de la voiture et en sortit une grosse mallette de cuir. Enfin, elle ouvrit la porte d'une chambre et lui fit signe en riant d'entrer.

Partagé entre l'inquiétude et l'émerveillement, Hank Sanders se mit à regarder tout autour de lui tandis que Billy s'occupait d'ouvrir le bar portatif. Il avait été spécialement commandé à Londres, dix ans plus tôt, et servait lors des réunions hippiques et des parties de chasse à la propriété. Vestige d'une époque de sa vie qui lui parut surannée. Telles ces carafes à col d'argent que, faute de table, elle alignait sur le tapis. La chambre était entièrement recouverte d'une moquette framboise qui, sur trois murs, grimpait jusqu'au plafond. L'autre mur et le plafond lui-même étaient recouverts de miroirs. Un lit, large et bas, occupait près de la moitié de l'espace, garni avec des draps en satin, d'un rose soutenu et surplombé par un entassement d'oreillers. L'air était conditionné. Hank s'était stupidement plongé dans l'étude de la salle de bains immaculée quand Billy l'appela depuis la chambre.

— Qu'est-ce que vous buvez, Hank?

Il revint dans la pièce.

— Est-ce que vous vous sentez bien, Mrs Ikehorn?

— Tout à fait bien. Ne soyez donc pas inquiet, je vous prie. Alors que puis-je vous offrir?

— Un scotch, s'il vous plaît. Avec de la glace.

Billy s'était assise par terre, le dos contre le lit. Elle lui tendit un verre avec autant de naturel que s'ils s'étaient trouvés dans un cocktail. Il s'assit à son tour sur la moquette. C'était ça ou le lit, songea-t-il avec effarement. Il but un grand trait de son gobelet d'argent massif. Dans son chemisier de linon blanc et sa jupe portefeuille de coton bleu, avec ses longues jambes brunes étendues sur le tapis, Billy semblait en pique-nique. Elle but elle aussi, après avoir gaiement choqué son gobelet contre le sien.

— A l'Essex Motel, la perle de San Fernando Valley, dit-elle en manière de toast, et à Ellis Ikehorn qui aurait approuvé.

— Hein?

Il était profondément scandalisé.

— Inutile de chercher à comprendre, Hank. Contentez-vous de me croire.

Elle se rapprocha de lui. Avec le même geste, à la fois détaché et précis, qu'elle aurait eu pour serrer une main, elle avança ses doigts racés et, délibérément, les posa sur la toile tendue de son jean, à l'entrejambe. D'une main experte, elle chercha les contours de son sexe.

— Mon Dieu!

Tétanisé, il tenta de se redresser mais ne parvint qu'à répandre le contenu de son verre.

— Ce serait plus agréable pour vous, je crois bien, si vous vous contentiez de rester assis là, bien tranquille, murmura Billy. Puis elle ouvrit la fermeture Éclair. La surprise du garçon fut telle que sa queue gisait totalement flasque, recroquevillée sur un paillasson de poils blonds. Billy soupira d'aise. Voilà comme elle les aimait, toutes petites et molles. Ainsi, elle n'aurait aucune peine à prendre ce sexe tout entier dans sa bouche, à le garder là, sans même encore remuer la langue : à simplement le sentir qui se gonflait encore et encore dans cette tiédeur humide, à mesurer l'étendue de son pouvoir, sans qu'elle eût à bouger le moindre muscle. Jusqu'aux poils de sa bourse qui étaient couleur de paille, autour de ces deux boules qu'il tenait pressées entre ses jambes. Elle les renifla doucement, aspirant goulûment cette senteur secrète. Non, songea-t-elle, l'esprit à la dérive, une femme ne connaît vraiment un homme qu'après l'avoir reniflé à cet endroit précis. Tandis que son nez le fouillait ainsi, elle l'entendit, au-dessus de sa tête, qui protestait en gémissant mais s'en moqua totalement. Lui se remettait de sa surprise : sa queue s'animait par saccades et commençait à grossir. Elle prit alors ses couilles dans le creux de sa main libre, tandis que, furtivement, elle faisait glisser son médium le long de la peau tendue du scrotum, qu'elle pressa. Maintenant ses lèvres et sa langue s'affairaient tout autour du sexe presque tendu. Il était assez court mais épais, et bâti avec la même vigueur que le reste de sa personne.

Il s'était renversé contre le bord du lit, s'abandonnant tout entier à ce rôle passif, si nouveau pour lui. Il sentait, dans sa queue, des secousses et des soubresauts, toute cette pulsation du sang qui affluait. Maintenant qu'elle était grosse, et même qu'elle continuait à grossir encore, Billy se mit à remuer doucement sa bouche. Elle se consacrait tout entière à la seule extrémité renflée qu'elle suçait avec force, conviction, tandis que ses deux mains allaient et venaient sur la hampe humide et tendue.

Il gémit. Non, il ne voulait pas jouir si tôt. Alors il souleva de ses genoux cette tête brune et enfouit son visage dans sa chevelure. Il embrassa son cou magnifique, en se répétant qu'elle n'était jamais qu'une fille après tout, une fille parmi les autres.

Enfin, il la souleva pour la déposer sur le lit et envoya valser son jean sur la moquette. Il eut tôt fait de déboutonner le corsage blanc. Les seins étaient nus et plus gros qu'il ne l'aurait jamais cru. Leurs pointes étaient sombres et soyeuses.

— Si tu savais à quel point j'ai mouillé toute cette dernière heure, murmura-t-elle tout contre sa bouche. Non, je ne crois pas que tu le saches. Il te faut voir par toi-même. Il faut que je te fasse voir.

Des heures comme celles qui suivirent, Hank Sanders n'en connaîtrait jamais plus. Elles lui seraient pourtant à jamais inoubliables, même sans le secours de la boîte en or qu'un certain Benjamin Smith avait il y a bien longtemps façonnée à Londres. Car Billy la lui donna cette nuit-là, en lui disant au revoir après leur retour sur cette colline de Bel Air où était sa résidence.

Une douzaine de domestiques était alors en train d'y dormir. Pourtant, tandis qu'elle gravissait les marches du vaste perron, la maison lui parut vide. Elle s'en était vraiment allé, désormais, pensa-t-elle. Réellement. Elle songea à cet homme robuste qu'elle avait épousé douze ans plus tôt. Hank Sanders ne l'avait pas comprise quand elle lui avait dit qu'Ellis les aurait approuvés ce soir-là. C'était pourtant la vérité : si elle avait été vieille et son mari un jeune homme, si c'était elle, Billy, qui fût morte, Ellis aurait sans doute, de la même façon, baisé la première femme qui lui serait tombée sous la main. Célébrant ainsi, dans le secret de son cœur, ce passé où ils s'étaient aimés sans réserve. Pour la moyenne des gens, ce n'était peut-être pas ainsi qu'on devait saluer une mémoire avec émotion mais cette manière leur convenait parfaitement à tous les deux. Des cendres qui s'accrochaient aux raisins mûrs, l'odeur de sexe dans ses cheveux. Oui, Ellis n'aurait point seulement approuvé. Il aurait applaudi.

Quand naquit à Boston Wilhelmine Hunnenwell Winthrop — c'était vingt et un ans avant qu'elle ne devînt Billy Ikehorn, les fervents de généalogie — et Boston est aux arbres généalogiques ce que le Périgord est aux amateurs de truffes et Monte-Carlo aux propriétaires de yacht —, ces gens-là, donc, estimèrent que les fées s'étaient penchées sur son berceau. Sa vaste parentèle comptait tout ce qu'il fallait de Lowell, de Cabot et de Warren, avec une bonne poignée de Saltonstall, de Peabody et de Forbes, sans parler d'un trait de l'auguste sang des Adams, tout cela bien mélangé à toutes les générations ou peu s'en faut. Sa lignée paternelle s'ouvrait avec un Richard Warren, passager du *Mayflower* en 1620 — que vouloir de mieux? Du côté de sa mère, on trouvait un sang impeccablement bostonien et mieux que cela encore : sa famille descendait en ligne directe des grands propriétaires terriens de la vallée de l'Hudson, au temps des Hollandais, ainsi que de certains des nombreux Randolph de Virginie.

D'une manière générale, la prospérité des vieilles familles de Boston s'est bâtie sur le trafic des longs courriers — les fameux *clippers* —, sur les maisons de commerce et le négoce avec les Indes occidentales. Ces fortunes, soigneusement préservées et gérées par les administrateurs avisés des clans, tissent, de nos jours, toute une trame de cartels enchevêtrés. Tout nouveau-né authentiquement bostonien s'en trouve virtuellement assuré de n'avoir jamais le moindre souci d'argent. Il va également de soi qu'il grandira en se demandant bien pourquoi les problèmes d'argent tiennent une telle place dans les préoccupations du plus grand nombre.

Tant que prospèrent les trusts familiaux, tant qu'ils continuent à produire, avec leur force tranquille, nombre de Bostoniens se situent tout bonnement *au-delà* de l'argent. Tout comme une personne en parfaite santé se trouve bien loin de songer aux mouvements de sa respiration. Or la chance veut qu'à chaque génération, le Vieux Boston ait fourni des financiers exceptionnels, de ces hommes qui veillent aux placements de leur parenté avec le même talent qu'ils gèrent les investissements des grandes affaires qu'ils ont en charge. Ces gens-là permettent aux autres Bostoniens de juger vulgaire les questions d'argent.

On trouve pourtant, jusque dans les meilleures familles de Boston, de ces rameaux qui, selon leur formule consacrée, « ne jouissent pas des mêmes revenus » que les autres branches.

Le père de Billy Ikehorn, Josiah Prescott Winthrop, et Mathilda Randolph Minot, sa mère, étaient tous deux, au sein de ces grands clans dynastiques, les derniers rejetons de branches latérales. La fortune de sa famille paternelle avait été pratiquement anéantie lors du désastre financier qui frappa Lee, Higgison & Co. Cette grande firme de courtiers avait perdu vingt-cinq millions de dollars appartenant à ses clients lorsque le roi de l'Allumette, Ivar Kreuger, fit faillite et mit fin à ses jours. Quant à la famille de Mathilda, son passé seul était riche : elle n'avait plus un sou vaillant depuis la guerre de Sécession. Dans la corbeille de noces, Joseph avait déposé tout ce qui restait du patrimoine familial englouti. Soit un revenu annuel d'un peu plus de mille dollars. Bref, c'était là deux rameaux flétris, qui n'avaient pas reçu le moindre argent frais depuis cinq générations.

Dans des cas de ce genre, il existe pourtant à Boston une fort judicieuse coutume : elle consiste à restaurer la fortune de sa famille, quand elle se délabre, en contractant une alliance dans un clan voisin aux affaires florissantes. Mais les Winthrop des générations passées s'étaient obstinés à épouser des jeunes filles graves et sensibles, dont le père était professeur ou pasteur, deux professions jugées parfaitement honorables à Boston, mais qui ne sont nullement rémunératrices : ce qui restait de ressources un peu appréciables dans la famille servit à envoyer Josiah Winthrop faire ses études à l'École de médecine de Harvard.

Ce fut du reste un bon élément. Il sortit dans les premiers et fit un brillant internat dans un établissement réputé, le Peter Bent Brigham Hospital. Il s'était spécialisé en gynécologie et pouvait compter sur une excellente clientèle, dût-il seulement soigner les amies de ses proches parentes, qui se comptaient par centaines.

Lors de sa dernière année d'internat, Josiah Winthrop s'aperçut sur le tard – beaucoup trop tard – que la médecine de cabinet ne l'intéressait pas : sitôt qu'il aborda le domaine, alors nouveau, des antibiotiques, il se prit d'une passion exclusive et soudaine pour la recherche pure. Et pour un médecin, se lancer dans la recherche est la seule façon d'être vraiment bien certain de ne jamais gagner sa vie d'une façon décente. Le jour même où il aurait dû se mettre à pratiquer, Josiah Winthrop entra donc comme assistant de recherches dans l'équipe d'un laboratoire privé, l'institut Rexford, au salaire de trois mille deux cents dollars par an. Revenu modeste et pourtant supérieur d'environ sept cents dollars à ce qu'il aurait obtenu dans un centre à financement public.

Les derniers mois de sa grossesse occupaient trop l'esprit de Matilda pour qu'elle se souciât de l'avenir. Elle avait toujours eu, dès l'âge le plus tendre, un cœur noble et généreux. Elle estima qu'à deux, ils pourraient se tirer d'affaire avec trois mille deux cents dollars par an. Et puis elle avait toute confiance en son Joe, cet homme grand et maigre, avec les os tout en longueur et ses yeux noirs où se lisait toute la détermination des Yankees : cette résolution qu'il affichait, cette volonté obstinée de suivre son étoile, n'étaient-ce pas les signes d'une grande destinée ? Quant à Matilda, belle femme mince et rêveuse, aux cheveux noirs, elle semblait sortir tout droit d'un roman d'Hawthorne. On trouvait en elle bien peu du caractère des nobles ancêtres dont se flattait sa famille : elle n'avait ni la prodigalité des Hollandais ni la fougue des gentilshommes virginiens.

Quand leur naquit une fille, ils l'appelèrent Wilhelmine. C'était le nom d'une tante adorée de Matilda, une femme cultivée, déjà âgée, qui ne s'était jamais mariée. Ils convinrent cependant tous les deux que c'était un prénom plutôt lourd à porter pour un bébé. Aussi donnèrent-ils à leur tout petit bout de fille le surnom de Honey [1]. C'était un diminutif acceptable de son deuxième prénom : Hunnenwell.

Un an et demi après la naissance de Honey, Matilda Winthrop se fit écraser par une voiture : dans un moment de distraction qui venait de ce qu'elle se croyait enceinte à nouveau, elle avait entrepris de traverser au rouge Commonwealth Avenue.

Ce fut un coup terrible pour Josiah. Les premiers temps, il engagea

1. Littéralement, « miel ». Au sens figuré, « chérie », « mignonne », « petit chou ».

une nurse pour s'occuper de la petite Honey. Mais, bientôt, il se rendit compte qu'il ne pouvait s'offrir un tel luxe. Comme, par ailleurs, il était hors de question qu'il se remariât, une seule chose lui restait à faire : démissionner de son cher Institut où il s'était déjà taillé une réputation enviable.

Il prit un travail qu'il méprisait mais qui payait mieux : celui de médecin dans un service de santé, spécialisé en tout et en n'importe quoi, depuis la rougeole jusqu'à la petite chirurgie. Il s'agissait d'un petit hôpital qui disposait d'un personnel réduit, dans l'obscure cité de Framingham, à environ trois quarts d'heure de Boston. Son travail offrait cependant plusieurs avantages. Il lui permit de louer une petite maison aux abords de la ville et d'y installer Honey avec une brave femme qui lui servit à la fois de bonne d'enfants, de cuisinière et de gouvernante et qui s'appelait Hannah. De plus, il y avait, tout près de là, un bon établissement scolaire public, avec le primaire et le secondaire. Enfin, son nouvel emploi lui laissait assez de loisir pour continuer ses recherches dans un petit laboratoire qu'il avait aménagé au sous-sol de la maison. L'idée de renouer avec sa première discipline, la gynécologie, ne lui effleura même pas l'esprit : il savait qu'elle lui mangerait ses loisirs.

Honey fut un amour d'enfant. Beaucoup trop potelée, bien sûr, et beaucoup trop sauvage. Ce fut du moins le verdict des innombrables tantes qui venaient à Framingham d'un coup de voiture, accompagnées des diverses cousines de la petite fille jusqu'au quatrième degré. Elles venaient lui rendre visite ou bien la chercher pour l'emmener chez elles passer quelques jours. Trop ronde, donc, et trop farouche... Mais qui aurait le cœur de lui faire le moindre reproche à cette pauvre petite orpheline, dont le père – un homme tout à fait dévoué, pourtant, il fallait bien le reconnaître – passait le plus clair de son temps à l'hôpital ou à fabriquer Dieu sait quoi dans ce satané sous-sol. Honey, après tout, n'avait qu'Hannah pour l'élever. Hannah s'en tirait à merveille, bien sûr, mais il y avait, disons, des limites à son éducation. Aussi les tantes décidèrent-elles que l'année suivante, quand elle aurait trois ans, Honey allait devoir enfin s'y mettre sérieusement. Elle entrerait à l'école maternelle de Miss Martingale, à Back Bay. Avec Cousine Liza et puis Cousine Ames et puis Cousine Pierce. Elle y acquerrait toutes les bonnes bases qui lui permettraient plus tard d'apprécier la musique et les arts. Elle y ferait aussi la connaissance d'autres enfants qui deviendraient, tout naturellement, ses amies pour la vie entière.

– Hors de question.

Telle fut la réponse du père.

– Honey mène une vie très saine, ici, à la campagne. Il y a dans les environs des douzaines d'enfants tout à fait convenables avec qui elle peut jouer. Hannah est une bonne, brave et gentille femme. Vous n'arriverez jamais à me convaincre qu'une enfant de trois ans, qui vit toujours au grand air et jouit d'une intelligence normale, a besoin qu'on l' « introduise » à l'art de peindre avec ses doigts ou, Seigneur, à la pratique des jeux de cubes éducatifs. Eh bien, non et non, cela ne sera pas! Point final.

Aucune des tantes ne put le faire revenir sur sa décision. Il avait toujours été le membre le plus têtu d'une famille de têtus.

C'est ainsi qu'à trois ans, Honey fut peu à peu rejetée de la tribu. Les visites de ses tantes, même les mieux intentionnées, s'espacèrent à l'extrême : leurs enfants étaient pris tout au long de la semaine par leurs obligations à la maternelle et, le week-end, ils voulaient jouer avec de nouveaux amis. Sans parler des goûters d'anniversaire! Il était donc bien plus raisonnable d'attendre jusqu'aux vacances. Ce cher Josiah pourrait alors leur amener Honey pour la journée. Quel dommage qu'il ne pût rester couché! Mais il tenait absolument à retourner à ses travaux tous les soirs.

Honey ne sembla pas vraiment souffrir de ce relâchement progressif des liens avec sa horde de cousines encombrantes et de tantes impérieuses. Elle se satisfaisait très bien de jouer avec les enfants des modestes maisons de sa rue. Le moment venu, elle fréquenta un jardin d'enfants du voisinage. Elle ne se sentait pas davantage isolée dans la compagnie d'Hannah, qui lui faisait chaque jour toutes sortes de biscuits, de tartes et de gâteaux. Josiah dînait presque tous les soirs avec elle, avant de retourner à ses chers travaux, au sous-sol. Telle était la trame de ses journées. N'ayant rien à quoi la comparer, elle s'en accommodait.

Après deux années de maternelle, Honey fit son entrée à l'école Emerson de Framingham. Ce fut alors que tout commença. Dès les premiers jours du cours élémentaire, elle comprit qu'il y avait quelque part une différence entre elle et ses camarades. Ce sentiment ne cessa, tout doucement, de grandir : elles avaient toutes une mère et des frères et des sœurs. Au lieu d'avoir simplement une Hannah qui n'était même pas une de ses parentes, et un père qu'elle ne voyait qu'au dîner, un dîner vite expédié. Cette vie que les autres menaient tous les jours en famille la fascinait et l'intriguait : c'était une vie traversée de plaisanteries, de disputes, et tissée d'élans du cœur. D'un autre côté, leurs cousines à elles ne vivaient pas sur les immenses domaines de Wellesley ou de Chestnut Hill. Ou dans les magnifiques hôtels particuliers de Louisburg Square. Ou bien encore dans les manoirs de Mont Vernon Street. Leurs tantes n'appartenaient pas, comme les siennes, aux Cercles de Couture; elles n'assistaient pas aux soirées de valse de Mrs Welch. Que ces tantes ne vinssent plus que très rarement la voir ne changeait rien à l'affaire. Et puis, les oncles de ses camarades ne sortaient pas de Harvard, comme tous les siens; ils ne jouaient pas au squash, ils ne faisaient pas de la voile, sur de grands bateaux. Ce n'était pas des oncles qui appartenaient au Somerset Club ou à l'Union Club! Au Myopia Hunt! A l'Athénée! Enfin ses condisciples, il ne leur arrivait jamais d'aller avec une de leurs tantes écouter l'orchestre symphonique de Boston, aux matinées du vendredi.

Honey prit ainsi l'habitude de tirer vanité des gens de sa famille, de se glorifier de ses cousines et de leurs vastes demeures. Quelle importance alors de n'avoir ni mère, ni frère, ni sœur? De ne mener aucune vie de famille?

Peu à peu, ses camarades cessèrent de l'aimer. Cela pourtant ne calma pas ses vantardises car elle ne comprit jamais vraiment ce qui les froissait. Bientôt elles ne jouèrent plus avec elle après l'école, elles ne l'invitèrent plus à leurs réunions d'enfants. Honey les comparait à ses cousines du gratin et la comparaison se montrait de plus en plus défavorable à ses petites voisines.

Ses cousines pourtant, sans paraître la détester vraiment, ne l'aimaient pas non plus. Lentement, inexorablement, désespérément, elle devint, sans savoir pourquoi, une enfant très solitaire. Hannah avait beau pâtisser tant et plus, même la tarte aux pommes arrosée de glace à la vanille lui était d'un faible secours. Et personne à qui se confier. Honey n'aurait jamais songé s'en ouvrir à son père. Ils n'évoquaient point ensemble leurs états d'âme, ils ne l'avaient jamais fait et ne le feraient jamais. Elle sentait, sans trop en avoir conscience, qu'il aurait été mécontent de la savoir malheureuse. Une « gentille fille » — comme il l'appelait souvent — ne peut laisser entendre (n'ose pas laisser entendre) qu'on ne l'aime ou ne l'apprécie pas au-dehors. C'est tellement humiliant pour un enfant d'être impopulaire qu'il doit à tout prix le cacher à ceux qui continuent de l'aimer, de l'apprécier. Cet amour lui est trop précieux pour qu'il aille le compromettre en disant la vérité.

Puis vint le moment où ses tantes voulurent à tout prix qu'on inscrivît Honey à l'école de danse. Même un homme aussi obstiné que Josiah Winthrop ne put alors que s'incliner. Quel Bostonien de souche ne se serait plié sans murmures à ce rituel sacré : le cours de danse de Mr Lancing de Phister? Cela faisait tout naturellement partie, sans autre explication, de l'héritage de Honey. Comme le serait plus tard son entrée chez les Dames de la Colonie[1]. Josiah n'avait pas même à se poser la question : Matilda, si elle était encore de ce monde, serait sans aucun doute de cette petite troupe de mères bien astiquées qui, un samedi après-midi sur deux, d'octobre à fin mai, accompagnaient leurs filles jusqu'à la salle de danse du Vincent Club.

Il fallait avoir neuf ans, pas un jour de moins, pour débuter chez Mr de Phister. De neuf à onze ans, on était une « débutante » et, de douze à quatorze, une « moyenne ». Entre quinze et dix-sept ans, les élèves étant entrées en pension pour la plupart, les leçons se déroulaient le soir, pendant les vacances. C'était en fait des répétitions, avant le bal des débutantes.

1. Il s'agit de la Colonie de la Baie, fondée par les Pères pèlerins en 1620, d'où partit 153 ans plus tard le mouvement d'Indépendance.

Comme Honey devait s'en apercevoir bien plus tard, la plupart des femmes qui avaient fréquenté l'école de danse en avaient gardé le souvenir terrifié de gants égarés à la dernière minute, de jupons qui s'effondraient au beau milieu d'une valse et de garçons moites qui leur marchaient résolument sur les pieds. Mais si elles adoraient faire ainsi l'étalage nostalgique de ces petits traumatismes, n'était-ce pas afin d'affirmer une nouvelle fois leur bonne éducation? Honey en serait toujours convaincue sans le dire. Quant à elle, en revanche, elle ne parla jamais à quiconque du cours de Mr de Phister : les leçons qu'elle y avait prises n'avaient que peu de choses à voir avec la danse.

Elle avait eu la mauvaise fortune de naître en novembre. Si bien qu'au lieu des neuf ans qu'il convenait d'avoir à ses débuts, elle était tout près de fêter son dixième anniversaire : une petite fille de dix ans qui mesurait 1,67 mètre et pesait plus de 65 kilos. Une petite fille de dix ans dont la robe avait été achetée au rayon adolescents de la succursale de Filene's, à Wellesley, car rien ne lui allait plus au rayon enfants. C'était une robe atroce que Hannah l'avait aidée à choisir, une robe en taffetas bleu vif, franchement hideuse.

Lorsque, flanquée d'une Hannah toute gênée, elle fit son entrée dans le hall du Vincent Club, un certain nombre de tantes, après l'avoir embrassée, échangèrent des regards consternés. « Que le diable emporte ce cabochard de Joe », marmonna même l'une d'elles. Et, dans sa fureur, elle oublia complètement de dire au revoir de la main à sa propre fille, si mignonne, si élégante dans sa robe de velours vieux rose, avec un col en dentelle irlandaise. Ici et là, Honey reconnut des cousines. Elles lui envoyèrent de petits saluts tandis qu'elle se faufilait timidement dans la salle bondée.

L'apprentissage de la danse alternait avec six séances de mise en pratique, sous la conduite de Mr de Phister et de son épouse. Ces séances se déroulaient avant la pause. Celle-ci prenait place à la mi-temps d'une leçon qui durait deux heures et l'on y servait des rafraîchissements.

Par six fois, Honey fut la dernière qu'on invitât à danser. Quand il y eut enfin un répit dans ce cauchemar, elle se dirigea vers le buffet dressé sur l'un des côtés de la salle. Là, toute seule dans son coin, elle s'empiffra avec frénésie de biscuits et de petits gâteaux gorgés de crème, ainsi que d'un nombre considérable de coupes de punch aux fruits sucré. Quand Mrs de Phister annonça le début de la deuxième heure, Honey s'attarda au buffet, engouffrant les derniers biscuits et engloutissant une dixième coupe de punch au raisin. Mr de Phister ne tarda pas à la repérer : ce n'était pas la première fois que ces choses arrivaient.

— Honey Winthrop! cria-t-il d'une voix forte, auriez-vous, je vous prie, la bonté de vous joindre aux autres filles? Nous allons commencer.

Alors Honey vomit. Violemment. Ce fut un geyser atroce, violacé. Biscuits et punch giclèrent d'une façon répugnante sur la table des rafraîchissements, inondèrent la nappe blanche, éclaboussèrent même la parquet de danse bien ciré. Mrs de Phister l'emmena prestement dans les toilettes des dames. Elle s'occupa d'elle pendant quelques minutes avant de la laisser sur une chaise reprendre ses esprits. Plus tard, quand la leçon fut terminée, Honey entendit un petit groupe de filles qui s'approchait de son refuge. Elle courut se cacher dans un box.

— Qui diable est cette — beurk — cette *grosse* fille si moche dans cette robe bleue *impossible*? demanda une voix qu'elle ne connaissait pas. Imagine un peu : vomir de cette façon! Est-il possible que tu la connaisses? On m'a dit que c'était ta cousine. Alors Honey entendit sa cousine germaine Sarah qui répondait :

— Oh, ce n'est que Honey Winthrop. Rien d'autre qu'une... qu'une espèce de cousine éloignée. Vraiment très éloignée. Elle n'habite même pas à Boston. Jure-moi de ne pas le répéter mais c'est une *parente pauvre*.

— Eh quoi, Sarah May Alcott! Ma mère m'a expliqué qu'une dame ne doit jamais employer cette expression!

La voix de l'inconnue était réellement scandalisée.

— Je le sais bien, gloussa Sarah sans le moindre repentir, mais elle l'est *vraiment*. J'ai entendu notre *Fraülein* le dire à la *Mam'selle* de Diana pas plus tard que la semaine dernière, au parc. « Ce n'est rien d'autre qu'une parente pauvre », voilà exactement ce qu'elle a dit.

Le reste s'était perdu dans sa mémoire. On avait sans doute fini par la remettre à Hannah. Et puis, les tantes avaient dû tenir un conseil de famille. Après cela en effet, l'une ou l'autre d'entre elles l'emmena toujours acheter ses robes pour le cours de danse dans une discrète boutique de Newbury Street, spécialisée dans le vêtement pour la « jeune fille précoce ».

Honey allait parfois à Cambridge visiter sa grand-tante Wilhelmine. A tout autre membre de sa famille, elle préférait cette vieille et docte demoiselle. C'est que celle-ci ne lui posait jamais de questions sur l'école, le cours de danse ou ses petites amies. En revanche, elle lui parlait de la France, ou bien de littérature et lui servait à l'heure du thé, dans son petit appartement propret, un fabuleux assortiment de sandwiches et de gâteaux. Honey soupçonnait fort que tante Wilhelmine ne fût, elle aussi, une sorte de parente pauvre.

Entre 1952, l'année de ses dix ans, et 1954, Honey ne cessa de souffrir en silence. De grandir aussi et puis de grossir, inexorablement. Deux années de cours de danse, deux années d'école Emerson — où elle perdit ses dernières amies quand les autres filles commencèrent à donner des pyjamas-parties, à parler des garçons et à faire en cachette des essais de maquillage et de soutien-gorge. Deux ans de Thanksgiving Days et de Noëls et de petites vacances dans le Maine ou à Cape Code, avec toujours des tantes et encore des cousines et puis ces deux mots intolérables qui tintaient toujours dans ses oreilles : « parente pauvre »...

Jusqu'ici, elle avait été malheureuse mais gentille. Maintenant, à cause de ces deux petits mots, elle se renfrognait, devenait mal embouchée, désagréablement sournoise. Se serait-elle sentie à l'aise qu'elle aurait pu se lier d'amitié avec telle ou telle de ses cousines : celles-ci ne lui marquaient ni distance ni méchanceté. Après tout, n'était-elle pas une Winthrop? Mais le souvenir de cet après-midi au cours de danse la persuadait que tout visage souriant cachait du mépris, que, derrière toute attention qu'on lui marquait, il y avait une secrète condescendance : si seulement elles le pouvaient, ces filles la rejetteraient à coup sûr. De croire cela, elle se repliait davantage et les mieux disposées d'entre ses cousines finirent par se détourner d'elle. Ce qui l'ancra mieux encore dans cette idée.

Honey prit en horreur ces tantes autoritaires et ces cousines innombrables qui, toutes, se comportaient comme si l'argent n'existait point. Elle en savait plus long à ce sujet : l'argent, c'était en fait la seule chose qui comptât vraiment. Elle se mit à détester son père parce qu'il ne gagnait pas assez, qu'il faisait un métier assommant dans le seul but d'avoir de longues heures à consacrer à ses recherches. Des recherches qui devaient lui importer bien plus que sa fille... Hannah aussi, elle se mit à la détester car cette dernière qui l'aimait, bien sûr, ne pouvait l'aider. Bref, elle se prit à tout détester, sinon l'idée d'avoir de l'argent. Beaucoup d'argent. Et la nourriture.

Josiah Winthrop eut des entretiens sévères avec Honey au sujet de ses habitudes alimentaires. Il lui fit toute sorte d'exposés très austères et documentés sur le comportement de ses cellules adipeuses, la chimie de son corps et l'équilibre de la nutrition. Il lui expliquait qu'il suffirait d'un régime approprié, que personne dans sa famille n'était prédisposé à grossir. Il commandait à Hannah de ne plus faire de la pâtisserie. Après quoi, il retournait à son hôpital ou à son labo, et Hannah comme Honey n'en faisaient qu'à leur tête. Elle approchait de sa douzième année et pesait soixante-quinze kilos.

L'été qui précéda son douzième anniversaire, Tante Cornelie fit, un dimanche après-midi, le voyage de Framingham pour voir Josiah Winthrop. C'était, de toute la famille, la personne qu'il préférait.

– Joe, lui dit-elle, il faut absolument que tu fasses quelque chose pour Honey.

– Écoute, Cornie, je t'assure que je lui ai bien souvent parlé de son poids. A la maison, elle n'a jamais l'occasion de manger des choses qui font grossir. Ce sont ses amies qui doivent la tenter. De toute façon, mes parents étaient tous deux très charpentés, ils avaient de gros os. Tu t'en souviens sans doute. Sitôt la puberté, elle va se mettre à fondre. En deux ans, peut-être trois, elle sera revenue au bon poids sans problèmes. Il n'y a *jamais* eu un seul gros Winthrop! Bien sûr, elle a la structure des Winthrop mais il n'y a pas le moindre mal à ça.

– Joe! Pour un homme brillant, il t'arrive d'être incroyablement stupide. Je ne te parle pas de son poids – et pourtant Dieu sait qu'il faut faire quelque chose! Et j'ajouterai d'ailleurs qu'elle a de petits os, non des gros, comme tu l'aurais remarqué si tu l'avais seulement regardée autrement qu'à moitié! Non, je te parle de la manière dont elle évolue en grandissant. C'est bien simple, elle ne s'intègre nulle part. Tu es tellement absorbé par ton satané travail que tu ne réalises même pas à quel point cette enfant est malheureuse. Elle n'a pas une seule amie pour lui donner des choses qui font grossir, ne le vois-tu donc pas? Elle ne connaît même pas les gens qu'elle devrait tout naturellement connaître — elle fait à peine partie de la famille. Dieu sait quel drame ç'a été chez Mr de Phister! Tu sais très bien de quoi je parle, Joe, alors inutile de prendre cet air idiot, ça ne marche pas avec moi. A moins peut-être que tu ne l'ignores? Alors, ce serait d'autant plus honteux de ta part. Et puisque tu me forces à te parler crûment, les gens de son propre milieu — bref, les gens de notre *espèce* — vont rejeter Honey si tu ne fais pas quelque chose.

— Est-ce que par hasard tu ne serais pas un peu snob, Cornie? Honey est une Winthrop, même s'il se trouve que nous ne vivons pas là où il faudrait vivre.

Il se tenait sur ses gardes, cet homme entêté, arrogant. Cet égoïste qui détestait qu'on lui demandât des comptes et se trouvait toujours des bonnes excuses, des excuses qu'il pouvait débiter sans relâche.

— Appelle ça comme tu voudras, Joe, je m'en moque éperdument. Tout ce que je sais, c'est que Honey est en train de grandir à l'écart d'une communauté où l'on a bien peu de temps à consacrer aux gens qui vivent à l'écart. Pour rien au monde je ne voudrais vivre ailleurs qu'à Boston mais je connais nos défauts. Tant que vous « êtes » du clan, ces défauts n'ont aucune importance. Mais Honey commence à ne plus « en être », Joe, et c'est quelque chose d'à la fois cruel et stupide.

Josiah Winthrop changea de visage. Lui, il « en » avait toujours « été ». D'une manière évidente et totale. Quoi qu'il fût, où qu'il fût, si peu qu'il possédât, il savait qu'il « en était », avec ce genre de conviction qui n'a jamais besoin d'être rassurée. Qu'il devînt lépreux, qu'il commît un crime, qu'il fût pris même de folie furieuse, il serait toujours un Winthrop de Boston. Et qu'une enfant de sa propre chair pût ne pas « en être », voilà qui était tout bonnement impensable. Cet égocentrique fieffé, les mots soigneusement pesés de Cornelie avaient su percer sa carapace.

— Que me conseilles-tu de faire, Cornelie? demanda-t-il avec vivacité, en espérant que ce ne serait pas une de ces choses qui vous prennent beaucoup de temps : Il progressait à pas de géant, là en bas, dans son petit labo, mais il avait besoin de tout son temps. De chaque minute de son temps.

— Tout simplement que tu me passes la main dans certains domaines, Joe. J'ai déjà essayé de te le demander, comme tu peux t'en souvenir, mais tu m'as toujours envoyée promener. Aujourd'hui, c'est presque trop tard. George et moi serions trop heureux si tu nous permettais d'inscrire Honey à la Pension Emery. Notre Liza y entre cette année. J'ai toujours pensé que des filles de douze ans – ces créatures impossibles – sont bien mieux en pension que chez elles. Et puis il y aura là-bas plein de filles de Boston, des filles très convenables. N'était-ce pas l'école de ta mère après tout? Et celle de ta grand-mère? Au pensionnat, on se fait des amies pour la vie entière, je ne t'apprends rien, n'est-ce pas? Si Honey rentre dans le secondaire ici, à Framingham, elle ne liera jamais de telles amitiés. C'est vraiment sa dernière chance, Joe.

C'était de la charité, comment appeler ça autrement? se dit Josiah Winthrop. Il n'avait certainement pas les moyens d'assumer les frais d'internat dans une pension comme Emery. D'autre part, il s'était toujours piqué de ce qu'on n'eût jamais osé lui faire la charité : ayant choisi de ne pas ouvrir de cabinet, il était prêt à en payer le prix. Mais Cornelie l'avait terriblement effrayé...

– Eh bien... merci, Cornelie, j'accepte avec reconnaissance. J'ai longtemps hésité... Enfin, ce n'est pas ce que je veux dire... Bref, je suis sûr que nous savons tous les deux ce que j'essaye d'exprimer.

Cet automne-là, exactement équipée de la même façon que sa cousine Liza, Honey partit pour Emery. Elle devait y passer six ans. Six années de solitude. D'une affreuse, d'une abominable solitude, où elle se sentit plus exclue que jamais.

Le snobisme de l'enfance est d'une cruauté totale, qui n'a pas d'égal dans le monde des adultes : tous ceux qui en sont les victimes voient leur jeunesse devenir un véritable enfer. Ce snobisme revêt bien des formes. L'une des plus rigoureuses, c'est peut-être la hiérarchie qui règne dans un pensionnat de jeunes filles vraiment select.

Chacune des classes est gouvernée par un clan dominant. Puis on trouve, un cran au-dessous, une autre caste. Puis une troisième et une quatrième. Et même une cinquième. Ensuite viennent les parias. Honey, il va de soi qu'elle fut une paria dès son arrivée. En fait, aucune loi ne précise que les membres d'une caste ne doivent être gros ni pauvres : il est d'ailleurs bien rare de rencontrer des pauvres dans ce genre d'établissement. En revanche, il est bien stipulé que toute classe doit avoir ses parias, qu'une paria se repère du premier jour et qu'elle le restera jusqu'au diplôme.

Il y avait bien certaines compensations : comme on ne lui proposait jamais de perdre son temps à papoter ni bridger, Honey fut une bûcheuse. Il se trouva plus d'un professeur pour apprécier ses bonnes dispositions. Elle obtint d'excellentes notes en français, qu'on n'apprenait d'ailleurs absolument pas à parler. Seulement à lire et écrire : même à la Pension Emery, les professeurs avaient tôt fait de renoncer à toute tentative de conversation française...

Honey essaya de se lier d'amitié avec d'autres parias. Mais une ombre pesait toujours sur ce genre de relations : les parias savaient fort bien que c'était leur condition qui les rapprochait. Si elles n'avaient été des parias, on ne les aurait pour rien au monde surprises à parler ensemble.

A sa dernière année d'internat, Honey avait achevé sa croissance. Elle mesurait 1,78 mètre et pesait 99 kilos. Elle aurait même pesé plus encore si Emery ne s'était fait un point d'honneur de servir une alimentation très saine, riche en protéines et pauvre en féculents.

Elle était admise dans deux universités : Wellesley et Smith. Et pour Tante Cornelie, il allait de soi qu'elle devait aller à l'université comme elle fut en pension : en cabine de première classe. Mais Honey ruminait d'autres projets, qu'elle avait mûris dans le chagrin et la colère. Lors de sa dernière visite à la grand-tante Wilhelmine, que la famille avait placée en maison de repos, cette vieille demoiselle d'un autre âge lui avait donné un chèque certifié de dix mille dollars.

— Ce sont toutes mes économies... Ne leur dis surtout pas que je te les ai données. George te les prendrait pour les gérer à ta place et tu ne verrais pas même les intérêts passer. Utilise-les tant que tu es jeune. Fais des folies. Je n'ai jamais fait la moindre folie dans toute mon existence et comme je le regrette aujourd'hui, Honey ! N'attends pas qu'il soit trop tard. Promets-moi que tu vas dépenser tout cet argent pour toi.

Une semaine plus tard, Honey affrontait Tante Cornelie :

— Je ne veux pas aller à l'université, annonça-t-elle d'une voix qui tremblait. Je ne supporte pas l'idée de passer quatre années de plus dans un collège de filles. J'ai dix mille dollars à moi et j'ai l'intention de... J'ai l'intention d'aller à Paris et d'y vivre le temps que je pourrai.

— Quoi ? D'où diable sors-tu ces dix mille dollars ?

— Grand-Tante Wilhelmine me les a donnés. Vous ne saurez même pas où je les ai déposés. Je ne laisserai personne les investir à ma place. Pas même Oncle George !

Maintenant qu'elle s'était lancée, la grosse fille vibrait de défi, comme jamais elle ne s'en serait crue capable.

— Si je le voulais, je pourrais me sauver et me retrouver à Paris avant même que vous appreniez mon départ. Et vous n'arriverez jamais à me retrouver !

— C'est tout à fait impossible. C'est hors de question, ma chère enfant. Tu adoreras Wellesley. J'y ai passé quatre ans et j'en garde un souvenir merveilleux.

Pour la première fois depuis le début de cet incroyable entretien, Cornelie la regarda avec attention. Ce qu'elle vit n'avait rien de rassurant. A l'évidence, la jeune fille croyait à tout ce qu'elle disait. En se laissant un peu aller, en fait, on aurait presque pu penser que c'était pour elle une question de vie ou de mort. Et cette vieille Wilhelmine... On devait bien reconnaître qu'elle s'était conduite avec beaucoup de légèreté. Donner une telle somme à une enfant ! Inouï ! Elle devait être gâteuse... Tout cela était fâcheux mais on pouvait peut-être sauver les meubles. Après tout, il semblait délicat de *forcer* Honey à fréquenter l'université. Cela faisait d'ailleurs bien longtemps qu'elle se demandait, Cornelie, ce que cette fille allait bien pouvoir faire d'elle-même après ses études. Elle passerait un doctorat, très certainement. Et puis elle ferait peut-être une carrière d'enseignante. Après tout, n'était-elle pas la première de sa classe en français? Mais vraiment, comme ça paraissait dommage... L'enfant de Mathilda devenant à son tour l'un de ces professeurs, l'une de ces vieilles filles...

— Viens donc ici, Honey, et assieds-toi. Allons, c'est promis, je vais prendre tes projets en considération. Mais ceci à deux conditions. D'abord, il nous faut trouver une bonne famille pour t'accueillir, un endroit où l'on veillera sur toi convenablement. Je ne souffrirai pas que tu t'en ailles vivre à l'hôtel ou dans l'un de ces horribles foyers d'étudiants. Ensuite, tu n'y resteras qu'un an — à Paris, un an, c'est tout à fait suffisant. A ton retour, tu dois me promettre d'aller chez Katie Gibbs et de t'inscrire à leur cours d'un an. Ainsi tu serais sûre de trouver un excellent poste de secrétaire de direction. C'est qu'il te faudra sans doute songer à gagner ta vie...

Honey garda le silence durant quelques minutes. Elle réfléchissait. Une fois qu'elle serait à Paris pour de bon, il ne serait pas commode de la forcer à rentrer. Et son argent durerait plus longtemps si elle prenait pension dans une famille quelconque. A Emery, elle avait entendu dire que les familles françaises se moquaient totalement de ce que pouvaient bien faire leurs pensionnaires. Du moment qu'ils payaient leur écot... Puis elle s'arrangerait pour couper à Katie Gibbs. Vraiment, qui pouvait envisager sérieusement de passer sa vie comme secrétaire? Ou de fréquenter cette école sévère et guindée?

— C'est un marché!

Elle sourit enfin à sa tante. Même avec ses grosses joues et son triple menton, cette enfant avait réellement un sourire merveilleux, songea vaguement Cornelie. Mais on la voyait si rarement sourire.

Ce soir-là, Cornelie écrivit à lady Molly Berkeley. C'était une Lowell par sa naissance et aussi l'une des meilleures introductions qui fussent auprès des « gens à connaître » en Europe. Celle-ci lui répondit trois semaines plus tard :

Nelie très chère,

J'ai été ravie de votre lettre et j'ai vraiment d'excellentes nouvelles pour vous. J'ai fait ma petite enquête et découvert que Lilianne de Verlac avait une place pour Honey. Vous devez vous souvenir de son mari, le comte Henri — un homme tellement délicieux. Il a été tué à la guerre, hélas, et les affaires de la famille ont périclité. Lilianne ne prend qu'une jeune fille par an et nous avons énormément de chance car elle est vraiment très bien à tous égards. C'est une femme assez remarquable et tout à fait charmante. Elle a deux filles, moins âgées que Honey, mais cela lui fera certainement toute la jeune compagnie nécessaire.

La pension, tous repas compris bien sûr, serait de soixante-quinze dollars par semaine, ce que je trouve bigrement raisonnable, quand on connaît les prix de la nourriture ces jours-ci sur le continent. Je confirmerai les conditions dès que j'aurai de vos nouvelles. Toutes mes amitiés à George.

Affectueusement,

Molly

La véritable aristocratie française – pas celle qui reçut ses titres de Napoléon, non, la vieille noblesse de l'Ancien Régime, dont les origines remontent aux croisades et plus loin encore – cette aristocratie donc est deux fois plus intéressée par l'argent que la moyenne des Français. Ce qui revient à dire que la vieille aristocratie française est peut-être quatre fois plus intéressée par l'argent que la moyenne de l'humanité. Mais il y a, pour ces gens, d'un côté les fortunes récentes, celles des autres, et puis les vieilles fortunes – celles dont ils héritent ou qu'ils annexent. Que l'un de leurs fils épouse la fille d'un négociant en vins prospère dont les arrière-grands-parents étaient de simples paysans, une véritable métamorphose s'opère aussitôt : la dot se pare de toutes les grâces d'un héritage qui lui serait venu de Mme de Sévigné en personne.

Il est entendu une fois pour toutes que, privé d'espérances familiales, un jeune aristocrate français a le devoir de faire un mariage d'argent. C'est une obligation sacrée. Pour ses parents, pour lui-même, pour l'avenir de sa famille. En outre, c'est le seul moyen de conserver les terres. Une femme de l'aristocratie française, qui serait sans fortune et ne pourrait l'acquérir par mariage, a, de la même façon, le devoir de maintenir certaines apparences, de conserver un certain type de relations avec le monde extérieur. Et ceci jusqu'au moment où elle va – littéralement – mourir de faim. On espère bien sûr que les choses n'en arriveront pas là.

La comtesse Lilianne de Verlac avait tout perdu lors de la Deuxième Guerre mondiale sauf son sens de l'étiquette et son courage, sa bonté et sa distinction. Cette distinction tenait à la fois à son goût inné – un goût dépouillé, subtil, ramené à sa quintessence – et à sa nature réservée : ce talent qu'elle avait de se tenir en retrait, de fuir les épanchements, la rendait fascinante, comme ne le sont jamais les extravertis.

Sa gentillesse naturelle avait à peine survécu au défilé annuel des pensionnaires, toutes jeunes et généralement américaines, qui lui assuraient l'essentiel de ses moyens d'existence. Elle était absolument ravie d'accueillir pour cette fois Miss Honey Winthrop, dont lady Molly lui parlait dans ses lettres en termes si chaleureux. Selon toute apparence, la jeune fille sortait du meilleur monde. Elle était très certainement liée à presque toutes les vieilles familles de Boston, comme Lilianne l'était avec le plus gros du faubourg Saint-Germain.

Cette toute petite Française blonde de quarante-quatre ans habitait juste en face du bois de Boulogne, dans un appartement du boulevard Lannes. Les méandres du blocage des loyers causé par la guerre, dont on n'avait pas encore débrouillé l'écheveau, lui permettaient de continuer à vivre avec ses deux filles dans ce quartier extrêmement huppé. Et ceci bien qu'elle n'eût pas mis un sou dans son appartement depuis 1939. Celui-ci en imposait plutôt, malgré son délabrement, avec ses hauts plafonds inondés de soleil. Il était imprégné de cette chaleur excessivement féminine qu'on ne trouve que dans les demeures où ne vit aucun homme. La comtesse elle-même vint répondre au coup de sonnette de Honey. A l'habitude, Louise – sa cuisinière qui vivait dans une chambre sous les toits de l'immeuble – avait la charge d'ouvrir aux invités. Mais, ce jour-là, elle entendait marquer une hospitalité particulière.

En serrant la main de Honey, elle parvint à garder son sourire de bienvenue. Ses yeux en revanche s'agrandirent de surprise, et puis, l'effarement le céda bientôt à l'aversion. Jamais, au grand jamais, elle n'avait vu de fille si énorme. C'était un véritable bébé hippopotame. Une chose incroyable, une infamie. Comment était-ce possible? Et qu'allait-elle en faire? Où la cacher? Tout en conduisant Honey au salon, où le thé les attendait, elle s'efforçait de donner un sens à cette chose affreuse, imprévue. Bien sûr, Lilianne n'aurait jamais imaginé qu'elle consacrerait un jour sa vie à prendre des pensionnaires. Elle se flattait pourtant de ce que toutes les jeunes filles qui passaient une année sous son toit y trouvaient leur bien de deux façons. D'abord elles apprenaient à maîtriser le français, dans la mesure de leurs dons et de leur application. Ensuite, plus important encore, elles s'en retournaient avec un sens du vrai chic – puisé dans l'air même de Paris – qu'elles n'auraient trouvé ailleurs. *Mais avec cette fille-là?*

En s'asseyant devant le plateau à thé, elle lui parla d'une voix parfaitement calme malgré son désarroi.

– Bienvenue chez moi, Honey. Je peux vous appeler Honey, n'est-ce pas? Et vous, vous pouvez simplement m'appeler Madame.

– Madame, je vous en prie, pourriez-vous m'appeler par mon vrai nom? (Honey s'était répété cent fois cette harangue dans l'avion, entre New York et Paris.) Honey n'est qu'un vieux surnom de mon enfance et il n'est plus de mon âge. Mon vrai prénom, c'est Wilhelmine mais j'aimerais qu'on m'appelât Billy.

– Pourquoi pas?

C'était un nom certainement mieux approprié, songea-t-elle. Avec toute cette graisse, la jeune fille avait l'air pratiquement asexuée.

– Eh bien, Billy, c'est ici la dernière fois que nous nous parlons en anglais. Quand je vous aurai montré votre chambre et que vous aurez rangé vos affaires, il sera bientôt l'heure de dîner. Nous dînons tôt dans cette maison – à 7 h 30 – car mes filles ont beaucoup de travail à faire chez elles tous les soirs. Donc, à partir de ce dîner, nous ne vous parlerons plus qu'en français. D'ailleurs Louise, la cuisinière, ne sait pas un mot d'anglais. Ce sera dur, je sais bien, mais c'est la seule façon pour vous d'apprendre.

A chacune des nouvelles arrivées, Lilianne posait toujours très clairement cette condition.

– Peut-être vous sentirez-vous très désemparée, très gênée au début. Mais si nous ne faisions pas cela, vous n'apprendriez jamais à parler le français comme il doit l'être. Nous ne nous moquerons jamais de vous mais nous ne cesserons de vous corriger. Aussi, chaque fois que cela se produira, ne le prenez surtout pas en mauvaise part. Si nous vous laissions persister dans une erreur, nous ne ferions pas notre devoir.

Ces observations, Lilianne le savait bien, n'avaient pour ainsi dire aucune chance de pénétrer dans l'esprit de Billy : en dépit de tous ses efforts, ses pensionnaires passaient leurs journées et, bien souvent, leurs nuits en compagnie des étudiants américains qui pullulaient dans la capitale. Elles ne se donnaient jamais vraiment l'occasion de prendre un bain de langage. A les entendre, elles avaient toutes « étudié le français » à l'école. A son avis, on le leur avait toujours enseigné d'une façon abominable. Mais la plupart du temps, elles se satisfaisaient très bien de patauger dans leur ignorance.

Les yeux de Billy brillaient. Alors que ses autres pensionnaires avaient l'air aux abois quand elle leur faisait cette annonce, ce désastre de fille paraissait impatiente. Eh bien – Lilianne retint un haussement d'épaules – celle-ci, sait-on jamais, se montrerait un peu sérieuse. D'ailleurs, qu'espérer de plus, vu les circonstances? En tout état de cause, elle ne serait pas comme cette fille du Texas qui prenait l'appartement pour un hôtel et réclamait des draps propres trois fois par semaine. Ou cette New-Yorkaise qui se plaignait de l'absence de douche car elle voulait se laver les cheveux tous les jours. Ou cette autre de La Nouvelle-Orléans qui se trouva enceinte et qu'il fallut renvoyer chez elle. Ou encore cette Londonienne qui avait débarqué avec quatre malles, réclamé des douzaines de cintres supplémentaires et même suggéré – parfaitement – qu'elle pourrait partager le placard de la maîtresse de maison.

Chez la comtesse de Verlac, les problèmes domestiques étaient résolus d'une façon très simple : Louise faisait tout le ménage, toute la cuisine, tout le blanchissage et toutes les courses. Elle accomplissait des journées de dix-huit heures et ne se plaignait jamais. De toute sa vie de labeur, elle n'avait jamais quitté « sa » comtesse. Pas plus elle que

Lilianne ne pensaient une seconde qu'il pouvait y avoir quelque chose d'anormal dans un arrangement qui leur convenaient si bien à toutes les deux.

Chaque matin, bien avant l'heure du petit déjeuner, Louise allait faire les achats de la journée dans les boutiques de la rue de la Pompe. Elle achetait le nécessaire et rien de plus. Il n'y avait d'ailleurs pas de réfrigérateur à la cuisine : tout ce qu'il fallait conserver au frais – lait ou fromage, par exemple – était placé dans le garde-manger que l'on fermait ensuite à clé.

Louise était une excellente ménagère, particulièrement versée dans l'art de dénicher de bonnes affaires sur le marché. C'était une figure bien connue des commerçants qui, depuis belle lurette, n'essayaient plus de lui vendre autre chose que le meilleur choix au meilleur prix. Pourtant, même dans ces conditions, la nourriture absorbait 35 pour cent au moins du budget familial. Lilianne de Verlac savait toujours exactement ce que Louise avait dépensé : chaque soir, elle lui allouait en effet l'argent des commissions sur sa propre bourse et lui reprenait la monnaie au retour. Ce n'était point qu'elle manquât de confiance dans sa servante. C'était, simplement, que toute la maisonnée vivait de la pension versée par ses hôtes. Le loyer qu'elle recevait de sa petite villa de Deauville ne payait que les vêtements et l'école de ses filles. Tout le reste, la nourriture, le loyer et les autres besoins, était assuré par la pensionnaire qu'elle hébergeait.

Billy rangea sa modeste garde-robe – surtout des jupes et des chemisiers de couleurs sombres – puis elle se mit au balcon de sa chambre, respirant avec délices cette senteur de Paris dont elle avait lu tant de descriptions absurdes. Elle comprenait maintenant pourquoi des écrivains, qui n'auraient jamais dû s'y risquer, s'étaient pris du désir de tenter l'impossible : rendre une odeur avec des mots. De son balcon étroit, elle pouvait voir de ses yeux les marronniers et les pelouses du Bois.

La chambre en elle-même était très simple : un lit haut, bosselé, tendu d'un damas fatigué, au jaune défraîchi, avec un gros traversin recouvert du même tissu. A l'autre bout du vestibule, une toute petite pièce carrelée était réservée aux toilettes : il y avait une chasse d'eau et du papier hygiénique mince et lisse, de couleur brune. Dans sa chambre, elle disposait d'un évier surmonté d'une petite glace. Pour prendre un bain, lui avait-on expliqué, il lui faudrait en informer la comtesse, qui lui prêterait alors sa salle de bains.

Dans son excitation elle avait presque oublié la nourriture. Mais, quand un petit coup sec à sa porte lui annonça l'heure du dîner, elle s'aperçut qu'elle était affamée comme elle l'avait toujours été dans son existence. Elle entra au salon, dont une petite table à manger ovale occupait l'un des bouts. Elle renifla, impatiente, mais, au contraire des salles à manger de Boston ou des réfectoires de la pension, il ne régnait pas ici la moindre odeur de cuisine.

Les deux filles de la comtesse attendaient d'être présentées. L'une après l'autre, elles serrèrent la main de Billy, lui disant quelques mots en français, avec une courtoisie guindée. Billy n'avait certainement jamais vu pareilles filles. Danielle avait seize ans et Solange dix-sept mais, en Amérique, on leur en aurait donné quatorze ans. Elles avaient de petites figures presque semblables, aiguës et pâles, austères, d'une perfection sévère, et de longs cheveux blonds et plats qu'elles partageaient par le milieu. Leurs yeux étaient gris pâle. Elles portaient les mêmes costumes, leur uniforme de couvent : jupe plissée bleu marine et chemisier bleu pâle. Elles n'avaient aucun maquillage et dégageaient une aura d'impassible dignité, comme on en voit aux écolières anglaises trop couvées. Il semblait n'y avoir en elles rien de français.

Un grincement de roulettes se rapprochait. C'était Louise. Elle venait de la cuisine, à l'autre bout de cet appartement en forme de L, en poussant devant elle une antique table roulante en bois à deux plateaux. Billy était assise à côté de la comtesse qui, délicatement, se servit d'un potage aux légumes avant d'en donner à Billy puis à chacune de ses filles. La soupe était claire mais exquise. Ensuite il y eut des œufs à la coque, un pour chacune, suivis d'une grande salade verte avec une mince tranche de jambon froid par personne. Après chaque service, Solange ou Danielle débarrassait les assiettes et les empilait soigneusement sur le chariot. Il y avait une corbeille de pain sur la table mais Billy s'aperçut que personne n'en avait encore pris. Bien sûr, elle ne voulait pas être la première. De plus, elle s'aperçut avec terreur et stupéfaction qu'elle ne savait pas très bien la façon dont on demandait du pain en français. Était-ce : *« Voulez-vous me passer le pain ?»*, ou bien : *« Passez le pain, s'il vous plaît ? »*... Il lui parut extrêmement important de ne rien dire à moins d'être sûre de la formule correcte. Le français que Billy avait, en toute confiance, appris à lire et écrire à la pension Emery, semblait n'avoir aucun rapport avec tous ces sons qu'elle entendait tourbillonner autour de la table, clapoter, pétiller ou chuinter chaque fois que les filles s'adressaient à leur mère. Un mot sur cent lui parut vaguement familier. Mais, très vite, le peu qu'elle parvenait à saisir s'effilochait. C'est que la panique s'emparait d'elle. Elle sentait qu'elle avait commis, sans trop savoir où ni comment, une incroyable erreur : si c'était ça le français, elle ne le parlait pas ! Mais alors pas du tout !

On débarrassa les assiettes à salade pour les remplacer par des propres. Puis Madame disposa devant elle un plateau de bois. Il y avait dessus un petit fromage posé sur un paillon. Des feuilles fraîches étaient disposées tout autour, d'une façon ravissante. Avec componction, la comtesse s'en coupa un morceau avant de passer le plateau à Billy. Billy se tailla un morceau exactement identique à celui de son hôtesse, trop intimidée qu'elle était pour en prendre davantage. Puis on passa le pain, ainsi qu'un pot de beurre rond. Avec un joli motif imprimé sur le beurre mais un tout petit pot quand même. On ne repassa pas le fromage.

Le dessert consistait en quatre oranges disposées dans une coupe. S'aidant d'un couteau, les deux filles et Mme de Verlac pelèrent leur fruit avec adresse ; elles s'y prirent d'une façon tout à fait inédite pour Billy qui s'efforça pourtant de les imiter du mieux qu'elle put.

Une carafe de vin se trouvait près du milieu de la table mais seule la comtesse s'en servit un verre. Ses filles burent de l'eau et Billy, à qui l'on n'avait jamais donné de vin au repas, les imita.

Le repas terminé, Danielle et Solange firent prestement disparaître la table roulante. Louise apporta un plateau avec deux tasses à moka et une cafetière de café fort. Elle déposa le tout sur une petite table devant le canapé du salon. D'un signe de la main, la comtesse invita Billy à la rejoindre sur le canapé, tandis que ses filles se retiraient pour faire encore d'autres devoirs, apprendre d'autres leçons. Il n'était pas jusque-là sorti plus de quatre mots de la bouche de Billy. Quand une des filles l'avait questionnée, elle s'était contentée de sourire de toutes ses dents — d'une façon qu'elle sentait parfaitement stupide — de secouer la tête et de dire, avec une mimique confuse et désolée : *« Je ne comprends pas »*. Ni l'une ni l'autre n'avaient marqué la moindre surprise. Leur existence s'était toujours déroulée dans la compagnie d'étrangères qui avaient perdu leur langue. Si elles s'obstinaient à vouloir converser avec elles, ce n'était que par politesse, pour leur montrer de l'intérêt. D'ailleurs, si jamais Billy avait tenté de leur répondre, elles en seraient restées confondues.

Après cinq minutes d'un silence paralysant, qu'elle consacra à boire un café noir et fort, adouci d'un gros morceau de sucre brun — béni soit-il — Billy risqua un timide *« Bonsoir »* et se retira dans sa chambre. Elle se sentait une faim féroce. Cet unique morceau de sucre avait réveillé en elle un désir obsédant de friandises que les deux dernières barres de chocolat qu'elle retrouva dans son sac à main ne purent vraiment apaiser. Avant de sombrer dans le désespoir le plus total, elle se souvint pourtant que les Français faisaient leur principal repas à midi, non le soir : ce dîner n'était donc que l'équivalent de ses déjeuners américains. Mais pourquoi donc ne repassait-on pas les plats ? Pour l'amour de Dieu, pourquoi ces portions incroyablement minuscules — *un* œuf à la coque, *une* tranche de jambon ? Et pourquoi tout le monde n'avait-il pris qu'un si petit bout de fromage ? C'est sur ces pensées, en rêvant à des jattes et des jattes entières de semoule, avec du beurre, du sucre et plein de raisins dedans, qu'elle finit par s'endormir.

Elle ne savait pas encore que ce dîner resterait dans sa mémoire comme l'un des plus copieux repas qu'elle ferait jamais sous le toit de Lilianne de Verlac : le potage aux légumes et la tranche de jambon étaient là pour lui donner un petit côté festin, en l'honneur d'une nouvelle pensionnaire.

Billy découvrit bientôt la façon dont elle-même, la comtesse et ses deux filles allaient se nourrir d'habitude. Le petit déjeuner consistait en deux tranches de pain coupées en biais, grillées et frottées d'un minuscule copeau de beurre, avec de la confiture, le tout accompagné d'un grand bol — une vraie soupière sans poignées — rempli moitié de café, moitié de lait chauds.

Au déjeuner, il y avait toujours une assiettée de soupe, à base de légumes restant de la veille et mis en purée, avec quelques cuillerées de lait ajoutées au moment du service. Suivait une tranche assez épaisse — parfois deux — de veau, de bœuf ou d'agneau rôti, tous morceaux maigres, économiques et savoureux comme Billy n'en avait jamais goûtés. La viande était accompagnée d'une petite poignée de pommes paille, cuites à la perfection, et d'un soupçon de persil. Puis venait à part une généreuse assiettée de légumes chauds, cuits à la vapeur, merveilleusement frais, où surnageait parfois un petit éclat de beurre. Ensuite, le petit fromage, qui devait durer deux jours, une grande salade de laitue et une coupelle de fruits. Le dîner se composait habituellement d'un œuf, cuit d'une façon ou de l'autre, suivi de fromage, de salade et de fruits. Billy absorbait environ mille cent calories par jour, venant pour l'essentiel de protéines maigres, de fruits et de légumes verts.

Après deux jours de ces repas admirablement cuisinés, élégamment présentés et désespérément insuffisants, Billy se mit sérieusement à se demander comment elle pourrait survivre. Elle fit une incursion affreusement cauchemardesque dans la cuisine, en marchant sur la pointe des pieds, telle une voleuse, pour passer devant les chambres. Tout cela pour découvrir le garde-manger ouvert mais pour la simple raison qu'il était vide. Jusqu'aux courses du lendemain, il n'y avait pas même une croûte de pain dans la maison. Elle envisagea de s'aboucher avec Louise mais, comme elle ignorait le français, c'était parfaitement impossible. Elle songea aussi qu'elle pourrait entrer dans un bistrot ou un restaurant et s'y offrir un repas décent. Mais elle vivait dans un quartier purement résidentiel. D'ailleurs, Billy le savait fort bien, elle n'aurait jamais le toupet de s'attabler seule dans un restaurant et de passer une commande en français.

Et comment l'aurait-elle pu? Elle pensa enfin descendre rue de la Pompe pour s'acheter des provisions qu'elle mangerait dans sa chambre : il lui suffirait de désigner ce qu'elle voulait acheter et de payer le prix marqué sur l'étiquette. Mais elle redoutait que quelqu'un ne la surprît, ne lui fît des questions. Ç'aurait été terriblement embarrassant.

Les plans qu'elle tirait pour satisfaire ses besoins aliementaires étaient encore compliqués par toutes ces choses qui lui étaient venues à l'esprit en dix-huit ans d'existence : au sujet de la richesse et de la pauvreté, sur le fait d'« en avoir ou pas ». Depuis bien longtemps, Billy se demandait pourquoi certains « en avaient » et d'autres pas. Elle n'avait jamais trouvé de réponse satisfaisante. C'était révoltant d'injustice. Mais c'était ainsi.

Aussi comprenait-elle pleinement, d'instinct, les raisons du tabou qui, chez Lilianne de Verlac, pesait sur la nourriture. Elle en reçut le message sans surprise, d'une région de son être qu'elle connaissait bien : la quantité d'aliments disponibles dans cette maison était très exactement celle que Madame pouvait *se permettre* d'offrir. Tant d'argent – ou tant d'argent prévu, tant de nourriture. Sans qu'un mot à ce sujet fût jamais prononcé, il était clairement entendu que Billy se serait montrée terriblement, stupidement indélicate en laissant deviner que cette ration ne lui remplissait nullement l'estomac, qu'elle souffrait des tortures de la faim. Elle ne se sentait la force de reprendre un peu de viande que dans un cas seulement : lorsque la portion méticuleusement découpée par la comtesse – à quoi se mesurait l'épaisseur de la tranche que les autres pouvaient prendre – représentait moins du quart du morceau : dans ces occasions-là, il était possible de partager équitablement les restes entre les trois jeunes filles.

Billy s'endormait en pleurant tous les soirs. Elle passait des journées atroces... et perdait près d'une livre par jour. Il lui manquait trois mille calories sur ses rations de toujours. Dans son Massachusetts natal, on n'aurait jamais pu la tenir en respect de la sorte : ce qui la gardait en esclavage, c'était son attirance grandissante pour la langue française et cette comtesse au charme mystérieux. D'ailleurs, où diable aurait-elle pu aller ?

Au bout d'un mois, Billy se mit à rêver en français. Dans les conversations, elle commençait à saisir, ici ou là, le sens d'une phrase. Elle s'aventura timidement à désigner des objets et à demander comment ils s'appelaient en français. A table, elle s'efforçait de répondre aux questions et confiait à sa mémoire – excellente – le soin de corriger ses fautes. N'ayant aucune pratique de la conversation française, elle ignorait au moins ce problème : se débarrasser d'une mauvaise prononciation. Son français parlé était exécrable, à peine audible, mais son accent, ses intonations étaient ceux de Lilianne de Verlac.

Pendant l'Occupation et les dures années de l'après-guerre, Lilianne avait contracté l'habitude de repérer de très loin tout ce qui pouvait l'affliger : ainsi barrait-elle l'accès de sa conscience à toutes ces sources d'angoisse. Si bien qu'elle n'avait jamais ouvertement dévisagé sa nouvelle pensionnaire depuis leur première rencontre. Une rencontre dont ne lui restait que le souvenir d'une créature infiniment grotesque, d'un grotesque qui dépassait vraiment les bornes : des flots de cheveux noirs s'écroulant en désordre autour d'un visage soufflé, des yeux avides et sombres, des vêtements impossibles, des chaussures – curieusement –

d'excellente qualité, une jolie montre-bracelet enfin. Elle avait certes accompli ses devoirs de guide et montré à Billy les inévitables grands monuments. Mais ceci d'une façon superficielle, sans jamais prendre garde aux réactions de la jeune fille. Ces excursions, elle n'avait d'ailleurs aucunement l'intention d'en faire une habitude : ses autres pensionnaires avaient vite appris à voler de leurs propres ailes. Elle attendait toujours impatiemment le moment — inévitable — où elles ne rentreraient point manger, ayant des choses plus amusantes à faire. Mais cet hippopotame de Boston semblait bien s'être attaché à son foyer : empruntant son exemplaire du *Figaro* tous les matins quand elle en avait fini avec lui, passant des après-midi entiers à lire Colette dans sa chambre, tournicotant dans le salon avant le déjeuner et le dîner et ne ratant jamais l'heure du thé. Bien sûr, elle allait parfois se promener au Bois mais ne s'aventurait jamais assez loin pour manquer un seul repas. Et maintenant voilà que Danielle avait dans l'idée que cette Billy était en train de perdre du poids.

Ce soir-là, Lilianne l'examina attentivement pour la deuxième fois de son existence. C'est qu'elle ne croyait jamais que ses propres yeux : les Françaises sont ainsi, qu'il s'agisse de vérifier la fraîcheur d'une volaille ou d'apprécier la nouvelle collection d'Yves Saint Laurent. Lilianne vit une fille excessivement grosse, beaucoup trop forte. Trop grande, Dieu sait combien. Mais une fille qui avait quelques petites possibilités. L'autre, celle qui lui était arrivée par l'intermédiaire de lady Molly, n'avait aucune possibilité. Pas la moindre. Plus encore peut-être que la perfection, les Françaises aiment les possibilités. Ce sont, pour elles, des occasions d' « arranger » les choses. Et les « arrangements » — de toute nature — sont l'une des grandes passions gauloises.

Lilianne décida que le cas Billy Winthrop devait être « arrangé » comme il convenait. Il lui parut que la jeune fille avait perdu au moins neuf kilos, peut-être plus, bien que, s'agissant d'un être aussi gros, il était difficile d'avoir des certitudes. Si elle était parvenue à ce résultat en l'espace de cinq semaines, cela voulait dire qu'avec deux ou trois mois de plus, on pourrait au moins la rendre présentable. Et si elle devenait présentable, Dieu sait alors ce qui pourrait encore être amélioré. En attendant, il y avait le problème de ses vêtements. C'était bien simple, elle ne pouvait vraiment pas continuer à porter cette jupe de coton marron, rajustée — Lilianne venait de le remarquer à l'instant — par une grosse épingle de sûreté passée dans la ceinture. Et puis ce corsage! Une horreur. Le style de Boston, sans doute...

— Je trouve cet ensemble tout à fait chic, pas vous? demanda Lilianne à Billy.

Elles se trouvaient dans une boutique de l'avenue Victor-Hugo fréquentée par les élégantes du XVIe arrondissement. Billy était désorientée : le chic, elle ne savait même pas ce que c'était. Elle n'avait jamais imaginé que ce mot pût qualifier un seul de ses vêtements. « Pratique », « convenable », voilà des adjectifs qu'elle comprenait. Comment pourrait-elle juger du chic de quoi que ce fût ?

— Oui, madame, tout à fait chic, répondit-elle, simplement parce qu'elle voyait, au visage de Lilianne, que celle-ci en avait ainsi décidé.

Du plus loin qu'elle se souvînt, Billy avait toujours évité de se regarder dans la glace d'une cabine d'essayage. Elle savait à merveille se contenter de rester plantée là, à rêvasser, docile et soumise, tandis que la vendeuse et l'une ou l'autre de ses tantes choisissaient ses vêtements pour elle. Elle n'avait pas d'opinions : à quoi bon ?

Au ton de sa voix, si faussement enthousiaste, Lilianne sentit, pour la première fois, à quel point cette Billy était jeune. En vérité, ce n'était qu'une enfant, avec seulement un an de plus que Solange, qui allait encore à l'école. Lilianne avait un côté Pygmalion. Longtemps déçue par des pensionnaires trop sûres d'elles-mêmes, qui négligeaient ses remarques et ses conseils, elle n'avait pourtant pas totalement perdu cette passion d'éduquer. Elle eut une impulsion soudaine, comme un retour de sa bonté d'autrefois.

— Voyez donc, Billy, comme elle tombe bien, cette jupe de flanelle grise ! Elle est vraiment très bien coupée. Elle vous amincit tant que j'ai peine à y croire. Tournez-vous donc un peu et regardez-vous. Alors vous comprendrez. Voyez comme ces plis sont conçus — ils vous enlèvent des kilos ! Et ces pulls : ce rouge foncé est exactement ce qu'il vous faut. Regardez comme ils vous réchauffent le teint.

Billy se retourna à contrecœur. Elle ne redoutait aucune humiliation comme celle d'être confrontée à son image. Jusqu'ici, elle avait toujours su l'éviter, habile à repérer de fort loin toutes les vitrines qui auraient pu capter son reflet. Mais elle comprit qu'il lui fallait faire mine de s'intéresser à cette jupe et à ces pull-overs, sinon Lilianne ne la laisserait jamais en paix. Elle n'était pas comme ses tantes, cette comtesse, il n'était pas facile d'en être quitte. D'ailleurs, Billy ne l'avait jamais entendue s'exprimer avec une telle détermination dans la voix. Comme si là, dans ce magasin, on était en train de régler une affaire d'État.

Furtivement, elle risqua un coup d'œil dans le miroir à trois pans avant de se détourner aussitôt. Intriguée, elle osa un nouveau regard. Elle fixa son reflet, bien en face. Puis elle se regarda d'un côté, pivota maladroitement, étudia l'autre côté. Enfin, elle disposa les panneaux du miroir pour s'examiner de dos. Ses yeux alors s'emplirent de larmes, brouillant cette apparition miraculeuse : elle se trouvait épatante. Vraiment épatante. Et ceci pour la première fois de son existence. Elle alla vers la fragile comtesse et l'embrassa pour la première fois aussi, brisant à jamais entre elles le mur des convenances.

— Vive la France ! bredouilla Billy. Elle riait et pleurait tout à la fois. Sans bien savoir pourquoi, Lilianne de Verlac pleurait aussi.

Ce peut être merveilleux, la naissance d'une obsession, quand c'est un premier amour qui vous habite, ou l'espoir qui vous hante. Mais cela faisait bien des années que Billy ne s'aimait plus, et l'espoir en elle s'était doucement éteint. Ce voyage à Paris, n'avait-ce pas été son dernier élan d'espoir ? Et voici que, dans cette boutique de l'avenue Victor-Hugo, devant ce miroir, une petite lueur avait jailli : elle s'était mise à s'aimer.

Comme si elle n'avait jamais fait autre chose, Billy commença alors à manifester bien des traits du caractère de son père : son dévouement total à une cause, par exemple, sa rigoureuse autodiscipline, son désir de lutter pour atteindre, à tout prix, son but ; cet idéal de perfection vers lequel il marchait obstinément, sans jamais dévier.

Toute intelligente qu'elle était, Billy s'était toujours méfiée de l'introspection. Si elle mangeait, c'était justement pour éviter de se pencher sur son âme, de se demander pour quelles raisons on ne l'aimait point. Et voici que, très timidement d'abord, puis de façon de plus en plus délibérée, elle devenait le propre objet de son amour. Bientôt, elle s'aima même assez pour se réjouir d'avoir faim et découvrir qu'une telle sensation lui était nécessaire. Quelques semaines suffirent pour faire naître en elle une obsession qui ne la quitterait plus : la terreur de jamais sortir de table sans avoir un peu faim.

Au retour de cette première expédition dans les magasins, Lilianne avait triomphalement exhibé Billy devant ses filles, comme si elle leur offrait un énorme cadeau de Noël tout à fait inattendu. Puis elle alla dénicher un pèse-personne au fond d'un placard et l'installa dans sa salle de bains. Chaque semaine, elles tinrent toutes les quatre une séance de pesage. Billy s'y présentait chastement enveloppée dans un peignoir de bain, lequel – elles l'avaient établi au préalable – pesait un kilo.

En continuant de manger comme elles mangeaient toutes d'habitude, Billy perdit très régulièrement cinq livres par semaine. Le dimanche, elle en était récompensée par un supplément de poulet rôti. Du maigre. Sans peau.

A mesure que fondait sa graisse, elle découvrait ses os. C'étaient de tous petits os, comme on en avait dans la famille de sa mère, mais aussi de longs os, comme on en avait dans la famille de son père. « Petits et longs os, longs et petits os », psalmodiait-elle à voix basse, pendant des heures et des heures, comme s'il s'agissait d'un mantra « Petits et longs os... » Elle s'aperçut bientôt qu'elle n'avait pas de muscles, si ce n'est aux jambes, et cela grâce à de longues années de hockey obligatoire et de grimpette à vélo sur les rudes collines d'Emery. Elle s'inscrivit à un cours de danse et s'y rendit tous les après-midi. L'école était située rue de Lille, à plusieurs kilomètres de chez elle. Elle ne manqua pourtant jamais une leçon.

Elle commença d'établir toutes sortes de rites liés à son corps. Ainsi devait-elle se rendre à pied au cours de danse, ou bien en revenir. Qu'elle y manquât un jour, ce serait à l'aller et au retour, le lendemain, qu'elle marcherait. Elle ne devait jamais prendre une troisième tartine au petit déjeuner. Elle ne mettait pas de lait dans son café. Elle devait se donner exactement deux cents coup de brosse dans les cheveux tous les jours. Ces nouveaux dessous qu'elle venait de s'acheter, elle devait les laver tous les soirs, quelle que fût sa fatigue, avant d'aller dormir. Billy consignait le menu de tous ses repas dans un carnet intime. Elle évaluait sa consommation quotidienne. Ce fut comme une conversion spirituelle : elle épousa la religion de la minceur. S'il lui avait fallu, pour cela, porter le cilice, Billy l'aurait fait d'enthousiasme.

La petite couturière de Lilianne dut reprendre et puis reprendre encore sa nouvelle jupe grise. Ses pulls rouge foncé ne tardèrent pas à flotter mais elle avait résolu de n'en point acheter d'autres : elle finirait d'abord de maigrir.

Billy avait un secret : elle saisissait maintenant à peu près tout ce qui se disait à table. Si elle-même ne parlait pas souvent, c'est qu'il y avait une énorme distance entre le fait de comprendre et celui d'oser vraiment s'aventurer dans la conversation, cette haute mer pleine de périls. Mais elle avait l'intime certitude de progresser tous les jours. Cela la remplissait d'un sentiment d'attente effarouchée, d'une impatience craintive et frémissante qu'elle s'efforçait de contenir. Des règles de grammaire, des listes de vocabulaire rejaillissaient dans sa mémoire, de ces choses qu'elle avait apprises autrefois pour, aussitôt, les reléguer dans ses cahiers : les voici maintenant qui s'animaient, qui chantaient et bondissaient dans son esprit. Jusqu'aux terminaisons verbales qui lui parurent vraiment logiques et nécessaires. Tout semblait, brusquement, devenir tout à fait cohérent. Le français fut pour elle comme la cassette d'un avare, un magot qu'elle entassait en secret, qui lui donnerait un jour les clés d'un royaume. Mais elle n'était pas encore prête à se risquer en public.

Danielle fut la première à le remarquer :

– Maman?

– Oui, ma chérie?

– Je crois bien que Billy a de l'oreille, maintenant.

– Vraiment?

– Oui, j'en suis certaine. L'autre jour, nous étions un moment seules toutes les deux et je l'ai complimentée sur sa perte de poids. Elle m'a répondu et nous avons bavardé un peu. Eh bien, elle a vraiment de l'oreille. Sa grammaire et son vocabulaire, ça n'est pas encore ça, mais l'oreille est là.

Lilianne se sentit soulevée d'orgueil. Elle triomphait. Car l'oreille est tout. On peut bien vivre en France pendant vingt ans et parler un français livresque impeccablement correct, sans être pour autant reconnu par les Français comme l'un des leurs. C'est qu'on n'a point l'oreille... Au contraire des Américains, les Français ne trouvent pas du tout charmant de vous entendre parler leur langue bien aimée avec un délicieux accent étranger. A moins que vous ne soyez visiblement un aristocrate britannique. Auquel cas on peut vous comprendre et même, sinon vous approuver, au moins vous pardonner. Si Billy avait effectivement pris l'oreille du français – et il était impensable que Danielle pût se tromper dans une affaire aussi importante – eh bien, c'était que Lilianne avait insisté pour qu'on ne lui dît plus un seul mot en anglais. Ses propres filles, qu'elle envoyait tous les étés chez des amis en Angleterre, parlaient un excellent anglais de la haute société – il est bien connu que la maîtrise d'une deuxième langue est à la base même de toute bonne éducation. Billy aurait donc pu communiquer avec elles dans sa langue maternelle : elles l'auraient fort bien comprise. Mais cela, la jeune Américaine ne l'avait jamais soupçonné : qu'elle l'eût fait, tous leurs efforts étaient ruinés. Oui, vraiment, les choses avaient bien l'air de s' « arranger ».

Maintenant qu'elle parlait français, Billy se découvrait une toute nouvelle personnalité. Dans cette langue-là, elle n'était plus, elle n'avait jamais été une paria dans son école, un parent pauvre dans sa famille. Elle n'était plus, elle n'avait jamais été la dernière de toutes les cousines – la dernière à tous les égards. Et même elle semblait n'avoir jamais été grosse, ni solitaire, ni mal aimée. Toutes les leçons qu'elle avait apprises d'une façon machinale et tout aussi rapidement oubliées, Billy s'aperçut qu'elles refluaient dans sa mémoire. C'était là des choses bien logiques et concrètes. Au point qu'elle se sentait toute désemparée en songeant à la façon dont elle les avait retenues, voici un an seulement, sans en comprendre le sens. Elle parlait, parlait, parlait sans cesse : au conducteur de l'autobus, à Louise, à Danielle et Solange, aux enfants dans les parcs, à toutes les élèves de son cours de danse, aux vendeurs de tickets de métro. Et surtout à Lilianne.

Chaque jour, son français se dégourdissait un peu plus. Tout comme son corps se dégourdissait à la danse. Elle accumulait avec gourmandise les mille petits détails de la vie dans ce pays. C'est ainsi qu'il y était parfaitement convenable d'appeler une comtesse simplement « madame », dès l'instant qu'on lui avait été présentée, mais qu'en revanche, on ne devait au grand jamais s'adresser à la concierge autrement qu'en lui donnant, en toutes circonstances, son nom tout entier : « Madame Blanc ». Et puis, pour vivre heureux en France, il fallait réellement savoir faire du feu : la loi n'obligeait le propriétaire à chauffer l'immeuble qu'au moment où les canalisations étaient sur le point de geler. Ou encore : une jeune fille ne devait jamais s'attendre à ce qu'on lui baisât la main; mais si cela lui arrivait d'aventure, il lui fallait toujours feindre de n'avoir point remarqué cette incorrection. Ceci également : lors d'un dîner debout, les dames de la maison remplissaient toujours l'assiette des messieurs avant de s'accorder la moindre nourriture – du moins, il en allait ainsi chez Mme de Verlac. Billy s'étonnait encore que la comtesse se considérât comme une bonne catholique, alors qu'elle n'allait à la messe que le jour de Pâques. En outre, il était parfaitement incorrect d'envoyer à quelqu'un une composition florale : cela semblait dire que l'on jugeait la destinataire incapable d'arranger ses fleurs elle-même. Il y avait pourtant plus grave : c'était de taper une lettre personnelle à la machine à écrire.

Elle s'achetait maintenant de nouveaux vêtements, avec une circonspection que la comtesse s'imagina toute bostonienne : quelques pulls et quelques jupes, des chemisiers en soie, un manteau de laine bien coupé, une robe noire enfin, toute simple, qu'elle portait avec les perles magnifiques que Tante Cornelie lui avait données pour son diplôme à Emer. Elle fit tous ces achats dans la même boutique de l'avenue Victor-Hugo, guidée par les conseils de Lilianne : celle-ci avait une bonne fois décidé d'introduire Billy dans la petite société des femmes qui savent vraiment mesurer l'abîme entre ce qui vous va et ce qui ne vous va pas. Petit à petit, elle s'initiait aux mystères de la coupe et de la qualité des vêtements, elle apprenait à distinguer leur importance. Ensemble, elles allèrent voir les collections chez Dior : Suzanne Luling, la directrice de la maison, une grande femme maigre et dégingandée, à la voix de rogomme, était des amies de Lilianne. Elle leur procura d'excellentes places au deuxième rang, cinq semaines seulement après l'ouverture des collections : les gros acheteurs étant déjà venus passer leurs commandes, on pouvait accueillir de simples spectatrices. Elles allèrent aussi voir d'autres collections, chez Lanvin et Saint Laurent, chez Balmain et Nina Ricci, chez Chanel et Givenchy. Les places étaient alors moins bonnes et parfois même tout à fait détestables : les grandes maisons de couture n'ont guère d'égards pour les comtesses impécunieuses. Pourtant, les commentaires que Lilianne faisait à l'oreille de Billy étaient tout aussi sagaces, aigus, que si elle était vraiment là pour acheter.

– Ce numéro ne serait pas pour vous. Pour rien au monde. Il est trop sophistiqué pour une moins de trente ans. Cette toilette est trop excessive – ce sera démodé dès le printemps prochain. Celle-ci, en revanche, fera bien trois ans. Le tweed de cet ensemble est beaucoup trop épais. Il va se déformer. Ce manteau donne l'air godiche. Cette couleur vous éteint. Cette robe-ci est absolument parfaite. Si vous deviez n'acheter qu'un numéro, ce serait celui-là...

Lilianne s'étonnait sans le dire que Billy ne s'offrît pas même un tailleur Chanel. Bien sûr, il y a cette coutume légendaire à Boston, qui consiste à vivre sur le revenu du revenu de ses revenus. Mais cet usage pouvait certainement, dans le cas de Billy, supporter une petite entorse, en toute une année de vie parisienne. Quel dommage qu'elle ne sautât pas sur l'occasion. Mais ce genre de sujet n'était pas de ceux que

Lilianne se sentait en droit d'aborder avec ses pensionnaires. Lui fussent-elles aussi chères que celle-ci.

Elles flânaient souvent ensemble rue du Faubourg-Saint-Honoré. Cette femme si raffinée et cette jeune fille de dix-neuf ans s'attardaient devant toutes les vitrines, étudiant le moindre objet, s'arrêtant longuement pour le juger, tels des collectionneurs extrêmement avertis, circulant dans une immense galerie d'art. Lilianne avait des critères très précis pour mesurer la qualité de toute chose et Billy s'en imprégnait. La comtesse n'ayant absolument pas les moyens de contenter ses goûts, elle pouvait se permettre de ne tolérer que le fin du fin, de réserver ses suffrages au meilleur. Et cela au terme des comparaisons les plus minutieuses.

Il n'était jamais prévu dans les conditions d'accueil que la comtesse dût présenter ses pensionnaires à des jeunes gens convenables. D'abord, elle connaissait fort peu de jeunes Français et puis cela lui aurait inutilement compliqué la vie. Elle avait déjà ses propres filles, qu'il faudrait bientôt lancer dans le monde. Perspective redoutable : elle n'était pas du genre marieuse et ces demoiselles n'auraient d'autre chose à offrir que l'ancienneté de leur lignage.

Un jour pourtant qu'elle contemplait rêveusement Billy, une tentation lui vint à l'esprit. Cette jeune fille tenait désormais une telle place dans son foyer! Elle était grande et svelte, sa distinction était évidente. Oui, c'était vraiment une beauté, et son français aurait fait honneur à n'importe quelle Américaine. Puis elle était apparentée aux plus belles fortunes de Boston. Enfin, ne lui avait-elle pas été recommandée par lady Molly Berkeley, une femme tellement estimable et si fabuleusement riche?

Après tout, pourquoi ne resterait-elle pas en France? Pourquoi ne pas la présenter à quelques-uns de ses neveux et peut-être à l'un ou l'autre de leurs amis? Tous avaient ceci en commun que leurs familles étaient sorties plus ou moins appauvries de la guerre : ces rejetons de la vieille aristocratie en étaient réduits à gagner leur vie comme tout un chacun!

Qu'il en sortît quelque chose ou non, se dit la comtesse pour s'encourager, il n'était pas normal, de toute façon, que Billy continuât à vivre comme une collégienne. Cela faisait des mois qu'elle avait fêté son dix-neuvième anniversaire. La compagnie d'autres femmes, celle des élèves du cours de danse et des vieux amis de la famille ne pouvait lui suffire. Pourtant, quand elle suggéra que ça pourrait la divertir de rencontrer quelques jeunes gens, Billy eut une réaction très vive :

— Oh non, madame, je vous en supplie! Je suis tellement heureuse telle que je suis. Ma vie est absolument parfaite comme ça. Il n'y a rien de plus embarrassant que ces rencontres organisées — est-ce ainsi qu'on dit en français? J'apprécie votre gentillesse mais, sincèrement, ça ne m'intéresse pas du tout. La famille me suffit amplement. Ne m'en parlez plus jamais! Je vous en prie!

Rien mieux que ces paroles n'aurait pu conforter Lilianne dans ses projets. Ça ne se passerait pas comme ça! A quoi bon cette métamorphose si personne ne pouvait la contempler? Hé quoi, Cendrillon n'irait pas au bal? Impossible, voyons! Elle avait eu bien raison de trouver cette situation anormale. Comment Billy lui ferait-elle vraiment honneur — et Lilianne le méritait bien après tant d'efforts — si elle n'avait pas le moindre admirateur? Après tout, ce n'est pas à rentrer au couvent qu'elle l'avait ainsi préparée. La chose était claire : il fallait se montrer plus maligne que cette pucelle de Boston. On devait « arranger » ça. C'était, tout simplement, son devoir.

Le comte Gérard de Lacostal était le neveu préféré de Lilianne. Alors que les héritiers de tant de grands noms avaient si piètre apparence, lui respirait vraiment la noblesse; sa prestance était d'un autre âge. C'était vraiment un grand seigneur, le dernier grand seigneur, bien que certaines de ses prétentions la fissent sourire. Une haute stature, un nez superbement aquilin, des lèvres fines, arrogantes, et puis cette mine qu'il affichait toujours, sévère, mais capable, quand il le voulait bien, d'être drôle.

A vingt-six ans, Gérard continuait de vivre chez ses parents. Ce qu'il gagnait à Air France ne lui permettait pas de tenir sa maison sur le pied qu'il jugeait convenable. Dans cette gigantesque entreprise, son avenir était pourtant assuré à long terme et ceci grâce à l'influence de la famille : du côté de sa mère, il avait, comme on dit vulgairement, du piston.

Certain après-midi, Billy rentra de la danse presque trop tard pour le thé. En dépit du froid mordant de ce début février, elle avait tenu à rester sur la plate-forme du 63 pendant toute la demi-heure du trajet : la soirée était si limpide, l'air si lumineux qu'elle n'avait pas voulu perdre une miette de Paris. Ses joues flamboyaient, les lèvres lui cuisaient. Dispersés par le vent, ses cheveux s'écroulaient en désordre autour de son visage congestionné. Elle fit irruption dans l'appartement du boulevard Lannes, marchant à grandes foulées impatientes, redressant sa haute taille, tout réjouie à l'idée de boire une tasse de thé chaud. Gérard de Lacostal était campé devant le feu crépitant, les pieds bien écartés. Il arborait un habit irréprochable, queue de pie et pantalons rayés, et se chauffait le dos avec la morgue du Roi-Soleil en personne.

— Voici mon neveu, le comte Gérard de Lacostal, Billy, fit négligemment Lilianne. Gérard, je te présente Mlle Billy Winthrop, qui demeure avec nous. Billy, vous excuserez l'apparence de Gérard. Il ne s'habille pas toujours ainsi à cette heure. Mais c'est qu'il va faire ses débuts au Jockey Club et il est venu se pavaner devant sa vieille tante avant de s'en aller boire une pleine bouteille de champagne à lui tout seul. Après quoi, il fera officiellement partie du Club. Quelle sottise!

Gérard, c'est une délicate attention de ta part que d'être passé me voir avant cette curieuse cérémonie plutôt qu'après!

Et ce fut ainsi que tout commença. Complètement séduite, submergée par le charme de Gérard, amoureuse pour la première fois de son existence, Billy se jeta tête la première dans une idylle. Son total abandon, son impulsivité causèrent même de l'inquiétude à Lilianne de Verlac, toute transportée qu'elle fût par le succès du complot.

Billy n'eut plus qu'un souci : trouver sans cesse de nouvelles façons de le mériter. Il était le seul objet de toutes ses pensées, de toutes ses émotions. Quand il l'emmenait en week-end pour tirer le lièvre, ou qu'il l'invitait chez lui à dîner avec ses parents, elle ne parvenait pas à croire à sa chance. Une fois, il l'emmena même prendre un verre au bar du sacro-saint Jockey Club, le cercle masculin le plus fermé du monde.

Quant à Gérard, il était très satisfait. La petite Américaine de Lilianne était beaucoup plus séduisante qu'il ne s'y était attendu, vu ses origines plutôt convenables. Il gardait un souvenir amer des autres jeunes filles très fortunées qu'il avait rencontrées. Elles avaient toutes un physique impossible. Sinon il en aurait épousé une depuis belle lurette. Billy conviendrait parfaitement pour tenir le rôle de comtesse de Lacostal. Il songeait à son pavillon de chasse, qui avait terriblement besoin d'être restauré. En être réduit à chasser à pied! Il pensait aussi au château de famille, en Auvergne, qui attendait qu'on lui rendît ses fastes. A n'en pas douter, le temps était venu de se ranger.

L'une des clauses du marché passé avec Tante Cornelie stipulait que Billy devait lui écrire toutes les semaines. Volontairement, elle ne faisait dans ses lettres que des allusions très vagues à son poids. C'est qu'elle comptait bien surprendre et même stupéfier tout Boston à son retour. Elle ne parlait que très rarement de Gérard, et comme en passant.

Le printemps venu pourtant, Cornelie sentit qu'il se passait quelque chose entre Billy et ce jeune aristocrate, bien qu'elle eût beaucoup de peine à comprendre exactement quoi. Puis, un beau jour de mai, elle reçut une lettre.

Nelie, ma très chère,

Je viens de recevoir une lettre tout à fait embarrassante de Lilianne de Verlac. Il semble bien que votre jeune nièce ait une idylle sérieuse avec le comte Gérard de Lacostal, dont je connais très bien la famille, sinon d'une façon intime. Lilianne pense que cela pourrait un jour ou l'autre déboucher sur des fiançailles! Rien à dire jusque-là, il fait vraiment partie du gratin comme dirait ma femme de chambre, mais, ma chère, il n'a pas plus de fortune qu'elle. Il n'a que son métier, qui lui offre de grandes perspectives, certes, mais rien avant des années, d'après ce que j'ai compris. Le plus extraordinaire, c'est que

Lilianne paraît ignorer la situation de Honey. En effet, elle m'a parlé d'un contrat de mariage. Elle semblait vraiment s'imaginer que le père de Honey avait des hommes de loi! Et que ceux-ci voudraient sans doute rencontrer les avocats du père de Gérard, si les choses devaient en arriver là.

En lisant entre les lignes, j'ai eu fortement l'impression qu'elle voyait en Honey une héritière, tout bonnement parce que c'est une Winthrop. Voilà qui est terriblement français de sa part. Il y a tant de Winthrop. Mais aussi, comment pourrait-elle savoir ces choses? La famille de Gérard est très fière et très brillante, même d'un point de vue britannique. Ils ont tous une très haute opinion de leur blason et je suis sûre, et même tout à fait certaine, que Gérard doit *épouser une héritière. Il ne peut être question pour lui d'un simple mariage d'amour, à moins qu'il ne soit disposé à beaucoup décevoir sa famille. Il est le seul fils, comprenez-vous.*

Que dois-je dire à Lilianne? Je suis vraiment bouleversée par toute cette affaire. Honey aurait-elle, par hasard, des capitaux placés quelque part, dont elle pourrait avoir la jouissance plus tard? Vous parliez, si j'ai bonne mémoire, d'un petit héritage mais n'y aurait-il pas autre chose? Ou ne pourrait-il y avoir autre chose? Je reste suffisamment américaine pour désapprouver le système de la dot par principe mais en France... Quoi qu'il en soit, il faut que vous me répondiez tout de suite, *pour me dire ce qu'il en est au juste.*

Toute mon affection pour vous — comme toujours — et aussi pour ce cher George.

Molly

Cornelie ne s'était pas sentie aussi préoccupée depuis ce cotillon de Noël où sa fille ne voulait pas aller. Ou bien cette autre fois où elle avait refusé de s'inscrire au Vincent Club. Elle s'aperçut que Honey lui importait plus qu'elle ne croyait.

Trois semaines avant que Lilianne ne reçût de Lady Molly la lettre qui devait enfin l'éclairer, Gérard avait décidé de recueillir les prémices de cette vierge américaine qu'il avait pris dans ses filets. Si Billy avait été française, peut-être aurait-il attendu que le mariage fût célébré. Mais elle était américaine, et non catholique. Il estima donc qu'on pouvait mener à bien cette affaire d'une façon un peu plus expéditive.

Cette initiation aux choses de l'amour fut pour Billy une cérémonie à la fois solennelle et douloureuse. Elle se déroula sur le lit de Gérard, dans une chambre plutôt dénudée. C'était au pavillon de chasse, tout délabré, avec ses écuries désertées et son jardin envahi par les herbes folles. Le plafond, Billy s'en souviendrait toujours, était drapé d'une toile poussiéreuse, rayée de bleu foncé et de rouge, qui lui donnait l'allure d'une tente de Napoléon en campagne. Le mobilier, de style

Empire, était lourd et mal ciré, et sa douleur fut aussi vive qu'inattendue. Mais son souvenir le plus précis, ce fut sa stupeur à la vue d'un pénis raidi, pointé vers le haut, alors qu'elle avait toujours pensé qu'il se tiendrait tout droit, à l'horizontale. Gérard l'assura que la prochaine fois, cela se passerait mieux pour elle. Même pour une vierge, devait-il ajouter, elle était la femme la plus étroite qu'il eût jamais prise. Elle en tira aussitôt une très grande fierté, pour quelque obscure raison qu'elle ne perçut jamais. Trois semaines durant, ils retournèrent au pavillon tous les samedis et tous les dimanches. Cela devint effectivement plus facile, sinon meilleur, bien que Billy n'eût, au sujet du plaisir, aucun point de référence : tout comme autrefois, elle était incapable d'apprécier le chic d'une toilette. Avant Gérard, elle n'avait jamais embrassé un homme sur la bouche. Son seul vrai souci, c'était de lui plaire. La seule évidence de son amour la hantait de plus en plus. Elle était ardente, avec gaucherie, totalement confiante et crédule sous ses baisers. La chaleur de son corps faisait éclore en elle un espoir naïf, où l'avenir avait les couleurs de la passion. Parfois elle émergeait de son extase aveugle. Elle se répétait alors, toute frémissante d'orgueil, un orgueil à peine nuancé par ce que lui chuchotait sa prudence : « Comtesse Gérard de Lacostal... Billy de Lacostal... Ah! Attendez un peu que je rentre à Boston, qu'ils entendent ça! »

Puis elle sortait dans les rues et tout l'argent destiné au cours de Katie Gibbs s'en allait en superbes atours. Pour que, simplement, Gérard la vît élégante.

Puis, Lilianne reçut de lady Molly une lettre qui prêchait le retour à la raison et elle s'enferma pour pleurer dans sa chambre. Elle pleurait sur Billy mais tout autant sur elle-même. Sa propre expérience dans ce domaine la persuadait que Billy s'en remettrait avec le temps. Mais Lilianne, elle, ne pourrait jamais se pardonner. L'erreur était certes inévitable. Mais ses conséquences étaient cruelles. Tout était de sa faute.

Le jour même, la comtesse alla trouver Gérard. Elle lui parla dans le salon de ses parents. Gérard de Lacostal entra dans une violente colère. Elle aurait dû le savoir, non? rugissait-il. Comment une femme de bon sens, de son expérience, avait-elle pu lui laisser croire que Billy possédait une fortune? D'où lui venait cette assurance? Qu'avait-elle fait de son jugement, de sa sagesse? Ne se souciait-elle plus du destin de leur famille? Elle, sa propre tante, comment pouvait-elle l'avoir conduit à commetre une erreur aussi grave? Oui, bien sûr, il en était d'accord : Billy était incontestablement ravissante, beaucoup plus qu'elle ne le croyait elle-même d'ailleurs. Et puis elle lui convenait tout à fait. Elle était vraiment parfaite. Sauf que toute l'affaire était impossible désormais. Ce n'était même pas la peine d'en discuter.

— Gérard, c'est ton devoir de le lui annoncer toi-même. Et je t'en prie, ne joue pas les grands seigneurs avec moi! Tes reproches me suffisent. Tu vas lui parler et lui dire la vérité. Sinon elle croira que c'est vraiment elle que tu ne veux pas épouser. Que ce ne sont pas simplement les circonstances qui rendent ce mariage impossible. Peut-être... Peut-être vit-elle en France depuis assez longtemps pour comprendre...

Bien des années plus tard, Billy, en songeant à Gérard, n'eut enfin plus que du mépris, mêlé d'un peu de compassion dédaigneuse pour sa jeune naïveté – ou bien fallait-il dire : stupidité ? Elle lui fut pourtant reconnaissante de sa franchise abrupte : au moins, c'était par contrainte qu'il faisait cela, par contrainte brutale. Elle rendait également grâce à son propre dénuement. Aurait-elle possédé suffisamment d'argent, qu'elle serait devenue l'une de ces jeunes comtesses qui traînaient, innombrables, leur ennui dans l'austère faubourg Saint-Germain. A jamais captive d'un rituel étouffant, d'un conformisme irrespirable, auquel son mari aurait exigé qu'elle se pliât. Bref, un Boston version française avec, simplement, une meilleure cuisine, et des vêtements mieux coupés : à cette époque, elle était encore trop près de ses années de pension, du martyre qu'elle y avait subi, pour jamais oser se rebeller. A coup sûr, elle serait devenue catholique, à seule fin de complaire à ses beaux-parents. A l'heure qu'il est, elle serait une esclave, prisonnière d'une tradition exsangue. Tombée entre les griffes encore puissantes, implacables, d'une classe agonisante qui avait besoin, pour survivre, de chair fraîche et le savait. Elle aurait étouffé avant d'avoir appris à vivre. Et puis ses amants futurs lui révéleraient que Gérard avait été, au lit, aussi prosaïque et suffisant qu'il l'était dans la vie.

Mais elle était encore bien loin de savoir toutes ces choses et d'avoir le recul nécessaire pour porter de tels jugements. La décision qu'elle venait de prendre, pour l'instant, c'était de quitter Paris avant la date prévue et de rentrer par bateau : un abîme serait ainsi creusé entre les deux mondes, qui lui faciliterait le passage de l'un vers l'autre.

Ils ne vivraient donc pas heureux, comme on le fait à la fin des contes de fée, songeait Billy, en arpentant le soir les ponts du navire. En un sens, elle n'en était pas surprise. Si elle avait été une jeune fille comme les autres, habituée depuis toujours à être choyée, admirée, aimée enfin, la conduite de Gérard peut-être l'aurait brisée. Mais elle savait trop, pour l'avoir subi, qu'il était possible, et même probable, d'être rejetée par les autres : elle s'y était inconsciemment endurcie. Au bout de seulement quelques jours, cette épreuve lui apparut même comme un nouvel exemple de ce qui pouvait arriver à ceux qui n'ont pas d'argent, plutôt que comme une affaire vraiment personnelle. Ainsi, elle ne se trompait point sur ce qu'était, en réalité, la vie : par-delà sa souffrance, le vérifier avait quelque chose de satisfaisant.

Elle était mince, elle était belle, se répétait-elle avec force. Voilà ce qui comptait. Le reste, il lui faudrait le conquérir. Elle n'avait nullement l'intention de s'en aller mourir pour l'amour d'un homme, comme dans ces romans du XIXe siècle qu'elle avait lus. Elle n'était pas

Emma Bovary ni Anna Karenine, non plus Camille. Elle n'était pas de ces créatures faibles, passives et prosternées qui tolèrent que des hommes leur ôtent toute raison de vivre en les privant de leur amour.

Quand elle aimerait, la prochaine fois, se jura-t-elle, ce serait à *ses* conditions.

3

L'HÉTÉROSEXUEL inspiré, l'homme qui aime les femmes avec ferveur et voue son existence à célébrer leur présence sur cette terre, cet homme-là n'éveille guère l'intérêt des psychologues. On a consacré des volumes entiers à l'homosexualité, au complexe de Don Juan. Celui, en revanche, qui trouve tout son plaisir dans les femmes, et pas seulement le plaisir sexuel, non, qui jouit passionnément, obstinément, voracement de tout ce qui fait une femme, celui-là demeure un spécimen aussi méconnu qu'il est rare.

A travers cet aperçu de la vie de Spider Elliott, les spécialistes verront-ils enfin s'esquisser une nouvelle direction de recherche ?

Le père de Spider, Harry Elliott, était officier de marine. Il passait le plus clair de son temps en mer et Spider avait toujours soupçonné que c'était, de sa part, un choix délibéré. Toutes les fois qu'il était à terre en effet, Harry Elliott se bagarrait avec Helen Helstrom Elliott, son épouse, une aimable diplômée de Westridge, originaire de Pasadena. Ces combats, menés avec une furie toute militaire, avaient peu de résultats positifs, si ce n'est la conclusion d'une série de traités de paix d'où sortirent Spider, l'aîné et le seul garçon de la famille – en 1946 – puis, successivement, trois paires de jumelles.

Les six filles de la maison gravitaient autour de Spider, telles de petits tournesols attirés par la lumière. Elles en étaient carrément gâteuses. Du plus loin qu'elles se souvinssent, ç'avait toujours été ce merveilleux grand garçon qui leur appartenait tout entier, cet être blond et vigoureux qui leur apprenait toutes sortes de choses magiques et trouvait le temps de leur lire à haute voix les aventures de *Spiderman*, l'Homme-Araignée, quand elles étaient trop petites encore pour le faire. Ce garçon qui leur disait à quel point il les trouvait belles, ce héros qu'elles chérissaient et vénéraient. Qu'elles pouvaient aussi se partager sans problème : il avait tant d'amour à distribuer...

Pour Helen Helstrom Elliott, son fils Peter (quel malheur que ses sœurs l'aient surnommé Spider [1]) était tout simplement la lumière de sa vie. A ses yeux, Peter était doté de toutes les qualités ; elle lui en voulait seulement parfois de la dévotion qu'il portait à ses sœurs. Elle notait avec satisfaction que Peter tenait ses qualités physiques de son côté à elle. Sa stature, peut-être, lui venait de son père. Mais enfin, ces cheveux d'un blond lumineux, ces yeux bleus comme la mer, étaient cent pour cent Vikings. Vikings et Suédois.

Spider connut la plus prosaïque des expériences que peut offrir l'Amérique : une enfance très heureuse. Le capitaine de frégate Elliott était un homme désespérément jovial, dont le plus grand titre de gloire fut d'être sorti de l'École navale un an avant Jimmy Carter. Chaque fois qu'il était à terre, il recréait avec Spider un climat de camaraderie virile. Il lui apprenait à skier, à faire de la voile. Il l'aidait aussi dans ses devoirs et, dès qu'il eût trois ans, il l'emmena en randonnée, sac au dos. Ils campaient, pêchaient la truite et passaient ainsi, entre hommes, à la moindre occasion, de chaleureux week-ends.

Spider grandit dans les années cinquante : époque agréablement conformiste pour y passer sa jeunesse en Californie du Sud. En 1964, il entra à l'université de Los Angeles. Durant les quatre années qui suivirent, tandis qu'à Berkeley ou Columbia ses semblables se lançaient dans la contestation et l'émeute, il n'assista jamais à des réunions plus subversives que, par-ci, par-là, quelques pot-parties, où l'on fumait de l'herbe.

En fait, deux choses seulement le distinguaient – mais alors nettement, définitivement – de ce seigneur de la Terre qu'est l'Américain de la bonne bourgeoisie. D'abord, il *adorait* les femmes : il avait une véritable passion pour tout, absolument tout ce qui était féminin en ce bas monde. Et puis c'était un visuel, au goût très sûr, avec, de façon innée, le génie des formes.

Pour les deux ou trois personnes qui voulurent bien y prêter atten-

1. *Spider :* araignée. Allusion, donc, à l'homme-araignée.

tion, cela se voyait d'ailleurs à sa chambre, à cette galerie constamment renouvelée de photos qu'il découpait dans la presse pour les épingler au mur, sur l'immense panneau de liège. Ou bien à la façon dont il disposait sur les rayonnages des « objets trouvés » – et ceci bien avant qu'on entendît parler de ce concept. Avec des pots vides alignés (des pots de marmelade d'orange Dundee), des plaques de rue récupérées et une paire de patins à glace d'enfant, il arrangeait une composition qui vous réjouissait l'œil sans qu'on sût trop pourquoi. Sa manière même de porter ses jeans et ses T-shirts, était subtilement différente de celle des autres garçons qui, pourtant, portaient les mêmes jeans, les mêmes T-shirts.

Quand Spider eut treize ans, ses grands parents maternels lui offrirent son premier appareil photo, un petit Kodak. Quand il en eut seize, il fit l'emplette d'un Leica d'occasion au mont-de-piété. L'obturateur étant cassé, il l'eut pour une bouchée de pain. Mais il le nettoya, l'astiqua, remplaça l'objectif, répara l'obturateur et ce fut alors un excellent appareil. Pour payer tous ces frais, il travaillait durant les mois d'été dans une boutique où il développait des photos d'identité en vingt-quatre heures. Bref, la photo était son violon d'Ingres.

Ses sœurs représentèrent bientôt pour lui moins une source d'inspiration qu'un surcroît de travail : tout de go, elles avaient absolument « besoin » d'une photo d'elles, avec leurs meilleures amies, pour donner aux garçons.

A l'université, il eut toutes les occasions possibles et imaginables de photographier des femmes. Il s'inscrivit au club photo mais ce qui l'intéressa surtout, ce fut de surprendre les filles de Californie occupées à faire toutes ces choses épatantes que les filles de Californie ont la réputation de faire si bien. A l'époque où Spider décrocha son diplôme de science politique, il avait déjà compris qu'il s'était fourvoyé : son passe-temps favori, le désir avait grandi en lui d'en faire un métier véritable. Au point que, maintenant, sa décision était prise : il serait photographe de mode. Et, pour cela, il devait aller à New York, qui est à la photo de mode ce qu'Amsterdam est au diamant.

Un tel projet n'avait rien d'absurde, s'agissant d'un homme qui avait une grande inclination pour les femmes, un sens graphique excessivement aigu et un nouveau boîtier Nikon. Par ailleurs, c'était, pour un garçon sortant tout juste de l'université, une ambition à peu près aussi facile à réaliser que d'entrer comme stagiaire à la rédaction du *Washington Post.*

A l'automne 1969, Spider Elliott partit pourtant pour New York. Il emportait toutes les économies qu'il avait amassées en vingt-trois ans de chèques d'anniversaire, de chèques de Noël et de jobs d'étudiant. Soit environ deux cent soixante-dix dollars.

Il se lança aussitôt à la recherche d'un logement bon marché et dénicha rapidement un grenier dans un endroit sinistre du bas Manhattan, non loin du quartier des grossistes en fourrures de la Huitième Avenue.

C'était une pièce immense, tout en longueur. Elle semblait s'effondrer en son milieu mais, en revanche, elle donnait sur l'Hudson. Et puis le plafond était très haut, plus de cinq mètres, et percé de sept lucarnes. Il y avait aussi une misérable salle de bains qui pouvait au besoin servir de chambre noire, une table de cuisine et un évier. Un ancien locataire avait installé un vieux poêle et un réfrigérateur encore plus vénérable.

Spider acheta un minimum de mobilier, construisit une estrade qu'il garnit de caoutchouc-mousse — son lit — et investit l'argent qui lui restait dans quelques coussins, quelques draps, deux marmites et une poêle à frire. Puis il peignit le vieux parquet en sable doré, les murs en quatre nuances, légèrement différentes, de bleu ciel et le plafond en blanc cassé. Enfin, chez Kind's, il obtint au prix de gros trois palmiers du Kenya, hauts de trois mètres, qu'il éclaira du dessous avec des spots.

Le soir, étendu sur son radeau-matelas, il contemplait la course des nuages à travers ses lucarnes, l'ombre des palmes sur les murs, leur chatoiement tropical. Un bon petit Nat King Cole ou un Ella Fitzgerald sur son vieux tourne-diques et bientôt il se sentit libre et désœuvré, heureux comme un garçon de plage.

Après deux mois et demi de chasse au travail sans résultats, le talent et la persévérance, la patience et la chance finirent par payer, comme elles font si peu souvent. Spider décrocha un emploi d'assistant au studio de Mel Sakowitz. Sakowitz était un photographe de troisième ordre — et peut-être même de quatrième zone. Il tâcheronnait beaucoup pour des catalogues et faisait des photos par-ci, par-là, pour les pages « shopping » de quelques petits périodiques.

Un jour, tel Robinson Crusoé trouvant une empreinte dans le sable, Spider découvrit sa nouvelle voisine de palier. L'événement se produisit un samedi matin de 1972, alors que l'automne finissait. Il rentrait du marché italien de la Neuvième Avenue, avec un sac rempli de provisions. Il s'était résolument engagé au pas de course dans le vieil escalier, en se demandant comme d'habitude si de vivre ainsi sans faire de tennis allait le rendre impotent. Il avala la troisième volée en sprintant à toute allure, tourna le coin du palier et s'arrêta si brutalement qu'il fit une embardée. Seuls ses excellents réflexes l'empêchèrent de renverser une femme qui affrontait péniblement les marches entre le troisième et le quatrième étage tout en proférant des jurons en français. Elle pliait sous le poids d'un paquet de linge sortant du blanchissage et de deux sacs à provisions bourrés. S'y ajoutaient une botte de chrysanthèmes du japon, enveloppée dans un journal, et deux bouteilles de vin, coincées sous chacun de ses bras.

— Oh ! Je suis désolé ! Je ne pensais pas qu'il y aurait quelqu'un dans ces escaliers... Attendez, laissez-moi vous aider.

Elle montrait le dos à Spider, incapable de se retourner, tandis que les bouteilles, lentement, glissaient de sous ses bras.

— Rattrapez cette bouteille, idiot ! Elle est en train de tomber.

— Laquelle ?

— Les deux !

— Ça y est, je les tiens.

— Il était temps ! « Laquelle ? » Vous ne voyiez donc pas qu'elles étaient deux à glisser ? « Laquelle ? » Je vous jure !

— Hé bien, ce n'est pas non plus très malin de transporter du vin comme ça sous vos bras, dit doucement Spider. Un sac serait mieux approprié.

— Comment pourrais-je porter un autre sac ? Je ne sens déjà plus mes doigts ! Ce propriétaire est un monstre ! Pas de lumière dans l'entrée le samedi, pas d'ascenseur non plus. C'est franchement répugnant, c'est épouvantable.

Enfin elle tourna son visage vers lui et, dans cette cage d'escalier mal éclairée par un vasistas, il vit que, tout mal embouchée qu'elle fût, c'était une très jeune femme.

— Je vais vous suivre jusqu'en haut et vous aider à porter tout ça, offrit-il poliment.

Elle opina du bonnet et lui lâcha tout dans les bras, sauf les fleurs et le vin. Puis, sans un mot, sans un regard derrière elle, elle gravit à toute allure les trois volées la séparant du dernier étage. Là, elle s'arrêta devant sa porte, à six mètres à peu près de celle de Spider, et sortit une clé de son sac.

— Ainsi, j'ai quand même fini par connaître une voisine en chair et en os.

Spider souriait à son dos, avec sympathie.

— Ainsi, c'est bien ce qu'il me semble !

Elle ne se retourna point, ne lui rendit point son sourire. Non plus qu'elle n'ouvrît la porte.

— Voulez-vous que je vous rentre tout ça ?

Spider désigna du menton les sacs et les paquets dont il était encombré.

— Posez-les tout simplement par terre. Je m'en occuperai plus tard.

La jeune femme engagea sa clé dans la serrure, ouvrit la porte et se glissa à l'intérieur. Puis elle se retourna prestement et claqua la porte au nez de Spider. Contrastant avec la pénombre du vestibule, la lumière du soleil se déversait à flots dans sa chambre et il eut le temps d'entrevoir des boucles rouges et folles, semblables à une étrange dentelle, un nez délicieusement retroussé et des yeux verts, aussi surprenants qu'une ondée après l'orage.

Il resta là un moment à fixer la porte aveugle, son visage encore gravé dans l'esprit. Sa rudesse lui avait cassé les jambes. Enfin il fit demi-tour et redescendit l'escalier. Il avait conscience d'éprouver une sensation bizarre, sans pouvoir l'identifier vraiment. C'était un peu comme ce flottement, cet instant suspendu et vide qui, dans un restaurant animé, se produit quand un serveur vient de renverser tout un plateau de verres et d'argenterie. Toute conversation s'arrête alors pendant moins d'une seconde puis, l'incident identifié, les dîneurs renouent le fil de leur phrase interrompue. Mais cette fois, pour Spider, l'entracte fut plus long. C'est qu'il ne s'agissait point d'un plateau renversé mais d'une chose totalement inédite : en vingt-deux années d'existence californienne, en trois ans et demi de vie new-yorkaise, jamais une femme ne l'avait traité avec une telle indifférence. Il avait déjà rencontré des femmes qui, pour une raison ou l'autre, le poursuivaient de leur inimitié. Mais toutes celles qui ne se rangeaient pas dans cette catégorie répondaient toujours à sa présence avec une certaine chaleur — quand ce n'était pas, bien souvent, de l'ardeur. Et voilà une fille qui, tout bonnement, ne l'avait pas remarqué...

Spider haussa les épaules et décida qu'après tout c'était son problème. Puis il partit en direction de Madison Avenue pour y faire, comme toutes les semaines, la tournée des galeries d'art.

Il rentra en fin d'après-midi. Ce fut pour trouver sur son seuil le grand sac de papier, avec ses propres achats, qu'il avait pour le coup totalement oublié. A côté se trouvait une bouteille de vin et une feuille de papier pliée, avec ces mots griffonnés : « A boire à ma santé. » Pas même un nom, remarqua-t-il, amusé. Il prit la bouteille et s'en alla frapper à sa porte. Elle ouvrit mais il resta sur le seuil, sans faire mine d'entrer.

— Ma mère m'a fait promettre de ne jamais accepter de boisson de la part d'un étranger, énonça-t-il avec gravité.

Elle lui tendit la main.

— J'ai oublié de me présenter tout à l'heure. Je suis Valentine O'Neill. Entrez, je vous prie, et permettez-moi de vous présenter mes excuses. J'ai bien peur d'avoir été très garce...

— Je dirais que c'est une assez bonne définition — un petit peu complaisante peut-être.

— Une garce au sale caractère, et totalement dénuée de reconnaissance ?

— Cette fois, c'est à peu près ça.

L'œil inquisiteur de Spider se promenait dans la chambre. Il remarqua les coins d'ombre, éclairés par des lampes aux abat-jour roses. Il y avait aussi un gros canapé de velours rouge, bordé d'une antique frange à pompons, plusieurs fauteuils juponnés, recouverts de toile de Jouy rose et blanche, un tapis à ramages et des tentures rouges à crêpine. Spider put distinguer la voix de Piaf en bruit de fond. Elle chantait un air familier où il était question d'une souffrance immanquablement poétique : le malheur d'aimer. La moindre tablette semblait, dans cette chambre, littéralement submergée : de photos encadrées, de fougères et de fleurs, de livres, de disques et de magazines. La pièce était petite, avec seulement deux vasistas. Il y avait en elle quelque chose de puissamment évocateur, quelque chose qu'il connaissait bien. Pourtant, il n'avait encore jamais vu d'intérieur de ce genre.

— J'aime votre chambre, dit-il.

— Oh, ce ne sont jamais que mes vieux meubles, dit-elle tout en disparaissant derrière un paravent, lui aussi recouvert de toile aux couleurs fanées. J'ai bien peur qu'il y en ait un peu trop pour cette pièce mais je dois garder l'autre libre pour y travailler.

Elle réapparut avec un plateau où se trouvaient une bouteille ouverte de vin blanc frais, deux verres, une miche de pain français, une terrine de pâté, la moitié d'un camembert à cœur. Elle déposa le plateau par terre, devant le sofa.

— Si nous buvions à quelque chose ? Mais peut-être me direz-vous d'abord votre nom ?

Spider bondit sur ses pieds.

— Désolé, je m'appelle Spider Elliott.

Ils se serrèrent de nouveau la main, d'une manière absurde. Il lui jeta un coup d'œil rapide pour la deuxième fois. Tout ce qu'il eut le temps de remarquer, ce fut que ses cheveux, un peu plus foncés que le poil de carotte — il s'en fallait de deux nuances, décisives — lui couvraient le chef d'un monceau de boucles indisplinées et fières qui retombaient sur un fin petit visage blanc.

Et voici que, brusquement, tout s'ordonnait dans son esprit : la chambre, le plateau de victuailles, cette voix, le disque de Piaf...

— Dites-moi, je viens de le comprendre à l'instant... Vous êtes française, n'est-ce pas? Cette pièce... c'est comme si l'on était à Paris. Je n'ai encore jamais mis les pieds à Paris mais je suis certain que...

Elle l'interrompit :

— Il se trouve que je suis américaine. Et née à New York, avec ça.

— Comment pouvez-vous me regardez avec ce visage français et me parler avec cette petite pointe d'accent, sans parler de cette façon de vous tromper tout juste ce qu'il faut dans les mots, et me dire, après ça, que vous êtes américaine ?

Valentine ignora délibérément sa question. D'un ton agressif, elle lui demanda :

— Spider : qu'est-ce que c'est que ce nom saugrenu ?

— C'est mon surnom, à cause de l'Homme-Araignée.

Cela n'eut pas l'air de l'éclairer.

— Hé, dites donc ! Vous n'avez pas l'air de savoir de quoi il s'agit ! Et vous prétendez que vous êtes américaine ! Vous vous êtes complètement trahie...

— Je refuse d'avoir un voisin qui s'appelle Spider, dit-elle avec humeur. Je suis allergique aux araignées. Je me couvre de boutons rien que d'y penser. Quel nom ! C'est vraiment pas possible. Je vous appellerai Elliott.

— Très bien, comme vous voudrez, grimaça-t-il.

Qu'avait donc cette aimable foldingue ? La question la plus innocente la faisait se dresser sur ses ergots, dirait-on. Elle n'avait rien d'américain. Il ne croyait pas non plus qu'elle fût allergique aux araignées.

Comme il s'était montré si docile, Valentine daigna enfin satisfaire sa curiosité.

— Je suis née à New York mais je suis partie vivre à Paris tout enfant. Je m'y trouvais encore le mois dernier. Et maintenant, allons-nous boire enfin ?

— A quoi ?

— Au travail que je vais trouver, répondit aussitôt Valentine. J'en ai grand besoin.

— Au travail que vous allez trouver et au meilleur travail que je vais trouver.

Tandis qu'ils choquaient leurs verres, Valentine se dit qu'il était terriblement américain, tellement insouciant, tellement intact, si heureux de vivre. Avant lui, elle n'avait jamais conversé avec un jeune Américain. Elle se sentait toute décontenancée, presque adolescente. Il faisait si peu de manières. Sa franchise était déconcertante, au point qu'elle se sentait pratiquement incapable de lui parler autrement que sur la défensive. Ce n'était pas son habitude d'être ainsi désarçonnée.

— Qu'est-ce que vous faites ? demanda Valentine.

Elle se souvenait d'avoir lu dans *Elle* que les Américains se posent toujours cette question sitôt qu'ils ont fait connaissance.

— Je suis photographe de mode. Enfin, pour le moment, je suis l'assistant d'un photographe. Et vous ?

— Venez, je vais vous montrer.

Elle l'entraîna dans l'autre pièce, plus petite que la première. Près de la fenêtre, se trouvaient une chaise et une table supportant une machine à coudre. Des pièces d'étoffe étaient soigneusement empilées sur une autre table, très longue. Un mannequin de couturière, drapé d'une chute de tissu fluide, se dressait au beau milieu de l'atelier. Enfin, il y avait quelques croquis épinglés au mur. Et puis c'était tout.

— Vous êtes couturière ? Je ne peux pas y croire.

— Je suis styliste. Et ça ne fait aucun mal de savoir coudre. Mais peut-être l'ignoriez-vous ?

— Je n'y avais jamais songé, répondit Spider. Avez-vous vous-même dessiné ce que vous portez ?

Elle était vêtue d'une longue robe blousante et décolletée en grosse laine abricot. C'était un vêtement confortable et souple. Il n'y avait en lui rien de singulier ni d'accrocheur et pourtant, il se dégageait de Valentine une impression de luxe et de recherche, avec un je ne sais quoi d'original qui semblait fortuit mais était, en vérité, très voulu. Bref, elle avait une allure qu'il n'aurait jamais cru trouver chez une souris du voisinage, dans ces greniers à rats.

— Dessiné et réalisé, point par point... Mais retournons à côté. Le fromage est fait à cœur. Il faut le manger avant qu'il ne se sauve carrément de l'assiette.

En même temps que d'une croûte de pain tartinée de camembert, Valentine gratifia Spider du sourire à la fois le plus alléchant et le moins aguichant qu'il se rappelait avoir jamais reçu d'une femme. Il comprit qu'elle ne flirtait pas avec lui, mais alors pas du tout. Était-il possible qu'elle fût à demi-française ? Ou même à demi-irlandaise ? Ou même, de ce point de vue, tout simplement une femme ?

Quand Spider fut engagé par Mel Sakowitz, il fit un peu, dans les milieux de mode, l'effet de ces capitaines qui, voici bien des siècles, s'en revenaient exhiber leurs « nobles sauvages » dans les cours décadentes de l'Europe. Un Spider en tenue de travail, jeans blancs et T-shirt UCLA, c'était la preuve tangible que des hommes, des vrais – païens, vigoureux et tendres –, pouvaient subsister jusque dans les serres chaudes de la mode.

Quelques semaines suffirent pour que des modèles – qui ne faisaient aucune différence entre le Printol et un bain moussant – se découvrissent un intérêt tout à fait inhabituel pour les négatifs et les agrandisseurs. Il leur fallut donc, toutes affaires cessantes, visiter le labo de Sakowitz, étreindre l'avant-bras de Spider, tâter sa musculature californienne, s'exclamer : « Et tu dis que c'est grâce au tennis ? C'est vraiment dingue ! »

Spider s'aperçut bientôt que le parfum des chambres noires le faisait bander lui aussi. Mais il pouvait y remédier et c'est ce qu'il fit. Il alla même jusqu'à introduire en fraude tout un tas de coussins pour assurer les aises de ses conquêtes : que les délicats petits os de leur coccyx aillent se meurtrir sur le sol, cette idée lui était parfaitement insupportable.

La plupart des modèles de Spider ne voulaient entendre parler d'autre chose que du cunnilingus, qui avait l'avantage de ne point déranger les vêtements ni la coiffure : il leur suffisait d'ôter leur collant. La fellation les emballait beaucoup moins, à cause du maquillage – ça l'abîmait toujours d'une façon ou d'une autre. Et puis il y avait les ongles, il fallait vraiment y faire attention. Mais Spider était un chaud partisan de la loi du talion, comme les filles le surent très vite. Quoi qu'il en fût, on n'enregistra pas la moindre plainte et les agences de mannequins s'aperçurent qu'il était de plus en plus aisé de trouver des filles pour accepter un travail chez Sakowitz, ce qu'elles ne faisaient d'habitude qu'en tout dernier recours.

Avant d'esquisser le moindre geste, Spider mettait toujours les choses au point :

– Je ne peux rien te promettre de plus qu'une toute petite aventure, ma poupée. Avec moi, il y a toujours un commencement et un milieu mais pas question de faire une fin. Les promesses, les liaisons durables, et toute cette chienlit relationnelle, vraiment très peu pour moi. Je ne prends jamais le moindre engagement, même pas pour la nuit prochaine.

A l'époque où il rencontra Valentine, deux jobs successifs avaient fait progresser Spider du travail de labo à l'emploi d'assistant de plateau pour photographes réputés. En trois ans, il était devenu, dans les sphères de la mode, une manière d'institution. C'est que toutes ses petites amies, il les aimait vraiment avc tendresse, à sa façon loyale, sensuelle et généreuse, et elles s'en rendaient parfaitement compte. Tant d'hommes les avaient baisées qui leur parlaient d'amour mais *n'aimaient* pas vraiment les femmes. Quand elles couchaient avec Spider, c'était comme si on leur donnait une merveilleuse surprise-partie pour leur anniversaire : elles se sentaient si *bien* dans leur peau, et encore longtemps après. Tout comme si elles étaient de vraies filles...

Dès ses premiers mois à New York, Spider s'était aperçu en effet que la plupart des modèles ne se considéraient pas comme de *vraies* filles. Pas une de ces femmes, ou presque, n'avait trouvé de garçons pour les emmener au bal du collège : tandis qu'ils devenaient des hommes, elles n'avaient cessé d'être les plus maigres et les plus godiches de la classe. Elles avaient été la cible de plaisanteries innombrables et le crève-cœur de leurs mères, même si celles-ci le leur cachaient bien. Quand enfin elles surent se servir de leur visage, quand elles s'aperçurent que leur taille longiligne, leur manque de poitrine et de hanche en faisaient des portemanteaux vivants absolument parfaits, leur conscience-de-soi s'était déjà résolument bloquée aux environs de zéro. Bien sûr, certaines avaient été suffisamment mignonnes, au sens conventionnel du terme, pour participer à des concours de beauté du genre Miss Tee-Age. Les mannequins-vedettes en revanche, ceux qui, entre tous, avaient le plus d'allure, restaient persuadés qu'une *vraie* fille ne dépasse pas 1,65 mètre, qu'elle porte un soutien-gorge avec des bonnets pointure grand 90, qu'elle sait, de naissance, parler aux garçons et qu'elle n'a jamais, de sa vie, tapé dans une balle avec une batte de base-ball.

Presque toutes, dans leur adolescence, auraient donné n'importe quoi pour qu'on eût envie de les caresser. Et voici qu'avec Spider elles sentaient enfin qu'elles attiraient les caresses et les chatteries, les baisers et les câlins, les papouilles et les suçons ; voici qu'on les adorait sans réserves.

Le temps des galipettes coquines bricolées à même le sol du labo de Sakowitz était bien fini désormais. Spider l'avait en effet compris : ce qu'il aimait par-dessus tout, c'était baiser dans un lit, un vrai lit de fille, dans une chambre de fille, toute pleine d'une odeur de fille. En dépit de son ascension professionnelle, il lui manquait encore de connaître l'atmosphère d'un véritable intérieur de femme. Il lui fallait se contenter d'aller renifler l'appartement d'un modèle dans tous ses recoins, en glanant au passage mille petits détails évocateurs. Il humait l'odeur du talc, s'extasiait des senteurs de laque à cheveux ou de rouleaux qui chauffent. Il adorait tout particulièrement les filles très désordre qui laissaient traîner des choses un peu partout : des dessous jetés par terre, des serviettes humides accrochées à la douche, des chaussures abandonnées là où il ne pouvait manquer de buter sur elles, des vieux peignoirs – ceux qu'on préférait entre tous –, des corbeilles à papier débordantes de Kleenex, des dessus de lavabos jonchés de bâtons de rouge à moitié usés et de pinceaux à paupières – bref, tous ces trucs de femmes-enfants qui lui procuraient un plaisir intense. « Quelle merveilleuse bande de marie-souillons », songeait-il avec gourmandise. Comme il aimait leurs brusques fringales, que ce fût pour les vêtemens que venait de s'acheter la voisine ou pour trois portions de glace au chocolat. A ses yeux, la gourmandise était l'emblème de la féminité.

Il restait pourtant un endroit qu'il ne pensa jamais utiliser pour ses ébats : chez lui. Pour y amener une fille, il aurait fallu qu'il en fût amoureux. Or Spider savait très bien qu'il n'avait jamais été amoureux. Son cœur, ce cœur facile à émouvoir et pourtant détaché, restait à lui, obstinément.

L'homme intelligent et sensible qu'il était devenu comprenait parfaitement que, s'il aimait les femmes, c'était d'une façon générique. En tant que groupe, en tant qu'espèce. S'il était disponible à toutes, c'était, fondamentalement, qu'il ne pouvait se donner à une seule. Il espérait bien qu'un jour il tomberait amoureux. Mais ce jour n'était pas venu.

En attendant, il avait ses petites poupées et puis son amie, Valentine : sa mansarde parisienne – cette espèce de décor de théâtre extravagant et douillet – était devenu son grand refuge. C'était là qu'il courait quand il se sentait particulièrement bien dans sa peau. Ou bien, comme il arrivait parfois, quand il était maussade et déprimé. Le requinquait alors à coup sûr ce singulier cocktail, ce mélange de sympathie, de franc-parler et de bonne cuisine qui s'appelait Valentine.

Un beau soir – ils se connaissaient alors depuis plusieurs mois et avaient partagé bien des bouteilles de vin, sans parler des merveilleux ragoûts de Valentine et des longues conversations qu'ils avaient ensemble –, un beau soir donc, Spider fit irruption chez elle sans frapper.

– Val ! Où es-tu fourrée, bordel ? s'écria-t-il, puis, tout déconcerté, il s'arrêta en l'apercevant enfouie dans l'un de ses fauteuils à volants. A trente centimètres de son nez, elle tenait un mégot brûlant, le bout d'une Gauloise bleue. Les yeux clos, elle aspirait la fumée avec délices.

– Ainsi, voilà donc ce que tu fabriques ! Je me demandais pourquoi ça sentait toujours la cigarette française ici dedans. Alors que tu ne fumes jamais... C'est que tu les brûles comme de l'encens. Ah, mon trésor !

Il la serra sur son cœur. Elle le regardait en clignant des yeux, tirée de son rêve en sursaut, toute gênée qu'on ait surpris son secret sentimental.

– Bof, ce n'est pas vraiment l'odeur de Paris. Rien n'a vraiment l'odeur de Paris, mais c'est ce que j'ai pu trouver qui s'en rapprochait le plus. Et peux-tu dire pourquoi tu ne frappes pas avant d'entrer ?

— Je suis bien trop excité. Écoute, j'ai là quelque chose qui a la *saveur* de Paris ! Du Bollinger brut !

Il exhiba la bouteille de champagne qu'il tenait derrière son dos.

— Mais c'est horriblement cher, Elliott ! Y a-t-il un heureux événement ?

— Tu parles ! La semaine prochaine, je débute comme premier assistant de Hank Levy. Il est à des années-lumière de tous les types pourqui j'ai travaillé jusqu'ici. Sakowitz, Miller, Browne... aucun d'entre eux n'a fait autant de super-mode que lui. Il y a une activité infernale dans son studio. Surtout de la pub en masse. Il n'est pas aussi demandé qu'avant pour le rédactionnel mais il fait encore partie des grosses têtes, pas vraiment les très très grosses têtes, ... il n'en a jamais été mais pour moi, c'est un pas de géant. J'ai appris ce matin par je ne sais plus quelle nénette que son assistant, Joe Verona, s'en retournait à Rome et j'ai couru voir Levy aussitôt que j'ai pu m'échapper. Par bonheur, c'était une journée calme. Bref je débute la semaine prochaine.

Exultant, il se laissa tomber à ses pieds sur le tapis.

— Oh, je suis tellement contente, Elliott! C'est la plus merveilleuse des nouvelles, vraiment la plus merveilleuse! D'ailleurs, je le sentais venir... Tu sais que mes intuitions ne me trompent jamais.

Quoique ce fût, à bien des égards, une femme excessivement pratique, Valentine avait la plus grande foi dans ses « intuitions » soudaines. Spider disait, pour la taquiner, que le sang impétueux des Celtes tentait alors de noyer chez elle le bon sens des Français.

En regardant Spider empoigner la bouteille, Valentine se félicita de ce qu'il ne fût pas son type. C'était un libertin, un coureur de jupons et un briseur de cœurs. Avoir des sentiments pour lui, c'était se condamner au malheur. Elle était heureuse de l'avoir pour ami mais cela n'irait jamais plus loin. Elle était d'une nature beaucoup trop sensible pour désirer voir autre chose, en un homme aussi volage, qu'un excellent voisin. Grâce à Dieu, elle était française et savait se protéger de ce genre de types.

— Tu as l'air d'avoir faim, Elliott. Il se trouve que j'ai fait une blanquette de veau et c'est toujours trop pour une seule personne. Et puis ça va bien avec le champagne.

Un assistant passe les neuf dixièmes de son temps à charger des appareils pour les tendre à son patron, à dérouler des grandes feuilles de papier pour les fonds, à vérifier l'intensité de la lumière, à trimballer les trépieds d'un endroit à l'autre, à bricoler des éclairages stroboscopiques très capricieux et à déplacer des supports. L'autre dixième de son travail consiste à changer les bandes du magnétophone. Mais Hank Levy était un paresseux; en outre, il était très pris par l'agitation mondaine. Si bien qu'il laissait à Spider le soin de *prendre* réellement beaucoup de photos. Ainsi Spider faisait-il enfin toutes les choses qui lui avaient un jour donné l'envie d'être photographe et, tout particulièrement, photographe de mode : il faisait poser les modèles, choisissait les angles, inventait ses éclairages, réglait les mises au point et déclenchait les appareils. Il le faisait même encore mieux que ces photographes de mode qu'on voit dans les films. C'est qu'il avait le génie de parler aux modèles.

Hank Levy n'était pourtant pas assez naïf ni débordé pour confier à Spider le moindre reportage : s'il s'agissait d'aller faire une virée aux îles Vierges pour y photographier trois modèles dans les monokinis des prochaines collections – ce qui se faisait toujours sur une plage en bandant comme un cerf – c'était toujours pour Hank : l'argent était une chose très moche, bien sûr, mais le prestige était tout. Aussi Hank laissait-il seulement Spider se défouler sur les publicités de montres, de chaussures et de crèmes dépilatoires. Et encore, sans trop forcer : seulement quand les commandes étaient passées par de petites agences et que celles-ci n'avaient pas en tête de dépêcher leurs créatifs pour assister aux prises de vue. Spider était strictement cantonné dans les basses besognes, celles qui suffisaient tout juste à payer le loyer.

La publicité qui lança Spider portait sur un nouveau durcisseur d'ongles qu'une fabrique de lacets mettait sur le marché. Le mannequin choisi était censé incarner tout le romanesque du Vieux Sud. C'était une fille jeune, inexpérimentée. Elle était toute raide dans sa jupe à crinoline et son corsage baleiné. Spider examina le modèle un peu gauche, d'un regard franchement appréciateur.

– Parfait ! Mon chou, tu es parfaite ! Enfin on a pris quelqu'un qui colle avec le rôle. Je te sens très bien, mon petit, tu es exactement ce genre de fière petite allumeuse qui acculait tous ces types de Virginie à la boisson. Dommage vraiment que tu ne sois pas née plus tôt. Tu aurais pu jouer le rôle de Scarlett O'Hara ! Seigneur, si ce n'est pas là une fille tout à fait irrésistible – un petit peu plus à droite, ma chérie – je parie qu'aucun homme ne résisterait au désir de brouter un peu sous cette crinoline – maintenant, essaie de prendre un air lointain, ma poupée, rappelle-toi que tu es la reine de la plantation, c'est pour toi qu'ils vont partir à la guerre. Génial ! Vraiment génial ! Penche-toi un petit peu à gauche, non, ça c'est ta droite, trésor. Dieu, que c'est agréable d'avoir des nouveaux visages ! Oh, tu es un petit amour tellement futé – mieux qu'une machine à remonter le temps –, tu peux m'appeler Ashley ou Rhett ou ce que tu voudras : une fille superbe comme toi peut vraiment taper dans le tas. Viens donc ici, Scarlett, mon petit gâteau de miel, essaye-moi ça assis sur cette balançoire : a-do-ra-ble !

Et la fille de pouffer. Elle avait passé toute son existence dans le New Jersey mais croyait absolument à tout ce qu'on lui disait. D'ailleurs, pour savoir qu'elle *était* vraiment divine, il lui suffisait de remarquer que Spider avait la trique – et comment ne l'aurait-elle pas remarqué ?

Et de savoir qu'elle était divine la *rendait* effectivement divine en un temps record, infiniment plus bref qu'il n'en fallait à Spider pour dire : « Passe-toi la langue sur les lèvres, ma poupée, et refais-moi ce sourire. » Entre l'allure d'un modèle, quand un photographe exténué lui lançait un mécanique « Fabuleux, absolument fabuleux, chérie ! », et ce qu'obtenait Spider en la mitraillant, avec la bosse bien dessinée que faisait son sexe gonflé dans ses denims étroits et blancs (et voici qu'à son tour, elle sentait sa chatte qui se contractait, qui – seigneur ! – commençait vraiment à mouiller sous ces paniers absurdes) il y avait toute la différence entre une bonne photo de mode et une grande photo de mode.

Ce fut Harriet Toppingham qui découvrit Spider.

Harriet Toppingham était l'une des toutes premières rédactrices en chef dans le domaine de la mode. Il faut préciser ici que toutes les grandes rédactrices de mode, si réputées soient-elles, ne se contentent pas de respirer l'atmosphère électrique et parfumée qui plane sur la haute couture et de papoter dans des déjeuners horriblement chers. Elles travaillent comme des bêtes. L'une de leurs tâches est d'éplucher les publicités de tous les périodiques – et pas seulement des magazines de mode. La publicité est en effet le nerf de la presse. Le coût du papier, celui de l'impression et de la distribution de la plupart des publications dépassent en effet leur prix de vente au numéro ou leur tarif d'abonnement. Sans les ressources de la publicité, il n'y aurait point de journaux de mode. Donc point de journalistes de mode.

Dans tous les États-Unis, il n'existe qu'une poignée de grandes journalistes de mode. L'équipe moyenne d'un magazine de mode comprend une rédactrice en chef, généralement assistée de deux ou trois rédactrices. Des chroniqueuses sont spécialement affectées aux chaussures et aux lingeries, aux accessoires et aux tissus. Chacune est aidée d'une assistante. C'est que, dans ces différents secteurs, les fabricants passent beaucoup de publicité. Il faut donc les tenir par la main, leur marquer une attention particulière.

Dans un magazine féminin d'information générale, tel que *Good Housekeeping,* le service de mode ne comporte souvent qu'une rédactrice principale, son assistante, plus une rédactrice pour les chaussures et une autre pour les accessoires, mais elles n'assurent que six pages rédactionnelles tous les mois, parfois moins. A *Vogue,* en revanche, il y a quelque chose comme vingt et une rédactrices de diverse importance. Ce chiffre comprend les correspondantes à Paris, Rome et Madrid, qui, bien avant d'être des journalistes, sont des femmes du monde.

Harriett Toppingham était parvenue au sommet de sa profession par le mérite et non parce qu'elle pouvait financer sa carrière. Ses revenus personnels, qu'elle tenait d'un père fabricant de baignoires – il en avait produit des milliers – étaient pourtant considérables. C'était une femme intraitable et tranchante, au point qu'à la manière d'un couteau, elle semblait avoir un côté coupant. Elle dégageait un air si évident d'autorité que ses collaborateurs vivaient dans une terreur tout aussi manifeste. Son imagination créatrice connaissait aussi peu de limites que celles d'un Fellini. On commençait toujours par détester ses trouvailles, avant de les copier. Pour finir, elles devenaient des classiques. A l'époque où elle remarqua le travail de Spider, elle avait quarante ans sonnés et bien des gens la disaient laide. Ce n'était même pas une « jolie laide », comme disent les Français. C'est qu'elle avait préféré devenir cette autre chose qu'admirent aussi volontiers les Français: un monstre sacré. Elle faisait avec ce qu'elle avait reçu de la nature et vous le jetait à la figure, sans compromis: des cheveux bruns, clairsemés et plats, sévèrement tirés en arrière, un grand nez viril et proéminent, des lèvres minces maquillées de rouge vif et des yeux bruns sans grâce, qu'elle avait à fleur de visage, comme ceux d'une tortue de vase: des yeux qui vous accrochaient le moindre détail et ne retenaient dans les choses que ce qu'il y avait de plus raffiné, de plus sophistiqué, d'essentiel et recherché. Elle était d'une taille au-dessus de la moyenne, bâtie comme une trique et portait toujours des vêtements superbes, dont le chic jurait carrément car aucune de ses toilettes ne pouvait lui procurer des avantages qu'elle ne possédait pas.

Elle n'avait jamais été mariée et vivait seule dans un vaste appartement sur Madison Avenue, tout encombré de ses collections. C'était des trésors qu'elle avait rapportés de ses innombrables voyages en Europe et en Orient, la plupart trop bizarres, trop hétéroclites et même franchement saugrenus pour convenir ailleurs qu'entre les murs bruns de son intérieur surchargé.

Au moins une fois par an, ou peu s'en fallait, Harriett Toppingham se plaisait à « faire » un photographe qu'elle tirait de l'incognito. Elle pouvait ainsi laisser choir, au moins pour un temps, l'un des collaborateurs réguliers du journal. A quoi bon détenir un pouvoir si personne ne sait que vous n'hésiterez pas à vous en servir? Une fois qu'elle avait lancé ce nouveau photographe, celui-ci avait envers elle une dette pour la vie entière. Quand même les faveurs d'Harriet s'étaient portées ailleurs, ses découvertes, elles, gardaient son estampille.

Dès qu'elle vit la publicité pour ce durcisseur d'ongles, reléguée en quatrième de couverture du magazine *Redbook,* elle passa un coup de fil à l'agence pour découvrir l'auteur de la photo.

– Ils prétendent que c'est Hank Levy, dit-elle à sa secrétaire, mais je ne peux pas y croire. Il n'a rien fait d'aussi original depuis la fin des années soixante. Téléphonez à Eileen ou à l'une des autres agences de modèles et trouvez-moi qui a posé pour cette photo. Puis demandez à cette fille de m'appeler.

Deux jours plus tard, Spider était appelé à comparaître. Il apporta son press-book, une grande chemise de cuir noir, pliée en accordéon et maintenue par une grosse tresse noire. Elle contenait les meilleurs tirages de ses meilleures photos, dont certaines avaient été faites chez Levy, mais la plupart en week-end, pour le plaisir. Spider avait toujours son Nikon F 2 à portée de la main : sa passion était de surprendre les femmes quand elles ne s'y attendaient point, dans ces brefs instants d'intimité où elles étaient en tête à tête avec elles-mêmes. Il aimait célébrer la femme dans la plénitude de sa féminité, qu'elle se fît des œufs au plat ou bien qu'elle rêvassât, le nez dans un verre de vin. Ou encore qu'elle se dévêtît d'un air las, qu'elle se réveillât en bâillant, qu'elle se brossât les dents.

Harriett Nottingham parcourut les épreuves d'un air détaché. En fait, elle retenait à grand-peine son émoi en reconnaissant des filles, dont le visage valait cinq cents dollars de l'heure, affublées de vieux peignoirs ou drapées à la diable dans une serviette.

— Humm... intéressant, très joli vraiment. Dites-moi, Mr Elliott, quel est votre artiste préféré : Avedon ou Penn ?

Spider la contempla avec un sourire narquois :

— Degas, quand il ne peint pas des ballerines.

— Par exemple ! Mais quand même Degas plutôt que ce Renoir — avec ses inévitables roses et blancs. Dites-moi... j'entends dire que vous êtes un fameux étalon. Est-ce une simple rumeur ou bien la vérité ?

Harriett, autant que possible, aimait attaquer par surprise.

— C'est la vérité.

Spider la regardait avec sympathie. Elle lui rappelait sa prof de math de sixième.

— Pourquoi, dans ces conditions, n'avoir jamais travaillé pour *Play Boy* ou *Penthouse* ?

Harriett n'était pas décidée à lui abandonner le terrain.

— Une fille qui s'entortille un collier de fausses perles dans les poils du pubis ou qui pose en grand tralala dans un porte-jarretelles de Frederick 's of Hollywood, et qui se caresse en se regardant dans la glace, tout ça me paraît en général un peu solitaire, répondit poliment Spider. La masturbation n'a jamais été tellement mon trip. Et puis, quand ils mettent deux filles ensemble, ça devient d'un tel flou artistique qu'on ne croirait jamais qu'il s'agit de sexe. Pour vous parler franchement, ça me déprime et puis, à mon sens, c'est un tel gaspillage...

— Oui. Peut-être bien. Humm...

Elle alluma une cigarette et se mit à fumer comme si elle était seule. De temps en temps, elle jetait un coup d'œil sur les épreuves qu'elle avait étalées en vrac sur son bureau. Puis elle lui demanda brusquement :

— Pourriez-vous nous faire quelques pages de lingerie pour le numéro d'avril ? Il nous les faut la semaine prochaine au plus tard.

— Mademoiselle Toppingham, sans aller jusqu'à me les faire couper, je donnerais n'importe quoi pour travailler pour vous mais je suis coincé à plein temps chez Hank Levy...

— Laissez tomber Levy, ordonna-t-elle. Vous ne comptez sûrement pas travailler pour lui jusqu'à la fin de vos jours, non? Ouvrez votre propre studio. Commencez petit. Je vous donnerai assez de travail pour tenir jusqu'à la sortie du numéro d'avril. Si vous êtes capable de faire ce que j'attends de vous, vous n'aurez aucun problème pour payer votre loyer.

Harriett gratifia Spider d'un regard encourageant ou, du moins, de ce qu'elle savait faire de plus proche. La première de ses raisons de vivre, c'était des moments tels que celui-ci: cette manifestation concrète de son pouvoir, cette capacité qu'elle avait de peser à son gré sur le destin d'autrui. Elle se sentit souveraine, enivrée de puissance. Les photos qu'elle venait de commander à Spider, le directeur artistique avait déjà prévu de les demander à Joko. Joko devenait passablement ennuyeux ces temps-ci. Son travail était insipide, manquait de fantaisie. Il avait grand besoin qu'on lui botte un peu le cul. Le directeur artistique aussi, il avait besoin qu'on lui botte le cul. De plus, ce Spider Elliott avait réalisé les photos de femmes les plus sexy qu'elle eût jamais vues. Ces filles, payées pour avoir l'air si merveilleusement irréel dans les publicités de cosmétiques, voici qu'elles étaient affriolantes, comme elle n'aurait jamais osé rêver. Et, d'une certaine manière, plus accessibles. Plus vraies.

Ces derniers temps, elle s'en rendait compte, il y avait, à *Fashion and Interiors,* son journal, un problème avec les photos de lingerie. Les pages qu'ils passaient étaient beaucoup trop sophistiquées. Si bien qu'un choc en retour se préparait. Certains de leurs plus gros publicitaires, des gens qui géraient d'importants budgets pour les gaines et les soutiens-gorge, commençaient à s'accrocher au téléphone. Bien sûr, disaient-ils, ils appréciaient les citations rédactionnelles. Mais leurs clients se mettaient à les harceler pour cette bonne raison que même les mannequins des salons de la Septième Avenue n'arrivaient pas à la cheville des modèles de *Fashion.* Du coup, les acheteurs des grands magasins se faisaient du mauvais sang: les clientes ordinaires s'attendaient à ressembler aux photos et, quand elles se voyaient vraiment dans la marchandise, elles avaient tendance à la mettre en cause plutôt que leur physique à elles. Ces photos étaient tout bonnement des leurres.

Quand les publicitaires étaient mécontents des pages rédactionnelles, c'est que quelque chose n'allait pas. Et, quand quelque chose n'allait pas, Harriett Toppingham s'en remettait toujours à son intuition: elle avait la très forte intuition, ce jour-là, que Spider pouvait beaucoup pour elle.

Spider dénicha un studio dans un vieil immeuble, près de la Deuxième Avenue, qui n'avait pas encore été transformé en restaurant ni en bar. Il était bien trop décrépi pour tenter quiconque. Le propriétaire n'avait pas fait la moindre réparation depuis vingt ans, dans l'attente du jour béni où Warner LeRoy, sortant d'un nuage doré, lui donnerait une fortune des locaux. Malgré tout, il y avait de l'eau pour le labo et, au dernier étage, où Spider avait loué deux pièces, les plafonds étaient hauts. Son propre logis aurait mieux convenu mais il le savait trop mal situé.

Pour cette première commande, Spider choisit de n'utiliser aucun des modèles qu'on faisait poser d'habitude pour les dessous : c'étaient des filles au corps si parfait qu'aucune personne sensée n'imaginait une seconde que l'idée ait jamais pu les effleurer de porter une gaine-culotte ou un soutien-gorge.

Tout au contraire, il engagea des modèles dans le milieu de la trentaine, des filles tout à fait belles encore mais dont le visage et le physique n'étaient visiblement plus très jeunes. Le décor qu'il construisit reproduisait fidèlement une cabine d'essayage de grand magasin. Il y avait une seule chaise, d'où s'effondraient des monceaux de lingerie — les modèles déjà essayés. D'autres jonchaient la petite tablette, si désespérément inutile, qu'on trouve toujours dans ces étroites cellules. Les mannequins s'étudiaient dans le miroir à trois pans. Ils avaient l'air maussade et méfiant. Seulement vêtus d'un jupon, ils s'asseyaient sur un coin de la chaise et allumaient une cigarette dont le besoin se faisait affreusement sentir. Ou bien les femmes s'extirpaient, avec peine et colère, d'une gaine trop ajustée. Elles fouillaient dans des fourre-tout absolument bourrés, à la recherche d'un bâton de rouge qui pourrait peut-être arranger les choses. Bref, elles faisaient réellement, sur les photos de Spider, tout ce que fait n'importe quelle femme quand elle doit s'acheter de nouveaux dessous. Les images étaient à la fois drôles et tendres. Et puis, si l'on voyait bien que ces dessous leur étaient d'un indispensable secours, ces filles restaient pourtant bien faites. Charmantes et voluptueuses. Avec encore un bon kilométrage devant elles. Les hommes qui tombèrent sur ce numéro de *Fashion and Interiors* eurent l'impression d'observer des choses qui, normalement, leur étaient interdites. C'étaient autant d'échappées sur l'univers féminin le plus secret, des mystères comme jamais la page centrale de *Play Boy* ou de *Penthouse* n'en avait dissimulés dans ses plis. Les femmes, de leur côté, se comparèrent aux modèles, comme elles font toujours, même si ça doit leur donner le bourdon. Et cette fois, le résultat leur parut moins éprouvant que d'habitude. En vérité, ces soutiens-gorge semblaient vraiment pouvoir supporter une paires de nichons normaux... — Quelle chose étrange, n'est-ce pas? Et combien rassurante...

Quand il avait vu les planches de contact, le directeur artistique de *Fashion* avait brandi sa démission. Il avait même poussé des hurlements dans une sorte de dialecte bas-hongrois, alors qu'il criait toujours en français. Harriett, en l'entendant, s'était littéralement esclaffée.

Le temps pour le numéro d'avril d'arriver dans les kiosques et Spider avait réalisé trois autres commandes pour *Fashion*: des pages de parfums si outrageusement sentimentales, d'un romanesque victorien si poussé, que n'importe quel critique de cinéma leur aurait accordées trois mouchoirs; une série sur les chaussures que les fétichistes du pied gardèrent comme pièces de collection; puis une étude résolument adorable sur les chemises de nuit et pyjamas d'enfants, qui persuada plus d'une femme d'arrêter la pilule et d'attendre la suite des événements. A la fin de l'année 1975, Spider voulut bien admettre qu'il avait un certain succès, et toutes sortes de bonnes choses en perspective: à bientôt trente ans, il était enfin devenu ce photographe de mode new-yorkais qu'il avait toujours rêvé d'être, avec son studio à lui, son Hasselblad à lui et ses éclairages stroboscopiques. Cela lui avait pris six ans.

Ce fut au début du mois de mai 1976 que Melanie Adams fit son entrée dans le studio de Spider. Trois jours auparavant, pas un de plus, elle avait débarqué de Louisville, dans le Kentucky. Avec cette candeur exaspérante des ignorants, elle avait alors tout simplement mis le cap sur l'agence Ford et s'était installée dans le salon d'attente. Pour y attendre les meilleurs spécialistes du monde du modèle photo. Il se trouvait que, ce jour-là, Eileen et Jerry Ford étaient tous deux absents de New York pour la journée. Mais, quand on ressemblait à Melanie Adams, où donc pouvait-on mieux attendre que dans ce salon d'attente-là?

Les Ford n'avaient jamais appris à leurs collaborateurs qu'il fallait exclure la possibilité d'un miracle: une assistante d'Eileen avait donc à peine jeté les yeux sur Melanie qu'elle décida de connaître sans délai ce que cette magnifique créature pouvait bien donner sur une pellicule. Elle passa un coup de fil à Spider et lui demanda de prendre quelques photos-tests. Il n'y avait rien à tirer des documents qu'avaient apportés Melanie. Celle-ci n'avait encore jamais posé: tout ce qu'elle avait en sa possession, c'était quelques instantanés vieillis, tirés de l'album de famille, ainsi que son portrait dans l'annuaire du collège.

Melanie resta dans l'encadrement de la porte jusqu'au moment où Spider s'aperçut de sa présence:

– Hello, dit-elle d'une voix timide.

D'une main, elle rejeta en arrière le lourd écran de ses cheveux.

– Les gens de chez Ford m'ont demandé de venir ici pour des essais.

Spider crut que son cœur allait vraiment s'arrêter. Il restait là, sans bouger, à la contempler. C'était comme si toutes les autres filles qu'il avait connues faisaient partie d'un simple montage destiné au générique du grand film. Maintenant, l'objectif s'était enfin braqué sur la star. Le film allait vraiment commencer. Il avait d'ailleurs déjà commencé.

– C'est juste. Ils m'ont appelé. Je vous attendais.

Il parlait mécaniquement, par simple habitude.

— Allons-y. Pour commencer, je vais faire quelques prises en lumière naturelle... Posez donc votre manteau sur la chaise et venez par ici. Vous allez vous pencher près de cette fenêtre et regarder au-dehors.

Bon Dieu, pensa-t-il, ces cheveux... Il devait bien y en avoir de trente nuances différentes. Toute la gamme. Du curry au sirop d'érable... Il n'y avait même pas de nom pour certaines.

— Maintenant, rapprochez-vous un petit peu plus de la fenêtre et appuyez-vous sur son rebord avec le coude droit. Tournez votre profil dans ma direction. Levez le menton. Souriez un peu. Un peu plus. Maintenant, tournez-vous vers moi. Baissez la main. Bien. Baissez le menton. Détendez-vous.

Il voyait bien qu'il était totalement impossible de prendre cette fille sous un mauvais angle. Une veine: à la façon dont tremblaient ses mains, il aurait de la chance si les photos étaient nettes.

Elle tournait la tête, ici et là, et Spider, en la contemplant, ressentait des émotions si violentes qu'il en restait comme un idiot, quasiment étourdi. Il était tout bonnement ébloui. Son cerveau essayait bien de mettre de l'ordre dans ce qu'il éprouvait. Mais c'était sans espoir. Il se considérait comme le dernier homme de la terre qui pût être remué par la simple beauté d'une fille: ce qu'il *attendait,* c'était toujours d'abord la beauté, et puis, seulement ensuite, il découvrait, au-delà de la beauté, la personne. Mais voici qu'il aurait volontiers passé le reste de son existence à tenter de comprendre ce visage. Pourquoi lui disait-il tant de choses, ce visage? Pourquoi ces yeux étaient-ils, dans cette chair, placés de telle façon qu'ils semblaient exprimer l'inexprimable? Pourquoi le dessin de ces lèvres-là le rendait-il malade du désir d'en suivre les contours de son doigt? Comme si ce contact allait dissiper leur énigme...

Son sourire était voluptueux, avec délicatesse: tout plein encore d'une réticence secrète. Quelque chose, dans la disposition des os, sous sa peau, lui disait qu'il ne la posséderait jamais. Elle était tellement *là,* sa présence était totale, si parfaite, et pourtant il semblait exclu de cette réalité. C'était exaspérant, incompréhensible.

— J'ai tout ce qu'il me faut, dit-il en éteignant les lampes. Venez... venez donc vous asseoir ici.

Il la guida vers un divan et s'assit près d'elle.

— Dites-moi, quel âge avez-vous donc? Aimez-vous vos parents? Vous comprennent-ils? Quelqu'un vous a-t-il déjà fait des misères? Quels sont vos plats préférés? Qui fut le premier garçon qui vous ait embrassé? L'aimiez-vous? Rêvez-vous souvent?

— Mais enfin, ça suffit!

Il y avait un je ne sais quoi du Sud dans sa voix, avec toute la douceur désirable. C'était la Beauté. Avec un grand B : brûlante et glacée.

— Personne ne m'a prévenu chez Ford que vous étiez timbré. Pourquoi fichtre me demandez-vous tout ça?

— Écoutez, je... je crois bien que je suis amoureux de vous. Oh, non, *je vous en supplie,* ne souriez pas comme ça! Seigneur, ce que c'est que les mots! Je ne suis pas en train de jouer. C'était quelque chose que je devais vous dire tout de suite, d'entrée de jeu, parce que je veux que vous commenciez à y réfléchir... Ne prenez donc pas cet air si méfiant. Jusqu'ici, jamais je n'avais dit à une femme que je l'aimais. Pas une fois avant que vous n'arriviez. Je ne vous en veux pas de me regarder comme ça mais au moins, essayez de me croire.

Spider lui saisit la main, la posa sur sa poitrine. S'il avait couru un deux mille mètres pour sauver sa peau, son cœur n'aurait pas battu plus violemment. Elle leva les sourcils, signe qu'elle reconnaissait son état, puis, enfin, elle le le regarda bien en face. Ses iris avaient la couleur du xérès, de cet ambre chaud et limpide d'un verre de xérès généreux et doux qu'on tend à la lumière. Son regard semblait à la recherche de quelque vérité ultime et cette quête y mettait une ardeur inquiète et pourtant maîtrisée.

— Dites-moi ce que vous pensez en cet instant précis, implora Spider.

— Je déteste qu'on me pose ce genre de question, répondit doucement Melanie.

— Moi aussi. Je ne l'ai jamais fait auparavant. Promettez-moi simplement de ne pas aller vous marier tout de suite. Donnez-moi une chance.

Elle rit.

— Je ne fais jamais de promesses.

Voici longtemps qu'elle avait appris à ne pas se laisser enfermer dans une boîte. Ça évitait ensuite bien des difficultés.

— Et puis, comment pouvez-vous parler ainsi? Vous ne me connaissez absolument pas.

Elle ne s'était pas vraiment piquée au jeu. Elle y prenait pourtant du plaisir, comme elle avait pris du plaisir aux dizaines de déclarations qu'on lui avait faites depuis sa onzième année. Dans ses plus lointains souvenirs, il y avait toujours des gens qui lui disaient combien elle était belle. Mais toute une part de son être refusait de croire à ces paroles. Les mots ne lui suffisaient pas. Modestie? Non point, mais l'obsédant désir qu'on lui fournît d'autres preuves, des preuves qu'on ne lui avait encore jamais données. Sans relâche, elle essayait de se représenter *exactement* ce que les autres voyaient en la regardant. De saisir son image au vol, sur le vif, en entier. Elle n'y parvenait jamais. Son rêve le plus secret étant de quitter son enveloppe, de se regarder du dehors, de savoir enfin ce dont au juste on lui parlait. Sa vie se passait à tester les autres, à voir ce qui, en elle, les faisait réagir. Comme si, dans leurs réactions, c'était elle-même qu'elle pût enfin découvrir.

— Je ne fais jamais de promesses, dit-elle à nouveau — car il semblait n'avoir pas entendu — et je ne réponds pas aux questions...

Dans son attitude, il y avait quelque chose de presque victorien : elle se tenait le dos droit, avec l'air attentif d'une petite fille bien sage et réservée. Il y avait pourtant, dans son sourire, un sourire vraiment engageant sous la timidité, une sorte de quiétude intemporelle : comme si elle était toujours assurée de son triomphe.

Elle fit mine de se lever.

— Non ! attendez ! Où allez-vous ? s'écria Spider, affolé.

— Je meurs de faim et c'est l'heure de déjeuner.

Il se sentit énormément soulagé. La nourriture lui était un terrain familier. Si elle était capable d'avoir faim, c'est qu'elle devait appartenir à la race humaine.

— J'ai ici un frigo absolument bourré. Attendez seulement une minute que je vous confectionne le meilleur jambon-gruyère-pain de seigle de votre vie.

Tout en préparant les sandwiches, Spider songea qu'il pourrait très bien fermer la porte, jeter la clé et la garder ici. Y aurait-il chose plus belle au monde ? Il voulait tout connaître de cette fille depuis le jour de sa naissance. Cent questions s'agitaient dans son esprit, qu'il réprimait aussitôt. Si seulement elle lui racontait tout, pensa-t-il, il pourrait enfin mettre de l'ordre dans ses sentiments.

Spider n'était nullement porté sur l'introspection. Il avait grandi sans jamais s'analyser, se bornant à vivre la merveilleuse part de vie qui lui était assignée. Il ne savait pas qu'en fait il se fuyait lui-même : en aimant tant d'autres personnes par exemple, en leur étant si chaleureusement disponible. Il tomba amoureux de la même façon qu'on tombe dans le trou d'un plancher qui, hier encore, était parfaitement solide. Il était aussi peu préparé à la passion qu'un collégien.

Ils mangèrent avec gravité. Tout ce que Spider avait envie de lui dire lui semblait, avant même qu'il eût commencé à parler, contrevenir aux règles qu'elle s'était fixées. Ce silence ne la gênait en rien. Melanie avait toujours été calme, sereine, évasive. Elle était trop occupée d'elle-même pour avoir envie vraiment de connaître les autres. Les gens finissaient toujours par lui en dire plus qu'elle ne souhaitait de toute manière en entendre. Pourtant, elle fixait attentivement Spider, essayant de comprendre ce qu'il percevait d'elle. L'image serait déformée bien sûr, mais peut-être en tirerait-elle quelque chose qu'elle avait absolument besoin de connaître. Parfois, quand elle était seule, elle croyait enfin parvenir à saisir les contours de son être : elle était telle personne, elle avait tel visage et telle silhouette, aux frontières bien précises, mais, au bout du compte, c'était chaque fois les traits d'une actrice qu'elle avait observée dans un film. Alors, elle se prenait à sourire comme cette femme et sentait que son visage retombait sur le sien, tel un masque. Un bref instant, elle éprouvait ce que ce devait être d'appartenir au monde réel, et puis cet instant passait. Elle retournait à sa quête interminable.

La lumière changea dans le studio. C'était l'après-midi, le soleil désertait la pièce. Spider regarda sa montre.

– Mon Dieu! Dans cinq minutes, trois bambins et leurs mamans vont se présenter ici. Je photographie des robes de goûter, et rien n'est en place!

Il sauta sur ses pieds et se dirigea vers l'autre bout du studio.

Melanie enfila son manteau. Il s'arrêta brusquement, pivota sur ses talons. Était-ce possible?

– Hé là! Comment vous appelez-vous déjà?

4

POUR expliquer son retour à Boston trois mois plus tôt que prévu, Billy Winthrop avait parlé à Tante Cornelie de son mal du pays : elle avait ressenti le brusque désir d'aller passer l'été en famille à Chestnut Hill, avant de partir pour New York, où elle suivrait les cours de Katie Gibbs. Cornelie fit mine d'être convaincue par ce mensonge. Il était énorme mais les Bostoniens, pour la plupart, n'y auraient sans doute pas vu malice : si grande est la passion qu'ils nourrissent pour leur cité et la campagne alentour qu'en regard, même les charmes d'une ville comme Paris leur semblent bien ternes.

Cornelie, elle, savait à quoi s'en tenir. La dernière lettre de Lady Molly lui avait tout expliqué de la façon méprisable dont ce Lacoste avait carrément laissé tomber sa nièce. L'idée d'exprimer à Harry – à Billy – comme elle se sentait triste pour elle, cette idée faisait bien sûr saigner son cœur de mère. Mais la parfaite dignité de la jeune fille lui interdit d'aborder le moindre sujet intime. *Et son allure !* Tout Boston – enfin tout ce qui compte à Boston – en fit des gorges chaudes. Les dames de la grande bourgeoisie, dont les propres filles étaient si fades, réussirent presque à lui pardonner son corps long et lisse, la crue de ses cheveux noirs, sa démarche superbe, la perfection de sa peau. Mais ce fut lentement qu'elles y parvinrent, un détail après l'autre, et même alors, pour cette seule raison qu'elle était, après tout, une Winthrop. On avait si longtemps gardé l'image d'une Honey désespérément grosse et pitoyable... Et voici que, de France, s'en revenait cette beauté affolante... Quelle révision déchirante! On pouvait bien être la femme la mieux disposée du monde, c'était dur à avaler! Si encore elle était née belle mais maintenant, comme ça, cette métamorphose était presque déloyale. Cela exigeait toute une reconversion de l'esprit. C'était comme si une parfaite étrangère avait fait son entrée dans la ville... Une créature pleine de panache et de séduction, ne ressemblant à personne ici. Une prétendue jeune fille de Boston mais qui ne s'habillait pas vraiment comme une jeune fille de Boston; et qui, pourtant, s'obstinait tranquillement à vous aborder sans façons, comme ferait un membre de la famille. Qu'elle était, bien sûr... Quoi de plus troublant, vraiment?

La transformation de Billy irrita plus encore les filles de son âge. Le vilain petit canard changé en cygne, c'était bon pour les frères Grimm: à Boston, ça devenait franchement outré, on pouvait même dire... eh bien franchement... tapageur... Et même, un tout petit peu... vulgaire... non?

Cornelie se jeta dans la mêlée:

— Amanda, ta fille Pee-Wee devrait avoir honte pour ses piques. J'ai entendu par hasard ce qu'elle disait de Billy hier, au Myopia. Ainsi, ce serait « absurde » de changer de prénom à son âge? Tu ferais bien de ne pas oublier qu'elle porte le nom de ta propre petite cousine Wilhelmine. Elle n'a pas « changé » son nom! Elle l'a tout simplement repris. Et puis aussi, Billy « ne saurait pas s'habiller pour le polo »? Si seulement Pee-Wee voulait bien quitter ses culottes de cheval, on pourrait enfin juger si elle sait s'habiller pour quoi que ce soit! Et puis a-t-elle l'intention de se faire encore longtemps appeler Pee-Wee[1]? Jusqu'à ce qu'elle soit grand-mère? Si j'étais toi, Amanda, j'écrirais à Lilianne de Verlac. Peut-être aura-t-elle de la place pour ta fille l'an prochain. Ça ne lui ferait aucun mal de savoir qu'il existe des formes de vie en dehors des écuries...

Avec Billy, Cornelie se montrait très gentille, très directe aussi.

— J'ai le sentiment, Billy, que ton année à Paris pourrait bien t'avoir coûté plus cher que tu ne pensais.

— J'en ai bien peur, Tante Cornelie. Je me suis laissé entraîner...

— Absurde. Une jeune fille aussi resplendissante que toi mérite de

1. Pee-Wee, sobriquet que l'on donne aux personnes très petites (*wee* signifie minuscule). On peut traduire par « bout de chou » ; « Tom Pouce » ; « bout d'affaire ».

tirer le meilleur d'une ville comme Paris. Je ne te reprocherais pas une seconde de t'être acheté ces toilettes. Tu les portes très bien et puis, après tout, c'était ton argent. J'aurais tellement voulu moi-même t'envoyer là-bas avec un joli petit chèque pour ta nouvelle garde-robe. Mais tu étais si rondelette que ça ne semblait pas la peine.

— Rondelette! Tu es vraiment trop gentille, Tante Cornelie. J'étais une répugnante grosse mère, admets-le.

— Allons, ne jouons pas sur les mots. Tu étais une tout autre fille, voilà tout. Le problème n'est pas là — c'est l'avenir. Est-ce que, tout bien pesé, tu n'aimerais pas autant rester à Boston et continuer tes études à Wellesley? demanda Cornelie, pleine d'espoir. Cette nouvelle Billy pourrait épouser qui bon lui chante. Quel besoin aurait-elle d'aller chez Katie Gibbs et de s'ennuyer à faire du secrétariat?

— Juste ciel, non! J'aurai vingt ans à l'automne, c'est beaucoup trop tard pour reprendre des études à zéro.

Cornelie soupira.

— Je n'avais pas envisagé cet aspect des choses. Il reste que tu n'as sûrement aucune raison de t'en aller. Tu sais combien nous aimerions t'avoir avec nous, ton oncle et moi.

— Je le sais bien et je suis infiniment touchée, Tante Cornelie. Mais il faut que je quitte Boston, au moins pour quelque temps. J'ai toujours connu tout le monde ici et pourtant je n'ai pas une seule amie intime. Je n'ai que toi et Oncle George. Père est dans ses recherches jusqu'au cou — il m'a simplement jeté un regard et puis il m'a dit: « J'ai toujours su que tu avais les os des Minot. » Après quoi, il est retourné à ses travaux. Oh, zut, c'est dur à expliquer mais, à peine rentrée, je me suis à nouveau senti dans la peau d'un paria. Pas comme avant, bien sûr, mais enfin je continue à faire tache. Tu m'as toi-même fait promettre d'aller chez Katie Gibbs à mon retour, tu t'en souviens sûrement?

— Mais loin de moi l'idée de t'y forcer maintenant, ma chérie. Je veux dire par là: tu as tellement d'autres perspectives — tous ces charmants garçons qui ne cessent de t'appeler...

— Tous ces charmants gamins, tu veux dire. J'ai l'impression d'avoir dix ans de plus qu'eux. C'est bien simple, je ne peux pas rester plantée là, à m'occuper d'œuvres de charité comme tout le monde ici. Tout en vivant à vos dépens à tous les deux, dans l'attente d'un parti qui ait franchi le cap de l'adolescence...

Billy partit pour New York par une journée chaude et moite, durant la première semaine de septembre 1962. Assise dans son fauteuil de première, elle sentait son cœur se soulever à chaque fois qu'elle pensait à sa prochaine rencontre avec Jessica Thorpe. C'était la fille dont elle allait partager l'appartement. Comme ce nom semblait arrogant: si sec et guindé, si définitif et péremptoire! Bien pis: c'était une fille de vingt-trois ans, diplômée de Vassar, avec mention, et qui travaillait à la rédaction de *Mc Call's*. Encore un de ces horribles démons de vertu, songea Billy. Ses origines elles-mêmes étaient irréprochables. Ses parents descendaient tous deux des plus vieilles familles de Providence, à Rhode Island. Bien sûr ça ne valait pas Boston, avait souligné Tante Cornelie mais, par bonheur, c'était toujours moins... disons : commun que New York. Et son appartement se trouvait dans la 82e Rue, entre Park Avenue et Madison Avenue ! De tels détails suffisaient à l'en persuader : cette inéluctable, cette inévitable compagne devait être une de ces filles blasées, tout imbues d'elle-même, une de ces arrivistes douées, qui se sont totalement prises en charge. Peut-être même – horreur – une de ces intellectuelles...

Pendant ce temps, Jessica Thorpe vivait une matinée singulièrement déplaisante. Qui avait débuté par la mise en pièces de son dernier rewriting du portrait de Sinatra que Nathalie Jenkins, la rédactrice en chef, avait déchiré en tout petits morceaux. Et, comme si les choses n'allaient pas assez mal, voici que débarquait la Fille-de-Boston. Wilhelmine Hunnenwell Winthrop. Rien que d'y penser, sa chevelure floconneuse, genre bébé pré-raphaélite, s'effondrait sur son crâne. Quelles que fussent les circonstances, Jessica était très sujette à l'effondrement. Ses jupes ne cessaient de s'effondrer à cause de ses hanches, trop étroites pour les tenir en place : il ne lui était jamais venu à l'esprit d'en faire rectifier les ourlets. Ses chemisiers s'effondraient parce qu'elle négligeait de les rentrer. Son corps s'effondrait car, avec une taille d'1,58 mètre, elle oubliait toujours de se tenir droite. Pourtant, même quand son moral s'effondrait avec tout le reste, elle demeurait irrésistible. Quand ils voyaient Jessica s'effondrer, les hommes avaient tendance à trouver plutôt hommasses toutes les femmes qui se tenaient droites. Elle avait un petit nez minuscule et un petit menton minuscule, des yeux lavande, immenses et tristes, un grand front ravissant. Quand s'effondrait son adorable petite bouche, les hommes étaient submergés par le désir de l'embrasser toutes affaires cessantes. Et quand elle ne s'effondrait pas, cette bouche, ils ressentaient exactement la même chose.

Jessica n'aimait rien tant que les hommes. Cette dangereuse inclination, elle croyait l'avoir bien cachée à sa mère mais sans doute n'y avait-elle point vraiment réussi. Sinon celle-ci l'aurait-elle, avec une si farouche détermination, mise ainsi au pied du mur ? si elle refusait d'accueillir une jeune fille chez elle, elle s'en irait vivre au Barbizon Hotel, cette pension pour femmes, cette île du Diable de la Continence... Jessica n'aimait rien moins que la continence.

La Fille-de-Boston devait être un espion de sa mère, songeait Jessica sur le trajet du retour. Adorablement effondrée dans le bus de Madison Avenue, elle gâcha la soirée d'une bonne douzaine de messieurs en leur refusant le moindre regard. Quand elle était dans son état normal, Jessica dévisageait ouvertement les hommes durant un quart de seconde. Le temps de leur donner une cote, entre un et dix, avec pour seul critère : « Quel genre d'affaire serait-il au lit? » Il fallait avoir un physique résolument médiocre pour tomber au-dessous de quatre. C'est que Jessica, très myope, avait horreur de porter ses lunettes en public. Au cours d'une semaine moyenne le nombre des six et des sept se chiffrait par dizaines. Bien sûr, elle n'était jamais vraiment très affirmative — elle avait de si mauvais yeux — mais son sens de l'équité l'inclinait à noter large.

C'était l'heure de pointe et Billy eut bien du mal à trouver un taxi. Il était six heures et demie passées quand, enfin, elle arriva chez Jessica. Elle était à bout de nerfs. Le portier téléphona pour l'annoncer au moment précis où Jessica finissait de cacher cinq chaussettes d'hommes dépareillées, une ceinture de chez Brooks Brothers ainsi qu'une douche vaginale qu'elle dissimula en catastrophe, au tout dernier moment. Une fille vierge se servirait-elle d'une douche vaginale? Jessica était trop affolée pour en décider.

De la porte de son appartement, elle vit s'avancer un caddy où s'entassait une pile d'excellents bagages. Derrière se trouvait le second portier et, derrière le second portier, ses yeux myopes aperçurent une Amazone s'approcher à grands pas. Elle échangea des saluts nerveux avec cette grande silhouette floue, tandis que le portier déchargeait les bagages. Jessica attendait sans plaisir le moment où elles se retrouveraient seules toutes les deux. L'Amazone restait plantée au milieu du salon, silencieuse, indécise. Désormais, Billy se sentait relativement à son aise, même avec des inconnus. Du moins tant qu'elle parlait français... Mais la perspective de vivre dans l'intimité d'une fille de son propre milieu — une fille qui lui était supérieure, et qui avait trois ans de plus qu'elle — cette idée faisait refluer tous les sentiments d'insécurité qui avaient si fortement imprégné son adolescence. Et la vue de la minuscule Jessica, si menue, presque fragile, eut le curieux effet de la faire se sentir énorme de nouveau. Comme si elle n'avait jamais cessé d'être grosse.

Le portier s'en alla et Jessica se souvint des bonnes manières:

— Eh bien, pourquoi ne s'assiérait-on pas?

Elle papillonnait, mal à l'aise.

— Vous devez être absolument épuisée. Il fait si chaud dehors! D'un geste mal assuré, elle indiqua une chaise à la grande silhouette vague, qui s'assit avec un soupir de soulagement et de lassitude. Jessica tâtonnait à la recherche d'un sujet commun, de quelque chose qui pût tirer l'inconnue de son mutisme.

— Tiens! si nous buvions quelque chose? hasarda-t-elle, je me sens tellement nerveuse!

A ces mots si gentils, l'Amazone fondit en larmes.

Par sympathie, Jessica en fit autant. C'était aussi une de ces choses qu'elle aimait énormément, fondre en larmes: dans les passes difficiles, elle estimait qu'il n'y avait rien de tel. Après quoi elle chaussa ses lunettes pour examiner Billy en détail. Toute sa vie, elle avait rêvé d'être une fille du genre de Billy. Elle le lui dit. Billy lui répondit que, toute sa vie, elle avait rêvé d'être une fille du genre de Jessica. Toutes deux ne disaient ainsi que la stricte vérité et toutes deux le savaient. Deux heures après, Billy avait tout raconté au sujet d'Édouard et Jessica avait tout raconté au sujet des trois « neuf » qui étaient ses amants du moment. A partir de là, leur amitié suivit une progression géométrique. Auraient-elles jamais le temps de se dire tout ce qu'elles avaient à se dire? Elles se retirèrent dans leurs chambres à quatre heures du matin, non sans avoir cérémonieusement tiré de sa cachette la douche vaginale et conclu un pacte solennel: à Providence, New York ou Boston, elles ne diraient de leur amie rien de plus que son nom, suivi de cette formule consacrée: « une fille très chouette ». Jamais elles ne trahirent ce traité.

Quand Billy déboucha de l'ascenseur, la première chose que rencontrèrent ses yeux, dans le vestibule de l'école, fut le regard inquisiteur de la regrettée Mrs Gibbs. Son portrait, au-dessus du bureau de la réception, avait su rendre toute la présence de ce regard. Une présence austère, implacable. Elle n'avait pourtant pas l'air méchante, songea Billy. On avait l'impression qu'elle savait tout sur votre compte mais qu'elle ne s'était pas résolue — pas encore — à vous réprimander.

Du coin de l'œil, elle s'aperçut qu'il y avait quelqu'un près de l'ascenseur, commis à la tâche d'examiner chaque élève: ses gants, son chapeau, sa tenue, son maquillage enfin, qui devait être léger. Ces exigences ne pouvaient en rien gêner une fille de Boston, elle ne gardait que trop bien en mémoire les usages de sa ville.

Gregg, en revanche, la « méthode Gregg », faisait problème. *Gregg et Pitman*... Qu'elle ne sût rien de ces gens n'empêchait pas qu'elle les maudît. Comment avait-on pu être assez cruel pour inventer l'écriture rapide? Elle était perdue dans ces pensées quand la sonnerie infernale, qui rythmait ici les heures pour l'éternité, se déclencha brutalement. Alors il fallait passer très vite, mais avec toute la précision requise, de la salle de sténo à la salle de frappe, puis de la salle de frappe à la salle de sténo. Beaucoup de ses compagnes avaient quelques notions de dactylographie en arrivant chez Katie Gibbs. Mais celles-là même qui se croyaient en avance sur les autres perdaient bientôt leurs illusions. Devenir un « Produit Gibbs » cela impliquait un niveau de compétence que Billy jugeait tout à fait exorbitant. Pensait-on sérieusement qu'elle serait, en fin d'année, capable de prendre cent mots minute en sténo et de taper sans faute un minimum de soixante mots minute? Eh bien oui, on le pensait...

Au bout d'une semaine, Billy décida qu'il ne servait à rien d'accabler d'injures Gregg et Pitman. Tout comme les lois de la pesanteur, Gregg et Pitman n'étaient pas sur le point de disparaître. Au fond, c'était comme perdre du poids: elle n'arrivait même pas à se rappeler combien elle avait souffert mais, au bout du compte, ça en avait valu la peine. Pas une élève de l'école qui n'eût, à ce sujet, une histoire porte-bonheur: il y était toujours question d'une diplômée de Gibbs qui débutait comme secrétaire d'un sénateur influent ou d'un grand homme d'affaires, avant d'accéder à des postes plus importants encore. Son obsession d'aller toujours de l'avant lui vint finalement en aide: elle se jeta dans le travail à corps perdu, persuadée d'en venir à bout, de le maîtriser, d'en faire sa chose.

Pour sa part, Jessica s'inquiétait de ce que Billy n'eût aucun « prétendant », comme elle disait par euphémisme.

– Mais voyons Jessie, je ne connais pas un chat à New York et je suis venue ici pour travailler. Tu sais comme c'est important pour moi de ne plus dépendre des autres et de me faire un peu d'argent.

– Combien d'hommes as-tu regardés aujourd'hui, Billy? demanda Jessica, balayant d'un geste toutes ces belles ambitions.

– Est-ce que je sais? Peut-être dix... Ou quinze... quelque chose comme ça...

– Quelle cote leur as-tu donnée?

– A dire vrai, je ne joue pas à ce jeu. C'est ton rayon.

– C'est bien ce que je pensais. Si tu ne les regardes pas pour leur donner des cotes, tu seras totalement incapable de reconnaître un « huit », ou même un « neuf », s'il t'en tombe un sous les yeux.

– Qu'est-ce que ça change?

– J'ai beaucoup réfléchi à ton sujet, Billy. Ton cas est classique. Tu es pareille à une cavalière qui, tombée de cheval, ne s'y remettrait pas tout de suite. Manifestement, les hommes te font peur à cause de ce qui s'est passé, c'est bien ça?

Jessica faisait la petite voix en disant cela mais Billy la connaissait assez pour savoir que cet adorable pleurnichement cachait une perspicacité redoutable et qu'il était vain d'aller contre : Jessica voyait à travers les murs et derrière les coins.

– Tu as sans doute raison, reconnut-elle de guerre lasse. Mais, à supposer que je veuille rencontrer un homme, il faut bien voir les choses en face. Il est parfaitement impensable que je lève un « neuf » dans la rue, pas vrai? Ne me jette pas cet œil-là, Jessica, toi-même ne le ferais pas. Enfin, je crois... Il ne me reste donc qu'une solution : j'envoie un mot à Tante Cornelie et je la lâche au milieu de ses relations new-yorkaises. Elle irait me pêcher un de ces « charmants garçons », dont le cordon ombilical est directement branché sur le central de Boston. Tout ce qui se serait passé entre nous aurait fait le tour du Vincent Club en moins d'une semaine. Tu n'imagines pas comme ils peuvent cancaner! Il n'est pas question qu'on apprenne là-bas ce que je fais de ma vie. J'ai l'intention de décrocher mon diplôme, de dénicher un job fantastique, de faire mon chemin et de réussir à plein. Et de ne plus remettre les pieds à Boston!

– Mais aussi, qui t'a parlé d'avoir une liaison dans ton milieu, nigaude? s'indigna Jessica. Je ne le ferais jamais moi-même. Pour rien au monde. Tous mes adorables « neuf » n'ont pas la moindre idée de ce que peut être ma famille. Ils se fichent même de savoir d'où je viens. J'ignore quel imbécile heureux je finirai par épouser, mais il n'est de toute façon pas question d'avoir une aventure avec un type qui pourrait le connaître. Le truc, c'est de se tenir en dehors.

— En dehors?

— Idiote, gémit Jessica. (Elle sourit de voir comme Billy savait peu de chose de la vie, de tout ce que l'existence pouvait offrir.) En dehors de ton monde à toi! C'est un monde très limité, un minuscule petit monde, tu n'imagines pas à quel point. Ils ont beau tous se connaître, les relations de tes tantes à Boston ou Providence, à Baltimore ou Philadelphie, peuvent bien se tenir en rapport avec tous les gens qu'elles te feraient rencontrer à New York, il n'empêche qu'il te suffit de faire un pas — un tout petit pas — endehors de ce réseau pour qu'on te perde aussitôt de vue.

— Vraiment, je ne vois pas comment, se lamentait Billy. Il arrivait à Jessica d'être épouvantablement allusive.

— Les Juifs.

Jessica gratifia Billy d'un sourire de chatte. La chatte la plus dégourdie du quartier, celle qui vient de mettre la patte sur tout le stock de sardines et de crème fouettée.

— Les Juifs sont parfaits. Eux non plus ne veulent pour rien au monde avoir la moindre aventure avec les « charmantes petites Juives » de leur milieu. Leur réseau est aussi serré que le nôtre et, tout comme nous, ils veulent que rien ne se sache. C'est pourquoi tous mes « neuf » sont des Juifs.

— Que ferais-tu si tu rencontrais un « dix » dans ce milieu?

— Je me mettrais à courir comme une voleuse. Du moins, je l'espère. Mais cesse de vouloir changer de sujet. Combien de Juifs connais-tu?

Billy prit un air stupide.

— Tu dois bien en connaître quelques-uns, dit Jessica.

— Je ne crois pas, sauf peut-être ce charmant vendeur de chaussures chez Jordan Marsh.

Billy semblait tout à fait perplexe.

— Désespérant. C'est bien ce que je pensais. Et en plus, ils sont les meilleurs, gémit Jessica, comme pour elle-même, ses yeux lavande perdus dans le vague, tout chavirés, son cerveau de forte en thème ne cessant pourtant de trier des idées, d'esquisser des éventualités, d'ordonner des perspectives.

— Les « meilleurs »? demanda Billy.

Elle n'avait jamais entendu dire que les Juifs fussent les meilleurs quelque part, sauf peut-être au violon et aux échecs. Et, bien sûr, il y avait Albert Einstein. Jésus, en fait, on ne pouvait pas le compter vraiment. Il s'était converti.

— Pour la baise, bien sûr! répondit Jessica, l'air absent.

Billy mit à faire l'amour avec des Juifs un entrain que Jessica elle-même ne pouvait égaler. Les Juifs, c'était comme Paris, songeait-elle. Un nouveau monde, un monde libre, un monde étranger, d'autant plus excitant qu'il était défendu. Dans cet univers inconnu, mystérieux, elle n'avait plus besoin de garder le moindre secret. Une Winthrop? De Boston? Intéressant, peut-être, d'un point de vue historique, mais fondamentalement insignifiant. Même ceux qui avaient été à Harvard, il y avait bien peu de chances qu'ils y aient connu le moindre cousin de Billy. C'est qu'on ne leur avait jamais demandé d'entrer dans un club vraiment select. Par prudence toutefois, Billy ne revoyait jamais un diplômé de Harvard. Elle ne le laissait pas l'embrasser. Même si c'était un « neuf »... Mais des « neuf », il semblait y en avoir tellement! Qu'il était vaste et merveilleux, le monde des « neuf » Juifs, quand on savait le dénicher! Billy y excella bientôt : NBC, CBS, ABC, Doyle-Dane-Bernbach, Grey Advertising, *Newsweek*, Viking Press, le *New York Times*, WNEW, Doubleday, les cours de formation des cadres chez Saks and Macy... la liste était impressionnante, illimitée.

Grâce aux Juifs, Billy se découvrit une sensualité dont elle n'avait pas soupçonné la richesse. Peu à peu, elle apprit à s'y plonger, à se laisser porter par ses sens. Ses appétits grandissaient à mesure qu'elle s'autorisait à les satisfaire. Elle devint avide. Avide de mesurer l'étendue de son empire quand, à travers le tissu d'un luxueux pantalon, elle sentait durement saillir un sexe d'homme. Quand elle savait pouvoir le sortir brusquement, le tenir, palpitant et doux, si chaud dans le creux de sa main. Avide de sentir cette secousse quand, les doigts d'un homme courant doucement sur son corps, se posaient enfin sur son clitoris, le trouvait déjà gonflé, humide, offert à leurs caresses brûlantes, insistantes. Avide de cette attente extatique, qu'elle prolongeait aux limites de la souffrance, avant que la bite d'un nouvel amant n'écartât les lèvres de son con. Et qu'elle sût enfin, quand il l'avait entièrement pénétrée, comme il était fait...

Tant d'énergie sexuelle s'accumulait en elle qu'il lui arrivait, entre deux cours, de devoir s'éclipser dans les toilettes, de s'enfermer dans une cabine et, glissant un doigt entre ses cuisses, de se caresser fébrilement, se libérant d'un orgasme rapide, silencieux, nécessaire. Sa sténographie ne cessait de s'améliorer.

Vers la fin du printemps, alors que le diplôme approchait, Billy convint avec Jessica que ç'avait été une très bonne année. Un grand millésime. C'était en 1963, John Kennedy présidait les États-Unis d'Amérique et Billy, tout près de se mettre à chercher du travail, se rendit, sur les instructions de Tante Cornelie, chez Bergdorf Goodman. Dans ces salons immémoriaux, ce temple du « sur-mesure », elle se fit confectionner par Halston, alors le chapelier favori de Jackie Kennedy, un groom irréprochable. « Je veux avoir l'air intelligent, efficace, compétent et chic — mais pas trop chic », lui intima-t-elle.

Cette année passée chez Katie Gibbs, avec son astreignante discipline et son haut niveau d'études, et puis la révélation de son corps et des mille manières de s'en servir, tout cela avait été comme la dernière touche d'une métamorphose commencée à Paris : Billy n'avait pas encore vingt et un ans, mais sa voix, son allure, étaient celles d'une jeune femme de vingt-cinq ans merveilleusement équilibrée. Cela venait-il de sa haute taille? De son attitude — celle d'une ballerine attendant en coulisse de faire son entrée? Ou bien cela tenait-il à son accent de Boston, à ces inflexions inconsciemment patriciennes, que la Pension Emery, les séjours à Paris et New York, avaient écrêtées sans les faire totalement disparaître? A moins que ce ne fût son allure vestimentaire, qui faisait qu'on la distinguait toujours de la foule, très vite, comme on aurait fait d'un flamand rose égaré dans une volée de pigeons new-yorkais. Bref, c'était une fille épatante.

— Linda Force? C'est bien ça? Tu vas travailler pour une femme? s'écria Jessica.

Elle n'arrivait pas à y croire.

— Comment peux-tu? Après tout ce que je t'ai raconté sur Nathalie Jenkins!

— D'abord, il y a l'argent. Ce sont eux qui payent le mieux. Ils offrent cent cinquante dollars par semaine, soit vingt-cinq dollars de plus que n'importe qui d'autre. En plus, c'est une énorme société, où l'on a toute la place voulue pour jouer des coudes et tenter le grand décollage. Et puis je n'aurais jamais une patronne plus proche des centres de décision. C'est l'assistante de direction du mystérieux Ikehorn en personne. A l'entretien, de toute manière, elle m'a plu et je lui ai plu. J'en suis certaine. Il faut savoir quelquefois s'en remettre à son instinct...

— Eh bien, je t'aurai prévenue, dit Jessica.

Elle s'effondra, lugubre.

Durant les premières semaines, le vaste bureau qui jouxtait celui de Mrs Force resta vide. Le siège new-yorkais de la firme d'Ikehorn occupait trois étages du Pan Am Building et, des fenêtres du président, au trente-neuvième étage, on découvrait toute cette partie de Park Avenue qui disparaît dans Harlem. Ellis Ikehorn faisait alors la tournée de ses filiales dans le monde entier. Billy finit par avoir quelques lumières sur la nature de la société : elle s'intéressait à toute une série de domaines imbriqués : l'agriculture aussi bien que l'industrie, le bois de charpente, les assurances et les transports, les journaux et les entreprises de construction, les établissements de crédit. Plusieurs fois par jour, Linda Force téléphonait à son patron. La conversation pouvait durer une heure. A la suite de quoi, elle dictait toutes sortes de lettres à Billy.

Pourtant il y avait une ambiance d'été dans les bureaux; ils semblaient tourner à faible régime, en dépit des centaines d'employés qui, fébrilement, vaquaient à leurs occupations.

Puis, un beau lundi matin, Ellis Ikehorn fit son entrée dans son domaine. Pour Billy, c'était comme Napoléon s'en revenant en triomphe d'une campagne victorieuse. Ce fut tout juste si le petit peuple ne se dressa pas sur ses pieds pour le saluer d'un triple hourra. Sur ses talons, toute une procession de maréchaux transportait des serviettes gonflées. Le butin sans aucun doute. Le grand bureau d'angle prit aussitôt des allures de poste de commandement. Billy, poursuivant son rêve, crut alors entendre la sonnerie des trompettes. Quand il sortit pour déjeuner, Mrs Force lui présenta sommairement Billy. En se levant pour le saluer, elle eut le sentiment de se trouver devant un homme de l'Ouest bien plus qu'un New-Yorkais. Il était grand, très hâlé, avec des cheveux épais et blancs coupés en brosse. On aurait juré une sorte d'Indien, à cause de ses yeux aux paupières lourdes, de son nez en bec d'aigle et des rides profondes qui couraient vers sa bouche très droite, largement fendue.

Plus tard dans la journée, entre deux lettres, Ellis Ikehorn demanda négligemment à Mrs Force :

– Qui est cette nouvelle fille au juste?

– Wilhelmine Hunnenwell Winthrop, Katie Gibbs.

– Winthrop? Quel genre de Winthrop?

– Le genre Boston, Plymouth Rock, Colonie de la baie du Massachussets. Son père est le Dr Josiah Winthrop.

– Seigneur... Que peut bien faire une fille comme ça dans votre pool-dactylo, Lindy? Son père est une des grandes sommités américaines de la recherche sur les antibiotiques. Est-ce que nous ne dotons pas ses travaux? Je suis sûr que si.

– Oui, entre bien d'autres. Sa fille est là pour la même raison que nous tous. Elle doit gagner sa vie. Pas de fortune familiale, m'a-t-elle dit. Vous n'ignorez sans doute pas que, même avec une direction de recherches, son père ne peut guère se faire plus de vingt mille dollars par an. Peut-être vingt-deux mille. Votre dotation sert à l'équipement et aux frais du laboratoire, jamais à payer les salaires.

Ikehorn la contempla d'un air moqueur. Elle gagnait trente-cinq mille dollars par an, sans parler des quelques valeurs boursières qu'elle possédait. Et elle les méritait jusqu'au dernier cent. Pour savoir ce que gagnait chacun, on pouvait lui faire confiance.

– Avez-vous pris mon rendez-vous chez le médecin?

– Demain matin, sept heures trente. L'heure n'avait pas l'air de vraiment le réjouir.

– Qu'il aille se faire fiche.

Billy et Jessica avaient établi un rituel : un soir par semaine, quoi qu'il arrivât, elles dînaient ensemble. Autrement, avec leur vie quelque peu agitée, elles auraient très bien pu se perdre de vue durant des semaines.

— A quoi ressemble Ikehorn, Billy?

— En fait, je ne l'ai jamais vu plus de quelques minutes à la fois. C'est difficile de s'en assurer mais je crois bien, je suis presque persuadée que ce devait être un « dix ».

— Devait?

— Jessie, l'homme aura bientôt soixante ans, voyons!

— Hummmm. Un Juif, n'est-ce pas?

— C'est ce que pense le *Wall Street Journal* mais *Fortune* affirme le contraire. Le *Journal* estime aussi qu'il pèse dans les deux cent millions de dollars. *Fortune* le croit plus près de cent cinquante millions. Personne ne sait vraiment. Il n'a pas accordé une seule interview depuis vingt ans et il emploie six personnes à plein temps, à notre département de relations publiques, pour que son nom ne soit jamais cité dans les médias, qu'on lui évite d'avoir à prendre la parole et tout ça.

— Mais toi, qu'en penses-tu?

— C'est une sorte de Robert Oppenheimer, en non-Juif.

— Eh, eh!

— Ou bien un Lew Wasserman, en non-Juif.

— Miséricorde!

— Ou peut-être une sorte de Nelson Rockefeller, en Juif. Et en plus grand.

— Bonté divine!

— D'un autre côté...

— Continue!

— Il ressemble beaucoup — surtout ne ris pas! — à Gary Cooper. En Juif.

Jessica la contempla fixement, les yeux en boules de loto. Dût-elle vivre centenaire, elle ne pouvait imaginer meilleure combinaison.

— A bien considérer, il est plutôt du genre tombeur. Grands dieux, Jessie, tu as tes vapeurs! Reprends tes esprits, ma douce.

— Dis-moi tout ce que tu sais. D'où sort-il? Comment a-t-il débuté? Raconte!

— Discrètement, j'ai fait ma petite enquête. Tout ce qu'on sait, c'est qu'il a commencé avec une vieille usine du Nebraska, une entreprise malade, un canard boiteux. D'où il sortait et ce qu'il faisait au Nebraska, mystère. Il a guéri le canard boiteux et racheté un autre canard boiteux. Quand celui-ci a marché droit, il en a racheté un autre — en moins mauvaise posture, celui-là. Pour finir, c'en est arrivé au point où l'entreprise de mise en conserve rachetait l'entreprise de mise en bouteilles qui rachetait la compagnie de transport qui rachetait la compagnie d'assurances, laquelle rachetait l'entreprise de presse parce que la première possédait la scierie qui fournissait le papier pour l'imprimerie. Qu'il a également achetée. A moins que ce ne soit l'inverse. Et ça c'est juste le début. Tu es fixée.

— Je ne l'étais pas vraiment mais je le suis maintenant. Merci mille fois!

— Et alors, tu *voulais* savoir, non?

Ellis Ikehorn se surprit à réfléchir aux conseils du médecin. De temps en temps, au milieu d'une réunion, par exemple, ou d'une conversation téléphonique, quelques mots lui revenaient à l'esprit parmi tous ceux que le docteur avait prononcés : « La dernière partie de votre vie... » Ikehorn s'était toujours moqué des anniversaires mais il y en aurait bientôt soixante et, qu'on s'en moquât ou non, se dit-il, cela commençait à faire beaucoup. En principe, il n'avait rien contre l'idée de se laisser un peu aller. Simplement, il ne savait par quel bout s'y prendre. Sa femme Doris, qui était morte dix ans plus tôt, avait commencé à se laisser aller dès qu'il s'était mis à gagner vraiment beaucoup d'argent. Si l'on peut appeler « se laisser aller », le fait d'entretenir, dans un luxe inouï, quarante chats persans de l'espèce la plus rare. Ikehorn trouvait ça, quant à lui, plutôt salissant et assez pathétique : c'était un bien pauvre substitut à ces enfants qu'ils n'avaient pas eus. Ellis résolut donc de se mettre à l'affût d'une bonne occasion de se laisser aller. C'était la même chose que dénicher une entreprise à racheter : si l'on savait exactement ce qu'on voulait, on finissait toujours par le trouver. Tôt ou tard.

Au beau milieu d'une certaine nuit, Billy fut réveillée en sursaut par l'atterrissage sur son lit d'une forme molle. C'était Jessica, et elle la secouait pour la tirer de son sommeil :

— Billy! Billy chérie! Ça y est, c'est arrivé! J'ai trouvé un « dix » et c'est l'homme le plus divin qui soit et nous allons nous marier!

— Qui est-ce? Quand l'as-tu rencontré? Oh, cesse donc de pleurer, Jessie. Arrête ça tout de suite et raconte-moi tout.

— Mais tu le connais par cœur, Billy. Il s'agit de David, bien sûr! Qui d'autre pourrait être aussi merveilleux?

— David est juif, Jessie.

— Eh bien, ça va de soi qu'il est juif. Je ne couche qu'avec des Juifs.

— Mais tu disais bien...

— J'étais une idiote. Je m'imaginais toujours pouvoir garder la tête froide. Ah! mais c'est que je ne connaissais pas encore David! Oh, je suis tellement, tellement heureuse, Billy! C'est bien simple, je n'arrive pas à y croire.

— Oh, Jessie, que vais-je devenir sans toi?

Ellis Ikehorn s'impatientait. Linda Force ne s'était pas encore montrée ce matin. Ils étaient déjà en retard pour décoller vers La Barbade où il devait rencontrer les dirigeants de deux de ses scieries du Brésil. Et merde! Il était plus de neuf heures et il avait déjà demandé trois communications.

On frappa timidement à la porte de son bureau. C'était Billy. Depuis le retour de Mr Ikehorn, elle n'y avait encore jamais pénétré. Quand il dictait, c'était toujours à Mrs Force qui, ensuite, se rendait dans le bureau près du sien pour faire taper la lettre par l'une des trois filles.

— Excusez-moi, Mr Ikehorn. Mrs Force vient tout juste de m'appeler sur ma ligne parce que les vôtres étaient toutes occupées. Elle pense avoir la grippe. En se réveillant ce matin, elle s'est sentie si mal qu'elle n'a même pas pu sortir de son lit. Elle dit de ne pas s'inquiéter, sa bonne va s'occuper d'elle, et elle est terriblement désolée de vous faire faux bond.

— Seigneur! Je vais dire à mon toubib d'y aller tout de suite. Lindy! Ne pas sortir de son lit! C'est sûrement une double pneumonie. OK, allez chercher votre chapeau et votre manteau tandis que j'appelle Dorman. N'oubliez pas votre bloc. Avez-vous des personnes à joindre pour les prévenir que vous partez pour La Barbade?

— Comment, je pars avec vous? Comme ça?

— Bien sûr. Là-bas, vous pourrez acheter tout ce dont vous aurez besoin.

Le grand homme basané avec ses cheveux blancs en brosse se tourna impatiemment vers les téléphones...

— Oh, et puis harponnez donc l'une des autres filles en sortant. Il faudra qu'elle s'installe chez Lindy pour prendre les messages. J'appellerai dès notre arrivée. Foncez, nous sommes en retard.

— Bien, Mr Ikehorn.

Ils se hâtèrent vers l'aéroport où les attendait le Learjet de la société Ikehorn. Billy était assise, toute nerveuse, au côté de son patron qui lui dictait lettre sur lettre. Un sentiment de gratitude grandissait dans son cœur : pour la regrettée Katharine Gibbs.

Billy ne s'était jamais aventurée plus au sud que Philadelphie. Quand elle quitta l'avion climatisé pour plonger dans l'atmosphère humide, voluptueuse et odorante de La Barbade, ce fut comme si elle entrait dans une nouvelle dimension des sens. Il y avait quelque chose de câlin dans la caresse légère du vent. La terre exhalait un parfum inconnu, musqué, excitant, légèrement provocant. C'était comme si, d'emblée, elle identifiait ces odeurs sans pourtant réussir à vraiment les connaître.

L'île même la déconcerta. Ils roulaient très vite, sur le côté gauche de routes étroites et sinueuses, bordées de baraques aux couleurs pastel et de broussailles vert sombre. Puis ils débouchèrent dans Shady Lane, avec ses vieilles constructions de brique élégantes, ses arches et ses colonnades.

La suite qu'elle occupait à l'hôtel donnait sur l'immense plage ombragée. Il lui sembla découvrir l'horizon tout entier. Elle observa la cavalcade des nuages, jaunes et pourpres, qui s'enfuyaient, en troupeaux serrés, vers le lointain, juste au-dessus du soleil déclinant.

Mr Ikehorn lui signala qu'elle avait à peine le temps d'aller s'acheter tout ce dont elle avait besoin pour deux jours dans les galeries de boutiques de l'hôtel. Toute moite dans son tailleur de laine, elle choisit à la hâte plusieurs chemisiers de soie très simples, des sandales, des dessous, un bikini, une chemise de nuit, un peignoir de bain et puis, au drugstore, des articles de toilette. Elle fit tout porter dans sa chambre et s'en retourna très vite, à temps pour voir le coucher de soleil. Ce fut une explosion de beauté. Puis la nuit tomba d'un coup et des millions d'insectes engagèrent aussitôt un concert de grésillements et de crissements qui vous vrillaient les nerfs. Elle fut bien soulagée de trouver sur sa porte un message de Mr Ikehorn. Il lui enjoignait de faire venir son dîner dans sa chambre et de se mettre au lit de bonne heure : la réunion débuterait le lendemain très tôt, juste après le petit déjeuner. Il lui faudrait être sur le pied de guerre à sept heures.

Au cours des deux journées qui suivirent, Ikehorn et ses deux chefs de division sud-américains se rencontrèrent à plusieurs reprises pour discuter durant des heures. Pendant ce temps, Billy et une secrétaire brésilienne prenaient rapidement des notes et leur passaient des communications. Lorsque les trois hommes déjeunaient ensemble, elles pouvaient leur voler quelques instants pour s'en aller nager dans cette mer si chaude, si attirante, avec son sable immaculé où se cachaient des coraux acérés.

Nina, la Brésilienne, parlait un excellent anglais. Elles prenaient ensemble leurs repas, à une petite table située à bonne distance des hommes. Ils dînaient en plein air, sur la grande terrasse dont la courbe dominait la mer, avec pour seul éclairage des centaines de chandelles. L'hôtel était plus qu'à moitié vide et le resterait jusqu'à la saison de Noël. Alors, il serait envahi par des familles dont les chambres étaient réservées depuis un an et plus.

Dès l'aube du troisième jour, les Sud-Américains s'envolèrent pour Buenos Aires. Ikehorn demanda à Billy de se tenir prête pour midi.

Vers le milieu de la matinée, ils reçurent un coup de téléphone du chef pilote : le temps avait changé, on annonçait un ouragan. Cet appel était presque superflu : déjà, entre leurs fenêtres et la plage, la pluie dressait un véritable écran. Aucun espace n'en semblait séparer les gouttes. Chargées de leurs petits fruits toxiques, les branches des arbres rabougris labouraient le sable.

— Vous feriez aussi bien de vous reposer un peu, Wilhelmine, finit par dire Ellis Ikehorn. Ça se calmera quand ça le voudra bien. C'est en ce moment la saison des ouragans dans toutes les Caraïbes. Voilà pourquoi il y a si peu de monde à l'hôtel. Je pensais que nous partirions à temps mais maintenant, c'est trop tard.

— En fait, c'est Billy, Mr Ikehorn... Je veux dire... Billy, c'est ainsi qu'on m'appelle. Personne ne dit Wilhelmine. C'est bien là mon nom mais je ne m'en sers jamais. Je n'ai pas cru devoir vous le signaler en présence de Mr Valdez et de Mr de Heiro.

— Vous auriez dû y songer plus tôt. Pour moi, vous êtes Wilhelmine. A moins que vous ne détestiez vraiment ça.

— Non, monsieur, pas du tout. Simplement, ça sonne un peu drôle.

— Mouais... Eh bien, pourquoi ne m'appelleriez-vous pas Ellis? C'est un drôle de nom aussi.

Billy garda le silence. Que convenait-il de faire? Chez Katie Gibbs, on ne leur avait rien enseigné à ce sujet. Qu'aurait fait Jessie? Qu'aurait fait Mme de Verlac? Qu'aurait fait Tante Cornelie? Jessie, pensa-t-elle très vite, se serait sans doute écroulée au point de fondre sur place. La comtesse lui aurait fait son sourire le plus énigmatique. Quant à Tante Cornelie, elle l'aurait appelé Ellis, sans plus d'embarras. Billy s'aperçut qu'elle combinait ces trois attitudes.

— Ellis, pourquoi n'irions-nous pas nous promener sous la pluie? Croyez-vous que ce serait dangereux?

— Sais pas. Allons voir. Z'avez un imperméable? Non, bien sûr. Aucune importance. Mettez-vous en maillot.

Billy avait eu cette idée d'une promenade sous la pluie parce qu'elle gardait le souvenir de la bruine sur les pelouses de Boston. En fait, ce fut comme s'ils marchaient sous une cataracte d'eau chaude. Il fallait tenir la tête baissée pour ne point suffoquer. D'instinct, ils coururent se plonger dans l'océan, comme si la mer allait les protéger contre l'eau du ciel. Trois serveurs surpris par le déluge s'étaient abrités dans le bar de la plage. Ils riaient sous cape de voir ces timbrés de touristes qui pataugeaient à l'aveuglette. Après quelques minutes, ils abandonnèrent la partie et coururent sur le sable pâteux jusqu'à l'hôtel, où ils s'engouffrèrent dans leurs chambres.

Quand ils se retrouvèrent pour déjeuner, Billy bredouilla des excuses.

— Mon Dieu, Ellis, je suis désolée. Quelle idée stupide! J'ai cru me noyer et votre imperméable était transpercé.

— Je ne m'étais pas amusé à ce point depuis... depuis bien trop longtemps. Et vous avez ruiné votre coiffure...

Son épaisse et longue chevelure, qu'elle portait si soigneusement gonflée et laquée à la Jackie Kennedy, voici que, séchée à la serviette, elle retombait lourdement sur ses épaules. Elle portait un chemisier rose vif et ses rapides baignades avaient légèrement hâlé sa peau. Jamais, elle le savait, elle n'avait été si belle.

Ellis Ikehorn gardait toujours avec autrui une sorte de distance ironique. Elle lui pesait terriblement ce soir-là. Mais voici que, dans la salle à manger climatisée, tandis qu'au-dehors l'ouragan faisait rage, cette distance semblait se dissoudre et s'évanouir dans l'air. Il eut une grimace en songeant à son médecin : celui-ci lui avait bien dit de se laisser aller... Mais un homme tel que lui, même porté sur la chose comme il l'était, pouvait-il sérieusement avoir des vues sur une fille de vingt ans et quelque? Sur une Winthrop de Boston, la propre fille du Dr Josiah Winthrop? Ils déjeunèrent sans se presser, en devisant d'une façon détendue, agréable. En fait, bien des pensées les traversaient, sans qu'aucun ne devinât l'autre. Leur état mental traversa cinq phases successives. A un premier niveau de conscience, ils firent sommairement le tour de cet étranger qui leur faisait face, comme on s'y essaie avec toute nouvelle connaissance : en formulant des questions et des réponses prudemment superficielles. Au niveau suivant, ainsi que nous le faisons tous sans même y songer, ils s'étudièrent, repérant toute espèce de détails : la texture de la peau, la tonicité des muscles, la franchise du regard, l'éclat des cheveux et le mouvement des lèvres sur les dents, et puis les poses et les gestes, bref tout ce que peut enregistrer le regard, avec son avidité jamais satisfaite, sa constance à juger autrui. Au troisième niveau, chacun ne songeait plus qu'à une chose : attirer l'autre dans un lit. Ne se demandant même plus s'il le ferait mais quand et comment. Alors, ils passèrent un nouveau seuil et égrenèrent toutes les excellentes, les infrangibles raisons qu'ils avaient de ne pas le faire, ni même y songer sérieusement. Et puis, il y avait, tout au fond, un cinquième et dernier niveau où ils se retrouvèrent tous deux gonflés de la certitude claire et poignante, viscérale, que ça allait tout simplement se produire et au diable toutes ces bonnes raisons... Quelque chose s'était mis en mouvement tandis qu'ils couraient ensemble sous cette pluie lourde et chaude. Un lien s'était tissé, une sorte de lien sensuel, qui aurait bien pu ne jamais s'établir, se fussent-ils connus des années. Ils avaient franchi d'un coup toutes les étapes habituelles. Et, tandis qu'ils prenaient ensemble ce repas si policé, lui, le grand homme (s'abandonnant un peu pour mettre à son aise la jeune secrétaire), elle, la jeune secrétaire (délaissant bientôt toute affectation, n'étant plus qu'une jeune personne posée, bien élevée, qui n'oubliait jamais, bien sûr, le respect dû au grand homme), tandis qu'ils dînaient donc ainsi tous les deux, ils se sentaient en rut autant qu'on peut l'être. Qu'importe alors le manteau des conventions, le poids des interdits : il vient presque toujours — si ce n'est toujours — un moment où ce genre d'état se manifeste au grand jour. Ici, les mots ne sont plus nécessaires. Il y a encore, dans l'homme, assez de l'animal pour qu'il sache, d'instinct, qu'il désire, qu'il est désiré. Était-il un vieil imbécile? Un jeune idiot? En tout cas, il désirait cette fille à 100 pour cent. Depuis quand n'avait-il pas désiré aussi quelque chose à 100 pour cent? C'était si loin qu'il en avait perdu le souvenir. Cela remontait à ses cinq premiers millions de dollars au moins. Ou, peut-être, à ses dix premiers millions de dollars.

Maintenant, dans son appartement, il arpentait le petit salon, maudissant le médecin, maudissant Lindy Force, maudissant l'ouragan. Bref, il se sentait heureux, comme jamais depuis tant d'années. Il n'avait pourtant pas la moindre idée de ce qu'il convenait de faire.

Billy, elle, s'était assise devant sa coiffeuse. Elle se brossait les cheveux. C'était bien décidé dans sa tête : elle aurait Ellis Ikehorn. Il n'y avait aucune part de calcul dans cette résolution. Elle lui venait tout droit de son cœur. Et de son con. Elle le voulait et – tant pis si c'était quasiment impensable – elle allait l'avoir. L'avoir maintenant. Avant qu'il n'arrivât quelque chose et que s'évanouît cette occasion tombée du ciel... Elle se concentra sur cette idée au point que ses pupilles s'étrécirent. Ses lèvres, qu'elle ne maquillait jamais, étaient d'un rose plus foncé qu'à l'habitude. Elle les mordit pour les empêcher de trembler.

Avec des gestes précis, comme si elle suivait un plan tracé, elle enfila sur son corps dénudé une sortie de bain blanche qui laissait tout transparaître d'elle. Puis, à grands pas résolus, elle traversa, chasseresse aux pieds nus, le couloir désert et vint frapper à sa porte.

Avant même d'ouvrir, il sut que c'était elle. Elle se tenait devant lui, silencieuse et grave, très grande. Il l'attira dans la pièce, ferma la porte à clé et, sans un mot, il la prit dans ses bras. Ils demeurèrent ainsi quelque temps, debout, sans même s'embrasser, en se contentant de presser leurs corps l'un contre l'autre, d'en éprouver la densité, l'épaisseur. Tels deux êtres séparés depuis si longtemps que cette absence, les mots n'auraient suffi à l'abolir.

Puis il la conduisit par la main dans sa chambre. Les rideaux avaient été tirés à cause de la tempête. Deux lampes de chevet brillaient déjà. Ils se laissèrent tomber d'un coup sur le lit, s'arrachant le peu de vêtements qu'ils portaient l'un et l'autre, consumés d'un désir tel qu'il balayait tout obstacle et toute réticence, toute fierté. Un désir sans âge et sans frontière. Hors du temps.

L'ouragan dura deux jours encore. Billy rapporta de sa chambre son sac à main, sa brosse à cheveux, sa brosse à dents. Parfois ils sortaient du lit, se faisaient servir un repas. Alors ils étudiaient cette plage battue par la pluie et le vent, redoutant le moment où tout cela finirait. Tant que l'ouragan les enfermerait dans son cocon, le monde n'existerait plus. Ils crurent d'ailleurs en avoir chassé jusqu'au souvenir et, pourtant, le monde était là toujours. Ils eurent des conversations interminables et fiévreuses mais, pas une fois, ils ne firent allusion au futur.

Quand Billy s'éveilla, au matin du troisième jour, elle sut qu'au-dehors le soleil brillait. On entendait toute une foule d'employés râtisser la plage, des charpentiers qui s'affairaient déjà, des chiens sur le sable, qui se poursuivaient en aboyant. Il lui fit signe de ne pas ouvrir les rideaux puis il décrocha le téléphone, demanda au standard de ne lui passer aucun appel.

— Combien de temps pourrons-nous jouer à l'ouragan, mon chéri? demanda-t-elle pensivement.

— C'est précisément là-dessus que je médite depuis ce matin cinq heures. Je m'étais réveillé alors et j'ai vu que la pluie avait cessé. Nous allons en parler.

— Avant le petit déjeuner?

— Avant que rien ni personne ne pénètre dans cette chambre. Car, dès le moment où cela se produira, nous aurons cessé de penser droit. La seule chose qui compte, c'est ce que nous décidons, toi et moi. Maintenant, *aujourd'hui,* nous pouvons faire notre choix.

— Est-ce vraiment possible?

— C'est l'une de ces choses que l'argent peut acheter. Je ne l'avais jamais pleinement compris jusqu'alors. Nous sommes vraiment libres de choisir.

— Et que choisis-tu?

Elle enferma ses genoux dans ses bras, avide de connaître sa réponse. Jamais elle ne l'avait vu si concentré, si puissant. Même au milieu d'une réunion d'affaires.

— Toi. Je choisis toi.

— Mais tu m'as déjà, ne le sais-tu pas encore? Le soleil n'y changera rien. Je ne fonds pas.

— Je ne te parle pas d'une liaison, Wilhelmine. Je veux t'épouser. Je te veux pour le restant de mes jours.

Elle secoua la tête, étourdie, incapable d'articuler un mot. D'emblée, de tout son être, elle adhérait à cette idée qui, pourtant, jusqu'ici, n'avait pas effleuré sa conscience : durant ces deux jours, ils avaient certes vécu dans cette égalité que procurent la nudité, la passion. Pourtant, tout au fond d'elle-même, elle avait toujours refusé d'envisager qu'il pût y avoir un lendemain. Trop de choses les séparaient, trop d'années, trop d'argent. Si elle avait ainsi accepté l'inégalité de leurs positions, c'est qu'elle avait grandi à l'école de l'inégalité. Si elle s'était refusée tout espoir pour l'avenir, c'est qu'on lui avait enseigné le malheur d'espérer. Elle s'était donnée librement, sans rien attendre. Parce qu'elle avait désiré cet homme. Et, maintenant, elle l'aimait...

— Qu'est-ce que ça veut dire? Oui ou non?

Il trouvait ambiguë sa façon de secouer la tête. Il se sentait éperdu, comme un collégien.

— *Oui, oui, oui, oui, oui!*

Elle se jeta sur lui, le renversa sur le lit, le bourra de coups de poing pour appuyer sa réponse.

— Oh, mon amour! Mon amour, mon amour! Nous ne quitterons pas cette île avant d'être mariés. J'ai trop peur que tu ne changes d'avis. Nous allons garder cela secret, autant que possible. Nous pouvons rester ici pour notre lune de miel — ou même pour toujours, si c'est cela que tu désires. Il suffira que je passe un coup de fil à cette pauvre Lindy. Elle saura quoi faire.

— Dois-je comprendre que je n'aurai pas un mariage à l'église? dit-elle pour le taquiner. Avec une longue robe blanche et huit cousines pour demoiselles d'honneur? Et puis Lindy pour te conduire à l'autel? A Boston, ce serait l'un des événements de l'année. Tante Cornelie y veillerait.

— Boston! Dès que la nouvelle va filtrer, on va la retrouver dans tous les journaux du pays : « Le milliardaire vieillissant épouse une femme-enfant. » Il faudra nous y préparer. Quel âge as-tu au fait, ma chérie? Vingt-six, vingt-sept?

— Quel jour sommes-nous?

— Le 2 novembre. Pourquoi donc?

— J'ai vingt et un ans depuis hier, annonça-t-elle fièrement.

— Oh Seigneur! gémit-il.

Il enfouit sa tête dans ses mains puis, au bout d'une minute, il se mit à rire sans pouvoir s'arrêter. Dans un hoquet, il lançait parfois « Joyeux anniversaire! », ce qui le faisait repartir de plus belle. Billy finit par se mettre à rire elle aussi. C'était un tel spectacle, de le voir ainsi plié en deux. Simplement, elle ne comprenait pas très bien ce qu'il y avait là de si drôle.

Suivirent sept années où les meilleurs services de relations publiques n'auraient pu les soustraire à la curiosité des foules. Pour les millions de gens qui lisaient des articles à leur sujet ou qui voyaient tant de photos de cette jeune beauté si merveilleusement élégante et racée, de cet homme grand et mince, avec ses cheveux blancs et son nez en bec d'aigle, leur couple était comme un emblème de la richesse et du pouvoir. Leur grande différence d'âge — trente-huit ans — les origines patriciennes de Billy, le fait qu'elle sortait du Vieux Boston, tout cela leur donnait un piquant outrageusement romanesque, qu'on ne trouvait pas chez d'autres gens du monde, mieux assortis.

Billy avait-elle épousé Ellis pour son argent? On ne cessa jamais d'en débattre. Vu les milieux dans lesquels ils évoluaient, tous deux sentaient parfaitement que cette interrogation délicieusement sordide devait traîner quelque part dans l'esprit de tous les gens qu'ils rencontraient. Ils devinaient aussi la réponse que se faisaient la plupart : l'argent était bien à l'origine de l'affaire. Il n'y avait au monde que deux ou trois personnes pour mesurer l'étendue de l'amour qu'elle portait à Ellis, pour savoir à quel point elle était sa chose.

Mais, s'il avait été pauvre, l'aurait-elle épousé? Cette question n'avait aucun sens. Ellis était ce qu'il était à cause même de son immense fortune. Sans argent, il aurait été un homme entièrement différent. Bref, s'interroger là-dessus était tout aussi vain que de se demander si Robert Redford, laid, serait encore Robert Redford. Ou bien Woody Allen, le même Woody Allen s'il avait manqué du sens de l'humour.

Six mois après leur mariage à La Barbade, les Ikehorn inaugurèrent la longue suite de leurs voyages par un séjour en Europe. Leur première étape fut Paris où Billy entendait faire un retour triomphal. Ce fut le cas. Ils élirent leur quartier général au Ritz pour un mois, dans une suite de quatre pièces dont les fenêtres ouvraient sur les nobles symétries de la place Vendôme. Les plafonds étaient immenses et hauts, et les murs teintés des nuances les plus délicates de bleu, de gris et de vert. Il y avait aussi des moulures à filets d'or, au dessin merveilleusement compliqué, et les meilleurs lits de tout le Vieux Continent. Ellis Ikehorn lui-même, tout prévenu qu'il fût contre la France, fut obligé de convenir que l'endroit n'était pas si mal.

Cela faisait environ deux ans que Lilianne de Verlac avait vu Billy pour la dernière fois. Sur le marchepied du train qui l'emmenait au Havre prendre le bateau vers les États-Unis. Elle ne put réprimer un sursaut en découvrant à quel point la jeune fille avait, en si peu de temps, changé. C'était un peu — songea-t-elle — comme ces photos de Farah Diba avant et après son mariage : ici, une charmante étudiante, timide et simple, un peu dégingandée, et là, l'épouse du shah, intouchable et souveraine. C'était bien le même visage, le même corps mais l'allure avait changé du tout au tout. Dans sa façon de bouger, de regarder son entourage, il y avait quelque chose d'entièrement nouveau qui vous touchait le cœur : une superbe inattendue, l'esquisse d'une majesté, et tout cela, cependant, d'un parfait naturel.

Billy découvrit à son tour une comtesse qu'elle ignorait : une femme qui flirtait avec Ellis comme s'ils avaient vingt ans tous les deux. Qui ne trouvait rien de si charmant que les malheureuses tentatives de ce dernier pour articuler quelques mots en français. Qui lui donnait, sous le moindre prétexte, du « pauvre chéri », tout en exhibant sans retenue sa maîtrise de l'anglais d'Oxford. Elle traitait Billy en adulte, l'appelait Wilhelmine comme faisait Ellis et la suppliait de l'appeler Lilianne. Ce qui lui fut, au départ, étonnamment difficile.

Ellis accompagnait les deux femmes à toutes les collections. Comme c'est l'usage pour les touristes de passage, ils avaient demandé au concierge du Ritz de s'occuper des cartes d'invitation. En revanche, le concierge ne pouvait leur garantir la qualité des places. Mais les temps avaient changé. Ces mêmes directrices hautaines qui, quelques années plus tôt, octroyaient deux sièges à la comtesse en cinquième ou en sixième semaine — et des sièges qui n'étaient pas toujours bons — il leur suffisait de jeter un œil sur Ellis, ce grand chef de clan bronzé dans son costume de Saville Row, pour aussitôt les conduire aux meilleures places. Sans même se soucier de regarder vraiment les deux femmes... L'homme riche et généreux, une directrice de maison de couture doit en effet le sentir presque au travers de la porte. Certains prétendent même que, pour vraiment mériter ses fonctions, elle doit être capable de le déceler à cent pas. Les yeux bandés.

Ils commencèrent par Chanel, dont les tailleurs à deux mille dollars étaient alors portés comme des uniformes par toutes les élégantes parisiennes. C'était l'époque où les femmes qui déjeunaient ensemble au Relais Plaza, le « snack » le plus chic de Paris, consacraient invariablement la première heure du repas à décider si les autres femmes de l'assistance portaient *un vrai* ou *un faux* Chanel. D'habiles imitateurs allaient en effet jusqu'à reproduire la chaîne dorée qui, en pesant sur le bas de la doublure, faisait tomber parfaitement la veste du tailleur. Pourtant, un faux finissait toujours par se trahir. Ce pouvait être un bouton pas tout à fait authentique, la ganse sur les poches qui avait deux millimètres de trop ou bien un millimètre de moins. Ou encore le « bon » tissu mais dans la « mauvaise » couleur.

Chez Chanel, Billy commanda six tailleurs, dont certains, comme autrefois, sur les conseils de Lilianne. A sa grande surprise, Ellis semblait prendre des notes sur l'un de ces blocs minuscules qu'on leur avait distribués. On leur avait aussi donné de petits crayons dorés mais il préférait utiliser son vieux stylo Parker. Plus tard, comme ils remontaient la rue Cambon pour aller prendre le thé au Ritz, il se tourna vers Lilianne :

— Votre premier essayage est dans dix jours d'ici, lui dit-il.

— Mon pauvre chéri, vous êtes complètement fou, lui répondit-elle.

— Pas du tout. Je vous ai commandé trois tailleurs, les numéros 5, 15 et 25. Vous n'imaginiez quand même pas rester dans votre coin, sans prendre part à la fête!

— C'est totalement hors de question, dit Lilianne.

Elle était réellement choquée.

— Je ne peux pas vous laisser faire. Pour rien au monde! Vous êtes vraiment trop gentil, Ellis, mais c'est non. Non et non!

Elle était dans tous ses états. Ellis lui sourit avec indulgence.

— Comprenez bien ça, Lilianne : ou vous faites ce que je vous dis, ou ça ira très mal entre nous. Ce n'est pas ça que vous voulez, j'espère? Je vous force la main, ma pauvre chérie, à ma façon d'Américain brutal. Vous ne vous en tirerez pas comme ça.

Ellis s'efforça de prendre un air aussi menaçant que possible mais il ne parvint qu'à sembler ravi.

— Bon, bon, dit la comtesse, plus doucement, je suppose qu'il n'y a vraiment rien à faire. Quand on a des sentiments pour un toqué, il vaut mieux éviter de l'offenser.

— Eh bien, voilà qui est réglé, dit Ellis.

— Un instant, s'il vous plaît. Demain nous allons chez Dior, alors il faut me promettre de ne plus me jouer ce genre de tours.

— Je ne commanderai plus rien sans qu'on vous ait d'abord pris vos mesures, lui assura Ellis. Mais ces tailleurs de Chanel sont des toilettes d'après-midi, n'est-ce pas, Wilhelmine chérie?

Billy acquiesça en souriant. Il y avait des larmes de fierté dans ses yeux. Quelle joie de pouvoir donner à quelqu'un qui vous avait tant donné. Elle n'imaginait pas qu'un tel bonheur fût possible.

— Donc, ma chère Lilianne, il faut encore que vous vous trouviez quelques toilettes du soir. N'est-ce pas, Wilhelmine? Ça tombe sous le sens.

— Pas question! Et si c'est ainsi, je n'irai pas avec vous.

— Oh, Lilianne, je vous en prie, plaida Billy. Ellis s'amuse tellement. Et je n'aurais aucun plaisir si vous n'étiez pas là. J'ai besoin de vos conseils, vous savez. Il faut que vous veniez. Je vous en supplie...

La comtesse, aux anges, se laissa fléchir.

— Bon, dans ce cas, je vous accompagne. Mais Ellis ne me choisira qu'un seul numéro. Vraiment qu'un.

— Trois, rétorqua Ellis, c'est mon chiffre porte-bonheur.

— Deux et n'en parlons plus.

— C'est entendu!

Ellis s'arrêta. Ils étaient au milieu du grand passage illuminé qui traverse toute l'épaisseur du Ritz. De chaque côté s'alignaient des vitrines, avec les plus belles choses que Paris pouvait offrir.

— Marché conclu, ma pauvre chérie! ajouta Ellis en secouant la main de la comtesse.

La garde-robe de Billy ne tarda pas à fasciner les journalistes. D'habitude, il faut des années pour que la femme d'un homme fortuné donne toute sa mesure. A supposer, bien sûr, qu'elle trouve jamais le style qui lui convient. Mais Billy, Lilianne lui avait fait subir un entraînement intensif. Elle lui avait formé le goût, lui avait ouvert les voies infinies de l'élégance. Et puis Ellis l'encourageait à porter toutes ces toilettes merveilleuses dont elle avait toujours rêvées. Alors, autant pour lui faire plaisir que pour se faire plaisir à elle-même, elle devint l'une des clientes les plus assidues des couturiers. Tout lui allait. Cette carte blanche que la vie lui avait donnée pour ses vingt et un ans, une femme qui n'aurait ni sa haute taille ni son goût en aurait peut-être fait mauvais usage : on se serait moqué d'elle. Mais Billy savait n'en faire jamais trop. Son jugement naturel la gardait des excès, en même temps que ce sens de la rigueur, de la perfection qu'elle tenait de Lilianne. Pourtant, quand le faste était de mise, elle s'y jetait à fond. A tel grand dîner de gala à la Maison Blanche, alors qu'elle n'avait encore que vingt-deux ans, elle éclipsa toutes les autres femmes dans sa robe de Dior en satin lilas, rehaussée d'une parure d'émeraudes qui avait appartenu à l'impératrice Joséphine. A vingt-trois ans, photographiée à cheval en compagnie d'Ellis, dans leur ranch de quinze mille hectares au Brésil, elle portait de simples jodhpurs, des bottes, une chemise de coton à col ouvert. Mais deux semaines après, pour la présentation des nouvelles créations d'Yves Saint Laurent, elle portait le tailleur vedette de la dernière collection du couturier : ce jour-là, Ellis, qui était en passe de devenir un vrai Parisien, lui chuchotait le numéro des robes qu'elle devrait, à son avis, commander. A bien des gens qui connaissaient leur mode sur le bout des doigts, la scène en rappelait une autre. C'était seize ans plus tôt, chez Jacques Fath, on présentait la collection du printemps 1949 devant des invités en smoking : assis au côté d'une Rita Hayworth rayonnante, Ali Khan avait laissé tomber ce décret : « La blanche pour vos rubis, la noire pour vos diamants, le vert pâle pour vos émeraudes... »

Billy elle aussi possédait tout un trésor de joyaux princiers. Pourtant elle leur préféra toujours les incomparables Jumeaux de Kimberley : deux boucles d'oreille en diamants parfaitement semblables, de neuf carats chacun, qui, de l'opinion du grand joaillier Harry Winston, comptaient parmi les pierres les plus fines qu'il eût jamais vendues. Insouciante des conventions, elle les portait du matin au soir. Pourtant, sur Billy, elles ne semblaient jamais déplacées.

Au cours de sa vingt-troisième année, elle dépensa plus de trois cent mille dollars en toilettes, sans parler des fourrures et des bijoux. Une bonne part de ces achats furent faits à New York. Billy qui, dans le système américain, était une parfaite « taille huit », voulait éviter ainsi de passer trop de temps en essayages à Paris : il aurait fallu sacrifier la joie d'être avec Ellis et de goûter ensemble à tous les plaisirs de la ville. Ce fut cette année-là qu'elle figura, pour la première fois, parmi les dix femmes les mieux habillées du monde.

Peu après leur retour à New York, les Ikehorn louèrent et redécorèrent un étage entier tout en haut de la tour du Sherry-Netherland Hotel, sur la Cinquième Avenue. Ce serait désormais leur adresse principale. De leurs fenêtres, ils avaient une vue circulaire de la ville. Tout Central Park s'écoulait à leurs pieds, tel un fleuve de verdure.

Ellis Ikehorn régnait toujours aussi brillamment sur son énorme réseau d'entreprises et en demeurait l'actionnaire majoritaire, mais il avait soigneusement choisi ses administrateurs et les membres de son bureau : ainsi s'assurait-il qu'après sa mort ils poursuivraient son œuvre. Tous possédaient suffisamment de parts pour que leur loyauté fût garantie. Il comprit qu'il pouvait désormais s'accorder des loisirs, et de plus en plus, et faire ainsi de lointains séjours avec Billy. Quand celle-ci eut vingt-quatre ans, ils achetèrent une villa au Cap-Ferrat, plantée au milieu de fabuleux jardins et agrémentée de terrasses verdoyantes qui descendaient vers la mer comme dans un immense tableau de Matisse. Pour leurs fréquentes escapades londoniennes, ils conservaient en permanence une suite de six pièces au Claridge. A Londres, tandis qu'Ellis était en réunion d'affaires, Billy s'occupait à collectionner des pièces d'orfèvrerie anciennes.

Ils achetèrent aussi une maison isolée à La Barbade, qui donnait sur une petite baie dérobée aux regards. Ils y allaient souvent, le temps d'un week-end. Ils voyagèrent également beaucoup en Orient mais la résidence qu'ils préféraient entre toutes, c'était encore le manoir victorien de Napa Valley. Là, ils regardaient soigner les vignes de leur Château Silverado, dans un cadre apaisant et champêtre qui leur rappelait la Provence.

Chaque fois qu'ils étaient à New York, Tante Cornelie, qui avait perdu son mari peu après le mariage de Billy, venait passer une semaine ou deux en leur compagnie. Ellis et Cornelie se lièrent d'une profonde amitié : quand Cornelie disparut brutalement – c'était environ trois ans après leur mariage –, Ellis en fut presque aussi affecté que Billy. Cornelie, qui jugeait tout simplement inconvenant d'être en mauvaise santé, mourut d'une attaque, la première qu'elle eût jamais eue. Elle le fit comme elle l'aurait souhaité, en silence et en bon ordre, sans faire traîner les choses, sans même réveiller les domestiques.

Billy n'avait jamais voulu retourner à Boston : elle y avait trop de douloureux souvenirs. Il allait de soi pourtant qu'elle s'y rendrait avec Ellis pour assister aux obsèques de Cornelie.

Ils s'installèrent au vénérable Ritz-Carlton, cousin sans gloire de la ribambelle des Ritz qu'ils connaissent de si près : le Ritz de Lisbonne et celui de Madrid et puis celui de Paris, qui était encore le meilleur de tous. Pourtant ce Ritz-là, en dépit de ses effluves sourdement bostoniennes, restait quand même un Ritz et battait du même cœur que les autres.

L'office religieux devait se tenir à Chestnut Hill, où Cornelie serait inhumée auprès de l'Oncle George. Avant de partir pour l'église, Billy se regarda une dernière fois dans la glace. Elle portait une robe de Givenchy, très sobre, avec un manteau de laine noire et un chapeau noir, qu'elle avait commandés chez Adolfo par téléphone, dès l'annonce de la mort de Cornelie par sa cousine Liza. Ellis la vit qui ôtait ses diamants de ses oreilles et les glissait dans son sac.

– Pas de boucles d'oreille, Wilhelmine? demanda-t-il.

– Nous sommes à Boston, Ellis. Il me vient à l'idée qu'elles seraient déplacées.

– Cornelie disait toujours que, de toutes les femmes qu'elle connaissait, tu serais la seule à pouvoir les porter dans ton bain en gardant l'air naturel. A mon avis, c'est très mal de ta part.

– Je l'avais oublié, chéri. C'est vrai qu'elle disait ça! Et puis qu'ai-je à faire de Boston? Pauvre Tante Cornelie! Elle a consacré tant d'années à vouloir changer en cygne le vilain petit canard... Tu as raison, je dois lui faire honneur. Elle aimerait ça.

Billy remit ses bijoux. Ils brillèrent de tous leurs feux au soleil d'hiver et, dans le miroir, ce fut un éblouissement des moins funèbres. Elle se prit à rire doucement :

– Suprêmement vulgaire pour l'église, surtout dans ces parages... Je me demande si quelqu'un aura le toupet de me le dire.

Quelqu'un y pensa-t-il seulement au cours de la veillée funèbre? En ce cas, cette personne le garda pour elle. C'était une veillée façon Boston. Elle se tint après les obsèques, à Wellesley Farms, dans la salle de réception d'une grande demeure qui appartenait à l'une des sœurs de Tante Cornelie. Comme toujours après un enterrement, tout le monde but beaucoup ou, du moins, un petit peu plus que d'habitude. Les saluts étouffés qu'on avait échangés durant la première demi-heure laissèrent bientôt place à un brouhaha étonnamment jovial. Billy s'aperçut très vite qu'un groupe de ses parents les entourait tous les deux, ouvertement et sincèrement ravis de renouer leurs anciennes relations avec elle. Certains se flattaient même d'une intimité qui n'avait jamais existé. Elle s'était préparée à des réflexions du genre : « Ikehorn, quelle sorte de nom *est-ce* au juste, Billy? Je n'ai encore jamais rien entendu de pareil. Où diable est-il né, ma chère? Quel était donc déjà le nom de jeune fille de sa mère?... » Mais rien de semblable ne se produisit.

Les qualités protectrices d'un homme tel qu'Ellis étaient sans limites. Cette protection s'étendait au moindre détail de leur vie commune. Au fil des années, elle en vint à ne plus sortir du cercle magique qu'il avait tracé autour d'elle. Les plus petits problèmes de la vie ordinaire lui devinrent étrangers. A voir toujours le moindre de ses désirs exaucés, elle devint despotique. Ce fut une évolution décisive mais subtile, dont ni l'un ni l'autre ne s'aperçurent. Disposant vingt-quatre heures sur vingt-quatre d'une limousine et d'un chauffeur, elle ne parvint bientôt plus à s'imaginer qu'elle eût jamais possédé de parapluie. Se mouiller les pieds représentait une hypothèse aussi folle que de coucher deux nuits de suite dans les mêmes draps. Elle ne pouvait concevoir une pièce sans des monceaux de fleurs fraîches, tout comme elle ne pouvait se représenter l'idée de faire elle-même couler son bain. Chaque fois que les Ikehorn se rendaient dans l'une de leurs demeures, ils emmenaient leur chef et leur gardien, ainsi que la femme de chambre personnelle de Billy. Ce personnel venait renforcer l'équipe permanente qui se trouvait sur place. Le chef, qui avait une connaissance précise de leurs goûts, soumettait à Billy les menus du jour. Sa femme de chambre n'était pas que cela, elle savait aussi très bien masser et coiffer. Billy devint gâtée comme bien peu de femmes en ce monde : même quand on l'assume avec élégance, cette sorte de gâterie-là vous change le caractère d'une façon très subtile. Au même titre que l'eau, le pouvoir vous devient nécessaire et naturel.

A lire, dans les journaux et les revues, tant d'histoires et d'anecdotes au sujet des Ikehorn, on pouvait avoir le sentiment qu'ils étaient partie intégrante de la haute société. En fait, ils s'en tinrent toujours un peu à l'écart, s'enfermant dans une bulle, leur monde à eux, d'où toute relation un peu étroite avec l'extérieur devenait non seulement inutile mais impossible. En tant que couple, ils ne furent jamais d'un groupe, d'une bande ni d'un clan. Ils ne s'identifièrent jamais avec telle chapelle ou coterie. Quelle que fût l'importance de leur vie mondaine, leurs seuls amis intimes restaient Jessica Thorpe Strauss et son mari. Quand il leur fallait sacrifier aux relations d'affaires d'Ellis et à leurs épouses, Billy aussitôt se sentait déplacée : que faisait-elle assise parmi ces hommes dans la soixantaine, ces femmes aux allures de grand-mères? Alors qu'il y avait, tout autour, des tablées de jeunes gens, des gens de son âge? On devait sûrement la prendre pour la fille ou même la petite fille de l'un des convives, qui l'aurait amené pour cette seule raison qu'elle n'avait, ce soir-là, aucun autre rendez-vous. En revanche, dès qu'elle se retrouvait seule avec Ellis, ce n'étaient plus que des êtres éternellement jeunes, deux amoureux de la solitude qui voyageaient ensemble, étroitement soudés l'un à l'autre.

Un jour qu'Ellis venait de fêter son anniversaire, elle se rendit compte avec angoisse qu'il était désormais candidat à la retraite des personnes âgées. Elle, elle n'avait que vingt-sept ans.

En décembre 1970, Ellis Ikehorn eut une première attaque, légère. Il avait alors soixante-six ans et Billy, tout juste vingt-huit. Pendant dix jours, il parut se rétablir très vite. Puis une nouvelle attaque, beaucoup plus sérieuse, s'en vint ruiner tout espoir.

— Son cerveau fonctionne, sans que nous ne puissions affirmer dans quelle mesure au juste, précisa à Billy le Dr Dan Dorman, médecin attitré des Ikehorn. C'est le lobe cérébral gauche qui est touché, très malheureusement : le centre du langage est situé dans ce lobe-là. Bref, il a perdu l'usage de la parole et aussi de tout son côté droit.

Il la regarda. Elle était assise très droite devant lui, avec son cou énergique, nu et blanc. C'était comme si, dans cette chair lisse, il enfonçait un couteau. Il savait qu'il fallait tout lui dire maintenant, pendant qu'elle était encore sous le choc.

— Il pourra se servir de sa main gauche pour communiquer avec vous, Billy, mais je ne peux dire combien d'efforts il sera capable de fournir. Pour l'instant, je le garde au lit mais, dans quelques semaines, si rien d'autre ne se produit, il pourra s'asseoir dans un fauteuil roulant sans trop de peine. J'ai pris trois infirmiers pour le garder jour et nuit. Il ne pourra plus jamais s'en passer. Nous avons déjà commencé une kinésithérapie. Il s'agit de conserver les muscles de son côté gauche en état de fonctionner.

Billy, sans un mot, approuva de la tête. Ses mains pliaient et dépliaient un trombone auquel elle semblait vouloir se raccrocher comme à une bouée.

— L'une de mes grandes préoccupations, Billy, c'est qu'Ellis ne devienne terriblement nerveux et claustrophobe si vous restez ici, à New York. Dès qu'il sera capable d'aller et venir dans un fauteuil roulant, vous devriez vous installer quelque part où il puisse se tenir dehors, se promener, être au contact de la nature. Voir pousser les choses.

Billy songea à ces vieillards qu'elle croisait dans les rues de New York. On les roulait dans leur fauteuil vers Central Park, une épaisse couverture sur leurs genoux frêles. Ils étaient enveloppés dans des pardessus coûteux, emmitouflés de cachemire. Ils avaient les yeux vides.

— Où devrons-nous aller? demanda-t-elle doucement.

— Le meilleur climat de tous les États-Unis est sans doute celui de San Diego, répondit Nat. Mais vous risqueriez de vous y ennuyer à mourir. Le piège serait d'imaginer que vous devez rester perpétuellement assise aux côtés d'Ellis jusqu'à la fin de ses jours. Il détesterait ça, plus encore que vous-même, vous m'entendez Billy? Rien ne serait plus cruel. Et il ne pourrait même pas vous expliquer ce qu'il ressent.

Billy de nouveau inclina la tête. Elle avait bien entendu ce qu'il lui disait, elle savait qu'il avait raison. Mais quelle importance?

— Je comprends, Dan.

— Je pense que le mieux serait de vous installer à Los Angeles. Vous connaîtrez des tas de gens là-bas. Mais il vous faudra vivre au-dessus de la ceinture de smog. Dans son état, Ellis ne peut se permettre de respirer du smog. Seul un de ses poumons fonctionne réellement. Cherchez une maison dans les hauts de Bel Air. Je m'y rendrai au moins une fois par mois. Les médecins là-bas sont fantastiques. Je vous mettrai en rapport avec les meilleurs d'entre eux. Bien sûr, je ferai le voyage avec vous pour l'installer.

Le Dr Dorman ne pouvait supporter de regarder Billy, assise là, droite et tranquille comme une reine, mais aussi perdue qu'une enfant. Ç'aurait été tellement mieux pour tous les deux qu'Ellis fût mort. Le jour même qu'il avait appris leur mariage, il s'était mis à redouter une issue de ce genre. Et sans doute avait-ce été également la conviction intime d'Ellis. D'où ce grand train qu'il menait avec elle, un mode de vie dont Dan Dorman savait très bien qu'il n'avait jamais été dans les goûts de son vieil ami. D'où cette manière, tout aussi singulière, dont Ellis s'était plongé dans un monde qu'il avait toujours totalement négligé. Comme s'il ne vivait plus que pour donner à Billy, tant qu'il le pouvait, un merveilleux répit.

— Demain, j'enverrai Lindy acheter une maison là-bas. Elle pourra sans doute tout préparer pour que nous puissions y aller dès qu'Ellis sera transportable.

— A mon avis, vous pouvez prévoir de partir vers la mi-janvier, dit Dorman.

Il se leva pour prendre congé. En le raccompagnant, Billy sentit percer le chagrin dans cette voix qu'il s'efforçait à garder si neutre. Personne au monde, sinon elle, n'avait mieux connu Ellis. Pourtant son métier lui commandait de rester impassible, de ne s'occuper que des faits. Il devait être un soutien, non un affligé. Elle sentit qu'elle devait le réconforter un peu dans cette situation qui, pourtant, n'offrait aucun réconfort. Alors, quand il eut enfilé son manteau, elle posa les mains sur ses épaules, le regarda de haut en bas, avec un sourire mince, son premier sourire depuis le drame.

— Vous savez ce que je vais faire dès demain, Dan? Je vais aller m'acheter quelques vêtements. Je n'ai absolument rien à me mettre pour la Californie.

5

DANS sa collection de souvenirs, il en était un que Valentine aimait entre tous. Ce n'était pas même une photo de famille mais un simple bout de journal tout jauni : l'un des innombrables clichés pris à Paris ce 24 août 1944, où les Alliés libérèrent la capitale. On y voyait des soldats américains rire de toutes leurs dents et agiter les bras tandis que leurs chars remontaient les Champs-Élysées en triomphe. Des femmes en délire s'étaient hissées sur les engins. Elles distribuaient des bouquets de fleurs, donnaient des baisers à bouche que veux-tu à ces hommes hilares, ces vainqueurs si longtemps attendus. Quelque part, non point sur cette photo précise que chérissait Valentine, non quelque part ailleurs, dans ce défilé glorieux et mémorable, il y avait un soldat qui était son père : Kevin O'Neill. Et l'une de ces femmes entre rire et larmes n'était autre que sa mère : Hélène Maillot.

Dans le délire de cette journée de carnaval, ils s'étaient trouvés réunis un instant. Assez longtemps en tout cas pour que le commandant de char aux cheveux roux pût noter le nom et l'adresse de la petite midinette aux grands yeux verts. Le corps de blindés de Kevin O'Neill avait ses quartiers non loin de Vincennes : quand, la guerre achevée en Europe, on le rapatria aux États-Unis, il avait épousé une Française.

Kevin O'Neill fit venir Hélène aussitôt que possible. Ils s'installèrent à New York, dans un logement sans ascenseur de la Troisième Avenue. Kevin avait grandi dans un orphelinat de Boston. Cet Irlandais, plein de fougue et d'esprit, s'initiait alors, d'une façon accélérée, au métier d'imprimeur. Jusqu'à la naissance de Valentine, en 1951, Hélène travailla chez Hattie Carnegie. Dans cette fameuse maison, la plupart des couturières d'élite se trouvaient beaucoup plus âgées qu'elle. Mais elle avait été formée à Paris et possédait parfaitement son métier. Trois ans lui suffirent pour devenir essayeuse. Elle se spécialisa dans les tissus les plus délicats à traiter : mousseline, crêpe de Chine et velours de soie.

A la naissance de Valentine, Hélène O'Neill quitta son travail. D'un cœur léger, elle se consacra à la vie de famille et put ainsi donner libre cours à cet autre talent qu'elle avait : la cuisine. La petite fille ne comprenait encore le moindre mot d'aucune langue, que sa mère prenait soin déjà de lui parler toujours en français. Quand Kevin était à la maison, en revanche, on s'exprimait en anglais et quel joyeux tintamarre cela faisait à ses oreilles, où la chamaillerie se tissait avec la tendresse! De ces premières années, elle avait peu de souvenirs précis. Mais elle ressentait encore — elle sentirait toute sa vie — toute cette chaleur qui les enveloppait, cette gaieté, cet optimisme. Comme s'ils vivaient sur un îlot préservé, un minuscule refuge de grâce et de bonheur.

Au cours de l'été 1957 — Valentine avait six ans, elle était sur le point d'entrer à l'école — Kevin O'Neill fut emporté en quelques jours par une pneumonie virale. Une semaine après, sa veuve décidait de rentrer à Paris : elle devait gagner sa vie et puis, maintenant qu'elles se retrouvaient seules, il fallait une famille à Valentine, des gens qu'elle pût aimer. Or, si tous les parents d'Hélène — la vaste famille Maillot — vivait à Versailles, à New York, en revanche, elles n'avaient personne.

Dans la haute couture, il est pratiquement impossible de dénicher d'emblée un emploi supérieur à celui de petite main. Ou alors on y parvient tout de suite, sur un coup de chance. A Paris, vers la fin des années 50, les femmes qui travaillaient dans les grandes maisons se dévouaient à leur tâche au point qu'elles semblaient être entrées dans les ordres. Les chefs-essayeuses, en particulier, qui avaient la responsabilité de tout un atelier — avec trente ou cinquante ouvrières — se consacraient entièrement à la gloire de l'entreprise : il semblait parfois qu'en dehors de la maison de couture, avec son climat d'exaltation fébrile et contrôlée, elles cessaient totalement d'exister. Bien souvent, elles vieillissaient à son service. Leur compétence les rendait indispensables et leurs petites manies devenaient à la fin légendaires.

L'incroyable se produisit au début de l'automne 1957, c'est-à-dire au moment le plus difficile de l'année, alors qu'on venait de présenter la collection d'automne : chez Pierre Balmain, une chef-essayeuse, l'un des piliers de la maison, décampa sans préavis.

L'après-midi du même jour, Hélène O'Neill se présentait chez Balmain. En temps normal, elle aurait au mieux débuté comme seconde ou première main, places correspondant au niveau d'une couturière hautement qualifiée. Mais Balmain avait un déluge de commandes à satisfaire et c'était la saison la plus rémunératrice de l'année. Il n'avait pas le choix. Il l'engagea sur-le-champ comme essayeuse. Le soir même, ce Savoyard trapu pouvait mesurer toute l'étendue de sa chance. Les mains déliées d'Hélène travaillaient la mousseline avec toute l'autorité et la patience qu'exige ce tissu. Puis elle dut faire un essayage sur Mme Marlene Dietrich et ce fut pour elle l'épreuve du feu : quand Dietrich n'avait rien à redire, le travail ne pouvait être qu'irréprochable. La réputation de Mme O'Neill — celle d'une fée — était dès lors établie. Et sa place assurée.

Hélène O'Neill comprit très vite qu'elle ne pourrait continuer à vivre au sein de sa famille, à Versailles. L'aller-retour dans le petit train bondé pesait trop lourd sur ses journées : sa tâche délicate exigeait toutes ses forces, il lui fallait les garder. Elle trouva donc, pour elle et sa fille, un petit appartement dans un vieil immeuble, à quelques minutes de marche de chez Balmain. Puis elle s'arrangea pour que sa fille pût aller à l'école dans les environs.

Les écoliers français rentrent déjeuner pour la plupart. Ainsi le vrai foyer de Valentine devint-il la maison Balmain. Dès l'âge de six ans et demi, elle prit l'habitude de se glisser par l'entrée du personnel, où le gardien l'accueillait gravement d'une poignée de main. Elle montait discrètement l'escalier, traversait les couloirs déserts — c'était l'exode du déjeuner — et trouvait sa mère assise à l'attendre dans un coin de son atelier, l'un des onze que comptait la maison. Il y avait toujours, dans le panier à rabats d'Hélène, quelque chose de chaud et de délicieusement nourrissant qui les attendait toutes les deux.

Après l'école, Valentine refusait de rentrer dans un appartement vide. Alors, son lourd cartable sous le bras, elle venait se glisser furtivement dans l'atelier, où elle avait son coin assigné. Elle y faisait rapidement ses devoirs, en se concentrant, et, le reste du temps, elle observait avidement les allées et venues, toute cette agitation de gens importants et fiévreux. Elle prenait grand soin de ne jamais se trouver sur leur chemin. En quelques mois, blottie dans son coin, elle devint une silhouette si familière que les ouvrières robustes et, bien souvent, un peu lestes, renoncèrent à mesurer leurs propos en sa présence.

Mais, dans ces moments de loisir, ce qui la fascinait surtout, c'étaient moins les commérages que l'avance régulière et soutenue du travail : c'était d'observer comme, de quelques morceaux de toile raide et blanche bien peu prometteurs, coupés sur un patron, sortait une robe de bal en mousseline, destinée à une duchesse de la Rochefoucauld. Une robe façonnée point par point, après cent cinquante heures de travail et trois essayages au moins, qui revenait, même à l'époque, à deux ou trois mille dollars.

Il va sans dire que « chez Balmain », les responsables ignoraient qu'une enfant fût ainsi quasiment élevée dans l'un des ateliers. Malgré toute sa gentillesse, Pierre Balmain aurait sans doute vivement ressenti un tel manquement aux usages. Sans parler de Ginette Spanier, la toute-puissante directrice, qui, de son bureau, tout en haut du grand escalier, gouvernait la maison. Il arrivait parfois — rarement — que Mme Spanier, cette femme explosive aux cheveux de jais, merveilleusement exubérante, irrésistiblement impétueuse, fît irruption dans l'atelier pour étouffer dans l'œuf, en jouant les médiatrices, quelque révolution. Alors Valentine se cachait derrière un vestiaire chargé des robes du soir. Celui-ci était d'ailleurs disposé dans ce but, non loin de son petit tabouret.

Quand Hélène était enfin venue à bout du dernier essayage, que sa cliente était montée dans la limousine qui l'attendait à la porte et qu'elle s'était engouffrée dans la nuit parisienne (elles étaient alors vingt ou trente mille qui affluaient à Paris chaque saison, pour se commander un trousseau complet chez les grands couturiers), alors la mère et la fille rentraient chez elles à pied. Elles dînaient simplement puis Valentine se remettait à ses devoirs, car il en restait toujours à faire. Mais il était bien rare qu'au cours de la soirée, elle ne demandât pas à sa mère de lui tenir la chronique de Balmain.

La plupart des questions que lui posait Valentine, Hélène jugeait facile d'y répondre, mais celle qui, à sa fille, importait le plus la laissait sans voix : « Comment M. Balmain trouve-t-il ses idées? ».

L'enfant s'obstinait, et de guerre lasse, elle finissait par lui répondre :

— Si je le savais, ma petite chérie, je serais M. Balmain ou peut-être Mlle Chanel. Ou encore Mme Grès. Cette idée les faisait pouffer de rire. Mais Valentine continua de s'interroger.

Un jour — elle avait treize ans — elle se mit à dessiner ses propres idées et la réponse lui vint d'un coup. Les idées venaient, voilà tout, elles venaient tout simplement. On y pensait et puis elles venaient et puis on essayait de les dessiner. Si alors elles ne paraissaient pas bonnes, on essayait de trouver pourquoi et puis on les redessinait, encore et encore.

Mais bien sûr, ce n'était pas suffisant. Il fallait encore savoir ce que ça donnerait sur un corps.

Elle cousait merveilleusement bien : sa mère lui avait appris depuis plusieurs années. Mais se limiter à cela — savoir coudre — ne pouvait déboucher, au mieux, que sur un travail comme celui de sa mère. Sa mère qui, chaque année, paraissait un peu plus épuisée... Ou encore sur une situation de petite couturière de quartier, qui chipe les idées des grandes collections et tente de les reproduire à l'usage de ses clientes de la moyenne bourgeoisie. Même cela ne suffisait pas à Valentine.

Elle était maintenant une jeune fille, au physique attachant. Ses traits fins, délicats, pétillants d'intelligence et de vivacité, étaient bien ceux d'une Française. Son teint, en revanche, le rouge affolant de ses cheveux, le vert tendre de ses yeux brillants et mutins, les trois taches de rousseur sur son nez et puis sa peau merveilleusement blanche, tout cela dénonçait ses origines celtiques. Même dans son uniforme de petite écolière française de l'école communale – un tablier beige, toujours un petit peu trop juste, porté sur un corsage à manches courtes ou longues selon la saison – elle parvenait à se distinguer du lot. Cela tenait peut-être à la façon, toute personnelle, dont elle retenait en arrière, avec des rubans de tartan aux couleurs vives, ses lourdes tresses dont pourtant toujours s'échappaient des boucles. A moins que ce ne fût sa vitalité, que la rigoureuse docilité qu'on exigeait d'une écolière ne parvenait jamais à brider tout à fait. Valentine était toujours portée vers les extrêmes. En anglais, en dessin, elle était la première. Mais la dernière en maths. La conduite, il valait mieux n'en point parler.

Valentine fut la seule adolescente de son école à collectionner les disques des Beach Boys : toutes les autres raffolaient de Johnny Hallyday. D'une façon quasi rituelle, elle allait, tous les samedis après-midi, voir des films américains. Pour ne pas se laisser distraire, elle préférait s'y rendre seule. Car, si elle pensait en français, elle prit toujours bien garde à ne point perdre son anglais. Ni même à le laisser rouiller comme il arrive si souvent quand, dans son enfance, on a pratiqué plusieurs langues. Elle n'en parlait jamais, même à sa mère, mais n'oubliait point qu'elle était à demi américaine. Sa double nationalité lui était comme un talisman : trop précieux, trop sacré, pour qu'on l'exhibât au grand jour.

A l'approche de sa seizième année, elle estima qu'il était inutile de poursuivre ses études. A seize ans révolus, elle avait le droit de quitter l'école et de prendre un emploi. A quoi bon, quand on se destinait au stylisme, ingurgiter encore des monceaux de littérature et de poésie françaises, sans parler des mathématiques? Car elle serait styliste, même si elle était seule à le savoir.

Aurait-elle trouvé à Paris l'équivalent de ces écoles américaines spécialisées – *Parsons School of Design* ou *Fashion Institute of Technology* – que Valentine n'aurait eu les moyens de s'y payer des études.

Une seule voie lui restait : l'apprentissage.

On n'attend pas d'une apprentie qu'elle se mette à créer. On n'attend même pas cela des grandes essayeuses ni des coupeuses. La créativité est totalement réservée au maître couturier qui, lui-même, a appris son métier en travaillant pour d'autres maisons de couture, où souvent il a débuté en faisant des croquis. Chanel elle-même n'avait aucune compétence technique quand elle s'établit comme modiste, grâce à son amant du moment. Il est d'ailleurs bien rare qu'un créateur sache vraiment couper et coudre, comme le font Pierre Balmain ou Mme Grès.

En cinq années, de 1967 à 1972, Valentine suivit une progression régulière. Elle fut midinette puis seconde main, première main enfin, effectuant ainsi, en peu de temps, un trajet qui prend habituellement vingt ans. Ou qui même n'est jamais accompli. Grâce à la formation intensive qu'elle avait reçu chez elle de sa mère, à la machine à coudre, ses aptitudes, d'emblée, l'avaient placée loin devant les autres. Maintenant, elle assimilait tout ce qui se faisait en dehors des ateliers. Passées les deux premières années, on eut souvent besoin d'elle dans les salons d'essayage. Là, des princesses, des vedettes de l'écran, des épouses de milliardaires sud-américains restaient debout en combinaison pendant des heures, dans une atmosphère confinée et parfumée. Avec, parfois, des gouttes de sueur descendant sur leur visage et, parfois aussi, des larmes de rage et de désappointement quand elles découvraient ce que donnait sur elle leur nouvelle toilette. Valentine apprit à anticiper en quelques secondes le moment où la cliente tenterait de rejeter sur la maison le fait qu'elle n'enlevait pas une robe avec l'aisance d'un mannequin faisant douze centimètres de plus et trente kilos de moins. Elle apprit aussi comment réagir devant ce genre d'incidents fréquents, selon des techniques développées à longueur de vie par des premières vendeuses endurcies, rusées et cyniques. A voir comment ces femmes en essayage enduraient la souffrance de rester durant des heures absolument immobiles, sur ces hauts talons magnifiques qu'on leur avait faits sur mesure, elle apprit où pouvait conduire la vanité. Où menait cet entêtement à vouloir porter exactement la robe qui convenait, au prix des plus épouvantables supplices. Bref, elle apprit à connaître les femmes, et singulièrement les femmes riches, comme on ne les connaît jamais à son âge.

Elle pouvait assister désormais à ces répétitions des nouvelles collections qui sont réservées aux seuls responsables de la maison. Des toilettes auxquelles elle avait mis la main, et d'autres – des centaines – qu'elle n'avait jamais vues auparavant, défilaient devant elle, portées par des mannequins à la démarche rapide et aux nerfs à vif. Elle pouvait observer les conférences entre Balmain et ses collaborateurs, quand ils devaient décider des bijoux et des gants, du chapeau et de la cravate de fourrure qui parachèveraient l'ensemble. Valentine avait un goût inné. Maintenant, dans cette forcerie qu'était la maison Balmain, ce don se développait tous les jours. Elle parvenait à désigner sans erreur, lors des répétitions, les robes et les tailleurs qui se vendraient le mieux et ces créations originales dont personne ne voudrait jamais, même lorsque, la collection finie, elles iraient s'échouer sur le vestiaire des soldes. Alors, des femmes qui, telles des vautours, attendaient l'occasion, viendraient fouiller dans ces vêtements. Elles achèteraient des robes que les mannequins avaient, pendant quatre ou cinq mois, porté tous les jours : ces mannequins en sueur qui ressemblaient tant à des chevaux de course après la ligne d'arrivée, ces modèles anxieux de savoir si, en présentant telle robe, elles avaient poussé une cliente à l'achat. Car elles obtenaient alors une toute petite commission sur la vente.

Pour sa part, Valentine, même si elle en avait eu les moyens, ne serait jamais descendue à fréquenter les soldes. Elle se faisait elle-même tous ses vêtements et ils étaient toujours fort bien conçus. On ne pouvait, chez Balmain, travailler autrement qu'en jupe noire traditionnelle, en pull et en blouse blanche. Pourtant, ces tristes vêtements eux-mêmes — conçus pour symboliser l'abîme qui, de ses ouvrières, sépare les clientes de la haute couture — Valentine savait les porter d'une façon un peu différente, sans aller au point qu'on pût le remarquer. Ses cheveux, incroyablement frisés, elle les avait coupés aussi courts que possible. Ainsi, ses rubans de tartan enfouis dans un tiroir, on l'aurait presque tenue pour une ouvrière parmi d'autres, sérieuse et affairée. Aussi longtemps du moins qu'on ne regardait son visage, qu'on ne plongeait dans ses yeux. Ce que faisaient rarement les clientes de la maison, perdues qu'elles étaient dans leurs pensées.

Le samedi en revanche, ou les jours de vacances, Valentine pouvait s'habiller comme ça lui chantait, et porter ses créations. Depuis l'âge de quatorze ans, elle était son propre mannequin et sa mère l'aidait pour ses essayages : après une journée passée à épingler, à réépingler les toilettes de parfaites étrangères, Hélène O'Neill consacrait allégrement des heures à travailler sur les inventions de cette fille tout à fait extraordinaire. Bien sûr, elle ne le disait pas à Valentine, qu'elle était extraordinaire. Cette opinion, c'était le secret d'une mère, et il y avait peut-être du préjugé là-dedans. Bref, elle ne voulait pas en tirer vanité mais enfin, cette fille élancée, si alerte et si vive, avec ses sautes d'humeur brusques et incompréhensibles — son versant irlandais, paternel — et puis ces mains habiles, qu'elle tenait de sa mère, cette approche réaliste de l'existence, non, cette fille-là n'était certes pas *ordinaire*. Même si elle n'avait pas été l'enfant de sa chair, Hélène O'Neill en aurait été convaincue.

Depuis qu'elle s'était mise à dessiner, Valentine ne s'était jamais fait la moindre illusion : à supposer même qu'elle y parvînt, d'une façon ou d'une autre, il aurait été parfaitement inutile de vouloir attirer l'œil de M. Balmain sur ses créations. Eût-il reconnu son talent que le style de la jeune fille n'était pas dans le ton de la maison, dont la vocation principale était d'inventer de riches toilettes pour des femmes riches. Valentine, elle, ne dessinait point pour les épouses de milliardaires, pour des femmes entre deux âges, dont la vie s'écoulait entre les galas de charité et les déjeuners au Ritz. Dans son esprit, c'était pour des gens tout à fait différents qu'elle travaillait. Mais qui étaient-ils donc ces gens, en dehors d'elle-même? Elle savait seulement qu'ils existaient quelque part, avec cette assurance qu'elle mettait en toutes choses. Où se trouvaient ces clientes? Et comment les découvrir? Tout cela était sans importance, se disait-elle, avec cet immense optimisme qui, chez elle, n'avait d'égal que son impatience : tout lui viendrait d'un coup. C'était tout simplement obligé.

Hélène O'Neill ne cessait de maigrir. Ses mains étaient toujours aussi habiles à travailler les tissus mais il lui fallait multiplier les épinglages avant d'être satisfaite. Ses clientes ne tenaient plus en place. A Valentine, elle avait enseigné tout son art de cuisiner. Or voici que, bien souvent, elle ne venait pas au bout du dîner que sa fille lui préparait. Parfois — rarement — quand elle se croyait seule, une plainte lui échappait. Quand Valentine l'eut enfin convaincue d'aller voir un médecin — « Qu'est-ce qu'*ils* en savent ? » disait-elle avec mépris — il ne lui restait plus que quelques mois à vivre. Elle mourut à quarante-huit ans, d'un cancer généralisé. Tout Balmain la pleura. Il ne manqua personne à ses obsèques, au vieux cimetière de Versailles.

Une semaine après, Valentine se rendait à l'ambassade des États-Unis, place de la Concorde, pour y faire une demande de passeport américain. Elle apportait son acte de naissance, que sa mère avait toujours soigneusement conservé, avec ses documents de mariage et les papiers militaires de son mari. Elle ne s'était ouverte à personne de sa décision, pas plus chez Balmain que dans la famille de sa mère, entièrement composée de gens raisonnables et bornés. Maintenant qu'elle se retrouvait seule, elle s'en remettait totalement à son instinct, laissant la guider cette voix qu'elle avait toujours sentie murmurer en elle.

Elle n'avait pas encore vingt-deux ans mais déjà cinq ans d'expérience chez Balmain. Première main depuis un an, elle était sûre et certaine, si elle restait à Paris, de le rester au moins cinq ans encore. Après quoi, probablement, elle deviendrait essayeuse. C'en serait alors sans doute fini de son ascension. A moins bien sûr de se marier, d'abandonner la couture. Mais devenir une femme au foyer et se soucier plus du prix du kilo de bœuf que des façons du grand monde — de cette société qui l'avait insidieusement contaminée, dans l'atmosphère raréfiée de la haute couture parisienne — ah non, pas question ! Elle s'était toujours barbée avec ses gentilles cousines. C'étaient des filles très « classe moyenne », qui toujours admiraient sans aucune retenue ses toilettes du dimanche mais n'avaient guère avec elle d'autre sujet commun. D'ailleurs, la dernière fois qu'elle était tombée amoureuse, c'était à seize ans, de ce jeune abbé qui servait, à Versailles, la messe du dimanche. Cette passion délicieusement impossible n'avait pas même duré six mois. Non, non, Paris c'était bien fini pour elle, songeait Valentine en pleurant sa mère. Elle emballerait tout ce qu'il y avait dans l'appartement, elle l'enverrait à New York. Elle ferait son préavis d'un mois, elle reprendrait ses économies au Crédit lyonnais, avec celles de sa mère, puis elle suivrait ses meubles. Elle tenterait sa chance aux États-Unis. Après tout, n'était-ce pas dans la tradition ?

Durant ses quinze ans d'absence, New York avait bien changé. Certainement en pire, songeait Valentine en se frayant difficilement un chemin dans ces rues proches de la Troisième Avenue où elle jouait autrefois : elle avait maintenant beaucoup de mal à progresser dans la foule. C'était la génération du samedi, la civilisation du week-end : on faisait gaiement la queue devant les cinémas. Comme si le fait – valait-il mieux dire : l'art ? – de faire la queue comptait plus que le film. Elle venait de passer toute une semaine à se chercher un logement bon marché, dans les rues dont elle avait un vague souvenir. Mais le grand magasin Bloomingdale's, cette fleur fabuleuse de la culture américaine, et la prolifération des cinémas d'art et d'essai, avaient mis ce quartier tellement dans le coup que les loyers y atteignaient des prix absurdes.

Les économies de Valentine et son héritage, tout cela faisait, pour voir venir, une somme assez rondelette. Elle pourrait subsister le temps de trouver un emploi de styliste. Et puis, en mettant les choses au pire, elle savait qu'avec ses aptitudes, on l'embaucherait en un millième de seconde dans n'importe quelle maison de la Septième Avenue. Mais elle comptait bien ne plus vivre du métier de couturière. Ce n'était vraiment pas pour cela qu'elle avait quitté la seule famille qui lui restait au monde, ses parents les plus proches et, avec beaucoup plus de peine encore, sa chère collection de mères de rechange, de tantes supplétives : son dernier mois chez Balmain n'avait été qu'une longue suite de scènes déchirantes. Bien des essayages en avaient été suspendus, à la grande consternation de M. Balmain lui-même. Les choses en étaient venues très loin : non pas une mais *deux* baronnes de Rothschild étaient restées en carafe. Si bien que la responsable de son atelier avait appelé à la rescousse Mme Spanier en personne : pourrait-elle enfin convaincre Valentine de rester ? Mais cette sémillante directrice, si elle était, en affaires, française jusqu'au bout des ongles, possédait une âme résolument intrépide et britannique. Sa mère avait beau être d'origine française, elle était née en Angleterre et avait grandi dans ce pays. Le cœur de cette parfaite Parisienne allait, pour 85 pour cent au Royaume-Uni, les 15 pour cent de reste appartenant à New York. Aussi, quand elle eut longuement, soigneusement contemplé le séduisant minois, si vif, de Valentine, qu'elle eut appris sa parfaite maîtrise de l'anglais, l'excitation l'avait gagnée. Son tempérament aventureux s'était réveillé devant le défi que lançait cette jeune fille et le destin qu'elle lui sentait réservé. Elle ne pouvait rien imaginer de plus « absolument divin », dit-elle à Valentine ahurie, de plus « absolument excitant », de plus « absolument passionnant » que de la voir devenir la coqueluche de New York. Perdre sa vie dans un atelier ? Elle n'y devait même pas songer. N'avait-elle pas elle-même, Jenny Spanier, débuté au rayon des cadeaux du sous-sol de Fortnum and Mason, à Londres, pour rapidement devenir la vendeuse attitrée du prince de Galles, quand il venait faire ses emplettes de Noël? Bien sûr qu'elle devait y aller, Valentine! Et quand elle reviendrait les voir, ce serait en qualité de cliente. On lui ferait un prix!

Au souvenir de ces propos chaleureux, Valentine reprit courage. Elle décida d'exploiter un tuyau que lui avait donné le garçon d'étage, dans l'hôtel bon marché où elle était descendue : il existait, un peu partout en ville, de vieux immeubles de bureaux, lui avait-il expliqué. Ils ne faisaient jamais l'objet d'annonces — ce ne devait pas être tout à fait légal ou quelque chose de ce genre — mais on pouvait y dénicher des greniers, des soupentes. Les étages étaient désaffectés — trop vieux pour supporter de lourdes charges. Les greniers, en revanche, on pouvait les aménager pour y vivre. Il suffisait qu'elle ne fût pas trop difficile.

Valentine refusa quatre greniers, tous plus délabrés et louches les uns que les autres. Le cinquième qu'elle visita se trouvait au faîte d'un immeuble du bas Manhattan. Le concierge lui apprit que trois autres pièces étaient habitées à l'étage. L'une par un couple qui travaillait de nuit, l'autre par un vieux père tranquille qui, depuis dix ans, écrivait le même livre. Le troisième enfin, par un photographe.

Les deux pièces qu'elle inspecta ne semblaient pas avoir de trous au plancher. Et puis il y avait en elles — cela venait-il des fenêtres qui regardaient l'Hudson, ou bien des deux vasistas? — quelque chose qui lui rappelait Paris. Valentine les loua aussitôt. Serait-elle donc toujours vouée à la nostalgie? A Paris, elle dépensait tout son argent de poche en disques, en films américains. Voici qu'à New York, ce qui l'attirait, c'était un endroit dont l'aspect et la lumière évoquaient Paris. Il lui suffit de deux semaines pour retirer tout son mobilier de l'entrepôt, et le disposer à peu près comme il l'était dans son précédent appartement. A son logis, il ne manquait plus, se dit-elle, qu'un garde-manger bien garni. Alors elle se serait vraiment sentie comme à la maison... Puis elle partit faire une virée chez les commerçants, qui prit fin avec le sauvetage de ses deux bouteilles par Spider.

L'appétit du jeune homme avait amplement justifié les provisions qu'elle avait faites ce jour-là de fromage et de pâté. Cet Elliott, songeat-elle après son départ, s'était révélé d'un abord facile. Une fois surmontée, bien sûr, sa propre timidité : de sa vie, elle n'avait reçu un homme chez elle quand elle était seule. Encore moins un Américain. Depuis ses seize ans, elle aurait certes pu avoir bien des petits amis, ses cousins français lui en avaient présentés plusieurs. Mais aucun d'entre eux n'avait le moindre rapport avec l'idée très floue qu'elle se faisait d'un homme. Elle avait fait la délicate devant les meilleurs partis, ces jeunes gens qui pourtant avaient de bons emplois de bureau chez Renault ou dans d'autres entreprises de la périphérie, au point qu'ils avaient déjà pu s'acheter leur petite voiture. Ceux qui ne lui paraissaient pas aussi stupides que des collégiens — elle-même avait toujours été trop sérieuse pour son âge — lui semblaient être des sortes de grands-pères prématurés : si guindés, ennuyeux et prévisibles qu'elle pouvait les imaginer, tout célibataires qu'ils fussent, en train de présider la vaste tablée de leurs descendants. Sans qu'elle s'en rendît compte, la conception qu'elle se faisait des hommes lui venait de sa longue fréquentation du cinéma américain : elle avait vu *Butch Cassidy et le Kid* pas moins de neuf fois, six fois *Bullitt* et huit fois *Bonnie and Clyde.* Son idéal masculin était un vague mélange de Redford, Beatty, Newman et McQueen. Il n'était guère étonnant qu'elle ne l'eût point rencontré chez un petit Français moyen.

Par rapport à la majorité des jeunes Américaines de son âge, Valentine était fort ingénue : à vingt et un ans bien tassés, elle était encore vierge. Jusqu'à l'âge de seize ans, toutes ses soirées avaient été prises par son travail scolaire. Ensuite, elle avait dû se consacrer, neuf heures par jour, à ce qui n'était autre que la version luxueuse d'une besogne de terrassier. Quant à ses loisirs, elles les occupait à dessiner et coudre des vêtements aux côtés de sa mère. Le peu de temps qu'il lui restait, elle le passait toute seule au cinéma ou bien dans sa famille à Versailles, où elle allait le dimanche : rien là qui ne disposât aux aventures. Qui pourrait éviter de rester pucelle dans ces conditions? s'indignait-elle. Elle s'était parfois, le moins possible, laissé de mauvaise grâce embrasser par ces jeunes gens dénués d'intérêt qu'on lui présentait. Sa rudesse et sa franchise naturelles faisaient qu'elle ne ressentait aucun besoin d'apprendre à flirter. Elle croyait même n'avoir pour le flirt aucune inclination. Elle n'était pas de ces femmes à qui cela venait naturellement. La seule fois que la passion l'avait consumée, ç'avait été pour ce prêtre qui ne l'avait même pas entendue en confession. Ce qui, songeait-elle avec regret, aurait été au moins une expérience intéressante.

Dès son arrivée aux États-Unis, Valentine avait commencé d'acheter *Women's Wear Daily,* le grand journal de l'industrie de la mode. Toute personne qui, à titre de créateur ou de gestionnaire, trempe dans cette activité essentielle – vendre des choses qui se mettent sur le dos – ne saurait s'en passer une seconde : que vous confectionniez des boutons dans l'Indiana ou des chaussons de tennis au Japon, que vous dessiniez des tissus à Milan ou achetiez du prêt-à-porter pour le compte d'un grand magasin, bref, sitôt que vous avez quelque chose à voir avec la quatrième industrie des États-Unis, vous seriez un parfait idiot de ne pas lire le *Women's Wear Daily.* C'est le plus important des quotidiens professionnels du monde entier. En outre, on y trouve d'excellentes critiques dans tous les domaines artistiques, une chronique de ce qui se passe à Washington tout à fait passionnante, d'importants aperçus sur les dessous du monde du spectacle et des collaborations régulières qui vous apportent toutes sortes de révélations. On y parle enfin de la création et des créateurs, et aussi des gens qui portent les plus beaux vêtements du monde et assistent aux plus brillantes réceptions de la planète : une dame de la société, à qui on demanderait de choisir entre le *Women's Wear Daily* et tous les magazines du monde, ou tous les chroniqueurs mondains réunis, nul doute qu'elle ne désigne le premier sans hésiter.

Il suffit à Valentine de se plonger dans les informations du journal pour savoir à quelles portes elle devait frapper : dès le lundi qui suivit son pique-nique inattendu avec Spider, elle se mit en chasse. Elle s'était soigneusement habillée, choisissant, dans ses robes et ses manteaux, les plus originaux et les plus appréciés, qu'elle compléta par de parfaits accessoires. Elle emportait enfin son carton sous son bras avec, en tête, une idée très précise de ce qu'elle voulait devenir : l'assistante d'un styliste.

Un styliste, et aussi bien le moindre d'entre eux, ne peut se passer d'un assistant. Celui-ci a la charge de concrétiser ses esquisses, de leur faire subir l'épreuve du réel. Et aussi de jouer les agents de liaison entre le studio et l'atelier. Il sert enfin de tremplin aux idées nouvelles. Parfois même, il en fournit quelques-unes de son cru.

A partir du *Women's Wear Daily,* Valentine avait dressé la longue liste des créateurs dont elle admirait le travail. Puis elle avait repéré leur adresse dans l'annuaire du téléphone. En fait, tout le stylisme américain se trouve concentré dans un petit nombre de grands immeubles de bureaux de la Septième Avenue.

Les salons des grossistes sont toujours gardés par une réceptionniste à l'œil particulièrement sévère : elle vous dévisage un chroniqueur célèbre de *Harper's Bazaar* avec la même défiance qu'un rabbin hassidique qui quête pour sa synagogue. Mais Valentine savait comment s'y prendre avec de telles femmes. C'est que, dans la haute couture française, les vendeuses se comportent très facilement comme des surveillantes de prison, dès lors qu'elles ont affaire à des inférieures. Seule une attitude carrément provocante, elle ne l'ignorait pas, avait une chance de payer.

— Je suis Valentine O'Neill, annonçait-elle en détachant bien ses mots.

Elle prenait le même air de tranquille arrogance — du genre « tenez-vous-le pour dit » — et arborait le même petit sourire condescendant qu'elle avait observés chez tant de clientes très sûres d'elles quand elles s'annonçaient chez Balmain.

— Je voudrais voir M. Bill Blass.

Elle exagérait son accent français.

— A quel sujet?

— Annoncez, je vous prie, à M. Bill Blass que Valentine O'Neill, l'assistante de M. Pierre Balmain, désirerait le voir.

— A quel sujet?

— Affaires. J'arrive à l'instant de Paris et je n'ai pas de temps à perdre. Auriez-vous donc l'amabilité de m'appeler M. Blass?

Parfois ça ne marchait pas, ou bien on lui disait de revenir plus tard.

Mais, la plupart du temps, il y avait assez d'autorité dans ses façons, de tranquille assurance dans son attitude, et le luxe de ses vêtements faisait assez de ravages pour qu'elle se retrouvât dans le bureau du styliste ou, plus souvent, de son assistant. On ne mettait guère en doute qu'elle fût une ancienne assistante de Balmain. Elle tenait si bien son rôle, en dépit de sa jeunesse, qu'elle parvenait habituellement à montrer ses dessins. Les stylistes de la Septième Avenue sont toujours à l'affût d'un sang nouveau. Ils ont été eux-mêmes autrefois de ces débutants gonflés d'espérance, avec leur carton sous le bras. Ils savent que, dans n'importe quel dossier, il peut toujours y avoir quelque chose de bon à glaner.

Mais cette année 1972 était bien mal choisie pour se mettre à la recherche d'un emploi dans la Septième Avenue, avec un carton tout plein d'idées résolument originales. L'industrie du vêtement se relevait à peine d'un véritable carnage, causé par le lancement d'une nouvelle longueur : le mi-mollet. Les ventes des grands magasins étaient tombées au plus bas : les Américaines ne voulaient plus acheter de nouveaux vêtements, elles se cramponnaient avec défi à leurs vieux pantalons, qu'elles entendaient bien faire durer quelques années encore. Personne ne savait trop dans quelle voie s'engager, mais tout ce qui avait l'air d'être neuf, inédit, était, à priori, mauvais.

— Elliott, en l'espace de trois semaines, vingt-neuf stylistes m'ont rembarrée. Maintenant, si tu me dis de ne pas me décourager, je te jette ce poulet à la tête.

Spider avait pris l'habitude d'accompagner Valentine dans ses expéditions du samedi vers la Neuvième Avenue, où se trouvent les marchés italiens. Son prétexte était qu'il ne pouvait décemment lui laisser porter les monceaux de provisions qu'elle faisait alors. En fait, il prenait également un vif intérêt à savoir quels menus l'attendaient. Le mannequin avec qui il était alors ne conservait dans son réfrigérateur que des crèmes de beauté aux extraits de placenta! Aussi les soirs où il n'allait pas dîner en ville avec sa petite amie, gravissait-il bruyamment les escaliers. Valentine, qui n'aimait pas cuisiner pour elle seule, attendait d'entendre son disque d'Ella et Louis chantant *A Foggy Day in London Town,* pour aller glisser un petit bout de papier sous sa porte. « Pot au feu », disait celui-ci ou bien, « choucroute alsacienne ». Elle ne connaissait qu'Elliott à New York. Et puis elle ne voyait aucune raison de manger seule. Simple bon sens, voilà tout.

— Le problème n'est pas de se décourager, lui dit-il. Je crois que tu prends tout simplement les choses du mauvais côté. Tu voudrais qu'ils t'engagent sur la foi de dessins qui les font chier dans leur froc. Je trouve tes zinzins incroyablement excitants mais je ne gagne pas ma vie à fabriquer des vêtements. Je me fiche de savoir ce que les femmes en salopette ont envie de se mettre sur le dos. Tu es en avance sur ton temps et tu es tombée sur le mauvais pays. Mais tu es trop têtue pour le reconnaître. Tu ne réussiras pas à enfoncer tes idées dans la gorge de qui que ce soit. Et peu importe à quel point elles sont brillantes.

— En ce cas, que me suggères-tu de faire?

Elle le regardait avec colère, sans détacher les yeux de son visage.

— Si *je* ne trouve pas bientôt du travail, *tu* risques de mourir de faim!

— Coup bas! Sale petite pute de Française! Combien de fois t'ai-je priée et suppliée de me laisser payer tout ce ravitaillement?

Il la serra dans ses bras, refusant d'entrer dans son jeu.

— Aujourd'hui, c'est toi qui paies, Elliott. Toi qui paies tout. Et la liste est longue!

— Enfin on se rend? Parfait. Et puisque te voilà d'humeur raisonnable, que dirais-tu de me faire une autre petite concession?

— Dis-moi d'abord de quoi il retourne. Je n'ai pas confiance en toi, Elliott.

— Fais quelques nouveaux dessins. Un plein foutu carton de nouveaux dessins. Sors toutes tes idées sur la façon dont les femmes *devraient* s'habiller dans le meilleur des mondes et puis consacre tout bonnement quelques jours à te promener par la ville. Observe ce que les femmes portent en réalité. Pas les femmes terriblement riches ni les pauvres, non les femmes de l'entre-deux, au-dessus de dix-huit ans et en dessous de soixante.

Valentine laissa retomber trois tomates dans un cageot, les meurtrissant sans pitié. Elle le regardait avec horreur.

— Tu veux dire *copier*? Tu veux dire faire mes dessins à partir de ce que les femmes ont déjà sur le dos? Quelle idée répugnante et vulgaire. C'est abominable, Elliott. Permets-moi de te le dire, c'est...

— Ce que tu peux être sotte. On se demande vraiment quel âge tu as!

Spider adorait les femmes indignées. Une de ses sœurs notamment s'indignait à propos de tout et de n'importe quoi.

— Écoute-moi bien maintenant. Boucle-la et écoute-moi. Tu vas regarder ce que portent les femmes et puis tu vas dessiner des choses *meilleures* mais pas fondamentalement *différentes* au point qu'elles soient obligées de repenser toute leur conception du vêtement. Les gens détestent réellement changer... Je dirais même qu'ils ont ça en horreur! Mais voilà, toute cette foutue industrie de la mode repose sur l'idée de les faire changer à tout prix car, s'ils ne changeaient pas, ils n'auraient pas besoin de nouveaux vêtements. C'est pourquoi tu dois t'y prendre en douceur, afin qu'elles n'aient pas à se soucier de savoir si une nouveauté n'est pas trop dingue ni trop bizarre. Ou à quelle occasion elles vont bien pouvoir la porter. Ou avec quoi. Ou si elles ne vont pas avoir l'air trop différentes des autres. Prends-les par la bande... personne n'aime les prophètes.

Valentine se renfrogna, silencieuse. Elle était déchirée entre l'idée qu'elle se faisait de la mode – qu'elle voyait comme l'expression originale de son seul esprit créatif – et sa conviction soudaine que cet enfoiré d'Elliott avait raison. Elle savait bien, d'après les réactions de tous ces stylistes, que ses dessins ne lui permettraient jamais de trouver du travail. Le plus aimable d'entre eux, le plus encourageant, le plus sincèrement impressionné par ses idées lui avait quand même dit qu'elles étaient trop différentes, trop impraticables. Mais elle avait tellement horreur de s'avouer vaincue! Accorder ses idées au réel, comme elle détestait ça! Pendant cinq bonnes minutes, elle s'absorba dans le choix d'un cœur de laitue. Mais au-dedans d'elle-même, c'était la tempête. Spider lisait sur son visage. Il éprouvait de la sympathie pour elle mais, c'était bien décidé, il ne céderait pas d'un pouce.

– Bourgeois! Conservateur merdique! lui lança-t-elle. D'où pourrait bien te venir ta foutue assurance au sujet des femmes, Elliott? Regarde-toi! Tu t'habilles comme un clodo et tu prétends me dire ce qui se passe dans la tête d'une femme, espèce d'épouvantail en espadrilles!

Son aplomb l'exaspérait, mais il lui fallait bien admettre dans son for intérieur qu'il avait raison, qu'elle aurait dû y penser toute seule, que son aveuglement était impardonnable.

– La modestie me défend... commença-t-il. Mais elle prit une grosse grappe de raisin à un étalage et marcha sur lui d'un air menaçant. Il lâcha le sac à provisions et la souleva de terre, amenant ses yeux au niveau des siens.

– Je sais que tu voudrais m'exprimer ta gratitude mais je ne puis accepter ces raisins, Valentine... En revanche, tu peux me donner un baiser si tu veux.

Il soutint son regard stupéfait, songeant que ses yeux avaient la couleur qu'on voit aux tendres feuilles du printemps.

– Si tu ne me reposes pas tout de suite, Elliott, je te balance un coup de pied dans les couilles!

– Les Françaises manquent de poésie, répliqua-t-il sans cesser de la tenir étroitement.

Il se demandait s'il devait ou non l'embrasser. Bien sûr, il avait terriblement envie de le faire et, d'habitude, il ne se posait jamais de questions de ce genre : s'il avait envie d'embrasser une femme, il l'embrassait. Mais cette Valentine était un tel cactus, une si drôle de petite bonne femme, si fière. Et puis, il l'aurait juré, elle se sentait humiliée. Un baiser lui semblerait peut-être condescendant. Il la reposa doucement sur la chaussée, lui retirant les raisins qu'elle serrait dans sa main. De plus, elle était sa voisine et son amie. Il entendait garder avec elle ce type de relations. Il ne voulait point baiser Valentine. S'il la baisait, c'en serait fini tôt ou tard de leur petit roman. Ils pourraient bien rester amis, comme cela se produisait presque toujours avec ses anciennes maîtresses, ce ne serait plus du tout le même genre d'amitié.

– Je te pardonne ton manque de poésie, lui dit-il. Sans parler de ton absence d'esprit romanesque. Mais c'est seulement parce que tu es si bonne cuisinière... Qu'est-ce qu'on mange ce soir?

— Je lis à travers toi, Elliott. Il n'est même pas possible d'insulter un type dans ton genre parce que tu ne songes à rien d'autre qu'à ton estomac. Ne serait-ce que pour ça, nous aurons de la tête de veau en gelée.

Elle s'apprêtait à entrer chez un boucher italien, où des lapins écorchés et des têtes de veau pendaient hideusement dans la vitrine.

— Allons Valentine, viens donc. Ce n'est pas appétissant...

— Tu adoreras ça. Il est temps que tu surmontes certaines de tes petites habitudes étriquées d'Américain provincial. Tu as besoin d'élargir ton horizon, Elliott.

— Valentine!

Il lui saisit le bras, l'arrêtant net.

— Je ne supporte pas qu'on me fasse marcher. Alors, qu'est-ce qu'on mange ce soir?

Interdite, elle resta clouée sur place, fixant la chaussée. Elle était jonchée de détritus — pelures d'oranges, piments écrasés, fragments de journaux, croûtes de pain. C'était vraiment l'Américain typique. Aucune imagination gastronomique, les papilles gustatives à moitié mortes. Elle sentit pourtant, pour ce grand barbare, un immense élan de gratitude dont la chaleur l'étonna.

— Désolé si je t'ai offensé, Elliott. Je n'avais pas compris que tu avais si faim. Si la tête de veau est trop nouvelle pour toi, nous aurons une simple côte de porc à la normande, flambée avec du calvados et arrosée d'une sauce à la crème, et puis garnie d'échalottes et de pommes... Ce n'est pas trop exotique pour toi, je pense.

Elle savait que c'était son plat favori.

— J'accepte tes excuses, fit Spider avec dignité.

Il la pinça un tout petit peu. Histoire de montrer qui était le maître.

Valentine hanta la ville durant deux semaines. De la pointe de Manhattan à Harlem, de Greenwich Village au musée Guggenheim. Elle flâna dans les grands magasins et les marchés en plein air, elle rôda dans les couloirs des grands immeubles de bureaux et aussi, bien sûr, dans les rues, en particulier Madison Avenue, la Troisième et la Cinquième Avenue et puis la 57ᵉ et la 79ᵉ Rue dans l'East Side. A cinq reprises, Spider l'emmena le soir faire le tour des bars et des petits restaurants très courus mais aux additions raisonnablement bon marché. Elle n'emportait pas son carnet de croquis. Elle se fiait à ses yeux et à sa mémoire. Ce qu'elle voulait, c'était se laisser submerger par ses impressions, à cru. Puis, durant une autre semaine, elle se cloîtra chez elle. Elle avait un horrible rhume de cerveau, les pieds tout endoloris et l'esprit bourdonnant d'idées. Au bout de huit jours d'un travail acharné, Valentine émergea avec un carton bourré de dessins. Spider les parcourut avidement.

— Sainte Marie mère de Dieu !

— J'ignorais que tu étais catholique.

— Je ne le suis pas... je suis simplement épaté. C'est une expression que je réserve aux grandes occasions. Par exemple, lorsque les Rams gagnent aux prolongations.

— Hein ?

— Peu importe... Je t'expliquerai cela un jour où j'aurai six ou sept heures devant moi. Maintenant, tu n'as plus qu'à sortir et bousculer ces dames. C'est encore meilleur que je ne saurais le dire.

Le lendemain, Valentine se glissa dans son personnage d'ancienne assistante de Balmain et parvint à rencontrer quelques stylistes, ou plus exactement leurs lieutenants. Les deux premiers la supplièrent de laisser son dossier : ils pourraient l'examiner et, qui sait, lui trouver un poste... Mais elle n'était pas née de la dernière pluie. Il y avait, chez Balmain, une longue liste d'interdits de séjour, dont certains stylistes américains : leur mémoire photographique pouvait enregistrer, en cours de saison, une ligne entière de modèles et les reproduire en détail avant même que la première commande ait été satisfaite. Et puis ces assistants, craignait Valentine, pouvaient fort bien lui voler ses idées sans seulement jamais citer son nom devant leur patron.

La troisième porte fut la bonne. Une maison toute nouvelle qui s'appelait simplement Wilton et Compagnie. Le styliste était en voyage mais la réceptionniste, par miracle, était une jeune débutante. Elle lui proposa d'attendre pour voir Mr Wilton en personne.

— Ce n'est pas le styliste, mon petit, mais c'est toujours lui qui embauche et qui vire. C'est l'homme à voir quelle que soit l'affaire...

Alan Wilton avait grande allure. Il était habillé comme Gary Grant et son physique était inclassable : dans n'importe quel pays méditerranéen, on l'aurait pris pour un riche autochtone, un homme qui aurait beaucoup roulé sa bosse. En Grèce, on l'aurait tenu pour un armateur, en Italie pour un Florentin prospère, en Israël pour un Juif — mais sûrement pas un *sabra*. En revanche, en Angleterre, on l'aurait aussitôt considéré comme un étranger. A New York enfin, il semblait incarner l'esprit même de la ville. Ses yeux étaient marron foncé, impénétrables comme ceux d'un chat, sa peau olivâtre, ses cheveux noirs et plats, admirablement soignés. Il semblait avoir dans les trente-cinq ans, bien qu'il en eût, en fait, huit de plus. Ses manières étaient exquises. Sa voix profonde ne laissait rien deviner de ses origines ni de son passé. Il examina soigneusement les dessins de Valentine tout en suçotant pensivement sa pipe. Parfois, il hochait la tête d'un air approbateur.

— Pourquoi donc avez-vous quitté Balmain, mademoiselle O'Neill ?

Personne, avant lui, n'avait pris la peine de lui poser cette question. Valentine se sentit pâlir, comme elle faisait toujours quand les autres auraient rougi.

— Il n'y avait aucun avenir.
— Je vois. Et quel âge avez-vous ?
— Vingt-six ans, mentit-elle.
— Vingt-six ans et déjà assistante de Balmain... Hmm. Je dirais qu'à votre âge, c'est là une situation tout à fait prometteuse.

A la façon dont il mordait sa lèvre charnue, elle comprit qu'il avait deviné depuis le début sa supercherie.

— Le problème n'est pas de savoir pourquoi j'ai quitté Balmain, Mr Wilton, mais si vous aimez ou non mes dessins.

Valentine appelait à la rescousse toute sa fougue d'Irlandaise et son accent français le plus outré.

— Ils sont sensationnels. Parfaits pour ce marché déboussolé. Voilà exactement ce qu'il me faut pour donner aux femmes envie d'acheter à nouveau. Le hic, c'est que j'ai déjà un styliste et lui-même possède un assistant avec qui il travaille depuis des années.
— C'est vraiment... dommage.
— Oui, mais pas pour vous. L'assistant de Sergio va devoir partir. Je ne dirige pas cette affaire par philantropie, Miss O'Neill. Je ne suis pas seulement le bâilleur de fond ici, c'est moi qui prends toutes les décisions. Quand pouvez-vous commencer ?
— Demain ?
— Non — mauvaise idée. J'aurai un peu de ménage à faire auparavant. Pourquoi ne dirions nous pas lundi prochain au matin ? A propos, vous savez coudre ?
— Naturellement.
— Couper ?
— Bien sûr.
— Échantillonner ?
— Cela va de soi.
— Essayer ?
— Certainement.
— Faire des patrons ?
— C'est le B-A, BA.
— Diriger un atelier ?
— Au besoin.
— Alors, si vous savez faire toutes ces choses, vous pourriez gagner beaucoup plus que les cent cinquante dollars par semaine que j'ai l'intention de vous donner...
— J'en suis parfaitement consciente, Mr Wilton. Mais je ne suis pas échantillonneuse ni patronnière. Je suis styliste.
— Je comprends.

Il la regarda bien dans les yeux, d'un air entendu et railleur, haussant ses sourcils épais. Il s'amusait. La formation technique de cette fille était bien trop complète pour qu'elle eût jamais trouvé le temps d'assister Balmain. Balmain dont les assistants étaient d'ailleurs toujours des hommes, jamais des jeunes filles... Valentine rassembla son dossier aussi vite qu'elle pouvait le faire sans sacrifier sa dignité.

— A lundi donc, dit-elle en quittant le grand bureau de Wilton, avec l'air dégagé d'une femme qui avait parfaitement l'habitude de se faire engager. En attendant l'ascenseur, elle remercia le ciel et pria pour que Mr Wilton ne quittât pas son bureau derrière elle, histoire de venir lui poser d'autres questions.

Valentine aurait préféré ne jamais se trouver sur le chemin d'un homme comme Sergio. Non qu'il fût ouvertement désagréable avec elle — alors au moins, elle aurait pu réagir — mais il affichait à son égard un mépris si absolu, un si souverain dédain que l'air alentour en était vicié, alourdi. Leur travail les tenait pourtant toujours ensemble, les obligeant à se pencher bien souvent sur le même morceau de tissu ou de papier, à se consulter sans cesse sur un sujet ou l'autre. Elle lui reconnaissait du goût, singulièrement dans ce qui était la spécialité de la maison : des petits modèles sport pour les femmes, toujours confectionnés dans les plus belles matières : laines de luxe, cachemire, cuir, lin ou soie. Bien que la maison n'eût que six mois d'existence, elle avait reçu d'importants capitaux d'Alan Wilton, auparavant associé d'une très grosse affaire de confection. Peu à peu, Valentine apprit par les cancans que Wilton avait vendu ses parts dans cette société lors de son divorce ; car sa femme était la fille du fondateur. Nul ne semblait rien savoir de son passé. C'est que tout le monde était ici nouveau comme Valentine. Sergio formait l'exception : il travaillait déjà pour Wilton dans l'autre affaire. Quand celui-ci était parti, Sergio l'avait suivi.

Sergio s'était plongé dans la préparation de la collection d'été. Pourtant, son travail créatif ne l'absorbait pas au point qu'il ne trouvât le temps d'incorporer dans ses dessins une bonne partie des idées de Valentine : il allait souvent jusqu'à redessiner ses esquisses, sans y apporter le moindre changement.

Un après-midi — Valentine était alors dans la maison depuis deux mois — Alan Wilton la pria de venir dans son bureau :

— Vous ne m'avez rien demandé, Valentine, mais je tenais à ce que vous le sachiez : je crois que notre nouvelle ligne vous doit beaucoup.

— Oh, merci ! Sergio a-t-il...

— Sergio n'a pas la réputation de partager ses mérites... non, il ne m'a rien dit. Simplement, il se trouve que j'ai une très bonne mémoire.

Ses yeux de chat ne quittaient pas les siens.

— Aimeriez-vous dîner avec moi vendredi ? Ça me ferait très plaisir... à moins bien sûr que vous ne soyiez prise pour le week-end ?

Valentine se sentit frissonner des pieds à la tête. Jusqu'à cette minute, Alan Wilton, toutes les fois qu'il était venu dans le studio — c'est-à-dire très souvent — l'avait traitée avec une distance courtoise. Elle ne l'aurait avoué pour rien au monde, même à Elliott, mais elle le trouvait intimidant...

— Oh non ! Je veux dire... non, je ne vais nulle part ce week-end. Je dînerais très volontiers...

Elle était totalement bouleversée.

— Parfait. Je passerai donc vous prendre chez vous. D'accord ?

Valentine eut la brusque vision de cet homme merveilleusement habillé, grimpant six étages jusqu'à son grenier dans la lumière falote d'une ampoule de quarante watts, celle qui éclairait la cage d'escalier.

— Ce n'est peut-être pas une très bonne idée...

Idiote, pensa-t-elle, ce qu'elle disait n'avait aucun sens.

— Je veux dire... la circulation... le vendredi soir. Pourquoi ne pas se retrouver tout simplement quelque part ?

« Quelle circulation ? » se demandait-elle, mortifiée. Le vendredi soir, toutes les voitures désertaient la ville.

— A votre aise. Venez donc boire un verre chez moi d'abord et puis nous irons au Lutèce. Vous me direz comment vous trouvez ça à côté de la Tour d'Argent.

Il contemplait sa blouse blanche.

— Et puis ça vous donnera l'occasion de porter l'une de vos robes de Balmain. Et nous pourrons causer de ce cher vieux Pierre. Ça fait bien trois ans que je ne l'ai pas rencontré !

— Je crois bien que Sergio a besoin de moi, répondit-elle précipitamment.

— C'est très certainement le cas. Dirons-nous huit heures ? J'habite dans l'East Side. Voici mon adresse. C'est une vieille maison. Vous n'aurez qu'à sonner et je vous ferai entrer. Ce sera la porte en face.

— Très bien, bon, hé bien... à vendredi donc...

Elle sortit du bureau en toute hâte, s'apercevant, trop tard, qu'avant ce dîner, elle verrait Wilton une bonne dizaine de fois pour son travail.

Valentine se présenta chez Alan Wilton, vêtue d'une robe de mousseline noire, courte et fluide, avec une veste ouverte assortie, ornée de rubans noirs. Balmain aurait été fier de signer cet ensemble qu'elle avait entièrement conçu et réalisé.

Elle s'attendait à trouver une maison décorée dans le même esprit que son bureau, c'est-à-dire avec tous les poncifs des locaux directoriaux : murs gris flanelle, moquette de David Hicks à motif géométrique blanc et noir, meubles de verre et d'acier poli. Un bureau policé, rigoureux et viril, l'image même de son occupant. Mais Wilton, après lui avoir ouvert, la conduisit dans un duplex ébouriffant, où l'art se mêlait à l'étrange, avec une étonnante profusion. Il y avait là toute une collection de meubles Art Déco très rares, disposés sur des tapis persans aux couleurs éclatantes. De chaque côté d'un buste grec — un Alexandre le Grand, superbe et nu — on avait disposé des chaises chinoises du XVIIIe siècle. Des dragons onduleux venus du Cambodge montaient la garde autour d'un sarcophage ptolémaïque, dressé à la verticale. Les couleurs étaient somptueuses et sombres : bordeaux, bronze, laque noire, terre cuite. Quelques petites toiles cubistes, deux Braque, un Picasso, plusieurs Léger ornaient les murs. L'ensemble constituait une véritable œuvre d'art, si achevée que Valentine en resta littéralement sans réaction, et même sans voix. Wilton l'observait, il buvait du petit lait.

— Vous ne croyez pas aux vertus du dépouillement, à ce que je vois dit-elle enfin.

Il lui adressa le premier sourire vraiment épanoui qu'elle eût jamais vu sur son visage.

Valentine avait tressailli quand il lui avait parlé d'aller dîner au Lutèce : elle ne vivait à New York que depuis trois ou quatre mois mais savait déjà que ce restaurant servait la cuisine la plus chère et la meilleure de New York. Valentine s'attendait à ces fastes qu'elle avait vus décrits dans les revues françaises quand celles-ci évoquaient les splendeurs de Maxim's ou de Lasserre. Au lieu de quoi elle découvrit une de ces vieilles maisons new-yorkaises, en pierre brune, un peu exiguë, sympathique, avec un bar minuscule. Ils gravirent les marches raides d'un escalier de fer en colimaçon, à claire-voie, et débouchèrent dans une petite salle rose et crème, entièrement éclairée de chandelles, qui donnait sur un jardin de roses, où se trouvaient encore d'autres tables. Il n'y avait pas la moindre trace d'ostentation dans ce décor et pourtant la pièce respirait le luxe et le confort. C'est que toutes les matières étaient belles : les nappes et les serviettes de lin rose épais, les soliflors ornés d'une rose fraîchement coupée, les cristaux superbes et les plats d'argent massif. Jusqu'aux serveurs en rondeau qui avaient l'air bien disposé et protecteur, au lieu d'exhaler cette emphase, cet air guindé que redoutait Valentine.

L'étrange timidité qui toujours la saisissait en présence de Wilton s'était un peu dissipée dans son appartement, où les objets fournissaient des sujets de conversation inoffensifs. Mais voici que, les commandes passées, elle se demanda brusquement de quoi ils allaient bien pouvoir parler tout au long du dîner. Comme s'il avait décelé cette nouvelle bouffée d'inquiétude, Wilton se mit à lui raconter l'histoire du Lutèce. Il y venait depuis l'ouverture.

— J'ai pensé que ce serait un succès dès le premier jour, dit-il, mais j'en fus définitivement convaincu le jour où j'entendis André Surmain, le propriétaire, refuser de servir du thé glacé pour accompagner le dîner d'un habitué. Et pourtant cet homme avait juré que s'il n'obtenait pas son thé glacé, il ne remettrait plus les pieds ici. On ne l'a d'ailleurs jamais revu.

Valentine sentit la regagner cette assurance qui était le fond de sa nature. Elle-même ne pourrait jamais tolérer qu'on bût ici du thé glacé, surtout pas avec le caneton rôti, garni de pêches blanches pochées, qu'elle était en train de déguster.

Alan Wilton était remué au plus profond de son être. Quelque chose s'éveillait en lui qui dormait depuis tant d'années. Cette enfant était vraiment délicieuse. Il s'en était bien douté d'ailleurs. Elle était si jeune, tellement ingénue sous ses grands airs, et puis il la voyait merveilleusement intacte en dépit de sa beauté. Quelle émotion, quelle douceur, de lui révéler ainsi un peu du monde. Et comme elle savait mettre son type en valeur, cette fille élancée comme un garçon, avec ses seins menus. Et puis ce casque de cheveux courts et bouclés, ce rouge aberrant par-dessus cette mousseline noire si simple. Comme tout cela était harmonieux...

En cinq semaines, Valentine et Alan Wilton allèrent dîner quatorze fois ensemble. Progressivement, elle s'en vint à le connaître un peu mieux. Cet homme avait la manie de vous jeter en pâture, à ses moments perdus, de petites brides d'information sur sa personne, et puis de vous faire sentir en même temps, sans pourtant jamais en parler, qu'il serait incongru de vouloir insister. Et même tout simplement impensable. Elle apprit ainsi qu'il avait deux fils adolescents ; qu'il était divorcé depuis cinq ans après douze années de mariage ; que sa femme s'était remariée et vivait heureuse à Locust Valley.

Jamais il ne parlait travail avec elle. Ce qui, par-dessus tout, l'intéressait, semblait bien être Valentine elle-même, et aussi son passé qu'elle lui révéla peu à peu dans tous ses détails. Plus ils se voyaient, plus Sergio se montrait avec elle glacial et méchant. Quoi de plus naturel après tout ? N'était-elle pas, pour lui, une rivale en puissance ? Avec cet avantage déloyal d'être une femme et d'avoir une liaison avec son patron.

Mais s'agissait-il vraiment d'une liaison ? C'était là le cœur du problème. Leurs soirées ensemble suivaient un rituel établi. Elle le retrouvait chez lui, ils prenaient un verre puis ils allaient dîner. Ensuite, ils flânaient un peu, buvaient un cognac ou deux dans un bar. Enfin, il la ramenait chez elle en taxi, insistant toujours pour la raccompagner jusqu'à sa porte. Invariablement, pour lui dire au revoir, il l'embrassait sur les deux joues, à la française. Mais il n'entrait jamais chez elle comme l'y invitait pourtant Valentine depuis leur troisième sortie.

Le charme de Wilton était subtil, son rayonnement prodigieux. C'était la première fois qu'un homme qu'elle prenait au sérieux la courtisait. Elle ressentait de plus en plus fortement son emprise. Avant lui, elle n'avait jamais connu d'homme de cette génération : n'ayant aucun élément de comparaison, elle ne savait que penser de son comportement irréprochable envers elle. Pourtant, après quatorze invitations à dîner, elle attendait certainement autre chose de lui que des accolades fraternelles à l'instar de celles que se donnent les généraux français lors d'une prise d'armes !

Quand, la semaine suivante, Alan Wilton lui proposa de venir boire un dernier verre chez lui, elle se sentit brusquement soulagée. Elle avait vu assez de films pour savoir que c'était là le piège classique des séducteurs.

Quand ils avaient quitté son appartement pour aller dîner, il avait éteint la plupart des lumières. Maintenant, il ne faisait aucun geste pour les ouvrir. Nerveux et tendu, il leur servit un grand cognac à chacun puis, sans dire un mot, avec un léger tremblement, il passa sa main brûlante sous son coude et la mena dans sa chambre. Puis il disparut dans la salle de bains. Valentine avala rapidement son cognac, ôta ses chaussures d'un coup de pied et alla se poster près de la fenêtre, d'où elle scruta les ténèbres du jardin. Son esprit refusait de fonctionner. Elle se bornait à regarder fixement au-dehors, comme si, à la longue, elle finirait par découvrir quelque chose de tout à fait essentiel. Soudain, elle s'aperçut qu'il se tenait tout près, derrière elle, et qu'il était nu. Il lui baisa la nuque, tout en défaisant les boutons minuscules qui couraient sur le dos de sa robe. « Ravissant, ravissant », murmurait-il tandis qu'il lui ôtait celle-ci, dégrafait son soutien-gorge, faisait tomber son jupon. Elle voulut se retourner, lui faire front, mais il l'en empêcha d'une main ferme, tout en faisant glisser son soupçon de culotte. Ses doigts suivaient doucement le dessin de ses côtes, parcouraient sa moëlle épinière. Parfois, très brièvement, ils faisaient le tour de son buste et lui pressaient les seins, mais très vite ses mains se retiraient, reprenaient l'hommage délicat, délibéré, exclusif, qu'il rendait à son dos. Ses mains se risquèrent plus bas, atteignirent enfin son petit derrière ferme. Elles s'y attardèrent longtemps, enveloppant ses fesses de leurs doigts avides et chauds, tantôt les pressant ensemble, tantôt jouant avec la ligne qui les séparait. Enfin, l'un de ses doigts, peu à peu, s'y enfonça et Valentine sentit alors son pénis qui se dressait, se gonflait, durcissait contre son dos. Mais il s'obstinait à ne dire que ces mots : « Ravissant, ravissant... », à les répéter encore et encore.

Puis il se mit à genoux et, doucement, lui écarta les pieds, jusqu'au moment où ses jambes furent bien séparées. Elle sentit sa langue chaude qui suivait la raie de son cul et c'était si bon qu'elle en devenait folle. Alors, elle se pressa contre lui, se mit à faire ondoyer son bassin, sans trop savoir où elle voulait en venir. Au moment précis où elle sentit qu'elle ne pourrait tenir plus longtemps, qu'il lui fallait se retourner à tout prix, il la souleva dans ses bras, la porta sur le lit ouvert. Seule brillait une petite veilleuse, qu'il éteignit avant de l'étendre sur les draps. Seulement alors, il se mit à l'embrasser, sur sa bouche offerte.

Valentine sentit son désir s'exacerber. Alors elle tenta de le serrer contre elle, explorant son corps, qu'elle devinait velu, musclé mais qu'elle ne pouvait voir. Elle n'osait toucher à son sexe. Elle n'avait jamais fait un tel geste de sa vie et ne savait comment s'y prendre. Mais les baisers d'Alan étaient si fiévreux, si passionnés, qu'elle ne se soucia plus de savoir si elle se comportait comme il le fallait. Elle comprit soudain qu'il tentait de la retourner sur le ventre. Déception terrible : elle aurait voulu qu'il l'embrassât encore sur la bouche ; la pointe de ses seins exigeait le contact de ses lèvres. Elle obéit pourtant et se retourna. Il commença par l'embrasser doucement sur le dos, descendant de plus en plus bas mais très vite, il se mit à lécher et sucer son derrière, sauvagement, la meurtrissant avec sa bouche, ses dents voraces, ses mains puissantes. Il lui pétrissait le cul avec ferveur. Elle se sentit perdue dans le noir, ne sachant trop où il était passé, puis elle comprit qu'il s'agenouillait au-dessus d'elle, que ses jambes tenaient ses cuisses largement écartées, que ses mains lui étreignaient les fesses, si bien qu'elle se trouva largement ouverte. Elle sentit alors le bout ferme de sa queue forcer l'entrée de son vagin. Le sexe n'eut d'abord aucune peine à pénétrer puis il s'arrêta tout net, tandis qu'elle poussait un gémissement de douleur. Il insista, elle gémit encore. Alors, il se retira, la retourna brusquement.

— Tu n'es quand même pas vierge ? murmura-t-il horrifié.

— Si, bien sûr.

Sa virginité lui occupait tellement l'esprit qu'elle n'avait jamais songé qu'il pût l'ignorer.

— Oh merde... non !

— Je t'en prie, je t'en prie, Alan, insistait-elle, continue... Vas-y... Ne t'inquiète pas si ça me fait un peu mal... J'ai envie...

Pour montrer comme elle était sincère, elle se mit à chercher sa queue dans l'obscurité. Elle l'entendit qui grinçait des dents. Puis brusquement, tandis qu'elle gisait étalée sur le dos, en pleine confusion des sens, partagée entre la souffrance et le plaisir, et puis gagnée aussi par la gêne, elle le sentit qui poussait en elle deux de ses doigts, brutalement, tel un bélier. Elle se mordit les lèvres mais se força à ne pas crier. Quand Wilton eut ainsi frayé la voie, il la remit sur le ventre et, d'une queue qui lui parut moins ferme, il se glissa en elle. Il la poignardait en gémissant et Valentine le sentit qui grossissait, durcissait à nouveau. Puis, beaucoup trop tôt, à son gré, avec un cri de triomphe qui ressemblait à un cri de douleur, il se mit à jouir.

Après quoi, ils demeurèrent étendus, silencieux, Valentine toute pleine de mots inexprimés. Elle était totalement bouleversée, au bord des larmes. Était-ce vraiment ainsi que cela devait se passer ? Pourquoi ne s'était-il pas montré plus tendre ? Pouvait-il ignorer qu'elle était encore excitée, qu'elle restait insatisfaite ? Mais, au bout d'une minute, il l'entoura de ses bras, l'attira vers lui. Ils se regardaient maintenant.

— Valentine chérie... Je sais bien que cela n'a pas été formidable mais je n'arrivais pas à y croire... J'ai été tellement surpris... pardonne-moi... Laisse-moi faire...

Il se mit à caresser son clitoris, avec tant de doigté qu'elle finit par jouir à son tour et ce fut une telle explosion de plaisir qu'elle ne se posa plus la moindre question. Tout venait de là, bien sûr, songea-t-elle vaguement quand elle eut retrouvé ses esprits : il ne pensait pas qu'elle fût vierge. Voilà qui expliquait tout.

Les quelques semaines qui suivirent devaient compter parmi les moments les plus troublants de sa vie : elle dînait avec Wilton tous les deux ou trois jours. Invariablement, ils rentraient chez lui ensuite et faisaient l'amour. Maintenant il apportait beaucoup de soin à l'exciter avant de la pénétrer. De ses lèvres et de ses doigts, il l'amenait au sommet de l'extase mais, tout cela, il tenait à le faire en silence, dans le noir, ce qui la frustrait horriblement. Elle voulait voir son corps nu, elle désirait qu'il vît le sien. Avec un orgueil ingénu, Valentine savait bien qu'elle pourrait plaire à n'importe quel homme, avec sa peau très blanche, si parfaite, son corps fragile, ses seins mignons, son derrière si délicieusement ferme et nacré.

Mais il y avait bien pis : la répugnance d'Alan à la pénétrer par-devant comme elle avait toujours pensé qu'on faisait. Maintenant, quand elle reposait sur le grand lit et qu'il poussait sa bite en elle, il lui soulevait le bassin à l'aide d'oreillers entassés. Ainsi pouvait-il, de ses doigts habiles, caresser par-devant son clitoris tandis qu'il la baisait par-derrière. La position la plus habituelle, dont elle avait tant envie, il ne l'essayait que très rarement. Il lui disait qu'elle aurait alors moins de plaisir, que c'était ses caresses, et non simplement sa présence en elle, qui la conduisaient à l'orgasme : d'ailleurs, le clitoris ne pouvait être directement stimulé par la pénétration... Elle voulait pourtant lui faire face, quelque chose l'exigeait en elle. Se regarder l'un l'autre, n'était-ce pas une manière de symbole, le témoignage d'une sorte d'égalité dans les jeux de l'amour ?

On finissait de mettre au point la nouvelle ligne de vêtements : au cours des deux dernières semaines, Valentine dut souvent travailler très tard. Ce lundi-là, alors que la soirée était déjà bien avancée, elle s'apprêtait à rentrer chez elle. Quand elle passa devant la porte du bureau d'Alan, elle fut surprise de la découvrir légèrement entrouverte et d'entendre sa voix, ainsi que celle de Sergio.

— Ta petite salope de Française...

— Sergio, je t'interdis de parler comme ça !

— Tu me fais gerber ! Tu *m'interdis* ? Monsieur l'hétéro m'interdit ! Il n'y a rien d'aussi pathétique qu'un pédé tentant de se convaincre qu'il peut y arriver avec une femme...

— Écoute, Sergio, ce n'est pas simplement parce que...

— Seigneur ! voulez-vous entendre le plus gros menteur de tous les suceurs de bite de la terre ? Jusqu'à ce qu'elle s'amène ici, tu n'en avais jamais assez de moi, n'est-il pas vrai ? Et où étais-tu donc encore la nuit dernière ? Je crois bien me souvenir que tu me ramonais le cul avec cette grosse machine-là, j'ai même cru en éclater... Et après ça, qui donc me pompait à mort et qui donc gémissait et en redemandait ? Le Père Noël ?

— C'était une faiblesse de ma part. Ça n'arrivera plus jamais... C'est terminé.

— Mais tu en crèves d'envie ! C'est la seule chose dont tu aies réellement envie... Cesse donc de te bourrer le mou. Je m'en vais fermer cette porte à clé et tu vas me prendre là, par terre, et de toutes les façons, Alan, de toutes les façons qu'il te plaira. Ah, ces choses que tu vas me faire. N'est-ce pas Alan ? N'est-ce pas ?

Valentine l'entendit encore qui disait « oui, oui », qui haletait plutôt. Sa voix était soumise, abjectement, joyeusement soumise. Puis elle se ressaisit enfin, et s'enfuit dans le hall.

Arrivée chez elle, Valentine s'effondra. Tout ce qu'elle put faire pour son corps fut de se brosser les dents, de se laver la figure. Puis elle resta deux jours et deux nuits blottie dans son lit, enfouie sous ses couvertures et son édredon, avec sur elle, le plus épais de ses peignoirs. Pourtant, elle ne parvenait pas à ressentir un moment de chaleur. Elle but quelques verres d'eau, ne mangea rien. Le temps s'était arrêté. Comme si deux nœuds énormes, reliés l'un à l'autre, s'étaient logés dans sa tête et son cœur. Qu'elle se risquât à penser, et l'un des nœuds se déferait. Elle n'osait songer à ce qui se passerait alors. Elle était glacée de terreur.

Au matin du troisième jour, Spider se mit à s'inquiéter. Il eut soudain la certitude que quelque chose n'allait pas.

Il alla jusqu'à la porte de Valentine et frappa, longuement. Il n'y eut aucune réponse, mais il sentait une présence, celle de Val ou de quelqu'un d'autre. Plusieurs mois auparavant, ils avaient échangé des clés : en cas d'urgence, lui avait-il expliqué, il est toujours bon qu'un voisin puisse pénétrer chez vous. Et l'on ne pouvait certainement se fier aux autres locataires de l'étage. Étaient-ils seulement là ?

Il alla donc chercher sa clé, frappa de nouveau et, ne recevant toujours aucune réponse, il entra. Il crut d'abord la pièce vide. Intrigué, il regarda soigneusement tout autour de lui. Rien. Aucun bruit, sinon le bourdonnement du réfrigérateur. Puis il comprit que ce long renflement, à peine perceptible sous l'édredon, était celui d'un corps. Épouvanté, il s'avança sur la pointe des pieds. Il savait qu'il devait aller se rendre compte par lui-même. Avec d'infinies précautions, Spider rabattit l'édredon et découvrit la nuque de Valentine. Son visage était sur le côté, placé contre le matelas. Elle pouvait à peine respirer.

— Valentine ?

Il fit le tour du lit, se pencha tout près, guettant sa respiration. Il examina soigneusement son visage. Elle ne dormait pas, il aurait presque pu l'affirmer, pourtant elle ne voulait, ou ne pouvait, ouvrir les yeux.

— Valentine ? Tu es malade ? Peux-tu m'entendre ? Valentine, ma poupée, ma chérie, essaye de parler !

Elle restait immobile et glacée. Pourtant, Spider comprit qu'elle pouvait l'entendre.

— Valentine... tout ira très bien. Je vais tout de suite appeler l'hôpital Saint-Vincent. Ils vont envoyer une ambulance. J'ignore ce que tu as mais je suis sûr que ça ne va pas. On va prendre bien soin de toi... Ne t'inquiète de rien. Je téléphone tout de suite.

Il s'écarta du lit, recula vers le téléphone. Alors elle ouvrit les yeux.

— Pas malade. Va-t'en, dit-elle dans un râle.

— Pas malade ! Seigneur, si tu pouvais te voir, Valentine... Je t'emmène chez un médecin de ce pas.

— Je t'en supplie, je t'en supplie, laisse-moi seule. Je ne suis pas malade, je te le jure.

— Alors qu'est-ce que tu as ? Vas-y ! raconte, mon chou.

— Je ne sais pas, marmonna-t-elle.

Puis elle éclata en sanglots, à s'étouffer. Enfin, elle pleurait. Spider passa plus d'une heure assis sur son lit, la serrant étroitement dans ses bras, ne sachant quoi faire ni quoi dire pour la réconforter. Elle pleurait avec une violence prodigieuse, elle geignait, elle hurlait mais pas un seul mot intelligible ne sortait de sa bouche. Il était complètement désemparé. Pourtant, il se cramponnait à cette petite chose toute pantelante et trempée. Tendrement, patiemment, il attendait. Parfois il songeait à ses sœurs. Combien de petites filles, de petites filles pitoyables et navrées n'avait-il assistées de la sorte ?

Quand elle se fut assez calmée pour être en mesure de l'entendre, Spider risqua quelques questions exploratoires. Avait-elle reçu de mauvaises nouvelles de Paris ? Avait-elle perdu son travail ? Que pouvait-il faire pour elle ?

Alors elle leva ses yeux, gonflés à se fermer presque, et lui parla avec une énergie qu'il ne lui avait jamais connue.

— Pas de questions. C'est terminé. Cela n'arrivera jamais plus. Jamais, jamais.

— Mais Valentine... ma petite chérie... tu ne peux pas renfermer tout ça.

— Elliott... *plus un mot* !

Il resta pétrifié. Il y avait dans sa voix quelque chose d'effrayant, d'atroce. Il comprit que, s'il lui posait une seule question, il ne la verrait jamais plus.

— Tu sais ce qu'il te faut, mon bébé ? Je m'en vais te faire un peu de soupe Campbell — du velouté de tomate — et puis des crackers Ritz bien beurrés.

Selon la mère de Spider, toutes ces choses servies ensemble composaient un tel festin que seul un enfant très très malade pouvait les mériter : toute sa progéniture y voyait un remède ultime.

Toute une semaine, Valentine vécut de soupe à la tomate, de lait et de cornflakes. Et aussi de la seule chose au monde que Spider sût confectionner : des sandwiches à la crème de gruyère. Elle voulut bien se laisser convaincre de quitter son lit, d'aller sous la douche puis de s'asseoir dans son fauteuil favori. Elle refusait en revanche de s'habiller. Chaque matin, il lui apportait des cornflakes et du thé chaud. Elle restait assise toute la journée, les yeux dans le vide, secouée par les spasmes d'un désespoir atroce, bouleversée de voir comme on s'était servi d'elle, déchirée par le sentiment hideux, immonde, d'avoir été humiliée : le présent qu'elle avait fait de son corps n'était plus, sous les feux de sa mémoire, que salissure et dérision.

Chaque soir, Spider se hâtait de rentrer du travail. Il préparait la soupe, un sandwich au fromage puis il restait assis près d'elle jusqu'à minuit. Parfois il mettait un disque mais la plupart du temps, il lui tenait simplement compagnie en silence.

Sa prostration l'inquiétait mais elle piquait aussi sa curiosité. Il comprenait bien qu'elle n'avait pas besoin d'un médecin. D'un psychiatre alors? Mais son silence était tellement obstiné, son secret si farouchement scellé, qu'il ne savait par quel bout s'y prendre. Alors il fit la seule chose qui fût à sa portée : il passa le dernier numéro de *Women's Wear* au peigne fin. Spider était à la recherche d'un indice. Il était clair en effet qu'elle ne travaillait plus pour Wilton.

Il ne trouva rien pendant six jours puis il tomba sur un reportage consacré à la nouvelle collection de Wilton et compagnie. Ce n'étaient qu'éloges passionnés, un concert de louanges. Une double page était consacrée à la collection, avec quatre croquis détaillés. Spider reconnut aussitôt trois d'entre eux : ils sortaient tout droit des cartons de Valentine et pourtant son nom n'était pas une fois mentionné.

Était-ce la raison de sa dépression? Cela lui parut impossible. Après tout, d'autres assistants avaient connu ce genre d'expérience. Mais c'était sa seule piste : Spider donna plusieurs coups de téléphone.

Ce soir-là, alors qu'ils étaient assis côte à côte, Spider lui dit doucement :

— Tu as rendez-vous avec John Prince demain à trois heures.

— Ah bon...

Sa curiosité ne fut même pas éveillée. Elle écoutait à peine.

— Je l'ai appelé aujourd'hui. Je lui ai tout raconté.

— De quoi parles-tu?

Prince était, comme Bill Blass ou Halston, l'un de ces géants du stylisme dont la signature était si précieuse qu'ils pouvaient en négocier l'usage pour n'importe quoi, depuis les parfums jusqu'aux articles de voyages. Ces gens raflent parfois jusqu'à cent millions de dollars sur le produit des ventes au détail. Sans parler de ce qu'ils gagnent avec leurs vêtements.

— J'ai appelé Prince et je lui ai expliqué tout ce qui venait de toi dans la collection Wilton. Il a vérifié auprès de Wilton qui a confirmé. Il veut te rencontrer pour te proposer un job d'assistante à haut niveau, payé vingt mille dollars par an. A prendre tout de suite. Aussi t'attend-il dans son bureau demain.

— Tu es complètement fou!

Ce fut la première fois qu'il vit s'animer son visage.

— Tu paries? Je lui ai dit que j'étais ton agent... Ça signifie que tu me dois une commission. Je ne sais pas encore combien. Mais ne compte pas sur moi pour t'en faire cadeau.

Rien n'a l'air si vrai que la vérité. Elle comprit tout de suite qu'il ne mentait point. Même si elle feignait encore de ne pas y croire, répugnant à sortir des limbes de la tristesse et de la dépression.

— Mais... mes cheveux! s'écria-t-elle, revenant brusquement sur terre.

— Tu pourrais envisager de les laver, énonça doctement Spider. Et aussi de te maquiller un peu. Et puis quitter ce peignoir. Après tout, tu as bien deux ou trois choses à te mettre.

— Oh, Elliott, pourquoi as-tu fait ça pour moi?

Elle était sur le point de se remettre à pleurer.

— J'en avais marre des sandwiches au fromage, dit-il en riant. Et si je vois encore une seule larme dans tes yeux, je ne te ferai plus jamais de soupe à la tomate.

— De grâce, soupira-t-elle, tout ce que tu veux mais plus de soupe à la tomate.

Puis elle courut à la salle de bains pour se faire un shampooing.

6

[illegible]

LA résidence que Lindy avait choisie à Bel Air pour Ellis Ikehorn fut construite vers la fin des années 20 à l'intention d'un baron du pétrole tombé sous le charme de l'Alhambra de Grenade. C'était une sorte de château hispano-mauresque, aussi authentique qu'un bâtiment peut l'être à coups de millions de dollars. Juché dans les collines, à six cents mètres d'altitude, il dominait le site de Los Angeles. Six hectares de jardins l'entouraient, soigneusement ordonnés autour d'une myriade de fontaines dont le chatoiement attirait partout le regard. Plantées de milliers de cyprès et d'oliviers, des promenades rayonnaient depuis la demeure, dévalant la colline dont elle occupait le faîte. Des autres promontoires de Bel Air, on pouvait avoir une échappée sur elle mais jamais la découvrir en entier, et cet isolement de toutes choses lui donnait un air terriblement romantique : dans Bel Air, cette enclave retranchée du monde, avec ses propriétés pour milliardaires, on l'avait toujours tenue pour le moins accessible des nids d'aigle. Il fallait une carte pour trouver son chemin dans l'hallucinant dédale qui menait à la maison des gardiens, à travers des routes mangées d'herbe, pleines de lacets et de périls. Le touriste égaré qui aurait pu s'en approcher n'en aurait vu d'ailleurs que cette maison des gardes, et puis le portail massif, à deux battants, seule percée ménagée dans la haute enceinte qui en faisait le tour. Le précédent propriétaire devait avoir quelques ennemis, songea Billy, quand elle découvrit à quel point cette maison se trouvait protégée des intrus.

Mais, en dépit de sa situation, avec tous les inconvénients qui s'y rattachaient, cette résidence qu'on appelait souvent, très justement, la « citadelle », la « forteresse » ou le « château », présentait un avantage tout à fait décisif : son micro-climat. A part quelques pluies hivernales, rares, on y vivait un éternel printemps. Ses cours, ses terrasses, ses balcons innombrables étaient assez abrités pour que, même en hiver, Ellis pût y rester une bonne partie du jour à se chauffer au soleil. L'été, quand soufflaient les vents chauds de Santa Ana, les patios intérieurs, semblables à des cloîtres, avec leurs centaines de rosiers et de cactées, étaient autant de havres de fraîcheur, tout emplis du bruissement des fontaines. Le smog, quand il s'installait, c'était bien plus bas et, d'ici, on le voyait comme une sorte de tapis d'un jaune brunâtre. Quant aux brouillards du Pacifique, ils ne les atteignaient jamais. Juin, ce mois particulièrement lugubre à Beverly Hills, où le soleil ne paraît briller qu'une heure par jour, était en revanche éclatant sur les hauteurs de la colline, et portait toutes les senteurs du printemps.

Quand elle comprit le nombre de gens qu'il lui fallait héberger, Billy vit à quel point Lindy avait bien choisi. A part les cinq jardiniers, tout le personnel était à demeure, soit quinze personnes en tout — le chef, le maître d'hôtel, les aides de cuisine, une blanchisseuse, les bonnes, l'intendant enfin, qui avait son propre appartement. L'aile réservée aux domestiques suffisait largement à les contenir. Il y avait aussi cinq voitures à la disposition des serviteurs, pour leurs moments de loisir : la maison était située à plus de six kilomètres de Sunset Boulevard, où se trouvaient les arrêts d'autobus les plus proches. On ne pouvait ici se passer d'un moyen de transport. Quant aux trois infirmiers, ils résidaient dans l'aile des invités. Ils se relayaient toutes les huit heures, afin qu'Ellis ne fût jamais laissé sans soins. Pour que ce roulement fonctionnât sans à-coups, il leur fallait aussi une chambre et un bureau. Et puis encore des voitures, afin que l'isolement ne les rendît trop nerveux, si loin des plaisirs de la ville. En tout, vingt personnes prenaient leurs trois repas quotidiens dans cette citadelle coupée du monde, tout en haut de la colline. Pour les accueillir dans l'immense demeure, Lindy avait accompli des miracles. Une nouvelle cuisine avait été aménagée. La vieille piscine, tout en bas d'une promenade plantée de grands cyprès au feuillage sombre, avait été équipée d'un nouveau système de filtration et de chauffage. La maison attenante elle-même avait été redécorée.

Une bonne partie de la résidence restait condamnée. Les principaux appartements, en revanche, avaient été entièrement refaits, d'une façon riante et luxueuse. Tout ce qu'il y avait de mauresque dans ce château, d'obscur et de confiné, avait cédé la place aux clartés espagnoles. Rien là-dedans pourtant qui fût au goût de Billy. Mais avait-elle le cœur de s'en soucier?

Les jardins étaient maintenant à demi restaurés. Les travaux se poursuivaient dans l'aile des domestiques et celle des invités. Quant aux vieux garages, ils pouvaient par bonheur abriter leur dizaine de voitures.

Dès que Lindy eut rendu la demeure habitable, Billy, Ellis et Dan Dorman avaient quitté New York dans le jet de la compagnie. On avait adapté celui-ci aux besoins d'un infirme. De la cabine, on avait fait deux grandes pièces. L'une était une chambre agréable avec, pour Ellis, un lit d'hôpital et, pour Billy, un lit de repos. L'autre, une salle de séjour chichement meublée, en dehors de quelques sièges moelleux et de petites tables : ainsi, le fauteuil roulant d'Ellis pouvait-il aisément circuler. Les trois infirmiers avaient leur propre petit salon à l'avant, près du poste d'équipage.

L'engagement des infirmiers, la conversion du jet, l'approbation du choix de Lindy, la fermeture de l'appartement de New York, la vente des maisons dans le Midi de la France et à La Barbade... tant de problèmes avaient absorbé Billy qu'elle n'eut guère le temps de songer à sa nouvelle vie. Ellis avait été tout à la fois son mari et son amant et puis aussi son frère, son père et son grand-père, bref tous ces hommes dont la protection lui avait toujours manqué. L'amour d'Ellis avait été pour elle un si parfait refuge qu'elle s'y était épanouie sans vraiment continuer à grandir. Durant sept années, elle était restée cette femme-enfant de vingt et un ans qu'il avait épousée. Elle avait rayonné, mais n'avait en rien mûri, comme sans doute elle l'aurait fait auprès d'un jeune époux. Si ce mariage avait changé quelqu'un, c'était Ellis — il avait rajeuni. Billy, elle, était restée la même.

Maintenant, dans son château sur la colline, à près de cinq mille kilomètres de ses relations, de ses activités new-yorkaises, toute seule dans cette maison remplie de domestiques et d'infirmiers, au côté d'un vieillard paralysé, elle se sentit gagnée par la panique. Rien ne l'avait jamais préparée à de telles responsabilités. Tout l'effrayait, elle ne voyait de consolation nulle part, ne découvrait aucun refuge, rien à quoi s'accrocher. Perdue... Elle était perdue et le soleil lui-même l'abandonnait qui, à trente kilomètres de là, sombrait dans le Pacifique. « Arrête, Billy! » Elle se fit des remontrances, rudement, à la façon de sa tante Cornelie. Tante Cornelie! Voilà l'exemple qu'il fallait suivre en attendant de trouver ses propres voies. Alors, pleine d'entrain, elle ouvrit toutes les lumières de sa chambre et celles du salon, elle tira les rideaux sur les ténèbres. Tante Cornelie... que faisait-elle donc tous les jours de sa vie? Billy s'installa au bureau, sortit un bloc, un crayon, se mit à dresser une liste. Un, dénicher une librairie, *demain*. Deux, apprendre à conduire. Trois, prendre des cours de tennis. Quatre... elle ne pouvait songer à ce quatre. Ce devrait être une liste de gens, des gens à appeler... Mais personne ne lui était, dans ces parages, assez proche pour qu'elle pût décrocher le téléphone. Pourtant, elle sentit que sa panique était déjà moins grande. Comme elle aurait voulu que Tante Cornelie fût encore de ce monde... ah, elle appellerait Jessie à New York. Peut-être la persuaderait-elle de quitter ses cinq enfants, de venir la voir...

Au bout d'un mois à peine, Billy s'était ménagée une existence supportable. La grande priorité, tous les jours, revenait à Ellis. Elle passait avec lui quatre ou cinq heures, lisant à haute voix ou pour elle-même, regardant la télévision, ou bien restant tout simplement assise auprès de lui, dans l'un ou l'autre des nombreux jardins, tranquille, à tenir sa main valide. Elle le voyait deux heures chaque matin, deux autres l'après-midi, entre trois et cinq, et une heure après dîner, avant qu'il ne s'endormît. Elle lui parlait autant que possible mais lui réagissait de moins en moins. Plutôt que d'apprendre à écrire de la main gauche, il lui était plus facile, l'expérience le montra, de former ses mots sur un tableau métallique, à l'aide de petits cubes aimantés. Et cela même lui était de plus en plus difficile. Au cours d'une de ses visites mensuelles, Dan Dorman avait expliqué à Billy qu'il aurait encore d'autres attaques, infimes, imperceptibles. Son cerveau serait de plus en plus endommagé, cela se ferait progressivement. En revanche, son état général restait excellent, son corps gardait beaucoup de sa vigueur. Dans ces conditions, pensait Dorman sans le dire à Billy, Ellis pouvait bien vivre encore six ou sept ans, peut-être plus. Suivant le conseil de Dorman, Billy ne lui consacrait pas tout son temps. Chaque jour, elle prenait une leçon de tennis au Country Club de Los Angeles et, trois fois par semaine, elle faisait de la gymnastique dans la salle de Ron Fletcher, à Beverly Hills. Elle se fit beaucoup d'amies de rencontre dans ces deux endroits et ne manquait pas de déjeuner plusieurs fois par semaine avec l'une ou l'autre. Ces repas représentaient 99 pour cent de sa vie sociale.

Ellis ne voulait point qu'elle fût là pendant qu'on le nourrissait. Et puis, après le déjeuner, il faisait toujours une longue sieste. Aussi, pouvait-elle s'échapper pendant toutes ces heures. N'ayant point de parents auprès d'elle ni de vieux amis, ne pouvant, par manque de temps, s'occuper sérieusement d'une œuvre de bienfaisance ni même s'engager dans quelque volontariat, Billy comprit qu'elle n'avait d'autre issue que les livres et le sport. Et le shopping.

A rôder chaque jour dans les boutiques et les grands magasins de Beverly Hills, elle se sentait presque soulagée de cette tension qui l'habitait sans cesse. Elle achetait, achetait, sans se soucier de ses besoins réels. Des robes de dîner, elle en posséda bientôt des centaines, sans parler de ses dizaines de pantalons merveilleusement coupés, de ses quarante tenues de tennis, de ses innombrables chemisiers de soie et de ses tirois entiers de lingerie faite à la main qu'elle achetait chez Juel Park, où la moindre petite culotte pouvait coûter deux cent dollars. Pour les quelques dîners où elle était conviée, elle possédait des placards de robes à deux mille dollars, qui venaient du rayon sur mesure de Miss Stella, chez Magnin. Enfin, elle conservait quelque trois douzaines de maillots dans le pavillon au décor raffiné qui lui servait de vestiaire au bord de la piscine, et où elle se changeait avant son bain quotidien. Pour accueillir ses nouveaux vêtements, on avait converti en penderies trois chambres désaffectées.

Quand elle entrait dans un grand magasin, chez Dorso ou chez Saks, Billy savait fort bien qu'elle tombait dans le travers habituel aux femmes riches et désœuvrées : elle achetait des toilettes parfaitement superflues pour alimenter, sans jamais pouvoir le combler, son grand vide intérieur. « C'est ça ou se remettre à grossir », se disait-elle en remontant Rodeo Drive ou bien en descendant Camden Road. C'est avec un frémissement sensuel qu'elle inspectait les vitrines à la recherche d'une nouveauté. La véritable ivresse, c'était d'essayer, c'était d'acheter. L'objet, une fois acquis, n'avait plus d'importance. Chaque fois qu'elle se mettait ainsi en quête d'un nouvel achat, c'était toujours poussée par le même besoin. Mais elle était incapable d'acheter n'importe quoi. Il fallait que la chose en fût digne. Depuis Paris, elle savait reconnaître la qualité, discerner le chic. Ce talent lui importait plus encore maintenant qu'elle voyait la façon désinvolte dont s'habillaient les femmes de Beverly Hills. Si elle se laissait aller elle aussi à porter des jeans, à se promener en T-shirts, elle n'aurait plus aucune raison de courir les magasins. Elle devint de plus en plus difficile et tyrannique. Un bouton qui manquait, une couture mal finie, c'était autant d'insultes qu'on lui faisait. Elle fronçait la bouche au moindre défaut, elle enrageait. Autour de ses lèvres pleines, la peau se pinçait de fureur.

Dans le magazine *Women's Wear*, il arrivait parfois qu'un reportage fût consacré aux femmes de Californie, à leur façon de s'habiller. On y voyait toujours une photo de Billy, montrée comme le parfait exemple du chic de la côte Ouest. La perfection de ses toilettes, sa présence sur la liste des femmes les mieux habillées du monde, son assiduité aux cours de gymnastique, afin de garder ses muscles fermes, puissants et souples – et puis les manucures, les pédicures, les fréquentes visites chez le coiffeur... toutes ces choses commencèrent bientôt de l'obséder. Elle parvenait presque à étouffer ce désir qui criait en elle, éperdu, cet appétit de sexe qui ne cessait de grandir.

Avant sa première attaque, Ellis lui donnait assez de plaisir pour qu'elle en fût contentée, sinon rassasiée. Mais cela faisait maintenant beaucoup plus d'un an qu'elle était chaste. Elle se masturbait, de temps à autre, mais ce petit soulagement lui-même était placé chez elle sous le signe de la faute. C'était une marque profonde, qui lui restait de son enfance où toujours elle avait cru – du plus loin qu'elle se souvînt – qu'il s'agissait d'un péché. Péché contre quoi? Contre qui? Billy ne l'avait jamais très bien compris. Pourtant, chaque fois que pour tenter d'apaiser cette faim qui la tenaillait sans cesse, elle recourait aux caresses, c'était pour ensuite se sentir malheureuse et déprimée.

Elle était toujours mariée à cette homme qu'elle adorait, même s'il était maintenant plus mort que vif. Elle ne pouvait, ne voulait, trahir cet amour en ayant une aventure idiote avec l'un des « pros » du club sportif ou le mari d'une amie. Se fût-elle trouvée un homme qu'elle n'aurait pu garder sa liaison secrète : son visage était maintenant trop célèbre, il y avait trop de cancans...

Mais quelque chose la retenait plus encore : qu'elle eût des rapports avec un homme et ce seraient des spéculations à n'en plus finir, dont elle voulait se protéger à tout prix. Elle était Mrs Ellis Ikehorn : ce seul fait la rendait invulnérable, même si, tout au fond d'elle-même, elle se sentait abandonnée. En couchant avec tel ou tel, elle ne serait plus que Billy Ikehorn et c'en serait fini de sa sécurité. Ce serait la porte ouverte à la malveillance, aux sarcasmes, aux sous-entendus. Et cette place enviée qu'elle s'était taillée dans le monde, ce rôle de reine-enfant qu'elle avait tenu avec passion depuis son mariage, seraient irrémédiablement compromis.

La seule gent masculine qu'elle vît tous les jours, se limitait aux trois infirmiers d'Ellis : Morris, Jake Cassidy, Ashby Smith. Jake avait la mine plaisante et fûtée d'un gamin des rues. Il était Irlandais jusqu'au bout des ongles, avec sa peau épaisse et blanche, ses yeux bleus effrontés. Le second infirmier, Ashby Smith, était, en revanche, un vrai Georgien de Georgie. Il portait assez longs ses cheveux brique et il y avait en lui un mélange de délicatesse et d'orgueil qui convenait très bien à son allure, à la sveltesse de sa taille, à ses longues mains racées.

Les mois passèrent. Avec le printemps, une chaleur inusitée s'abattit sur le sud de la Californie. Billy s'enfonça un peu plus dans la dépression. C'était une épreuve de s'habiller tous les jours, de prendre la voiture, d'aller jouer au tennis, ou de suivre son cours de gymnastique. Mais il lui fallait sortir car, sinon, elle ne pourrait s'endormir. Quand la chaleur devint telle qu'il ne fut plus question de courir après des balles au soleil, elle se mit à nager plusieurs longueurs de bassin dans la vaste piscine, s'efforçant ainsi d'épuiser son corps. Pourtant, même après avoir tant nagé que ses muscles en tremblaient, il lui fallait presque toujours prendre une pilule pour dormir, et souvent deux. Elle s'aperçut que l'alcool l'y aidait mais en savait les dangers. Aussi ne s'autorisait-elle qu'un petit verre de vodka non glacée. Cette tiédeur donnait au breuvage un goût de médicament, ce qui l'aidait à chasser, quand elle vidait son verre d'un trait, le vague sentiment d'un plaisir défendu.

Un certain soir, au cours de ce printemps étouffant, Billy se trouva dîner seule avec Jake Cassidy. Morris, le troisième infirmier, était de garde, Ash avait pris le large dans sa voiture. Billy n'avait pas faim mais se forçait à prendre de minuscules bouchées de sa salade d'avocat au crabe. Chaque fois qu'elle portait la fourchette à son assiette, elle devinait, sous les manchettes de Jake, le duvet sombre qui se détachait sur la peau blanche. Le mouvement de ces poignets robustes la fascina. Elle sentit naître entre ses jambes une langueur de désir, une agréable souffrance qui la taraudait. Elle baissa ses paupières sur ses yeux sombres, afin qu'il ne pût les voir, et deviner ce qui occupait son esprit : car c'est au pubis de celui-ci qu'elle songeait, à l'abondance, à la vigueur de ses poils. A leur ligne de plantation aussi.

— Jake, dit-elle négligemment, pourquoi donc n'utilisez-vous jamais la piscine ?

— Je ne veux pas troubler votre intimité, Mrs Ikehorn.

— C'est très délicat de votre part mais quel dommage de ne pas en profiter ! Pourquoi ne pas venir nager un peu demain tantôt ? Ça ne m'ennuira pas le moins du monde.

— Eh bien, en ce cas, merci ! Je le ferai volontiers si je suis libre.

Elle sourit. Il aurait certainement son après-midi. Elle allait s'en assurer sitôt la fin du dîner.

Un gros oreiller moelleux sous la tête, une simple grande serviette turque lui recouvrant le corps, Billy s'était affalée de tout son long sur l'un des divans rouges. Le pavillon au bord de la piscine était plongé dans la pénombre. Seuls parvenaient, du soleil, une lueur orangée avec parfois, reflétés par la surface de l'eau, des scintillements de lumière. Dans cette douce clarté, Billy gardait les yeux à demi-clos. Sa poitrine était soulevée d'une impatience presque intolérable. Enfin elle entendit bruisser les rideaux de perles. C'était Jake Cassidy qui entrait, vêtu seulement d'un léger maillot de nylon. Il s'arrêta net en la découvrant ainsi alanguie, surpris par le désordre ses longs cheveux noirs qu'il voyait pour la première fois répandus, et ses longues jambes bronzées, nonchalamment étendues sur le tissu éponge rouge.

— Il fait presque trop chaud pour nager, vous ne trouvez pas ? murmura Billy.

— Eh bien... je vais simplement faire un petit plongeon...

— Non. Non, vous ne le ferez pas. Venez donc plutôt par ici, Jake.

Hésitant, il s'avança, s'arrêta tout près du sofa.

— Asseyez-vous, Jake. Ici. Là. La place ne manque pas.

Le jeune homme se percha délicatement sur le coin qu'elle avait désigné. Billy étendit le bras, lui saisit la main, l'attira vers elle.

— Rapprochez-vous donc un petit peu, Jake. Vous êtes trop loin.

Il obéit promptement cette fois. Il commençait à enfin comprendre. Billy prit sa large main, la glissa sous la serviette qui couvrait son corps. Il retint son souffle en la sentant qui le guidait vers les lèvres humides de son sexe. Son clitoris saillait, gonflé déjà. Elle saisit son majeur, le posa sur la chair moite et chaude. Doucement, elle le fit aller et venir à cet endroit, d'où elle sentait irradier tout son corps enfiévré. Il suivit le rythme qu'elle lui avait indiqué tandis qu'elle arrachait sa serviette, s'exposant dans toute la splendeur de sa nudité. Jake se pencha sur elle, à la rencontre des sombres tétons. Tout le corps de Billy se cambra sous l'impatience du désir, réagissant à ce doigt péremptoire, à cette ferme main d'homme, à cette chaude bouche d'homme. Oh, quelle différence cela faisait d'être caressée par un autre! Au bout d'une minute, elle baissa les yeux vers son corps tandis qu'il continuait à lui mordre les seins. Par-dessus le cordon qui maintenait son slip en place sur le bas de ses hanches et la tenait prisonnière, l'extrémité gonflée de sa queue s'était forcée un passage. Elle inspira profondément, tira sur le cordon. La bouche sèche, elle contempla le pénis renflé, dur comme la pierre, qui se détachait, vermeil, sur la blancheur de son ventre, le buisson noir de son publis.

— Mets-la moi, ordonna-t-elle.

— Attendez... Je veux...

— *Maintenant!*

Jake l'enjamba, s'agenouilla sur le divan. Elle prit dans ses mains la bite ferme et tendue, la fit glisser en elle, centimètre par centimètre, prolongeant le plaisir jusqu'au moment où il protesta d'être ainsi frustré. Quand il l'eut enfin totalement pénétrée, Billy le sentit prêt à la poignarder violemment.

— Retiens-toi, Jake, chuchota-t-elle contre sa bouche. Je vais t'apprendre quelque chose de bon... Tu aimeras ça...

Elle posa les mains sur ses hanches, le repoussa, le fit presque sortir de son ventre puis, doucement, elle relâcha la tension de ses avant-bras, le laissant à nouveau pénétrer son vagin. Elle l'entendit qui grinçait des dents, il parvenait à peine à brider son désir, mais elle s'en moquait. Elle répéta plusieurs fois sa manœuvre, finissant par le repousser si loin que sa queue émergea tout entière. Alors elle la prit dans ses mains et, sans se presser, la posa sur son clitoris, l'étendit sur son ventre, avant de la ramener à l'entrée de son con. Il comprit tout de suite et fit aller et venir son sexe sur le ventre de Billy, prenant soin de garder le contact avec son bourgeon tumescent : ce clitoris que Billy voyait désormais semblable à un fruit rouge et mûr.

— Regarde-le, regarde-le, grognait-il.

Billy ne pouvait détacher ses yeux du sexe luisant et superbe, où les veines se détachaient en relief. Quand il s'était mis en elle, sa tête avait doublé de volume. Maintenant, une terrible envie la faisait gémir de le sentir à nouveau la pénétrer.

— Non, tu ne vas pas... chuchotait-il, pas si vite... Tu le voulais ainsi... Tu vas l'avoir, ne t'en fais pas... Tu vas la prendre... La prendre tout entière... Ne t'en fais pas... Regarde-la... regarde... Ce que je vais te mettre... Autant que tu pourras en prendre... Maintenant!

Alors il se recula, plongea sa bite en elle, d'une façon brutale, merveilleuse, au moment précis où elle se mettait à jouir, avec des spasmes violents, incontrôlés, démentiels.

Puis ils restèrent de longues minutes écrasés sur le divan, silencieux, attendant que sa queue, encore à demi dure en elle, finît par s'effondrer. Billy sentit le sperme chaud s'écouler entre ses jambes. Comment avait-elle pu s'en priver si longtemps, ignorer cette présence humide, visqueuse et tremblante?

Ce soir-là, Billy dîna dans son salon. Elle dit au maître d'hôtel de déposer simplement son repas sur une petite table.

— Laissez donc, John, je me servirai moi-même. Je me sens un peu fatiguée. Veillez, je vous prie, à ce qu'on ne me dérange pas.

Elle ne toucha pas à la nourriture, prise qu'elle était dans un écheveau d'émotions contradictoires, partagée entre les affres de l'angoisse et le regain violent du désir. Une part de son esprit était tout occupée du souvenir de l'après-midi et, d'y penser, elle sentit son con qui se crispait. Pourtant, alors même que sous sa robe légère, elle fouillait doucement, sans y penser, dans la broussaille de son pubis, elle ne pouvait s'empêcher de ruminer, avec inquiétude, sur les conséquences possibles de l'affaire. Allait-il en parler aux autres? Se vanter? Tenterait-il de la faire chanter? Et si cela se savait... que se passerait-il alors? Et puis que pensait-il d'elle? Non que cela importât vraiment : un instant, elle secoua sa tête élégante comme pour conjurer ces vestiges de puritanisme. Mais enfin, que savait-elle de Jake? Dans quelle mesure pouvait-elle avoir confiance en lui? Billy n'avait de réponse à aucune de ces questions et pourtant, il lui était impossible de les poser à quiconque. La seule chose dont elle fût certaine, c'est qu'il lui fallait à nouveau ce Jake Cassidy. Elle le voulait en elle. Au plus profond d'elle. Et bientôt. Ses poings se crispèrent. Elle faisait les cent pas, se léchait les lèvres : elle le voulait *maintenant*. D'être restée si longtemps frustrée — plus d'un an et demi — son désir l'assaillait plus fort qu'il ne l'avait jamais fait. Même au cours de cette année qu'elle avait passée à New York. Même à n'importe quel moment de sa vie de couple.

Billy renonça à la plupart de ses escapades dans Beverly Hills, à tous ses déjeuners. Elle ne sortit plus que pour se rendre chez le coiffeur. Comme elle aurait voulu que Jake fût libre tous les après-midi! Mais, à bouleverser l'emploi du temps des infirmiers, elle craignait d'alerter les deux autres. Deux jours sur trois, après le déjeuner, elle se rendait donc au bord de la piscine, dans le petit pavillon, pour y attendre son arrivée, nue, allongée sans la moindre pudeur, les cuisses largement écartées.

Après ce premier après-midi, il continua de la traiter en public comme il l'avait toujours fait. Jamais le moindre clignement de paupières, le moindre coup d'œil en coin ne donnaient à penser qu'il se souvînt seulement de ce qui s'était passé entre eux. Il se montrait respectueux, empressé comme d'habitude. Tous ses sens en éveil montraient bien à Billy que personne n'avait rien soupçonné. Et qu'il en irait ainsi tant qu'elle ne se trahirait point. Même à la piscine, quand il était en elle, tout vibrant, tel une barre d'acier, et qu'il la besognait de sa queue, même alors, il ne l'appelait jamais d'aucun nom. Puis il l'abandonnait discrètement : ainsi aucun mot n'était-il nécessaire, ils n'avaient pas besoin d'évoquer ce qu'ils venaient de faire et ne pouvaient risquer de se connaître mieux. Comme c'était étrange de recueillir ainsi ses propres sucs dans la bouche d'un homme et qu'un rapport aussi intime n'empruntât jamais les voies du langage ! Ils semblaient avoir en commun un territoire qui n'existait qu'à certains moments, dans certaines circonstances. Un endroit où ils dépouillaient leur personnalité mondaine, leur être quotidien.

La sexualité de Billy était de plus en plus occupée par cette maison près de la piscine, par ses secrets, ses mystères illicites. Rien de ce qui se passait là ne *comptait* dans le monde réel. Et rien dans le monde réel, pourtant, n'avait d'importance en regard. Dans ce pavillon, où elle jouissait totalement de Jake Cassidy, de son corps puissant, merveilleusement disponible, leur baisage explorait des voies toujours nouvelles, se faisait de plus en plus animal. Elle n'était plus cette Billy Ikehorn, la riche et triste épouse d'un homme aux lisières de la mort, non : elle était une autre qui n'avait encore jamais existé, un être sans nom. Cet être-là, c'était comme si elle assistait à sa naissance, elle le sentait qui grandissait, se détachait d'elle. C'était une personnalité toute neuve qui ignorait le sentiment de la faute et répudiait toute règle de conduite. Un être à qui tout était permis – pourvu que ce fût secret. Absolument secret.

Au début, elle s'étonna qu'il pût ainsi renfermer dans une boîte tous ces moments qu'ils passaient ensemble, et les tenir à l'écart de tous ces autres moments de la journée où ils se côtoyaient d'habitude. Cela lui parut anormal. Puis elle comprit qu'elle aussi le voulait ainsi. Non simplement que ce fût plus sûr mais aussi qu'*elle ne voulait pas le connaître mieux*. Dans l'exercice de sa profession, il se montrait aimable et compétent. A la piscine, ce n'était plus qu'une bouche empressée, une bite inflexible. Le reste, elle s'en moquait. Elle ne voulait rien savoir de sa famille ni de son enfance, rien connaître de ses sentiments, de ses goûts et dégoûts, rien percer de toutes ces particularités qui vous définissent et donnent sens à votre être. Non que, de propos délibéré, elle l'exilât de son cœur. Simplement, il ne parvenait point à le séduire, ce cœur intransigeant qui s'obstinait à ne point confondre désir et sentiment. Pour cela, il manquait à Jake quelque chose d'essentiel. Billy se rappelait trop bien à quoi pouvait ressembler l'amour. Jake Cassidy n'avait rien à voir avec l'amour. Mais elle pouvait vivre sans amour, si elle y était obligée. Elle n'avait pas le choix.

Il y eut bien d'autres après-midi à la piscine. Billy continuait sa métamorphose. Jamais elle n'aurait pensé qu'elle deviendrait si agressive avec un homme. Deux fois dans sa vie seulement, elle avait pris l'initiative : quand elle avait traversé le couloir de l'hôtel, à La Barbade, pour rejoindre Ellis; et puis le premier jour avec Jake Cassidy. Sinon, elle avait toujours cru qu'il revenait à l'homme de faire le premier geste, de montrer son désir et d'éveiller le désir de la femme : celle-ci pouvait bien le séduire, elle n'en restait pas moins passive devant lui. Et voici qu'elle goûtait une nouvelle ivresse, un nouveau plaisir, presque déchirant : c'était elle qui demandait, qui exigeait, c'était elle qui tâtait l'autre et l'épuisait.

Quand Jake arrivait à la piscine, elle était déjà là, toujours, à le désirer. Mais au début de l'automne, il eut des retards : d'abord une demi-heure, puis une heure et ce lui fut plus cruel et douloureux encore de l'attendre ainsi, d'ignorer s'il viendrait, que de savoir déjà qu'il ne viendrait pas. Il avait toujours une bonne excuse, à quoi elle ne croyait point. Elle le soupçonnait de savourer son pouvoir : ne la savait-il pas déjà prête avant son arrivée? Excitée jusqu'à la violence? Telle une captive qui aurait choisi ses fers et, de lui seul, attendrait sa délivrance et ne songerait qu'à cela... Elle l'avait pris et, maintenant, il tentait d'inverser les rôles.

Elle n'en douta plus le jour où il ne vint pas du tout, expliquant plus tard qu'il s'était simplement endormi au soleil. Elle était furieuse mais ravala sa colère : remplie d'horreur par son geste, humiliée, incapable cependant d'agir autrement, tant elle était enchaînée à son désir, soumise à son obsession, elle augmenta son salaire de mille dollars par mois.

Elle avait toujours faim de son corps, elle en était rongée. Le matin, quand elle l'apercevait dans un couloir, elle le suivait du regard, avec des yeux lourds, imaginant déjà tout ce qui se passerait entre eux la prochaine fois. Quand elle dînait avec les infirmiers, s'il était là, elle contemplait ses mains et parvenait à peine à manger, car elle songeait à tout ce que ces mains pourraient lui faire. Un lundi matin, après qu'il fut parti pour le week-end, elle tomba sur lui au moment où il passait devant la porte de sa chambre. Alors elle lui saisit le poignet, le poussa dans la pièce, ferma la porte à clé. Puis elle ouvrit sa braguette, cherchant fébrilement sa queue qu'elle prit dans sa main pour la faire se durcir. Sans ôter sa chemise de nuit, elle se frotta contre lui jusqu'à l'orgasme. Ils étaient restés debout, haletant contre le mur où ils s'étaient appuyés, tel un couple d'adolescents. Une autre fois qu'il avait été de garde durant l'après-midi, elle le cueillit au passage après dîner et le conduisit au premier étage, dans une salle de bains d'invités. Elle arracha son collant, sa culotte, s'assit sur le couvercle des WC, le contraignit à s'agenouiller, lui força la tête entre ses jambes, poussant contre ses lèvres son con humide et douloureux. Elle ne tarda pas à jouir violemment sous sa langue mais ce n'était pas encore assez. Elle le fit se mettre debout devant elle et, toujours assise, elle prit son sexe dans sa bouche et le suça jusqu'à l'orgasme, et il n'y avait plus alors au monde que cette épine de chair sur laquelle elle s'acharnait avec avidité, convoitise. Après qu'il se fut faufilé hors de la pièce, elle referma la porte à clé et demeura assise dans la salle de bains pendant plus d'une heure, encore insatisfaite, troublée aussi. Elle voyait bien qu'elle ne se contrôlait plus. L'épisode de la chambre, l'autre matin, et puis, ce soir, leur brusque disparition à tous les deux... N'importe quel domestique aurait pu les surprendre, avec tout le va-et-vient qui se faisait dans la maison.

Elle médita tout un après-midi, errant dans sa forteresse sur la colline, explorant une par une, l'air pensif, les nombreuses pièces vides que Lindy ne s'était pas souciée de faire redécorer car elles ne servaient à rien.

De certaines d'entre elles, on pouvait être vu depuis d'autres parties de la maison. Ou bien elles étaient situées trop près des couloirs qu'empruntaient les domestiques. D'autres encore lui déplaisaient car, de leurs fenêtres, on voyait cette aile de la demeure où se trouvaient les appartements d'Ellis et les siens : autant d'endroits qui lui rappelaient aussitôt le véritable usage de la maison. Celui d'un hôpital privé.

Enfin, dans une tourelle désaffectée, tout en haut d'un long escalier, elle tomba sur une pièce octogonale qui semblait n'avoir jamais servi. Peut-être l'avait-on simplement construite pour qu'on la vît du dehors, pour cette touche pittoresque qu'elle ajoutait au décor. Elle se pencha à l'une des fenêtres étroites et le vent, qui soufflait plus fort depuis quelque temps, lui happa les cheveux. Il lui parut alors que la haute pièce touchait aux nuages gorgés de pluie qui se pressaient sur Bel Air. Billy se souvint de Rapunzel, cette princesse qu'on retenait prisonnière dans une tour. Elle se prit à rêver à cette nouvelle Rapunzel qu'elle allait devenir et qui aurait, celle-ci, un violon d'Ingres. Serait-ce le croquis ou bien l'aquarelle? La peinture à l'huile, peut-être? Voilà qui avait bien peu d'importance : il fallait simplement que cet art lui prît de longues heures d'un travail solitaire dans son atelier; des heures où il ne viendrait à l'idée de personne de s'étonner qu'elle se fût retranchée du monde. Qui ne respecte le besoin de solitude d'un artiste? Qui d'ailleurs lui restait-il au monde pour avoir envie d'examiner ses œuvres, demander à les voir?

Quelques jours lui suffirent pour meubler son atelier. Elle s'arrêta d'abord en coup de vent chez Gucci, où elle avait repéré, voici peu, un épais jeté de lit en renard argenté, doublé de soie, qui faisait au moins trois mètres carrés. Puis elle s'abattit sur la May Company où un vendeur littéralement ahuri (habitué qu'il était à ces clients qui prenaient des mesures, hésitaient, comparaient, demandaient conseil) eut à peine le temps de remplir ses bordereaux : en moins d'une demi-heure, Billy avait fait l'emplette d'un divan, un modèle d'exposition, signé par le designer milanais le plus audacieux (un article qui causait beaucoup de souci au vendeur car il était trop cher, et trop imposant pour aller nulle part dans une pièce normale); puis un tapis d'Orient (une pièce très ancienne et très belle, beaucoup trop rare, à l'opinion du vendeur, pour qu'on s'en servît autrement qu'en tapisserie); un certain nombre de lampes, enfin, follement extravagantes (le vendeur n'ignorait pas qu'elles donneraient peu de lumière mais se garda bien de le dire).

La halte suivante fut pour Sam Flax, magasin spécialisé dans les fournitures pour artistes. Le vendeur de Billy savoura ce jour-là une bien singulière expérience : celle de vendre pour deux mille dollars d'accessoires divers à une dame qui semblait surtout se passionner pour les pinceaux en poil de martre. S'il avait pu voir, le lendemain, Billy s'échiner à dresser son chevalet — objet dont elle ignorait tout — il aurait été bien plus intrigué encore : quand elle y fût enfin parvenue, Billy cueillit une toile parmi les quelques dizaines qu'elle avait achetées et la mit soigneusement en place. Puis, à l'aide d'un bâton de pastel, elle traça un grand trait rouge tout déchiqueté en travers de la toile. Enfin, sur une page de l'un de ses cahiers de croquis, elle inscrivit minutieusement ces mots : « Atelier. Œuvre en cours. Ne déranger sous aucun prétexte. » Elle épingla la feuille sur la porte qui fermait de l'intérieur. Puis, satisfaite, elle emporta tous ses pinceaux de martre dans son cabinet de toilette. Ils lui seraient très utiles pour se maquiller les sourcils.

Tout le temps qu'avaient duré ces préparatifs, Billy put observer que, si les conditions climatiques avaient changé, Jake, lui, restait le même : en public, il se montrait toujours aussi flegmatique et réservé. C'était toujours avec la même franchise que ses yeux d'enfant de chœur aux cils noirs rencontraient les siens : jamais le moindre cillement, la moindre question dans ce regard et pourtant, cela faisait plus d'une semaine qu'ils ne s'étaient touchés. Il avait bien dû s'en apercevoir... Mais il ne lui rendit même pas cet hommage de laisser percer son impatience. Au départ, Billy pensait lui faire la surprise de son atelier mais voici qu'une sorte d'instinct la poussait à n'en rien faire, à le lui cacher au contraire.

Un soir, après qu'elle eut achevé son installation, Billy se joignit au dîner des infirmiers. Il y avait là Jake et Ash. Billy avait passé une longue robe de lamé d'argent, frangée de vison noir. Elle avait rejeté ses cheveux en arrière, sans les ajuster. Enfin, autour de son cou, elle avait entortillé de grands colliers de perles baroques, de rubis, de cabochons d'émeraude. Calmement, elle étudiait Jake de l'autre côté de la table, celui-ci la gratifia de l'un de ses sourires à la fois effrontés et neutres. Brusquement, cet homme lui parut inutile et plus que cela : dangereux. Qu'il l'eût plusieurs fois fait attendre, c'était une chose qu'elle ne lui avait jamais pardonné, qu'elle ne lui pardonnerait jamais.

Le cas de Jake pourrait être réglé dès demain par Josh Hillman, son homme de loi. Et puis non, elle devait elle-même s'en charger : Josh serait trop étonné qu'elle lui accordât une si forte indemnité, en échange de son prompt départ : une énorme gratification, vraiment, totalement disproportionnée, mais qui l'aiderait à liquider cette affaire. En même temps que quelques mots bien pesés. Peut-être Jake aurait-il de la peine à comprendre... Mais Billy avait dans l'idée qu'il ne serait pas vraiment surpris.

7

TWIGGY, Veruschka, Penelope Tree, Lauren Hutton, Marisa Berenson, Jean Shrimpton, Susan Blakely, Margaux Hemnigway... Elle les avait toutes repérées, Harriett Toppingham, au moment de leur entrée en scène. Parfois, ça ne suffisait point : déjà le nouveau mannequin servait trop l'image d'un titre concurrent pour qu'elle pût — ou voulût — l'utiliser à son tour, car il existe une terrible compétition entre les responsables des journaux de mode. C'est à qui dénichera la première la Prochaine Nouvelle Beauté. Elles comptent beaucoup pour cela sur les tuyaux de leurs espions dans les agences de modèles et sur ceux des photographes dont elles favorisent la carrière. C'est ainsi que, tout naturellement, sitôt qu'il eut fini de développer et d'agrandir les tests de Melanie, Spider vint les soumettre à Harriett.

Dès qu'elle les vit, ses yeux marron et ternes s'étrécirent imperceptiblement. Un désir de possession lui poigna les entrailles comme chaque fois qu'elle découvrait un être, un objet, et qu'elle le désirait. Alors toutes ses glandes se réveillaient. S'emparer des choses les plus rares et les plus singulières, capter l'illusoire, voilà où résidait le moteur de ses émotions.

— Eh bien, hummm... Oui... certainement...

— C'est tout ce que vous trouvez à dire, Harriett? demanda Spider, d'une voix presque furieuse.

— Elle est vraiment belle à mourir, Spider. C'est là ce que vous souhaitez entendre? Elle est d'une beauté terrible, meurtrière...

— Seigneur, à vous écouter, on croirait qu'elle sort de *Bonnie and Clyde*!

— Pas du tout, Spider. C'est tout simplement de ces visages qu'on n'oublie point. Elle fait un peu peur, vous ne trouvez pas? Non? Eh bien, c'est que vous êtes jeune...

— Vous débloquez, Harriett. Jamais personne ne vous a fait peur de votre vie, voyons. Avouez-le.

— Je n'avoue rien.

Elle lui souffla sa fumée à la figure, savourant de retarder ainsi l'inévitable. Bien sûr qu'il lui fallait cette fille. Un grand modèle doit avoir quelque chose d'unique. Les filles qui sont seulement belles se ressemblent toutes. Ce visage-là était, lui, totalement différent. Il avait quelque chose de singulier, qui vous bouleversait, quelque chose sur quoi elle n'arrivait pas à mettre un nom. Elle reprit enfin :

— Je la retiens ferme pour les deux prochaines semaines, annonça-t-elle enfin, et je fais sur elle presque toute la collection d'automne des stylistes... La couverture aussi.

Elle s'appliqua à dire tout cela d'une voix neutre, sans la moindre inflexion, sans marquer le moindre entrain. En fait elle pouvait sentir son cœur se gonfler d'excitation. Quelque chose luisait dans le secret de son être. Le pouvoir... la certitude du pouvoir, c'était comme une pierre chauffée au rouge, là, au creux de son estomac.

— Je vais faire place nette, dit-il tout joyeux. J'ai largement le temps de liquider tout ce que j'ai en train.

— Ah? vraiment?

Elle parut légèrement surprise, un peu gênée aussi.

— Harriett! Voyons! C'est moi qui l'ai trouvée! Vous *allez* me confier ce boulot, n'est-ce pas?

Spider n'avait pas imaginé une seconde qu'elle pût prendre Melanie sans le prendre aussi.

Elle se permit d'avoir l'air un tantinet amusé. Un mince sourire carminé retroussa ses lèvres brillantes et rouges. Elle réfléchit en prenant son temps, écrasant minutieusement sa cigarette dans un lourd cendrier de jade avant de se résoudre à parler.

— Vous faites de bonnes choses, Spider, je ne dis pas le contraire. Mais vous êtes tout neuf, vous manquez vraiment d'expérience. Qu'avez-vous réalisé pour nous jusqu'à présent? Des soutiens-gorge? Des chaussures? Des pyjamas d'enfants? Vous savez que le numéro de septembre est le plus important de toute l'année. Je ne peux vraiment pas me permettre de commettre une erreur.

Elle prit une nouvelle cigarette dans un coffret de bronze Empire et l'alluma soigneusement, avec la mine de quelqu'un qui vient de régler au mieux une affaire.

Ravalant sa colère, Spider se força à parler d'une voix calme :

— Vous ne prendriez pas le moindre risque, Harriett. Je sais bien que de vous avoir apporté Melanie en premier, au lieu d'aller montrer ses photos chez *Vogue* ou au *Bazar*, ça ne vous oblige nullement à me confier ce reportage. Vous voulez Melanie? Elle est à vous. Seulement, je doute que quiconque puisse la faire travailler mieux que moi. Elle est toute nouvelle dans ce métier, elle n'a jamais encore posé. Vous ne l'auriez jamais cru, n'est-ce pas? Ça ne se voit pas sur ces photos et, pourtant, je l'ai prise telle qu'elle était, avec les vêtements qu'elle portait sur elle, sans qu'elle se maquille ni se coiffe pour la circonstance. Faites-moi confiance, Harriett. Je me sens tout à fait prêt. Plus que prêt.

Harriett contempla vaguement le plafond. Elle tapota des ongles sur le bureau, l'air absorbé. Puis elle jeta à nouveau un regard sur les photos, sans se presser. Elle éprouvait des frissons de plaisir à le laisser mijoter ainsi. Il y avait bien longtemps que le travail d'un photographe n'avait fait autant de bruit que celui de Spider. Si elle le laissait lui glisser entre les doigts, on lui mettrait le grappin dessus dans la seconde qui suivait. Et il était tout à fait capable de mener ce boulot à bien — elle le savait depuis le début. Mais voilà, elle avait horreur qu'on la bousculât... encore que... à l'occasion...

— Eh bien, il faudra que j'y réfléchisse... Et puis non... peut-être... Finalement, Spider, réflexion faite, je cours le risque. Je vous laisse tenter le coup.

Spider découvrait, pour la première fois dans son existence, ce que c'était que d'être sous le pouvoir d'autrui. Il ne parvenait pas encore à se sentir soulagé. Il devinait la jouissance d'Harriett à le tourmenter, et il en restait tout frémissant de colère, tout étonné aussi d'éprouver un tel sentiment d'injustice. Harriett l'étudiait soigneusement. Avait-elle enfin réussi à l'effrayer? La crainte n'entrait pas dans l'éventail habituel des émotions de Spider. C'était une chose qu'elle avait sentie dès le début — et appréciée : ça le rendait plus intéressant à manipuler.

— Merci.

Spider lui jeta un regard où il y avait trop de choses pour qu'elle parvînt à les lire, en dépit de toute sa finesse. C'était un regard méprisant, surpris et blessé tout ensemble. L'indignation s'y mêlait à la gratitude et il y perçait aussi, secrètement, un début d'excitation. Mais de crainte, point. Ça, elle le vit bien tout de suite. Il rassembla les photos et sortit tranquillement du bureau. Harriett continua de fumer, perdue dans ses pensées : ce garçon avait encore beaucoup à apprendre.

Tout le temps qu'eurent lieu les prises de vue pour le numéro de septembre, le studio de Spider ne désemplit point. Chacun s'échinait à trouver le moyen de peser, d'une façon ou d'une autre, sur le cours des événements. Harriett et ses deux assistantes rôdaient toujours dans les parages. Les responsables « accessoires » et « chaussures » ne cessaient d'aller et venir avec leurs assistantes. Toutes les quatre étaient encombrées de sacs et de boîtes, aussi lourdement chargées que les petits ânes des marchés italiens.

Spider travaillait dans la transe. Pour lui, il n'y avait dans son studio rien d'autre que Melanie, ses appareils et l'assistant qui se tenait dans son ombre.

Melanie était aussi sereine qu'il était tendu. On l'habillait, la déshabillait; on lui mettait du rouge et coiffait ses cheveux; on lui disait comment placer sa tête, et bouger, et sourire. Et pendant tout ce temps, tel un bourgeon serré qui déplierait ses pétales, elle sentait, sur le point de se déployer en elle, une immense question. C'était comme la naissance d'une intuition : une intuition qui, loin de faire réponse à ses interrogations, formait une nouvelle énigme. Elle pouvait bien manquer d'habitude, elle trouvait ces longues heures de pose étonnamment supportables. Ce travail lui semblait parfaitement naturel et normal. Plus on exigeait d'elle, plus elle avait à donner. Jamais elle ne s'était sentie si heureuse.

Après chaque journée de travail, Harriett et le directeur artistique, signant un armistice provisoire, se pressaient autour des petites diapositives de 35 mm. Ils les projetaient sur un mur blanc, n'échangeaient aucune parole. Mieux que des mots, ce silence marquait avec éloquence qu'à leurs yeux, tout allait pour le mieux. Leur longue expérience leur disait qu'un bon nombre de ces images compterait parmi les photos de modes les plus ravissantes et pures qu'ils eussent jamais publiées. Elles deviendraient des classiques.

Pendant toute la fin du printemps et le court été qui suivit, la carrière de Melanie fut comme suspendue : jusqu'à la sortie du numéro de septembre, Harriett lui avait conseillé de ne poser pour aucune publicité.

Quand elle entrerait brusquement en scène, ce serait avec un visage totalement inédit. Pour l'occuper, Harriett la fit poser tout l'été pour de futures pages du magazine *Fashion.* Ainsi Melanie n'était-elle jamais disponible pour les autres publications qui toutes réalisent leurs photos à peu près le même jour. Pour un rédacteur en chef, c'est un réflexe parfaitement normal que d'utiliser ainsi ses modèles favoris pour toute une série de numéros. Cela les tient hors de portée des confrères et donne, en même temps, un certain ton au magazine.

Melanie suivait aveuglément tous les conseils d'Harriett. Elle évitait les bureaux de l'agence Ford, ne traitait avec eux qu'au téléphone. Une sorte d'instinct lui disait qu'Harriet, mieux que personne jusqu'ici, détenait peut-être la réponse à cette question encore informulée qui l'habitait, qu'elle pourrait lui apprendre enfin ce qu'elle désirait tant savoir. Les photos que Spider avaient fait d'elle la fascinaient. Elle passait des heures à les étudier, avec une curiosité fébrile. Parfois, quand elle se trouvait seule, elle approchait de son visage son portrait grandeur nature et se regardait longuement dans la glace. Ces photos la renseignaient un peu, enfin, sur la façon dont la voyaient les autres. Elles ne savaient pourtant combler cette faim qui la dévorait, ce désir qui la brûlait de tenir une réponse absolue, définitive. Ces photos, certes, lui montraient comment Spider la voyait mais, en même temps, elles soulignaient un mystère qui ne faisait que l'intriguer davantage. Peut-être, si un autre la photographiait... Mais Harriett ne voulait point dévoiler ses cartes : jusqu'en septembre, elle y tenait beaucoup, Melanie ne poserait que pour Spider.

— Chérie, Melanie chérie, tu ne m'as encore jamais parlé de toi.

Ils étaient assis autour de la table de cuisine, dans la soupente de Spider, dévorant de grands sandwiches à la viande froide.

— Tu es terriblement gentil avec moi, Spider, mais tu es aussi l'être le plus fouineur que j'aie jamais connu. Je t'ai dit tout ce qu'il y avait à dire. Que veux-tu de plus?

— Seigneur! Tu ne m'as donné que des os à ronger. On croirait le début d'un conte de fées... Un père riche et beau, une mère superbe et mondaine, pas de sœurs ni de frères, des parents toujours éperdument amoureux l'un de l'autre et que tout Louisville envie. Et toi, après une enfance parfaite, tu passes un an et demi chez Sophie Newcombe avant de convaincre ton papa gâteau de te laisser tenter ta chance à New York. Comment oses-tu prétendre que c'est tout?

— Qu'y a-t-il de mal à avoir une enfance sans histoires?

— Rien. Simplement, je ne perçois pas les rapports humains. Tout le monde est si merveilleux, si gentil. Tout est si sacrément chouette... Il y a sûrement quelque chose qui m'échappe, ton histoire n'a pas d'épaisseur. Tout est trop rose, trop lisse, ça ne peut être vrai.

— Eh bien, c'était pourtant ainsi. Honnêtement, Spider, je ne comprends pas ce que tu attends de moi. Tu as eu aussi pas mal de bon temps étant gosse, me semble-t-il. Alors, où est la différence? A t'entendre, on croirait que j'ai quelque chose à cacher. Est-ce qu'une description, minute par minute, de mon premier bal au collège te ferait plaisir? C'est un vrai récit d'épouvante...

Melanie ne s'emportait point. Elle était habituée à ces gens qui voulaient en savoir plus, toujours plus, à son sujet. Elle lui avait dit la vérité telle qu'elle la connaissait. Il y avait bien son fantasme, ce rêve, ce désir lancinant de sortir d'elle-même, de pouvoir enfin se contempler. Mais ce n'était pas une chose très claire dans son esprit. Et puis, elle n'avait pas l'intention d'en parler. A qui que ce soit.

Spider la regarda. Il était partagé entre l'extase et l'indignation. Elle ne semblait pas voir à quel point elle le rendait fou. Il ne pensait pas qu'elle le taquinât, ni qu'elle lui cachât volontairement quelque chose.

Mais il attendait d'elle un signe qui lui montrât qu'elle répondait à son amour, qu'elle lui donnait une part secrète de son être. Merde, ce qu'elle pouvait être inaccessible... C'était presque comme s'il était amoureux d'une sourde-muette, la plus adorable sourde-muette de la terre. Ce qu'il y avait d'infernal dans cette situation, c'est que, moins elle se livrait, plus il voulait savoir. La façon qu'elle avait d'éluder ses questions, ses dénégations tranquilles ne faisaient que l'en convaincre un peu plus : elle lui dérobait quelque chose, un détail qu'il devait absolument connaître, une clé qu'il fallait posséder.

Avant de tomber amoureux, Spider avait toujours écouté, avec une complaisance paresseuse et tendre, les interminables monologues de ses petites-amies-du-moment sur leur psyché, leur inconscient, les traumatismes de leur enfance, le manque de compréhension de leurs parents. Voire ce que leur prédisaient les astres... Ça l'amusait, et même le charmait souvent, de voir comme elles aimaient à s'explorer, à se tisonner l'âme, ramenant au jour quelques lambeaux et débris de leur ego afin qu'il pût les contempler. Spider, de son côté, ne s'était jamais livré plus qu'il n'avait promis de le faire. Et maintenant qu'il voulait enfin se donner tout entier, confier à Melanie le dernier de ses secrets et comprendre ce qu'il y avait au fond de son âme à elle, celle-ci semblait rester prisonnière d'une sorte de songe, de rêverie implacable et douce. Il débordait pourtant du désir de l'envelopper, de l'étreindre, de l'engloutir ; de connaître ses vœux, ses espoirs et ses craintes, ses ambitions les plus folles, ses sensations les plus banales, ses sentiments les plus vils... Quel avait été le plus triste de ses jours, la plus stupide de ses fautes ? Il voulait tout savoir.

Même quand ils faisaient l'amour, il ne la sentait pas totalement présente, pas vraiment offerte. La première fois, ç'avait été le lendemain du jour où l'on avait achevé les photos du numéro de septembre. Melanie n'était pas vierge. Mais, à voir tout le mal que Spider dut se donner pour l'attirer au lit, toutes les cajoleries qu'il dut prodiguer, on aurait pu imaginer le contraire. Enfin, peut-être parce qu'il est plus facile de dire oui que de s'obstiner sur un refus, elle avait permis à cet homme littéralement fou d'amour et de désir de l'emmener chez lui.

Il se montra patient et adroit, plein d'attentions. Il sut contenir son désir et ne songea qu'à son plaisir à elle. Spider avait pourtant l'habitude d'être désiré par les femmes : elles étaient toujours aussi excitées que lui, faisaient la moitié des avances et se jetaient au lit, avides de son corps. Melanie, elle, fit l'amour avec une sorte de fragilité sans remède. Aux baisers de Spider, à ses caresses, elle réagissait comme une enfant qu'on câline. Elle fit durer ces tendres préliminaires, ne lui livrant autre chose que ses lèvres, la pointe de ses seins, si bien qu'il crut ne pouvoir aller plus loin, qu'elle ne voudrait pas. Ce fut avec une sorte de regret, presque de déception, qu'elle lui permit enfin de la pénétrer. Elle le fit alors se hâter et il prit cela pour de la passion. Puis il comprit, trop tard, qu'elle voulait seulement qu'il en finît au plus vite.

— Mais, chérie, tu n'as pas joui... S'il te plaît, laisse-moi donc... Il y a tant de choses que je peux...

— Non, Spider, c'est très bien ainsi. Je suis heureuse, je n'ai pas besoin de jouir. Ça ne m'arrive presque jamais. Contente-toi de me serrer dans tes bras, embrasse-moi, câline-moi encore un peu. Comme si j'étais une petite fille... C'est là ce que je préfère à tout.

Pourtant, même dans ces longs moments d'abandon, dans ces langueurs exquises, il sentait en elle une réticence, un refus de communion. Son esprit semblait ailleurs, il ne savait où, en tout cas loin d'eux. Pourtant, ils se tenaient si étroitement enlacés qu'il semblait impossible qu'ils ne fussent pas ensemble. Mais ils ne l'étaient pas.

Après cette première expérience, il utilisa toutes les ressources de son art pour la conduire à l'orgasme : comme si là se trouvait le déclic qui ferait tomber ce mur qui les séparait. Parfois, elle était secouée d'un petit spasme, fugace. Mais il ne sut jamais que cela venait de ce fantasme qu'elle avait souvent : dans son esprit, c'était un amant inconnu, anonyme, qui lui faisait l'amour ; elle gisait sur un lit très bas, entourée d'hommes qui l'observaient avidement, rangés en cercle, la braguette ouverte, le sexe arrogant. Ils s'absorbaient à contempler ses réactions sous les caresses de l'inconnu. Et leurs sexes devenaient durs aux limites du possible, douloureux même, près d'éclater. Et ce qu'ils voyaient chez elle, ils en faisaient un film... Alors, quand elle se concentrait avec assez de force sur l'excitation de ces hommes, sur leur frustration, elle parvenait à jouir.

Il va de soi qu'on spéculait beaucoup, dans les milieux de mode, sur la sexualité d'Harriett Toppingham. Beaucoup la soupçonnaient d'être lesbienne mais ils n'en découvrirent jamais la moindre preuve. Aussi, peu à peu, en mettant bout à bout sa laideur affichée, sa vie solitaire et l'immensité de son prestige, on en vint à penser qu'elle était une sorte de créature asexuée, que seul intéressait son travail.

Les chercheurs d'indices avaient pourtant bien fouillé partout, dans les endroits les plus évidents comme les plus improbables, pour tenter de découvrir une liaison entre Harriett et quelque jeune beauté. Ils ne pouvaient savoir qu'elle appartenait à la plus secrète des grandes minorités sexuelles : un réseau international de lesbiennes, dont les membres sont des femmes influentes, des personnes entre la fin de la trentaine et le début de la soixantaine. Toutes occupent les échelons les plus élevés du pouvoir ou de la renommée. Qu'elles vivent à New York ou à Londres, à Paris ou à Los Angeles, elles se connaissent au moins de réputation. On trouve dans leurs rangs des actrices célèbres et des agents littéraires très connus, de brillantes stylistes, des productrices de théâtre à succès, d'importantes responsables de la publicité, toutes sortes d'artistes enfin. C'est un groupe peu structuré mais solidaire et qui ne s'exhibe jamais comme le font dans ces genres de milieux les hommes homosexuels. Nombre de ces femmes ont fait des mariages solides et durables. Certaines sont des mères et des grand-mères dévouées. A moins d'avoir pu l'observer sans son masque habituel, on peut très bien connaître une telle femme depuis vingt ans sans jamais rien soupçonner de ses inclinations profondes.

Par souci élémentaire de protection, ces femmes gardent toujours leur vie sexuelle rigoureusement séparée de leur vie professionnelle. Leurs partenaires sont en général des femmes de leur milieu, au même niveau de pouvoir. Parfois, au contraire, ce sont des jeunes filles anonymes, des êtres rigoureusement insignifiants, ramassées dans des bars à gouines. Mais ce genre de drague présente toujours des risques. Pour des femmes de leur position, le mode de vie ostentatoire des pédérastes mondains — le style « c'est-chic-d'être-pédé », la mode « qui-se-ressemble-s'assemble » — tout cela est parfaitement exclu. Une telle conduite pourrait leur coûter le respect qu'elles inspirent, le pouvoir qu'elles exercent. Elles bénéficient du même genre de « couverture » qu'on accordait naguère aux présidents qui ont des maîtresses ou aux sénateurs touchés par l'éthylisme. Bien sûr, certaines personnes savent de quoi il retourne, ce sont des gens importants, des gens dans le coup, mais le grand public, lui, est soigneusement tenu à l'écart : que ce soit tout en haut ou tout en bas de l'échelle, le fait d'être lesbienne continue de faire porter des stigmates infiniment plus profonds que l'homosexualité masculine. Aussi la plupart des lesbiennes en vue sont-elles bien résolues à rester cachées.

Mais voici qu'après s'être impitoyablement corsetée pendant des années, Harriett se surprenait à rêver nuit et jour de Melanie. Ses yeux perdus, son corps délicat ne cessaient de lui hanter l'esprit. Il lui était arrivé, dans le passé, d'avoir le béguin pour certains mannequins mais jamais elle ne leur avait fait la moindre avance. Jamais elle n'avait cherché à lire le moindre appel dans leur regard. Le risque était trop grand. Comment imaginer en effet que l'une de ces filles dont Harriet pouvait faire la fortune rien qu'en pointant son index simplement en disant : « C'est celle-ci que je prends », comment concevoir qu'une telle fille fût en mesure de percer son secret?

Harriett observait ce qui se passait entre Spider et Melanie. Elle aurait presque pu indiquer le moment où ils devinrent amants. Elle était habituée à contempler ainsi, en spectatrice, le déroulement des idylles hétérosexuelles. Elle cultivait, à leur égard, une indifférence d'airain. Cette fois, pourtant, elle avait éprouvé de la souffrance. Une souffrance qui venait, à n'en pas douter, de ce qu'elle était jalouse. Harriett, femme aussi fière qu'elle était dure, se demanda ce qui était le pire : la jalousie, ou le fait de savoir qu'elle était assez faible pour la ressentir. Tout le printemps et tout l'été, elle ne cessa de les observer l'un et l'autre — Spider qui rayonnait de bonheur et Melanie qui semblait bien lui réserver ces sourires affectés, si frais, si délicieux, qui paraissaient autant d'avances retenues.

A l'occasion de la fête de l'Indépendance, commémorée le 4 juillet, Jacob Lace, propriétaire de Fashion and Interiors et de six autres magazines du même genre qui constituaient un véritable empire, Jacob Lace donc donnait une réception. C'était là bien plus qu'une manifestation de routine : dans les milieux de mode, y être convié revenait à se voir confirmer ses titres de noblesse. Harriett, qui avait pour habitude de se tenir à l'écart des mondanités professionnelles, ne ratait jamais cette soirée. Cette année-là, Spider y fut invité aussi, à titre de collaborateur régulier de *Fashion*. Et, bien sûr, il amena Melanie.

Harriett Toppingham adorait boire. Elle ne le faisait jamais durant les heures de travail ; le soir, en revanche, sitôt qu'elle avait regagné son appartement – son refuge – elle se versait un double bourbon avec de la glace et puis un autre et parfois même un troisième. Puis elle s'attablait et sa cuisinière lui servait en silence son dîner tardif.

Elle n'aimait pas le vin, ne buvait jamais au déjeuner ni après le dîner, ne voulant en rien affaiblir sa puissance de travail. Ces verres d'avant dîner, en revanche, lui étaient une habitude nécessaire qui remontait à vingt ans. Mais elle redoutait de boire en présence d'autres gens que ses intimes. Car elle savait bien que, dans ces moments-là, une sorte de métamorphose s'opérait en elle. Quand elle était seule, ou bien avec des femmes de sa sorte, cela n'avait aucune importance. En revanche, s'il y avait là d'autres personnes... Certes, il semblait bien qu'on n'eût jamais rien surpris de ses goûts. Mais elle croyait plus sage de ne prendre aucun risque.

Dès qu'ils l'aperçurent, Spider et Melanie s'empressèrent de venir la saluer. Melanie était sincèrement heureuse de découvrir un visage familier parmi cette foule si impressionnante d'étrangers. Tous trois bavardèrent quelques minutes, sur un ton emprunté, plutôt insolite dans ce cadre qui n'avait rien à voir avec le travail. Puis Spider, nerveux, voulut à toute force entraîner Melanie pour lui montrer les écuries, qui étaient le passe-temps favori de Lace.

En les regardant s'éloigner, Harriett demanda au serveur le plus proche un double bourbon avec de la glace. Une heure après, quand, au hasard des flux et des remous de cette réception colossale, ils se trouvèrent à nouveau réunis tous les trois, près de la tente dressée à côté de la piscine, Harriett avait absorbé son troisième double bourbon et un cornet de glace.

– Spider, laissez-moi donc Melanie un moment, voulez-vous.

Ce n'était pas une suggestion mais un ordre.

– Je vais la présenter à quelques personnes qu'elle devrait connaître, à mon avis. Ces gens-là n'oseront jamais lui parler si vous restez cramponné à elle de cette façon. Allez donc bavarder avec quelques-unes de vos petites amies au rebut. Dieu sait qu'il y en a suffisamment ici pour remplir un bordel.

Melanie se tourna vers lui d'un air suppliant.

— J'ai mal aux pieds, Spider, et je crois que j'ai vraiment trop bu de champagne. Je ferais aussi bien de rester près d'Harriett. Mais continue donc, amuse-toi... Ça ira mieux bientôt.

Spider tourna les talons et s'éloigna.

— Croyez-vous qu'il soit en colère? demanda Harriett.

Les deux femmes pénétrèrent sous la tente et allèrent s'asseoir dans un coin, sur un divan d'osier garni de coussins en toile de bâche. Melanie ôta d'un coup de pied ses chaussures et poussa un soupir de soulagement.

— Très honnêtement, Harriett, c'est le cadet de mes soucis. Je ne lui appartiens pas, même si je sais bien qu'il souhaite le contraire. C'est vraiment un amour et je lui dois tout! Mais il y a des limites. *Il y a des limites!*

— Mais je croyais que Spider et vous filiez le grand amour...

Jamais elle n'avait posé à Melanie de questions si intimes. Elle s'imaginait que la jeune fille allait lui répondre à son habitude, d'une façon tout à fait impersonnelle.

— Qu'est-ce qui a bien pu vous donner cette idée!

Melanie avait été brutalement tirée de son indolence.

— Je n'ai jamais filé le grand amour... d'ailleurs je déteste cette expression... je ne crois pas que ça m'arrive un jour. Et même, je ne le *veux* pas! Franchement, s'il m'avait fallu donner une partie de moi-même à tous ceux qui en voulaient un morceau, il ne resterait plus rien de moi à l'heure qu'il est. Je ne peux quand même pas aller dire « oui, moi aussi je t'aime » à quelqu'un, pour la simple raison que c'est ce qu'il ressent de son côté.

— Pourtant, vous vivez ensemble — c'est censé marquer un peu plus que de la reconnaissance, même de nos jours...

Harriett sentit bien qu'elle devrait cesser de la questionner ainsi. Elle devenait trop indiscrète. Seulement elle ne pouvait s'empêcher de de lancer le bouchon un peu plus loin.

— Mais nous ne vivons *pas* ensemble! Je n'ai jamais passé toute une nuit chez Spider et je ne le laisserais jamais me toucher chez moi! J'y tiens absolument, Harriett... Je veux à tout prix sauvegarder mon intimité! Mon Dieu, mais c'est affreux... c'est épouvantable... de penser que vous avez pu croire que nous vivions ensemble! C'est une chose tellement minable. Il se peut bien que tout le monde agisse ainsi à New York, mais ce n'est pas mon genre. Que j'ai honte! Si vous avez imaginé cela, ça veut dire que tous les autres en font autant!

Il y avait des larmes d'indignation dans ses yeux. Tout en parlant, elle s'était écartée des coussins et se tenait maintenant carrément penchée sur cette femme mûre. Harriett avait vaguement conscience d'un danger, d'un grand danger, mais elle ne put se retenir. Elle entoura la jeune fille dans ses bras, l'attira, la garda contre elle. De ses lèvres, elle effleura légèrement les cheveux de Melanie, si prudemment que celle-ci ne sentit pas la caresse.

— Je n'en étais pas sûre. Je ne l'ai jamais cru, en fait. Personne ne le croit... Tout va bien, mon cœur. Tout va très bien...

Elles restèrent ainsi un long moment... Melanie se sentait réconfortée, apaisée, parfaitement confiante. Puis Harriett comprit qu'il lui fallait la repousser, sinon elle ne pourrait s'empêcher d'embrasser cette fille, de baiser cette chair enflammée. Comme elle relevait la tête, elle aperçut Spider dans l'encadrement de la porte qui, précipitamment, s'enfuyait. Et, sur son visage, elle vit clairement qu'il commençait à comprendre.

Le lendemain était un samedi, premier jour d'un week-end qui, pour la plupart des entreprises, se prolongerait jusqu'au mardi matin. Harriett Toppingham se rendit au journal, s'introduisit dans les locaux déserts avec sa clé personnelle, enfila rapidement les couloirs et entra dans son bureau. Là, elle ramassa le numéro de septembre du magazine, l'un des trois exemplaires que venait de renvoyer l'imprimeur à l'état d'épreuves, pour le bon à tirer. Puis elle fouilla dans ses classeurs à la recherche de toutes les photos qu'on avait prises de Melanie en prévision des prochains numéros. Enfin, elle fit irruption chez le directeur artistique où elle découvrit quelques maquettes des numéros d'octobre et de novembre où l'on voyait Melanie. Elle les ajouta à son butin et se hâta de rentrer chez elle pour appeler Wells Cope à Beverly Hills.

On voyait volontiers, dans Wells Cope, le producteur le plus chanceux de toute l'industrie du cinéma. Il était assis avec Harriett, dans son vaste salon, sur un divan profond tendu de velours gris. Des photos de Melanie gisaient sur le tapis devant eux. Avant d'aller se coucher, le maître d'hôtel avait laissé un flacon de cognac sur une petite table. On était au début de juillet mais la scène aurait pu se situer n'importe quand et n'importe où, en tout endroit de ce bas monde où règne le luxe le plus absolu. A travers ses lunettes bleutées, Cope fixait Harriett de son œil perspicace.

— Elle est irréelle. Foutrement irréelle. Elle respire le charme par tous les pores de la peau. J'ignorais qu'on élevât encore des filles dans son genre. On dirait l'une de ces grandes stars des années trente, au temps de leur jeunesse. Mais je n'y suis pas encore très bien, Harriett : ce numéro ne va pas sortir avant six semaines. Pourquoi te mettre en peine de nous la refiler déjà? Pourquoi me montrer ces photos maintenant? Tu pourrais la garder sous le boisseau encore six mois si tu voulais... ou plutôt, si Eileen Ford te laissait faire.

— C'est que je sais bien que tout le monde va se jeter sur elle. Quelqu'un finira par l'avoir, c'est inévitable. Tôt ou tard, elle sera perdue pour le journal, j'y suis résignée, mais je veux décider moi-même de l'endroit où elle ira. Elle se fie beaucoup à mes conseils et je crois que c'est toi qui lui conviendrait le mieux. On peut aussi tourner les choses d'une autre façon, Wells : disons que j'aime mieux faire une fleur à quelqu'un que d'avoir l'air d'une perdante.

— Et puis, c'est une chose que je te devrai...

— Bien sûr, reconnut-elle. Je n'irai sans doute jamais te demander des comptes mais c'est agréable de savoir que tu auras cette dette envers moi. Tu renverras l'ascenseur alors que beaucoup ne le feraient pas — et ça fait si longtemps qu'on se connaît...

— Certes.

Il se demandait bien ce que cette vieille gouine avait derrière le crâne. Elle se conduisait comme une de ces foutues mères d'actrices. Ce n'était pourtant pas du tout son genre. Et puis, quelle importance? Du moment qu'il avait la fille...

— Je suppose qu'il est absurde de te demander si elle est capable de jouer.

— C'est à moi de le savoir et à toi de le découvrir, répondit Harriett. Une fois qu'elle avait obtenu ce qu'elle voulait, elle pouvait avoir un peu de la gaieté d'une institutrice de la vieille école.

— C'est bien mon intention. Dès la semaine prochaine. Peux-tu l'appeler de ma part et t'arranger pour qu'elle grimpe dans un avion sitôt que possible?

— Non, Wells. A partir de là, tu prends les choses en main. Raconte-lui n'importe quoi mais surtout ne mentionne pas mon nom. Je te donnerai son numéro personnel — dis que tu l'as eu par le qu'en-dira-t-on. Tu trouveras bien quelque chose. J'entends que *personne* ne sache que je t'ai montré ces photos. Je m'en donnerai les gants le moment venu. C'est un *impératif absolu*, Wells. Je n'ai jamais été plus sérieuse. J'aurais des ennuis au journal si on l'apprenait.

— Je comprends parfaitement, Harriett. Tu peux te fier à moi.

Il n'y comprenait goutte mais savait qu'il y parviendrait un jour. D'ailleurs, ce n'était pas en trahissant la confiance des autres que Wells Cope avait bâti sa carrière à Hollywood. La discrétion comptait parmi ses grands talents.

Harriett regagna New York le mardi.

Le mercredi matin, elle passait huit coups de téléphone : deux à celles qui étaient à ses yeux les journalistes de mode les plus influentes de la ville — en dehors d'elle, bien sûr; six aux directeurs artistiques des grosses agences de publicité. Elle arrangea des déjeuners avec ces personnes pour le restant de la semaine et toute la semaine suivante.

Bien avant le dernier de ces repas, Spider était brûlé dans la profession.

— Mais, Harriett, chacun sait que c'est ton nouveau blondinet...

— Personne ne saura *jamais* ce que j'ai pu enduré avec lui, Dennis.

Le talent n'excuse pas tout. Il est tout bonnement incapable d'être à l'heure. Ce doit être une espèce de pulsion chez lui. Il fallait toujours l'attendre aux moins deux heures au studio, avant qu'il ne daigne montrer le bout du nez! Une fois sur deux au moins, les mannequins devaient s'en aller pour d'autres engagements avant même qu'il ne soit arrivé. Et puis, toutes ces prises à refaire! A part quelques photos, il a fallu tout recommencer. Et parfois même recommencer deux fois. Et ce n'est pas tout! Passe encore qu'il saute les modèles dans la loge mais voilà maintenant que je m'aperçois que son dernier travail est tout simplement inutilisable. C'est carrément, c'est franchement *mauvais*! Il va falloir refaire tout novembre avec un autre photographe. Quand on y réfléchit bien, c'est entièrement ma faute. Quand donc apprendrai-je à ne plus donner leur chance à des gamins sans expérience?

— Vraiment, Spider, je ne vois pas ce qui peut te mettre dans cet état.

La voix de Melanie, cette voix douce et froide, ne trahissait pas la moindre colère. Simplement une sorte d'étonnement plaintif.

— Je n'ai toujours pas très bien compris comment Wells Cope a pu entendre parler de moi mais j'ai vérifié auprès de ses bureaux là-bas. C'est tout ce qu'il y a de régulier. Il veut seulement que je vienne faire un bout d'essai. Ils disent que je ne serai partie que deux semaines environ... Ce n'est donc pas pour toujours... Et de toute façon, je trouve ça plutôt passionnant. A t'entendre, on dirait qu'il se livre à la traite des Blanches! Alors que tu sais parfaitement bien qu'il s'agit d'un des plus grands producteurs de Hollywood...

Melanie parlait depuis le gros fauteuil en toile de Spider. Il était fait pour se vautrer plutôt que s'asseoir. Pourtant, elle se tenait toujours aussi droite, avec son air d'être perpétuellement sur ses gardes.

— Oh, Spider, je sais bien qu'il n'y a pas une chance sur un million qu'il en sorte quelque chose! Mais j'ai toutes mes dépenses payées... Et puis je pourrai voir la Californie. Alors, comment peux-tu te montrer aussi négatif?

— Et si tu ne revenais pas de la casbah? Tu n'as jamais entendu parler de ces gars qui sont partis pour Hollywood pour seulement deux semaines et qu'on n'a jamais revus déjeuner chez Gino?

— Idiot.

En se forçant à blaguer ainsi, il n'avait jamais si bien montré ses craintes et ses désirs. Et rien ne pouvait la persuader mieux qu'elle avait raison d'y aller. D'abord, Spider s'était lancé dans ces insinuations parfaitement ridicules au sujet d'Harriett. Harriett qui cherchait seulement à la consoler! Il avait fait des allusions tellement folles, tellement sinistres — elle se félicitait d'avoir même refusé de l'écouter. Et maintenant, voici qu'il pensait vraiment l'empêcher de tourner ce bout d'essai! Tout au début, quand il photographiait le numéro de septembre, elle voyait en Spider un être passionnant, imprévisible, comme elle n'en avait jamais connu — il était si sûr de son talent, et puis il lui avait révélé tout un aspect d'elle-même qu'elle ignorait. Mais après, il était devenu exactement comme les autres ; il exigeait trop d'elle, bien plus qu'elle n'avait jamais voulu donner. Sous le prétexte qu'elle lui avait permis de lui faire l'amour, il s'était mis en tête d'avoir des droits sur elle. Des droits !

Soudain, Spider la tira du fauteuil, l'étendit délicatement sur son lit.

— Mon amour, mon petit amour, permets-moi d'être ton esclave... je ferai tout ce que tu voudras, ma chérie, tout ce que tu voudras !

Il tremblait d'une passion qu'il ne cherchait pas à contenir. Cueillie à froid, Melanie savait qu'il n'était pas facile d'échapper à Spider quand il était enragé de la sorte. Et puis il savait qu'elle prenait le premier avion demain matin. Bref, il lui parut plus simple de le laisser faire.

Elle gisait, docile, offerte, tandis qu'il la déshabillait puis, rapidement, il se débarrassa de ses vêtements. Son corps élégant d'athlète faisait une masse sombre dans la pièce faiblement éclairée. Elle ne ferait rien, pensa-t-elle, absolument rien. Elle se bornerait à rester là, étendue. Elle le laisserait prendre son plaisir.

Spider se pencha tendrement sur elle, faisant porter tout son poids sur ses coudes et ses genoux. Il contemplait son visage tranquille, ses grands yeux. Sa grosse queue était déjà si dure qu'elle se tenait droite. Elle vint se coller contre son ventre quand il se mit à genoux. Melanie n'y jeta pas un regard. Lentement, sans rien toucher d'autre que ses lèvres, il embrassa cette bouche merveilleuse. Il en suivit les contours de la pointe de sa langue, avec autant d'application que s'il était occupé à la dessiner. Comme elle n'ouvrait pas ses lèvres, il crut que c'était manière silencieuse de lui désigner ses seins, de lui demander d'en sucer la pointe. Alors il s'assit sur ses talons, se pencha, enferma doucement dans ses mains ses seins menus. Il leur rendit hommage, l'un après l'autre, enveloppant leur pointe de sa langue jusqu'à ce qu'elle se dressât. Puis il la prenait dans sa bouche, la suçait avec application durant de longues minutes. Rien ne rompait le silence que le bruit qu'il faisait en tétant. Au bout d'un long moment, il pressa délicatement ses seins l'un contre l'autre si bien que leurs tétons se touchaient presque. Il les maintint solidement dans cette position, pointant sa langue sur les mamelons, tour à tour, faisant alterner les suçons et les caresses, les mordillements délicats. Parfois, il ouvrait la bouche toute grande, y prenant autant de chair qu'il pouvait et puis il la suçait, autant qu'avec ses lèvres, avec sa gorge et ses joues. Les seins de Melanie étaient devenus humides et roses. Soudain, ils lui parurent plus pleins, plus ronds que jamais. Spider n'avait encore senti ses mains le toucher nulle part ; elle gardait les bras étendus au long de son corps. Elle jouait à la vierge, se dit-il avec tendresse. Mais elle devait être prête maintenant... Il se laissa couler en arrière, afin de la pénétrer.

— Non, siffla-t-elle, tu m'as dit que tu étais mon esclave. Je ne veux pas de toi. Je te le défends. Absolument. Tu ne peux pas!

— Dans ce cas, tu sais ce que doit faire un bon esclave, dit-il d'une voix de gorge, enflammé par cette défense. Cette chose que tu n'as jamais voulu me laisser te faire... Un esclave est là pour ça.

— Je ne vois pas de quoi tu veux parler, dit-elle d'une voix neutre, où il vit une permission tacite.

Il passa les mains sous ses fesses, les saisit. Elle croisa vivement les doigts sur son pubis mais ne protesta point. Alors Spider le fouilla de sa langue, découvrit enfin un minuscule détroit entre ses doigts. Il y poussa sa langue vigoureuse, impatiente, jusqu'au moment où il sentit le contact de ses poils soyeux, la tiédeur de sa peau. Elle ne disait toujours rien. Triomphant, il lui desserra les genoux, lui étreignit solidement les poignets, les plaqua sur le côté. Puis il glissa plus bas encore sur le grand lit, s'étendit bien à plat, le ventre posé sur son sexe pantelant, sa tête placée juste au-dessus de sa chatte. Le fin duvet de ses poils recouvrait à peine ses grandes lèvres délicieusement blanches, enfantines. Il lissa les poils, les lappant à grands traits, jusqu'à ce qu'ils devinssent humides. Puis, de la seule pointe de sa langue, il parcourut à plusieurs reprises la profonde échancrure qui séparait les grandes lèvres des petites, plus roses, avec leurs mystérieux replis. Il roula sa langue, la pointa, la fit aussi ferme que possible puis il la plongea au plus profond.

— Non! arrête. Rappelle-toi ta promesse... pas plus loin!

Elle haletait, commençait à se tortiller pour lui échapper. Mais il la tenait toujours clouée sur le lit. Il retira sa langue et, de ses lèvres, chercha l'excroissance de son clitoris. Le bourgeon était minuscule, presque caché mais, une fois qu'il l'eut découvert, il se mit à le sucer obstinément. Il s'arrêtait de temps à autre pour lentement lécher cet endroit en tous sens puis il se remettait à téter. Tout en suçant, il sentit qu'inconsciemment, il frottait en mesure sur les draps son sexe congestionné. Brusquement, Melani, toujours en silence, se mit à lancer son bassin en avant contre ses lèvres, comme si elle avait voulu qu'il prît dans sa bouche sa chatte tout entière. Elle se poussait contre son visage, avec un abandon total, en grognant : « N'y mets pas ta bite... tout ce que tu voudras mais garde ta promesse, esclave... »

Il suçait et léchait avec frénésie, accélérant la cadence, tandis qu'il l'entendait soudain gémir, toute cruelle et silencieuse qu'elle voulait se montrer : comme si elle avait du mal à s'empêcher de crier. Brusquement, elle s'immobilisa, muscles raidis. Enfin, elle fut secouée de spasmes et se mit à hurler. Au même moment, avec cette queue qui se frottait contre les draps, son excitation devint intolérable. Alors, incapable de se contenir plus longtemps, il sentit qu'il lançait son sperme, à grands jets convulsifs, sur le lit.

Ils s'écartèrent l'un de l'autre, épuisés, tandis que le plaisir retombait en eux. Au bout d'une minute, Spider, qui gisait toujours sur le lit, la face contre les draps, la sentit remuer. « Ne bouge pas, je vais juste à la salle de bains. » Elle s'éclipsa tandis qu'il restait étendu là, trop heureux, trop vidé pour s'occuper d'elle. Enfin, elle y était parvenue, songeait-il, enfin, enfin... Ainsi, c'était là ce qu'elle voulait depuis le début. Petite chérie, si timide, qui n'osait faire ce que par-dessus tout elle aimait, tant elle refusait de se laisser aller. Je sais enfin ce qu'elle désire vraiment... et je vais le lui donner, je vais le lui donner. Puis ses pensées se perdirent dans la brume. Il s'endormit.

Quand il s'éveilla, elle était partie.

— Val, Val chérie, dis-moi la vérité. Est-ce que je deviens parano?

Valentine l'observa avec attention. Spider s'était tassé dans son plus gros fauteuil, comme s'il faisait froid. La nervosité pourtant le faisait transpirer, il avait de la sueur qui glissait de ses cheveux. Autour de sa bouche, de ses yeux, sa peau était grise, comme rétrécie. A le voir ainsi, elle sentait son cœur tout près de se fendre. Mais pourquoi donc? se demandait-elle. C'était son meilleur ami, rien de plus. C'était important, bien sûr, l'amitié. Plus que l'amour, assurément. Car cela durait, l'amitié, tandis que l'amour... Voyez donc où l'amour avait mené celui-ci. Certes, elle aurait pu le mettre en garde, au sujet de cette Melanie, mais ce n'était pas ses oignons.

— Tu es encore plus bel idiot que je n'avais cru le jour où je t'ai rencontré, Elliott, dit-elle doucement.

— Hein?

— Bien sûr que tu n'es pas parano : un soir, tu surprends Harriett Toppingham qui essaie de flirter avec ta petite amie. Sept jours après, ta petite amie se retrouve en Californie et ton nouvel agent t'appelle pour te dire que tous tes engagements pour la semaine sont annulés. Pas seulement tes commandes pour *Fashion*, mais aussi pour trois agences de publicité différentes. Et voici maintenant qu'il t'annonce que tu n'as pas le moindre engagement pour la semaine prochaine. Et qu'il n'arrive même pas à montrer ta marchandise nulle part. Il faut être vraiment cinglé pour ne pas faire le rapprochement.

— Mais c'est si foutrement incroyable! Comment peut-on agir ainsi? Que s'imaginait-elle donc que j'allais faire? Le raconter partout, l'annoncer à la radio, peut-être? La faire chanter? La provoquer en duel à l'aube? Elle n'a absolument aucune raison de me démolir!

— Il t'arrive parfois d'être naïf, Elliott. Tu m'as beaucoup parlé de cette Harriett Toppingham et de ses façons d'agir et je peux te dire, pour avoir grandi dans un univers de femmes, que celle-ci est mauvaise. Tu ne le sens donc pas? Tu n'es donc pas capable de te mettre à sa place et d'imaginer ce qu'une femme comme ça a bien pu éprouver à ton égard, en voyant que tu ne te pliais pas en deux, comme tous les autres, pour lui lécher le cul?

Pour mieux souligner ses paroles, elle secouait avec colère sa crinière enflammée.

— J'ai connu bien des femmes qui ne vivaient que pour le pouvoir. Je sais les horreurs dont elles sont capables quand elles se sentent menacées. Tu t'imaginais qu'elle allait t'aimer simplement parce que c'est une femme? Elliott, je sais qu'on te trouve généralement exquis — mais pas elle!

— Alors, tu crois que tout vient de là? De ce que c'est une gouine?

— Pas du tout. Même sans une Melanie, ça serait arrivé tôt ou tard. Tu ne lui apportes pas ce qu'elle attend d'un homme, de tous les hommes avec qui elle travaille.

— Je ne vois vraiment pas de quoi tu parles, Val. Je l'ai toujours respectée. D'ailleurs, tout le monde la respecte. Et puis je me suis toujours mis en quatre pour elle et elle le savait bien...

— Mais en avais-tu peur?

— Bien sûr que non.

— *Alors...*

Elle prononça le mot avec cette voix traînante, ce ton définitif que prennent les Français quand ils ont marqué un point incontestable et qu'il n'y a plus rien à prouver.

— Mais il y a autre chose, ces façons bizarres de Melanie au téléphone, dit-il entre ses dents, brisant enfin le silence qui s'était installé entre eux.

Il souffrait. Il avait honte. Il se sentait humilié.

— Elle ne dit pas vraiment comment les choses se passent... Simplement qu'elle travaille dur. Elle semble tellement lointaine. Comme s'il y avait bien plus que cinq mille kilomètres entre nous. Je me demande si cette vieille salope n'a pas été aussi lui raconter quelques mensonges infects...

Il s'arrêta, frappé par une expression fugitive sur la petite figure obstinément raisonnable de Valentine. C'était une expression de pitié incrédule.

— Tu ne penses pas que ça vient de là, hein? Tu penses que c'est autre chose? Mais quoi donc? Dis-le-moi!

Il ne pouvait oublier cette dernière soirée avec Melanie où il avait cru enfin trouver le secret, la clé qui lui livrerait cette fille tout entière. Et puis, au téléphone, elle lui avait paru tout aussi évasive, tout aussi froide et réservée que d'habitude.

— Toi et Mélanie, ce ne sont pas mes oignons, Elliott. Peut-être estelle tout simplement dépassée par les événements. Et si on débouchait une bouteille de vin? Je pourrais réchauffer un peu de...

— Seigneur! Tu me rappelles l'histoire de cette mère dont le fils se traîne dans la maison avec cinq blessures par balles et du sang partout. « Mange d'abord, lui dit-elle, ensuite tu parleras. » Cesse donc de vouloir m'alimenter et dis-moi exactement ce que tu penses de Melanie. Je vois toujours quand tu mens, alors ne cherche pas à m'entortiller. Et puis, ce sont bien tes oignons, figure-toi! Tu es ma seule amie...

— Et à quoi servent donc les amies? se moqua Valentine.

Elle cherchait à gagner du temps, s'efforçait de trouver les mots qui convenaient.

— Dis-le-moi, implora-t-il, que crois-tu donc qu'il se passe? Dis-moi simplement ce que tu penses deviner... Je ne t'en voudrai pas... mais il faut absolument que quelqu'un me parle!

— A mon avis, ça n'a rien à voir avec toi, Elliott. Je crois que Melanie désire une chose que tu ne peux lui donner. J'en suis persuadée depuis la première fois où je l'ai vue. Cette fille n'est pas heureuse — même toi n'as pas su la rendre heureuse... Non, ne m'interromps pas. Si quelqu'un en ce monde pouvait faire son bonheur, ç'aurait été toi. Mais ce n'est pas un homme qu'elle désire. Ni d'ailleurs une femme. Ni personne — c'est autre chose...

— Je vois bien que tu ne l'aimes guère, dit Spider, contenant sa rancune.

— Disons que c'est peut-être comme dans cette phrase de Colette : « L'extrême beauté n'éveille point la sympathie... »

— Colette!

Valentine continua comme si de rien n'était.

— Chez elle, il n'y a peut-être rien d'autre que ce rêve typiquement américain : devenir une star. Pourquoi donc est-elle partie si vite? Il lui a fallu annuler tous ses engagements pour une semaine, non? Qu'est-ce qui te fait croire qu'elle n'a pas exactement les mêmes ambitions que dix millions d'autres filles dans ce pays? Elle est assez belle...

— « Assez »? s'écria-t-il, furieux.

— Plus qu'assez, beaucoup plus qu'assez. C'est curieux, non, comme le hasard peut donner tant d'importance à un visage. Il suffit d'un millimètre ici, d'un millimètre là... Songe donc, Elliott : elle a deux yeux, un nez, une bouche, comme chacun. Tout tient à des différences minuscules dans la disposition de ce nez, de cette bouche. Un petit rien, magique, et qui change tant de choses... Je te dirai que, personnellement, j'ai beaucoup de mal à le comprendre : pourquoi ces petits détails-là, ces quelques millimètres ont-ils tant d'importance pour vous les hommes? Comme ce doit être merveilleux pour elle de n'avoir pas à se donner la peine de séduire! T'a-t-elle jamais fait rire? T'a-t-elle jamais aimé comme tu l'aimais? T'a-t-elle protégé? Réchauffé? T'a-t-elle empêché de souffrir?

Valentine se détourna, incapable de supporter cette réponse muette qu'elle lisait sur son visage. Elle voulait pourtant continuer, lui dire enfin ce qui lui trottait dans la tête depuis si longtemps.

— J'ai bien vu comme son mystère te fascinait. A mon avis, on est d'autant plus mystérieux qu'on est... creux. Un être plein de vie n'est jamais mystérieux, au contraire. Si Garbo avait eu quelque chose à dire, elle serait devenue une tout autre femme.

— Seigneur Jésus! Ces foutus Français, avec leur objectivité, ces bon Dieu de je-sais-tout! Comment peux-tu disséquer ainsi des émotions? Tu n'a jamais été amoureuse, ça se voit!

— Peut-être oui... peut-être non. Je n'en suis nullement certaine. Et maintenant, ras le cul, on mange! Tu peux te laisser mourir de faim au nom de l'amour si tu veux, mais pas moi, foutre non!

Valentine leur versa du vin à tous les deux puis elle le regarda boire, l'œil sévère, une vraie mère faucon. Dans le secret de son cœur, elle faisait un vœu, elle formulait une prière tout à fait désintéressée : que cette petite pourrie de Melanie, que ce petit néant devienne la plus grande star du monde.

Melanie logeait dans la maison que Wells Cope réservait à ses invités. Pendant dix jours, elle avait travaillé dur avec un professeur d'art dramatique, le grand David Walker. Le maître d'hôtel la conduisait tous les matins chez Walker, à Beverly Hills, et revenait la chercher à quatre heures. Dieu, qu'elle se sentait bien! Vraiment bien, étrangement bien... C'était peut-être fou de sa part mais enfin elle avait dans l'idée qu'elle ne jouait pas si mal. David ne lui prodiguait pas vraiment ses encouragements mais, d'un autre côté, il se montrait moins critique qu'elle ne l'avait craint. Et puis avant-hier, avant son bout d'essai, il l'avait embrassée d'une façon paternelle — pour lui porter chance. Il ne devait pas se conduire ainsi avec tout le monde...

Le soir, elle dînait toujours avec Wells, chez lui. Cette maison était un rêve, partout des fleurs et des tableaux, des cristaux et de l'argenterie, de la musique... Jamais elle n'avait connu d'homme semblable : spirituel et réservé, peu curieux, distant, intelligent, capable de vous comprendre sans qu'on eût à parler : un homme — enfin! — qui n'attendait rien d'elle et pourtant semblait prendre assez de plaisir en sa compagnie pour qu'elle ne se sentît pas mésestimée. En un sens, elle aurait souhaité qu'il ne vît pas son bout d'essai aujourd'hui. Et qu'elle pût ainsi continuer à vivre éternellement dans ce monde préservé, apaisant, où on ne lui demandait qu'une chose — apprendre à faire semblant d'être une autre... — Dieu que c'était bon! Cela la faisait vraiment planer d'entrer dans la peau d'une autre. Quand elle jouait un rôle, elle ne ressentait plus ce vieux désir qu'elle avait, de se *voir* de l'extérieur.

Là-bas, les grilles s'ouvrirent pour livrer passage à la Mercedes de Wells. Mais cette fois, il ne fit pas comme à l'habitude, il n'entra pas chez lui. Il traversa le jardin, contourna la piscine et s'engagea sur la pelouse pour venir la retrouver. Elle était assise, un verre dans la main, un livre sur les genoux. Il prit le livre et le verre, les posa sur la table. Puis il lui saisit les mains, la fit mettre debout. Nul besoin de le questionner, il suffisait de voir son visage. Elle le fit pourtant, juste pour le plaisir.

— Est-ce que je m'en suis correctement tirée?

— Bien sûr.

Il était triomphant, transfiguré.

— Et maintenant?

Elle fut brusquement prise d'allégresse, d'une joie attendue et pourtant soudaine. C'était comme la fin d'un accouchement qui avait trop duré.

— Maintenant, je vais t'*inventer*. C'est bien ça que tu attendais?

— Depuis toujours. Depuis toujours!

Ce soir-là, il l'emmena dîner à Ma maison, où il la présenta à toutes ses connaissances. Il ne donna aucune explication à son sujet; pourtant — Melanie en avait conscience —, la moitié des convives leur jetaient des coups d'œil furtifs, chaque fois qu'ils ne se croyaient pas observés. Même sans les voir, elle sentait sur elle la chaleur de leurs regards avides, intrigués. Et c'était terriblement bon.

Au retour du dîner, Melanie lui fit pour la première fois l'amour. Ce fut parfait, songea-t-elle ensuite, comme une valse lente. Il avait bien dû passer une heure à simplement la regarder, à contempler sa nudité, disposant son corps dans tous les sens, la touchant partout, l'explorant de ses doigts patients, tel un aveugle, perdu dans un rêve qui n'exigeait d'elle aucune participation, simplement la présence de son être adorable, dans toute sa vacuité. Quand il l'avait enfin possédée, ce ne fut qu'un prolongement du rêve, nonchalant et languide : tout plein d'une grâce charnelle, sans rien de ce qu'elle redoutait, cette fébrilité, cette moiteur, cette insistance dévorante. Mieux, il se moqua de savoir si elle avait joui. Pourquoi donc les hommes lui posaient-ils toujours la question? Ce n'était pas leurs foutus oignons, c'étaient les siens, à elle seule. Elle n'avait d'ailleurs pas joui, mais s'était sentie merveilleusement bien partout, telle une chatte dont on aurait lissé la fourrure dans le sens du poil durant des heures et des heures. Quand enfin elle s'était relevée, c'était comme s'il savait déjà, sans l'avoir jamais demandé, qu'elle n'avait jamais passé une nuit avec un homme. Il l'avait laissée tranquillement retourner à la maison des invités, lui jetant seulement un regard de ses yeux rêveurs. Dans ce regard, elle lut des promesses et la certitude qu'il les tiendrait.

25 juillet 1976

Spider,

S'il te plaît, ne me téléphone plus. Si tu le fais, je ne répondrai pas. Cela me trouble et je ne veux pas être troublée. J'ignore pourquoi mais je n'ai jamais su dire les choses de vive voix et me faire bien comprendre de cette façon-là. Peut-être te convaincrai-je mieux en t'écrivant. Je ne t'aime pas, je ne t'épouserai pas. Je ne rentrerai pas à New

York — je reste ici. Et dès que Wells m'aura trouvé le scénario qui convient, je ferai un film.

Pourquoi n'arrives-tu pas à admettre que c'est fini? Tu devrais pourtant l'avoir depuis longtemps compris à la façon dont je te réponds chaque fois que tu m'appelles. Tu ne cherchais qu'à me passer la corde au cou. Tu voulais tout de moi, jusqu'au dernier morceau, la dernière miette, la dernière goutte, comme un cannibale. Mais tu m'étouffais tout simplement, surtout ces dernières semaines. Je me suis libérée de toi définitivement car il n'y avait pas d'autre choix possible. Suis-je assez claire?

Et maintenant j'ai la certitude de savoir jouer, Spider. Faire du cinéma n'est pas une « lubie » comme tu disais au téléphone. La première fois que je l'ai compris, je crois bien que c'était chez toi, le dernier soir, quand tu voulais me faire l'amour à tout prix, alors que moi je ne voulais pas. Je t'ai convaincu que ça s'était bien passé pour moi cette fois-là, n'est-ce pas? Eh bien je n'ai rien *senti. Rien de rien. J'en fais le serment.*

Melanie

A l'époque où Spider reçut cette lettre de Melanie, Valentine travaillait pour John Prince. Ce styliste était l'un des rois de la Septième Avenue. Aux journalistes qui l'interviewaient, il expliquait volontiers que les personnes qui l'assistaient dans ses tâches variées étaient vraiment des êtres hors du commun. Tous des gens exceptionnels, aimait-il à se vanter. « Il arrive parfois, très peu souvent, continuait-il, que vous tombiez sur un être à part et qu'alors le courant passe entre vous deux. Mes collaborateurs sont ainsi, je le sais. C'est pure affaire d'instinct. »

En réalité, toute son escouade d'assistants avait été choisie comme le fut Valentine : uniquement pour leur talent, leur ardeur au travail et leur compétence. Prince ne se contentait point de vendre sa griffe à un fabricant et de ramasser l'argent ensuite. Si une ligne de draps ou de serviettes portait en légende : « Par John Prince », cela signifiait qu'il avait personnellement approuvé le style inventé à Son Image par l'un de Ses Gens. La chose restait vraie pour Ses maillots de bain, Ses chaussures, imperméables et bijoux fantaisie, pour Ses foulards et Ses perruques, pour Ses ceintures, Ses fourrures, Ses vêtements d'intérieur et Ses parfums. Prince était beaucoup trop soucieux de sa réputation pour s'en remettre à son seul instinct dans le choix de ses collaborateurs. Reste qu'on l'avait souvent vu prendre en charge un nouvel employé pour en faire une personne brillante, c'est-à-dire quelque chose de suffisamment excitant pour mériter Son label.

C'est quasiment de confiance qu'il avait embauché Valentine, sur la foi de ce rare talent qu'elle avait déployé dans la collection Wilton, et sur quoi Spider avait attiré son attention.

— Quand j'ai parlé hier à votre agent, dit-il à Valentine, je lui ai expliqué que j'avais besoin de vous tout de suite. Il s'agit de travailler avec moi sur mon prêt-à-porter féminin. Ceci dit, je ne veux pas chercher à connaître les raisons qui vous ont fait quitter Wilton. La seule chose que nous devons bien mettre au point, d'entrée de jeu, c'est que votre nom ne doit pas être associé à ma ligne. Voyez-vous, ma chère, vous serez ma collaboratrice jusqu'au moment où vous partirez ailleurs, quelque part où on vous mettra à l'affiche. Car c'est sans doute ce que vous ferez un jour. Mais, en attendant, tout le crédit sera pour moi.

En voyant qu'elle comprenait, qu'elle faisait tout de suite un signe de tête approbateur, il se dit qu'il avait eu la bonne intuition : elle devait avoir eu des ennuis avec cette salope de Sergio, cette espèce de tantouse... Son agent, un certain Elliott, qu'il ne connaissait ni d'Ève ni d'Adam, lui avait laissé entendre que c'était bien un problème de signature, mais il soupçonnait autre chose. Et puis Alan Wilton l'avait tout de suite portée aux nues. Enfin, toutes ces querelles de boutique l'intéressaient généralement très peu. Dieu sait qu'il avait bien assez à s'occuper de ce qui se passait sous son propre toit. A ce moment-là, il était absorbé par la mise au point d'une ligne de produits de toilette pour hommes. En six mois, les chimistes n'avaient pas été fichus de sortir un parfum qu'il jugeât suffisamment viril. Il avait pour critère une question qu'il se posait toujours : « Cela plairait-il au duc d'Édimbourg? » Sans qu'il sût trop pourquoi, la réponse était négative. « Fonce, mon vieux, s'encourageait-il. Fonce. L'Empire ne s'est pas construit en un jour. »

Dans l'Amérique d'aujourd'hui, 95 pour cent des stylistes pour hommes, au bas mot, sont des homosexuels.

Ils ont d'ailleurs bien des façons d'être pédés. John Prince constituait un cas unique en son genre, avec son style inusable et notoirement viril de gentilhomme anglais, tempéré par de solides racines dans le Middle West. D'autres sont d'austères pédés fonctionnels qui portent des lunettes noires en tout temps et revêtent toujours le même uniforme soigné : col roulé noir et pantalon noir. On les penserait venus du futur en vaisseau spatial, cabine de première classe. Ils vivent dans des appartements tout en verre, plastique et acier, des demeures si sobres, si dénudées qu'on est pris d'angoisse rien qu'à voir des photos du living, d'où tout confort semble banni. Puis il y a le mignon troupeau des pédés « Gatsby », des jeunes beautés qui s'habillent en blazer bleu marine et pantalon blanc impeccablement coupé et portent d'innocentes chemises bleu pâle à col ouvert, style Ivy League, ainsi que des pulls marins en shetland : parfaitement parés pour l'arrivée du yatch qui va venir jeter l'ancre à leurs pieds. On trouve aussi un contingent de pédés installés et influents : ils se trouvent en sécurité depuis assez longtemps pour se permettre d'arborer des jeans, des barbes et toutes sortes d'amulettes, ainsi que de curieuses vestes sans boutons. Tous ces stylistes sont très demandés : bien des femmes parmi les plus puissantes du pays – mais qui sont en même temps célibataires – tiennent à les avoir pour invités ou chevaliers servants. Sans leur précieuse liste de pédés sûrs, combien de femmes de la société pourraient-elles mettre sur pied leurs réceptions?

Il existe aussi un tout petit lot de pédés mariés et influents, dont les épouses, invariablement, sont aussi décoratives qu'intelligentes. Ils font une religion de l'art de bien vive, de posséder de merveilleux appartements et des maisons à la campagne où ils donnent des dîners pleins d'invention, des dîners par petites tables qui, avec leur porcelaine rare, leur argenterie précieuse, sont autant de petits musées. Sans ces gens-là, aucune grande réception mondaine ne serait vraiment complète, aucun voyage de presse parfaitement réussi.

Cette mafia détient les clés de toute réussite dans le stylisme du vêtement. En dépit de bien des différences – toutes superficielles – dans le comportement de ses membres, elle forme un club où nul hétéro n'a la moindre chance de pénétrer. Des femmes le peuvent en revanche : nombre de femmes stylistes parmi les plus importantes – Holly Harp, Mary McFadden, Pauline Trigère, Bonnie Cashin... – ont pu y avoir accès, ainsi que bien des Californiennes de talent. Mais ces dames sont en nette minorité.

Pour tout ce qui touche à leur travail, les stylistes pédés ont noué des alliances durables avec les hommes d'affaires, généralement hétéro, qui gèrent ou maîtrisent tout le versant financier de l'industrie du vêtement. Ces hommes, généralement Juifs et, pour la plupart, solides pères de familles, sont très liés à la communauté juive de New York et se consacrent à toutes sortes de mécénats. Ils fournissent le lest qui maintient la Septième Avenue sur ses rails. En dehors du travail, les deux groupes ne se mélangent guère en revanche, ou même ne se rencontrent jamais si ce n'est à l'occasion d'un cocktail promotionnel organisé par quelque grand magasin, ou pour l'une de ces manifestations mondaines où se retrouve tout le gratin de la mode, telles que les Prix Coty.

Les stylistes pédés sont de grandes locomotives new-yorkaises. Que s'ouvre un nouveau restaurant, ils sont les premiers à le découvrir. Leur caprice peut faire ou défaire un nouvel artiste, un nouveau ballet, une nouvelle boîte, un nouveau coiffeur. En fait, ce sont des stars, avec tous les privilèges et les petits profits qui s'attachent à cette position. Chacun possède sa cour, tout un entourage qui gravite autour de lui : vivre dans l'aura du Maître autorise ces gens à se vanter d'être au-dessus de la triste moyenne de l'humanité. Lui-même, et avec lui ses satellites, se flatte d'être plus spirituel, audacieux, « artiste », avant-gardiste, sophistiqué, pervers, informé que les autres. Et surtout de s'amuser beaucoup plus.

Nul n'y réussissait mieux que John Prince. Son équipe de choc constituait en fait sa véritable famille, dans tous les sens les plus importants du terme. Il avait la vocation d'un mécène et tout son instinct le portait aux libéralités. Il ne se sentait vraiment heureux qu'entouré de sa « suite » – c'est la façon dont il désignait en secret certains de ses principaux collaborateurs – ainsi que d'une grande quantité d'autres gens.

Après sa journée de travail, Prince tenait sa cour dans son hôtel particulier de l'East Side. Il s'agissait à l'origine de deux hôtels dont il avait fait abattre le mur mitoyen. Les demeures jumelles avaient alors été unifiées par une grande façade palladienne, en marbre couleur miel, percée d'une entrée centrale imposante. A l'intérieur, au cœur de ce qui constituait autrefois les deux maisons – qu'il avait fait entièrement vider – s'envolait un escalier de quatre étages, seigneurial, avec de vastes paliers. Prince avait dévalisé les stocks les plus rares de Stair and C° et de Ginsberg and Levy, qui sont deux des plus grands magasins d'antiquités du monde. A la suite de quoi il s'était aperçu qu'il avait – lui aussi – besoin d'un décorateur. Il loua alors les services de « Sœur » Parish. Mrs Henry Parish II était la décoratrice préférée de la haute société. Elle avait refait le Bureau ovale de la Maison Blanche et entièrement décoré les appartements privés du président Kennedy. Mais elle était tout aussi célèbre pour le charme des chambres qu'elle inventait et son sens voluptueux de la couleur. Un mois lui suffit pour donner à la maison l'allure d'un palais ducal. Il eut le bon goût de s'interdire toute allusion devant Mrs Parish à ce sujet mais il avait pensé qu'il aurait été du meilleur effet de broder au fil d'or les armoiries de sa famille sur les tentures de son grand lit Chippendale à colonnes. Puis il s'était dit que sa grand-mère du Maine, une femme qui avait la tête sur les épaules, n'aurait peut-être pas apprécié. Il n'osa pas non plus lui toucher un mot de cette tribune de ménestrels qui hantait ses rêves. Mais, pour le reste, il fut tout à fait content de sa majestueuse demeure.

Prince avait même un marjordome, Jimbo Lombardi, qui était son amant depuis bien des années. C'était un robuste chérubin, un garçon effronté qui mesurait à peine 1,60 mètre mais avait la bagarre dans le sang. Il fut notamment l'un des sous-officiers les plus décorés de la guerre de Corée. Quand il n'était pas en train de tuer ses ennemis avec efficacité, Jimbo se révélait un peintre de talent. Mais il était profondément paresseux et se contentait en général de couler des après-midi languissants dans l'atelier merveilleusement équipé que Prince lui avait fait installer sous les combles.

Chaque matin, alors que Prince avait, depuis longtemps déjà, déserté leur lit pour son bureau, Jimbo émergeait enfin. Il gagnait alors les parties inférieures de la maison pour y retrouver le chef, Luigi, et les deux robustes filles d'office, Renata et Luchiana. Alors, dans un italien de cuisine, ils se racontaient des histoires incroyablement polissonnes, où il était question de l'adolescence de Jimbi à Bridgeport, cité lointaine de l'exotique Connecticut.

Jimbo avait à charge de dresser les menus, d'inviter les convives, de régler tous les détails des réceptions de la semaine. Si Prince était né pour recevoir, Jimbo était venu sur terre pour assurer l'ordonnance des menus plaisirs. Il avait un véritable génie d'animateur et de boute-en-train. Il savait aussi merveilleusement repérer, dans les soirées des autres, les vedettes en puissance, et les faire passer dans les rangs des courtisans de Prince.

Jimbo se prit immédiatement de sympathie pour Valentine. Assuré qu'il était d'être nécessaire à Prince et adoré de celui-ci, il pouvait se permettre de choisir ses amis à son gré. Or il en avait un peu assez, ces derniers temps, des fidèles de Prince. Il y avait là un mannequin masculin, un grand Noir très maigre, qui mesurait deux mètres et dansait le disco comme personne à New York ; une styliste en bijoux, issue de l'aristocratie brésilienne qui, en même temps que des cheveux coupés ras, exhibait trois croix lourdement chargées de pierreries ; un jeune Portoricain, qui réalisait de merveilleuses peintures sur soie ; une superstar de Hollywood, accablée de tics, qui, rituellement, s'en venait à New York entre deux films pour se faire faire une nouvelle garde-robe complète chez Prince et jouir de la douce chaleur qu'il irradiait ; des jeunes mariés, descendant tous deux des plus vieilles familles de Philadelphie, qui s'obstinaient à faire cadeau de haschisch à Prince, lequel n'en voulait point, et finissaient par le fumer presque en entier ; un célèbre danseur soviétique enfin, qui était passé à l'Ouest depuis si longtemps que les services du fisc le considéraient comme l'un de leurs Américains préférés. Tout étaient extra, bien sûr... Seulement voilà, le moment était venu d'apporter un sang neuf.

Jimbo sentit tout de suite que Valentine n'attendait rien de Prince. Cela l'intrigua énormément : les gens auxquels il se frottait d'habitude ne voyaient rien de mieux que d'être admis dans l'entourage de Prince.

Jimbo avait toujours fait partie de ces homosexuels qui apprécient vraiment les femmes. Prince aussi d'ailleurs. Mais Jimbo avait le don de créer, avec elles, une intimité immédiate : pour tout ce qui ne touchait pas au sexe, il était un redoutable séducteur. Avec sa chevelure crépitante, son caractère irascible, Valentine constituait un véritable défi, qu'il entendait bien relever. Elle avait commencé à travailler pour Prince au début de 1973. Dès la fin de cette année-là, cajolée et courtisée par le charmant petit Jimbo, elle se sentit complètement chez elle dans la bande de Prince. Elle n'avait jamais rien fait pour mériter le titre de « personne extra » — puisqu'elle l'était de naissance. Ce qu'il y avait de rafraîchissant dans cette fille, c'est qu'elle ne faisait vraiment pas le moindre effort dans cette direction.

Elle s'était maintenant rétablie du plus grand désastre sentimental qu'elle eût jamais subi — son aventure avec Alan Wilton. Mais cette expérience l'avait guérie pour longtemps du romanesque. Vu l'ambiguïté sexuelle des amis de Prince, elle pouvait éviter sans problème d'entretenir ces liaisons trop poussées qui pouvaient l'embarquer dans une nouvelle histoire d'amour. Sa sexualité constituait pourtant, dans le petit groupe, l'un des sujets de conversation favoris. Était-ce une lesbienne? Avait-elle un amant marié quelque part? Était-ce une de ces « mémés à pédés », qui n'ont de penchants que pour les hommes n'aimant pas les femmes? Il ne vint à l'idée de personne que, tel le petit garçon dans le vieux conte de *La Reine des neiges*, une aiguille de glace avait transpercé le cœur de Valentine et lui interdisait d'aimer. Quant à Prince et Jimbo, ils pensaient que sa position de styliste associée et sa qualité de membre du clan suffisaient à la combler.

De 1973 à 1976, Prince et Valentine travaillèrent au coude à coude. Elle apprit à se comporter comme si elle était son double. Elle s'imprégna du principe de ses vêtements, de tout ce qui rendait ses luxueuses créations si parfaitement différentes des luxueuses créations des autres. Seule une personne informée aurait pu prétendre qu'on devait ce détail à Prince plutôt qu'à Valentine. Ou bien deviner lequel avait choisi ce tissu plutôt qu'un autre.

Valentine était pourtant loin d'être satisfaite. Son travail lui convenait en tant que tel, bien sûr : Prince lui donnait maintenant quarante-cinq mille dollars par an, et puis elle avait ses propres assistantes. Mais elle n'était qu'une comparse et en souffrait beaucoup. Elle faisait quelque chose de « créatif » en un sens, mais toujours sur les brisées de Prince. Elle n'était qu'une disciple, une disciple douée mais qu'on empêchait de donner sa mesure.

Valentine n'avait jamais cessé de créer pour son compte. Sans se soucier de ce qui se portait dans les rues de New York, sans se laisser influencer par le puissant talent de Prince, elle continuait d'accumuler des croquis. Elle avait Spider pour tout public et se tenait office de modèle. Mais elle n'avait plus guère le temps ni l'occasion de réaliser ses idées. D'autant moins que Prince exigeait qu'elle ne portât rien d'autre que ses vêtements à lui, qu'il lui faisait pour rien.

Plusieurs fois par an, Prince était contraint de s'aventurer en dehors de New York, pour aller montrer sa nouvelle ligne. Et c'est ainsi qu'il partit à l'été 1976, pour une tournée plus longue que d'habitude.

Ce fut alors plus fort qu'elle. Prince serait absent une dizaine de jours. Elle pourrait donc introduire discrètement ses dernières créations dans son bureau personnel, sans le dire à personne. Puis elle demanderait à l'un des mannequins de la maison de les passer pour elle. Elle pourrait enfin voir à quoi ressemblaient ses modèles sur quelqu'un d'autre. C'était horriblement frustrant d'inventer des vêtements et puis de ne les voir que sur soi, dans la glace. Elle se demandait aussi depuis quelque temps, avec inquiétude, si son travail n'était pas trop singulier, personnel. Conviendraient-ils, ces vêtements, à une fille toute différente, avec un autre teint, une autre façon de se tenir?

En outre, Spider n'était même plus là pour admirer ses créations. Depuis qu'il connaissait Melanie Adams, elle le voyait à peine. Et même maintenant que Melanie était partie pour Hollywood, Spider continuait de faire bande à part : personne ne partageait plus les dîners qu'elle cuisinait. Cette camaraderie, qu'elle avait presque fini par considérer comme une chose acquise, voici qu'elle semblait avoir disparu. Elle ne l'aurait admis pour rien au monde mais elle se sentait abandonnée. Jamais elle n'aurait pensé qu'Elliott, ce cœur volage, ce libertin, pourrait un jour tomber follement amoureux, comme il l'était de cette garce à la beauté si révoltante. Il était littéralement possédé, ce foutu imbécile. Quel dommage qu'il ne fût catholique! Elle aurait été trop heureuse de le faire exorciser. Car c'était bien clair, il avait le diable au corps, comme disait sa mère. Et tout ça ne donnerait rien de bon : cette fille, prodigieusement narcissique, n'aimait qu'elle; le premier idiot venu s'en serait aperçu. Mais dites-moi quel homme entend raison quand il est amoureux? Ou quelle femme aussi bien, songea Valentine, envahie par ses horribles souvenirs? En toute hâte, elle se mit à entasser ses dernières créations dans des housses en plastique opaque. Aujourd'hui, elle arriverait avant tout le monde. Elle cacherait les vêtements dans sa penderie personnelle. Il n'y avait aucun risque. Beth, le mannequin noir, était une bonne amie à elle. Et puis elle était connue pour savoir tenir sa langue.

Quelque temps avant l'heure du déjeuner, Valentine demanda à Beth de lui accorder un moment dans l'après-midi pour faire quelques essayages.

— Pourquoi pas maintenant, Val? Je viens de prendre mon yaourt et je n'avais de toute façon pas l'intention de sortir déjeuner. Plus tard, il peut survenir des acheteurs et on aura besoin de moi au salon.

— Oh, c'est vrai, tu veux bien, Beth? C'est magnifique! Dis-moi, je sais que ça a l'air idiot mais ne pourrions-nous faire ça dans mon bureau? J'aimerais autant que personne ne voie ces modèles. Ce ne sont que quelques petits trucs que j'ai confectionnés vite fait, pour le plaisir. Vraiment rien d'important, mais... tu connais Mr Prince comme moi...

— Tu m'en as assez dit.

Cette fille noire, avec trois centimètres de plus que Valentine, était mince comme elle. Pour le reste, les deux femmes se montraient aussi différentes que possible. Valentine trépignait d'impatience à l'idée de voir ce que ses toilettes allaient donner sur Beth.

Une heure plus tard, elles étaient toutes les deux joyeusement effondrées sur le canapé de Valentine. Chacune avait sur le dos l'une de ses créations. Les autres vêtements étaient entassés sur les chaises, tels que Beth les avait laissés choir après les avoir ôtés.

— Je ne me suis jamais amusée comme ça depuis que j'ai cessé de jouer à la poupée, explosa Beth. Je ne savais pas que j'étais si épatante! Ma chérie, tu étais folle de te faire du souci. Comment pouvais-tu croire qu'ils n'iraient jamais que sur toi? Je t'aime bien dans cette robe mais je m'aime encore beaucoup plus!

— Beth, tu es divine, divine, divine!

Le soulagement l'avait grisée et puis ç'avait été si excitant de voir

Beth, à chaque nouveau modèle qu'elle enfilait, littéralement extasiée par son astuce, son invention, son originalité. A l'habitude, Beth montrait les modèles avec un dédain ennuyé. Cette fois, elle ruait et piaffait à chaque nouvel essayage.

Soudain, elles sautèrent sur leurs pieds, comme prises en faute. Quelqu'un frappait avec insistance à la porte fermée à clé.

— Qui est-ce? cria Valentine, en roulant des yeux vers Beth.

— C'est Sally, répondit la réceptionniste. Val, il y a une urgence. Sortez vite!

— Que se passe-t-il? Mr Prince est rentré? demanda Valentine.

Elle n'ouvrait toujours pas la porte.

— Quel bonheur s'il l'était! Mrs Ikehorn est là! Mrs Ellis Ikehorn... et elle ne veut avoir affaire à personne d'autre que vous ou Mr Prince. Elle est folle furieuse. Savait pas qu'il était en voyage... Venez donc! Qu'est-ce que vous attendez? Elle est au salon en ce moment mais si vous n'arrivez pas, elle sera dans votre bureau d'ici une minute.

Beth s'était déjà déshabillée. Elle avait enfilé le peignoir de satin gris que portaient les mannequins entre deux passages. Les deux femmes échangèrent des regards consternés. Elles savaient, comme tout le monde sur la Septième Avenue, que Billy Ikehorn — que le *Women's Wear* venait de surnommer l' « Ensorceleuse de l'Ouest » — était, de toutes les clientes privées de Prince, la plus choyée, la plus adulée. Depuis qu'elle avait ouvert son magasin de rêve à Beverly Hills — Scrupules — dont toute l'industrie de la mode faisait des gorges chaudes, Prince lui accordait plus d'égards encore : elle n'achetait plus seulement pour elle mais pour sa boutique.

— Beth, va dire aux autres filles de passer leur premier numéro, et vite fait! Puis va prévenir Mrs Ikehorn que j'arrive... Non, inutile, ça prendra trop de temps. Va simplement te changer et amène-toi au salon.

Valentine parlait très vite, à mi-voix, tandis qu'elle passait les doigts dans ses cheveux et enfilait ses chaussures à toute allure. Beth s'éclipsa et Valentine se dirigea au galop vers le salon.

Billy Ikehorn se tenait debout devant l'un des miroirs. La moindre de ses fibres patriciennes trahissait la contrariété.

— Mais enfin, Valentine, que diable a-t-il été ficher dans le Middle West, pour l'amour de Dieu? explosa-t-elle, sans prendre la peine de cacher sa fureur. Je me suis déplacée exprès jusqu'à ce foutu quartier et tout ça pour apprendre quoi? Qu'il est parti pour l'un de ces stupides défilés de bienfaisance, au lieu de s'occuper de mes affaires!

Elle lança à Valentine un regard furibond. Même la colère ne parvenait pas à gâcher sa sombre beauté, son allure souveraine.

— Il sera absolument désolé d'apprendre qu'il vous a manqué, Mrs Ikehorn, dit Valentine.

Comme toujours dans les moments de tension, il lui revenait inconsciemment une pointe d'accent français.

— En fait, s'il apprend que nous ne vous avons pas montré le plus beau défilé que vous ayez jamais vu, je crains pour nos vies...

— J'ai très peu de temps, répondit Billy de sa voix la plus sèche, sans le moindre sourire.

Elle refusait de se dérider.Elle s'installa enfin dans l'un des boxes, derrière un petit bureau où les acheteurs s'asseyaient pour inscrire leurs commandes.

Valentine claqua des doigts et les mannequins maison, cinq en tout, commencèrent à défiler devant les deux femmes. Elles s'appliquaient à faire des changements très rapides, pour éviter le moindre hiatus dans la présentation de cette immense collection. Malgré ces précautions, Valentine s'aperçut, le cœur serré, que Mrs Ikehorn ne disait rien, qu'elle ne prenait aucune note sur son bloc. Elle restait totalement immobile, très droite, et respirait la mauvaise humeur. Il était impossible qu'elle ne vît rien qui lui plût. Cette collection était excellente... Retenait-elle les numéros par cœur? se demanda Valentine, en proie à la panique.

Après le dernier passage, il y eut une petite pause. Puis Billy Ikehorn poussa un profond soupir et laissa tomber, avec une assurance glaçante, méprisante : « Assommant... »

Valentine sursauta.

— Je dis que c'est assommant et je le pense. C'est bien du Prince mais il n'y a là rien de neuf. C'est si foutrement attendu que ça me donne envie de bâiller. Je sais que ça se vendra, Valentine, je ne dis pas le contraire, mais simplement, ça ne me donne absolument pas envie d'acheter. Je n'arrive pas à m'exciter sur une seule de ces choses. Rien... C'est un bide complet.

C'était une véritable catastrophe. Si John Prince avait été là, Valentine se doutait bien qu'il aurait su cajoler Mrs Ikehorn, la flatter. Il l'aurait tirée de son humeur chagrine depuis belle lurette, elle se serait mise à inscrire les numéros comme un automate.

Elle sauta sur ses pieds pour affronter cette femme redoutable, qui trônait comme la justice, avec l'absolue conviction que ses paroles avaient force de loi.

— Vous devez bien comprendre, Mrs Ikehorn, que votre goût est beaucoup plus évolué que celui de la moyenne des clientes...

Valentine allait trop loin. Mais il fallait tenter n'importe quoi pour sauver la situation.

— Maintenant que vous avez cette boutique, n'oubliez pas que vous achetez pour des femmes sans doute parfaitement incapables d'imiter ni même de comprendre la façon dont vous vous habillez.

Puis sa voix s'éteignit car elle venait d'apercevoir, dans les yeux de Billy, une lueur d'intérêt.

— Qu'est-ce donc que cette robe que vous avez sur le dos? demanda-t-elle.

Valentine s'aperçut avec stupeur qu'elle avait oublié d'ôter la robe qu'elle avait essayée en compagnie de Beth. Elle s'était enfuie si précipitamment du bureau qu'elle avait oublié de se changer, d'enfiler son Prince.

— Quelle robe?

— Valentine, seriez-vous stupide à ce point? Je commence à le croire. Vous portez une robe, figurez-vous. J'aime cette robe. Je veux cette robe. Vendez-moi cette robe! Est-ce assez clair à présent?

— C'est impossible.

Billy parut tout de suite stupéfaite que si on lui avait délibérément balancé un grand verre de vin rouge dans la figure. Si elle n'avait été aussi terrifiée, Valentine aurait sûrement éclaté de rire.

— Impossible? D'où vient cette robe? Est-ce un secret? Je veux le savoir!

— C'est ma robe.

— J'en suis bien d'accord. Mais qui l'a dessinée? Ne me dites pas que c'est Prince. Je suis foutrement certaine que ce n'est pas lui. Eh bien, voilà qui est intéressant... Ainsi, quand le patron est en voyage, vous ne portez même pas ses modèles! Vous les trouvez trop vieux jeu, Valentine? C'est bien ça?

Il y avait de la menace dans sa voix. Valentine comprit qu'il valait mieux dire la vérité que laisser croire à Mrs Ikehorn qu'elle s'habillait dans la concurrence.

— Il m'arrive... très rarement... de me confectionner un petit quelque chose... Juste pour ne pas perdre la main en couture. Ce n'est que cela, Mrs Ikehorn... un de ces petits trucs pas chers que je fais chez moi, à la va-vite. C'est pourquoi je ne puis le vendre. Il s'agit d'un exemplaire unique.

— Pas cher! Voilà un jersey Norell à plus de cent dollars le mètre et vous le savez mieux que moi! Levez-vous donc et tournez-vous, commanda Billy.

Au moment où Valentine obéissait à contrecœur, le magasinier fit irruption dans le salon en poussant un vestiaire où se trouvaient accrochées toutes ses créations.

— Dites-moi, Miss O'Neill, cria-t-il, la réceptionniste m'a dit de retirer toutes ces affaires du bureau! Où voulez-vous que je les laisse?

— Ici même et tout de suite, ordonna Billy Ikehorn.

— *Bon Dieu de bon Dieu!* gémit Valentine en français.

— *Parfaitement!* lui répliqua Billy — également en français — avec un sourire malicieux, le premier de la journée.

Si Valentine avait caressé l'espoir, tout à fait irréel, que John Prince n'apprendrait rien de ce qui c'était passé en son absence, cet espoir fut bientôt ruiné. Prince n'était pas rentré depuis trois minutes qu'il la convoquait dans son bureau. La fureur le rendait presque méconnaissable. Cet homme généreux pour qui elle travaillait depuis trois ans, elle ne l'aurait jamais pensé capable d'une rage aussi folle. Il pouvait à peine articuler et lui jetait les mots d'une voix rauque qu'elle ne lui connaissait point.

— Sale petite connasse! Ingrate petite garce! Immonde, hypocrite salope! J'ai toujours su que je ne pouvais pas vous faire confiance... Un poignard dans le dos! tempêtait-il en lui brandissant sous le nez un morceau de papier.

— Ce n'est pas ma faute... Elle a tellement insisté... commença Valentine.

— N'essayez pas de mentir, sale voleuse! Lisez ça!

Et il lui agita le papier sur la figure. C'était un mot de Billy Ikehorn, griffonné de sa grande écriture élégante sur son papier à lettre personnel.

John, mon trésor,

Quel dommage que nous n'ayez pas été là quand je suis venue. J'ai été désolée de vous manquer, mais peut-être était-ce préférable, au bout du compte. Car, je suis ennuyée de vous l'apprendre, il n'y avait rien dans la collection qui m'ait vraiment emballée. Je suis certaine que ça ne se produira plus jamais — ce sont simplement de ces choses qui arrivent. J'ai vraiment adoré toutes les créations personnelles de Valentine... si ravissantes, si fraîches, *si* nouvelles... *J'ai été désolée d'apprendre qu'elle ne pouvait me les vendre. Pour l'amour de Dieu, ne pouvez-vous l'y autoriser? Cette fille est très brillante. Vous devriez être fier d'elle, au lieu de cacher son talent.*

Irez-vous à la réception de Mary Lasker au profit du Dr Salk? Je pense revenir pour cette occasion. Si vous y allez, nous pourrions peut-être joindre nos forces? Vous m'avez réellement manqué, mon chéri...

Billy

— Vous ne comprenez pas la façon dont ça c'est passé. Ce ne fut pas de la manière que vous croyez... Je ne voulais pas lui montrer...

Valentine s'arrêta en voyant qu'il ne l'écoutait absolument pas.

— Vous êtes finie! lui lança Prince au visage. Finie ici, finie sur toute la Septième Avenue dès qu'on apprendra ce que vous m'avez fait! Je ne veux plus vous voir... Quand je pense que je vous ai fait entrer ici, que je vous ai appris tout ce que vous savez... Jamais on ne m'a trahi de la sorte! Allez vous faire foutre!

— *Assez!* cria-t-elle, à son tour, en français.

Son vigoureux tempérament avait fini par se manifester.

— Qu'avez-vous dit, espèce de...

— J'ai dit « assez »! Je ne resterai ici pour rien au monde! Vous finirez par comprendre votre erreur mais personne n'a le droit de me parler ainsi. Jamais! Je ne le supporterai pas!

Valentine courut jusqu'à son bureau, cueillit son sac à main et s'en alla sans parler à personne. Elle trouva un taxi et lui donna son adresse. Ce fut alors seulement qu'elle se mit à trembler. Elle ne pleurait pas, simplement elle tremblait sans pouvoir s'arrêter. Tout ça était si foutrement stupide, si foutrement triste.

— Est-ce que nous faisons pas une belle paire de clowns? dit gaiement Spider.

— Pour qui te prends-tu, Elliott, Woody Allen? lui demanda Valentine.

— Tu n'as pas de couilles, voilà ton problème. Pourquoi les étrangers n'ont-ils jamais le sens de la dérision? se plaignit-il.

— Encore une seule plaisanterie, je te sors et je te tue!

Valentine s'essayait à plaisanter. Pourtant, la façon dont Spider se déchirait la tourmentait plus que la perte de son propre travail. Son Elliott, ce fou qui, à l'habitude, montrait tant de ressort, de courage, qui était si malin, ressemblait maintenant à un invincible matador qui aurait, pour la première fois de sa vie, reçu un méchant coup de corne. Il était démoli et pourtant il crânait encore.

— Tu sais que tu as des nichons formidables?

— Elliott!

— J'essaye juste de changer un peu de sujet. Allez, rigole! Ils sont petits bien sûr, mais vraiment formidables... Je t'assure. Pétillants, pointus, piquants, ils sont un tas de jolies choses qui commencent par un « p ».

— Va te faire foutre!

— Allez... arrête Valentine! Et si on se soignait un peu, avec quelque chose de gentil?

— Rouge ou blanc?

— Ce qu'il y a d'ouvert.

Il se renversa dans le vaste fauteuil et, d'un trait, avala un grand verre. Il avait démarré chez lui, à la vodka — vraiment beaucoup de vodka. Puis il s'était rappelé, Dieu merci, que Valentine était dans sa chambre. Il aurait détesté se noircir tout seul. Il avait brûlé la lettre de Melanie mais chacun de ses mots restait gravé dans son esprit. Ils grouillaient dans sa tête comme les sous-titres d'un mauvais film allemand d'épouvante. Et cela avait continué pendant trois jours et trois nuits. Valentine, même Valentine, surtout Valentine, ne devait jamais apprendre ce qui lui était arrivé.

— Plus de vin? demanda-t-elle.

— Si tu insistes. Au fait, j'ai livré une commande aujourd'hui.

Valentine haussa les sourcils de surprise.

— Pourquoi te raconterais-je des histoires? Mon premier boulot en bientôt trois semaines... Une fille s'est amenée ici, il y a deux, trois jours. Elle voulait des tests pour devenir mannequin. Une fille épatante mais un cas sans espoir, une pute de première si j'en ai jamais vu. Je ne l'imaginais pas travailler ailleurs que pour *Hustler*. Mais j'ai quand même fait trois rouleaux. Les photos les plus sexy de ma vie. Et merde, pourquoi pas? Elle est revenue les chercher aujourd'hui. Elle trépignait de joie dans tout le studio. C'était la Journée des Putes :

— « Rendez Une Pute Heureuse »... Je ne l'ai pas fait payer. Il me reste au moins ça, je peux me permettre de faire des cadeaux. Et si j'ouvrais une autre bouteille? demanda-t-il, en l'ouvrant sans attendre la réponse de Valentine.

— Tu veux manger un morceau, Elliott?

— Tu as vraiment le culte de la nourriture, ma jolie. Parlons plutôt de toi. Je n'aime pas ton comportement.

— Quoi?

Elle se dressa sur ses ergots.

— Ouais. Tu devrais te mettre à chercher un boulot plutôt que de rester plantée là à boire tout ce vin. Mauvais pour le foie... Il y a d'autre gibier en ville que Prince. Cette fois, je ne jouerai pas les agents — tu n'en as pas besoin.

— Va te faire foutre!

— Qu'ils aillent se faire foutre, tous autant qu'ils sont! Les gros, les grands et les petits! chantonna-t-il pour lui-même.

— Je ne veux plus jamais travailler sur la Septième Avenue. Ça va comme ça! C'est bien fini... n'essaye pas de me traîner là-bas.

— Je ne saurais dire à quel point je te désapprouve. Que vas-tu faire alors?

— Des lessives! J'ai fait des économies, vois-tu. Je ne suis pas obligée de décider tout de suite.

— J'aimerais pouvoir dire la même chose.

Spider s'assombrit. Si quelques commandes n'arrivaient pas, son agent l'avait prévenu qu'il ne pourrait conserver le studio... En fait, son agent était sur le point de quitter le navire, il en voyait tous les signes avant-coureurs... Et puis merde.

— Je propose un toast : aux deux êtres les plus doués de New York qui ne soient pas inscrits encore au chômage...

Spider sécha son verre et s'en versa un autre, en répandant du vin par terre.

— Désolé... je vais boire au goulot, ça sera plus simple...

Il chaloupa vers le lit et s'y laissa tomber comme une masse. Puis il prit une bonne lampée à même la bouteille.

Le téléphone sonna.

Valentine sursauta. Cela ne faisait qu'une semaine qu'elle était sans travail. Elle se demandait bien qui pouvait l'appeler si tard dans l'après-midi d'un jour ouvrable.

— Oui?

— Valentine. Ici Billy Ikehorn. J'appelle de Californie. Je ne sais vraiment quoi dire... C'est simple, je ne pourrais *pas* être plus bouleversée ! Je viens d'apprendre ce qui s'est passé la semaine dernière par un type de mon équipe de vente, un vieux copain de Jimbo. C'est incroyablement injuste et, en plus, c'est entièrement de ma faute. Totalement...

— Non ? Croyez-vous ?

— Bien sûr, vous pensez que je suis une belle garce et j'ai sans doute été la reine des garces ce jour-là... Mais ici rien ne tourne rond ! Scrupules est le plus beau magasin du monde et je n'ai rien à y vendre, personne pour organiser tout ça. Si j'étais d'une humeur de chien l'autre jour, c'est que toute la baraque est en train de ficher le camp. Vous ne pouvez savoir comme c'est affreux !

— Pauvre chère...

— Je ne vous blâme pas d'être aussi amère, Valentine. Vous devez bien penser qu'en écrivant cette lettre, je croyais vous faire du bien.

— Ce fut du mal.

— Je le sais maintenant. Prince et moi nous sommes rabibochés. Vous aurez bientôt de ses nouvelles... C'est ce que je voulais vous apprendre. Simplement il ne sait trop comment s'y prendre, après...

— Je ne veux pas lui parler.

— C'est à ce point ?

— Pire.

— Et c'est votre dernier mot ?

— Absolument.

— J'espérais que vous diriez ça ! Venez donc travailler pour moi, Valentine. Vous pouvez faire votre prix. J'ai terriblement besoin d'une styliste. Si nous ne faisons pas de couture, nous ne sommes plus qu'une boutique de luxe parmi tant d'autres. Vous pourrez aller à Paris pour les collections. Car, bien sûr, j'aimerais aussi que vous soyez mon acheteuse. Vous irez à New York autant que vous voudrez. J'ai décidé de ne plus passer ma vie dans ces ascenseurs de la Septième Avenue. C'est vraiment trop sinistre.

— Vous ne voulez rien de plus ? Une styliste, une acheteuse... Pourquoi pas une femme de chambre ?

— Au moins, écoutez mon offre, Valentine. Je vous propose quatre-vingt mille dollars par an et 5 pour cent sur les bénéfices.

Valentine resta muette, complètement étourdie. Puis sa fougue irlandaise reprit le dessus.

— Cent mille. Qui sait s'il y aura jamais des bénéfices?

— Eh bien, dans ce cas, ce ne sera qu'un salaire, sans participation aux bénéfices, répondit Billy.

— Pas question, Mrs Ikehorn. Après tout, pourquoi ne pas être optimiste ? Il y aura peut-être des bénéfices... Les 5 pour cent tiennent toujours.

— Mais ça représente une fortune !

— A prendre ou à laisser. Vous avez besoin de moi, oui ou non ?

— Bon, d'accord... Marché conclu.

— Il va de soi que mon associé aura soixante-quinze mille dollars et 2,5 pour cent des bénéfices.

— *Votre associé?*

— Peter Elliott, le meilleur vendeur du monde. Une formidable expérience de la vente en détail... Il saura réorganiser Scrupules à votre entière satisfaction. Je n'ai pas le moindre doute à ce sujet.

— Depuis quand avez-vous un associé, Valentine?

— Depuis quand échangeons-nous des confidences, Mrs Ikehorn?

— Mais je n'ai jamais entendu parler de lui!

— Depuis quand êtes-vous dans le commerce? Pardonnez-moi, mais il faut voir les choses en face.

Billy fut un instant réduite au silence par le toupet de Valentine. Mais, pour se permettre de lui parler ainsi, on devait avoir ses raisons.

— C'est tout à fait à contrecœur que je fais ça, Valentine, mais je suis vraiment trop débordée pour me mettre à chipoter. Je vous engage tous les deux et, faites-moi confiance, j'attends des résultats. Il n'y aura pas de contrats.

— Il nous faut des contrats d'un an, Mrs Ikehorn. Pour la suite, je ne me fais pas de souci.

Billy n'hésita plus. Scrupules perdait de l'argent à un rythme presque incroyable. Non que ça fît la moindre différence pour elle: elle pouvait se le permettre indéfiniment. Mais ce serait tellement embarrassant quand on publierait les chiffres dans le *Women's Wear*. Plus qu'embarrassant même... Ce serait un véritable cauchemar, un cauchemar sans fin. On se moquerait d'elle et c'était vraiment la seule chose au monde qu'elle ne voulait plus connaître de sa vie: qu'on se moquât d'elle... Il fallait à tout prix que Scrupules fût une réussite. *Une parfaite réussite.*

— Quand pourriez-vous venir tous les deux? demanda-t-elle.

Valentine fit un rapide calcul. On était vendredi. En commençant tout de suite leurs préparatifs, ils pourraient prendre l'avion dimanche...

— Lundi. Pourriez-vous, je vous prie, vous occuper des réservations à l'hôtel? A vos frais bien sûr... Juste le temps de trouver à nous loger.

— Je vous fais réserver des chambres au Beverly Wilshire. C'est à deux pas de Scrupules.

— Vraiment? Eh bien, ça sera parfait pour nos journées de douze heures.

— De dix-huit heures, répliqua Billy en riant, sur le même ton.

— Alors, à lundi, Mrs Ikehorn.

— Au revoir, Valentine. Je me sens vraiment soulagée maintenant, après ce qui s'est passé. Ça m'aura simplement coûté deux cent mille dollars.

— Un peu moins. Mais n'oubliez pas les 7,5 pour cent...

— Prince va en faire une colique, gloussa Billy.

— Il va sûrement adorer ça, répliqua Valentine.

Puis elle raccrocha.

L'entretien l'avait tant absorbée qu'elle n'avait prêté aucune attention à Spider. Maintenant, elle redoutait de l'affronter : son silence l'accusait. Comment avait-elle osé décider à sa place ? Mais pourquoi donc ne disait-il rien ?

Valentine glissa un coup d'œil prudent vers le lit où il s'était étendu. Il dormait comme un bienheureux. De toute évidence, il avait dormi tout le temps qu'avait duré la conversation. Une chose était sûre au moins. Il ne ronflait pas.

8

ELLIOTT était aussi mal disposé à l'égard de Billy Ikehorn que celle-ci l'était envers lui. Rien ne les préparait à s'aimer tous les deux, ni même à s'accepter. La façon tyrannique, arrogante dont Billy avait traité Valentine, la manière dont elle lui avait fait perdre son travail avec insouciance, tout cela l'avait mis en rage. Et puis, elle devait être fondamentalement stupide: Valentine n'avait-elle pas su l'entortiller, la persuader de lui confier – que Dieu nous protège... – la direction d'un magasin? Cette femme devait être tellement avide d'obtenir tout ce qu'elle désirait, que son jugement l'avait quittée.

Billy, de son côté, avait mené son enquête: parmi celles de ses amies qui épluchaient comme elle le *Women's Wear*, aucune n'avait jamais entendu parler d'une figure bien connue du commerce de détail, appelée Peter Elliott. Et si le *WWD* n'en disait rien, c'est qu'il n'existait point. Valentine lui avait joué un sacré tour. Ce type sorti on ne sait d'où devait être son amant. Et Billy n'avait aucunement l'intention de lui laisser les coudées franches. Elle lui laisserait juste le temps nécessaire pour se ridiculiser puis elle ferait front. Un « contrat », voyez-vous ça! Si Valentine voulait en faire une sorte d'assistant bidon, libre à elle. Mais certainement pas au salaire que Billy avait promis. Même pas pour le dixième de cette somme! L'une des choses vraiment les plus ennuyeuses avec l'argent, quand on en possède, c'est bien cette manie qu'ont les gens de toujours vouloir vous en soutirer.

— Des ennuis en perspective, songea Spider dès qu'il la vit.

Billy l'aperçut au même moment, ainsi que Valentine. Alors elle découvrit qu'elle pensait encore avec son sexe. C'est pourtant une habitude que Billy croyait réservée à sa vie secrète: elle n'avait rien à faire avec son existence normale, quotidienne. Elle ne l'aurait d'ailleurs point toléré, c'était trop risqué. Il y avait tant de choses en jeu... Sa réputation, son statut privilégié (bien marqué par la façon, toujours respectueuse, dont la traitaient les médias), elle les devait à cette position qu'elle s'était ménagée, qui la plaçait au-dessus du vulgaire. Or cette sécurité dont elle ne pouvait se passer tenait à ce qu'elle ne montrait jamais le défaut de la cuirasse. Ces choses comptaient pour elle chaque année davantage. Mais l'apparition de Spider lui fut comme un coup de poing dans l'estomac. Elle reçut le choc de cette virilité offerte, affichée sans vantardise mais non plus sans réserve. Et puis cette sensualité joyeuse qu'il dispensait autour de lui... Mais, en même temps qu'elle évaluait ainsi, d'un œil exercé, tout cet impact physique, son cerveau, entraîné lui aussi, répudiait aussitôt son désir. Elle ne pourrait jamais se permettre cet homme-là. Trop près de la maison. Et puis assez de tout ça, songea Billy en s'avançant pour accueillir Valentine. Elle lui posa les deux mains sur les épaules, en un geste qui, sans être tout à fait une étreinte, se voulait plus chaleureux qu'une poignée de main.

— Bienvenue en Californie, dit Billy, avec sincérité. Elle était vraiment ravie de voir Valentine. Elle avait besoin d'elle.

— Merci, Mrs Ikehorn, répondit Valentine, l'air tendu. Voici Peter Elliott, mon associé.

— On m'appelle Spider, dit-il. Puis il s'inclina pour lui baiser la main, avec une grâce tout instinctive, ce genre d'élégance naturelle, à la Fred Astaire, qu'on porte en soi ou bien qu'on n'aura jamais car elle ne se peut acquérir. Valentine ne l'avait jamais vu se conduire ainsi avec une autre femme qu'elle.

— Et moi, Billy! Cela vaut aussi pour vous, Valentine. Quand on s'installe sur la Côte, il faut adopter toute une série d'usages entièrement nouveaux. Eh bien, voici Scrupules... Qu'en dites-vous?

Elle eut un geste plein de fierté vers cet immeuble délicieux auprès de quoi les bâtisses voisines, pourtant superbes, paraissaient bien pâles. Spider marcha jusqu'à son extrémité, fit demi-tour, longea toute la façade, revint vers elles.

— Mauvaises vitrines, dit-il, tout à trac.

— Mauvaises! Cet immeuble a déjà remporté trois prix d'architecture importants. Et pourtant, il est achevé depuis moins d'un an... Dans les milieux artistiques, tout le monde en a entendu parler. Et vous critiquez les vitrines...

Billy s'était sentie tout de suite outragée.

— Dites-moi donc un peu comment vous referiez cela?

— Je n'y toucherais surtout pas. Ce serait du vandalisme. Mais la conception même des vitrines étouffe la marchandise. Il s'agit d'un magasin, après tout. Cela dit, le problème est facile à résoudre, Billy, dès lors qu'on a trouvé ce qui cloche. Je trouverai le moyen de tourner la difficulté. Et si nous entrions?

Une main délicatement posée dans le creux de leur dos, Spider projeta doucement les deux femmes vers les doubles portes. Il salua de la tête le portier, qu'il ne connaissait point. Ces vitrines étaient vraiment un désastre... Il riait en lui-même. Pour l'instant, tout allait bien... Dieu veuille que ça continue.

Billy frémissait d'impatience à l'idée du choc qu'ils allaient recevoir. La décoration intérieure de Scrupules, c'était sa fierté et sa joie. Elle l'avait entièrement, minutieusement — et, bien sûr, à grands frais — fait copier sur celle de la Boutique Dior. Spider resta planté dans l'entrée. Il regarda autour de lui, humant le parfum qui flottait, tel un chien de chasse. « Miss Dior », décida-t-il.

— Ce n'est pas votre rayon, fit sèchement Billy.

Elle n'avait pas encore digéré sa remarque au sujet des vitrines.

— Tel qu'il est, cet endroit est parfait, continua-t-elle. Maintenant, nous allons dans les réserves pour examiner la marchandise. Je veux savoir très précisément ce que vous en pensez, quels sont vos projets pour une nouvelle politique d'achat et...

— Pardonnez-moi, Billy, mais ce n'est pas ainsi que je vois les choses. Nous irons voir les stocks en temps utile. Le commerce n'est pas seulement une affaire de stock. C'est aussi une histoire d'amour, c'est aussi du mystère (et pour moi en particulier, songea-t-il). Je suppose que vos stocks, eux, se renouvellent tous les mois. Alors, penchons-nous d'abord sur cette histoire d'amour. Mesdames...

Et il ouvrit la marche, sans se soucier de savoir si elles le suivaient bien. Spider explora Scrupules de fond en comble, sans oublier le parking souterrain. Il ne fit aucun commentaire, se racla seulement la gorge de temps à autre, ce qui ne signifiait absolument rien mais lui semblait marquer une attitude critique et réfléchie. Valentine parvenait mal à contenir sa stupeur. C'était un ahurissement si intense qu'il en était presque tangible. Mais Spider ne s'en souciait point. Billy, contrariée, pinçait les lèvres d'une façon compulsive. Elle n'était pourtant point fâchée de leur faire les honneurs de Scrupules, de ses aménagements, de ses salons d'essayage, tant elle était sûre que les premiers étaient d'une élégance irréprochable, les seconds d'une ampleur et d'un luxe inégalés.

Comme la visite touchait à sa fin, Spider consulta sa montre et suggéra d'aller déjeuner ensemble. Il leur ferait alors ses commentaires au sujet du magasin avant d'aborder le problème des stocks. Billy accepta pour cette seule raison qu'elle avait faim.

— Quel est le restaurant le plus proche? demanda-t-il.

— *La Bella Fontana*, à votre hôtel. Allons là-bas.

Ils se lancèrent dans des traversées périlleuses, franchirent en courant Rodeo Drive au point le plus large de la chaussée, sautèrent d'un refuge à l'autre, jonglèrent avec les voitures qui avaient la flèche à droite pour passer au rouge. Puis ils se hâtèrent de traverser Wilshire avant que le feu ne changeât à nouveau. Ils se retrouvèrent enfin à La Bella Fontana, dans la paix d'un salon particulier, avec ses rideaux, ses murs tendus de velours rouge, une fontaine qui bruissait au centre de la pièce. Il y avait des fleurs partout. On se serait cru dans quelque lieu secret de la Vienne d'autrefois ou de l'ancienne Budapest.

— C'est charmant, Billy, dit Valentine.

Elle regardait autour d'elle et se sentait heureuse, rien que d'être assise enfin.

— Et c'est aussi la deuxième chose qui cloche, dit Spider.

— Que voulez-vous dire? demanda Billy, d'un ton plaintif: ses pieds lui faisaient mal.

— Supposons que vous soyez une cliente en train d'acheter des tas de vêtements pour partir en voyage à New York ou à Londres, pour assister à un mariage ou passer l'hiver à Palm Springs, ou encore pour le festival de Cannes. Bref, pour une occasion de ce genre il faut consacrer des heures à fureter, à faire son choix, sans parler des retouches...

— Ce n'est pas une remarque très originale. Les clientes de Scrupules font ça à longueur d'année, répliqua Billy, d'un air pincé.

— ... Supposons que cette cliente, arrivée à Scrupules vers onze heures, passe deux heures à fouiner, à faire des essayages, et qu'au bout de tout ce temps, elle n'en ait pas encore fini.

— Eh bien?

— Est-ce qu'elle n'aurait pas faim? Ni mal aux pieds? Billy, je constate que vous avez ôté vos chaussures...

— Qu'est-ce que ça peut avoir à faire avec ma boutique, Spider?

Dans un instant, elle lui parlerait des recherches qu'elle avait faites à son sujet, de ses titres inexistants.

— Vos chaussures? Rien. Les chaussures de votre cliente? Tout. L'estomac vide de votre cliente? Plus encore. Là se trouve *la clé*.

— Soyez donc un peu plus explicite. Nous ne vendons pas de chaussures. Nous ne dirigeons pas un restaurant. Nous faisons marcher — ou du moins, nous essayons de faire marcher — un magasin.

— Vous ne pourrez le faire marcher sans faire marcher également un restaurant.

Spider lui sourit avec bienveillance.

— Que se passe-t-il quand votre cliente affamée commence à sentir ses pieds enfler? Son taux glycémique s'affaiblit. Si elle poursuit ses essayages, elle devient irritable et difficile. Elle décide brusquement que rien ne lui va. Si elle s'interrompt pour aller déjeuner quelque part, il y a gros à parier qu'elle ne reviendra pas à Scrupules après. Il faudrait vraiment qu'elle fût désespérément à la recherche d'un vêtement précis, ce jour précis, dans ce magasin précis. Dans les autres cas, si vous la perdez à l'heure du déjeuner, c'est dans un autre magasin qu'ensuite elle se rendra. Aussi allons-nous commencer par construire une cuisine en condamnant une partie du parking qui est beaucoup trop vaste. Puis nous engagerons deux cuisiniers – un seulement peut-être au début – ainsi que quelques serveurs. Nous proposerons un repas aux clientes, aux frais de la maison. Rien de trop compliqué, Billy, juste des salades et des canapés. J'ai remarqué qu'il y avait une chaise longue dans tous les salons d'essayage. Nos clientes pourront s'y asseoir tandis qu'on leur massera les pieds. Un bon massage des pieds peut vous revigorer le corps tout entier.

Il fit un clin d'œil à Billy.

– Vous connaissez sans doute les meilleures masseuses en ville... Je pense que trois suffiront au début. Quand ces dames auront déjeuné, nous leur vendrons toute la foutue boutique.

Il fit signe au maître d'hôtel d'apporter les menus.

Billy resta un instant fascinée. Elle pouvait le voir comme si elle y était, exactement de la façon dont Spider l'avait décrit. Mais, bien vite, elle se ressaisit.

– Excellente idée. Voilà résolu un petit problème tout à fait secondaire – comment retenir les clientes à l'heure du déjeuner... Mais encore faudrait-il avoir des clientes et je n'en ai guère ces temps-ci. Les affaires empirent de jour en jour. Je n'ai rien à leur offrir de ce qu'elles cherchent. Ce n'est pas une grosse astuce du genre cuisine qui va changer cet état de choses. Est-ce que par hasard vous ne seriez pas un ancien traiteur, Spider?

– Ce ne sont là que les amuse-gueules, Billy. Je n'ai même pas encore abordé la façon atroce et constipée dont tout ce magasin est décoré... et c'est là que réside une bonne moitié de votre problème.

Billy le dévisagea, pétrifiée. Elle en croyait si peu ses oreilles qu'elle n'arrivait même pas à être en colère. Alors Spider se dit qu'on allait pouvoir la pigeonner.

– Mais nous reparlerons de tout ça après la signature des contrats... « Inutile de vendre la mèche », comme disait une fille que j'ai connue autrefois. Eh bien, mesdames, si nous mangions?

Le cabinet Strassberger, Lipkin et Hillman, avocats associés, occupait deux étages entiers dans l'une des nouvelles tours de Century City. En sortant de l'ascenseur, Valentine et Spider se trouvèrent dans une véritable forêt de noyer et de palissandre, avec des nouveaux tapis épais et de vieux tapis plus minces, des antiquités authentiques et un authentique sourire sur le visage de la réceptionniste! A Los Angeles, le fait de posséder une réceptionniste réellement accueillante et charmante est le plus sûr emblème de la prospérité. Ils avaient rendez-vous avec Josué Esaü Hillman, le conseil attitré de Billy Ikehorn.

Les affaires juridiques de la société Ikehorn continuaient certes d'être traitées à New York mais, depuis la mort d'Ellis, Billy se reposait plus que jamais sur Hillman. Une bonne partie de la tâche de l'avocat consistait désormais à revérifier le travail accompli par les juristes de New York. Avant la mort d'Ellis, Billy se bornait à signer tous les papiers nécessaires sans s'en préoccuper davantage: bien qu'Ellis ne fût plus en mesure de la conseiller, elle se sentait alors toujours placée sous sa protection. Elle avait entretenu cette sorte d'illusion jusqu'au moment où elle débita des parts d'Ellis dans l'affaire et devint ainsi actionnaire majoritaire. Billy comprit alors qu'elle devait être soigneusement mise au courant avant de signer quoi que ce fût.

Josh Hillman ne tarda pas à s'apercevoir que les affaires de Mrs Ikehorn absorbaient plus de la moitié de son temps. Plusieurs juristes de son cabinet avaient pour seule tâche de les superviser et de lui en dresser des rapports. Ses honoraires s'arrondirent en proportion, pour atteindre des sommes considérables. Nul ne souffrait d'une telle situation et même les gens de New York s'en accommodaient très bien. Car Josh Hillman était un juriste extrêmement brillant. Ses conseils étaient toujours irréprochables. Et s'il protégeait les intérêts de Billy, c'était sans chercher à connaître la raison des décisions prises à New York, où l'on était beaucoup mieux informé que lui.

A quarante-deux ans bientôt, Josh Hillman était devenu très précisément ce qu'on attend d'un ancien enfant prodige: il se trouvait au sommet de sa profession, avec, devant lui, des perspectives illimitées.

Il avait grandi dans Fairfax Avenue, au cœur du ghetto juif de Los Angeles, fils unique d'un rabbin qui desservait une minable petite synagogue. A deux ans et demi, il savait lire; à quatorze ans et demi, on lui accordait une bourse complète pour aller continuer ses études à Harvard; à dix-huit ans et demi, il obtenait son diplôme au collège avec mention très bien. A vingt et un ans et demi enfin, diplômé de l'École de droit d'Harvard, il était aussi rédacteur en chef de la *Harvard Law Review*, un poste tout aussi âprement convoité et durement gagné que celui de rédacteur en chef du *New York Times*. Après avoir ainsi, pendant sept ans, vécu de bourses, l'intérêt qu'il portait à l'argent n'avait rien d'une lubie passagère. Deux fois seulement tout au long de ses études, Josh Hillman avait pu s'offrir, pendant les vacances, d'aller voir ses parents qui vivaient toujours dans Fairfax Avenue. C'est en travaillant l'été qu'il avait gagné l'argent nécessaire aux deux billets d'avion, et c'est aussi comme cela qu'il payait ses vêtements et son coiffeur. La vie que peut mener un étudiant d'Harvard en dehors de ses cours, il l'avait, faute de moyens, totalement ignorée: s'il est vrai qu'on peut avoir du bon temps à l'école de droit, ce n'est pas à lui qu'il fallait le demander.

Il entra en 1957 chez Strassberger et Lipkin. Vingt ans après, bien qu'il fût le dernier en date des associés, il en était le premier, en termes de pouvoir réel.

C'était un homme sérieux, pour qui les histoires d'amour n'étaient que ces choses inventées au Moyen Age afin de tenir les dames occupées à la cour durant les Croisades. Il s'intéressait au sexe mais ne voyait aucune raison d'en faire tout un plat. Il se flattait d'être supérieur à tous ces hommes de son âge qui, sous prétexte qu'ils s'ennuyaient au lit avec leurs femmes, se démenaient pour obtenir le divorce et allaient ensuite se couvrir de ridicule en compagnie de toutes jeunes filles. Un tel tintouin n'en valait vraiment pas la peine. Lui aussi s'ennuyait au lit avec sa femme. Depuis le début, ou presque. Était-ce une raison pour aller cavaler? Certainement pas, quand on était un homme posé.

Josh Hillman s'était marié avec intelligence et sérieux: Joanne Wirthman appartenait au sang royal de Hollywood. Un article garanti d'origine: son grand-père avait fondé l'un des principaux studios de cinéma. Son père était l'un des grands producteurs. Elle avait, derrière elle, deux générations de salles de projection privées. Non point sa mère mais sa grand-mère avait eu la première salle de bains entièrement signée par Porthault à Bel-Air. Avant d'avoir vu Valentine, Josh Hillman avait toujours pensé qu'il était convenablement marié. Le type anglo-saxon classique n'avait jamais eu pour lui beaucoup d'attrait. Toutes ces filles, avec leur beauté fade, se ressemblaient, à son avis, d'une manière assommante. Sa mère l'avait toujours mis en garde contre de telles femmes. Elle n'aurait jamais imaginé en revanche que son garçon, si sérieux, irait s'enflammer pour une demoiselle franco-irlandaise et mordre aux appâts d'une telle crinière flamboyante, de ces yeux de sirène vert pâle, de cet air délicat et piquant qui, d'instinct, le firent bondir sur ses pieds, lui, le moins romantique des hommes, sitôt qu'elle pénétra dans son bureau. Tandis qu'elle s'avançait vers lui de sa démarche assurée, il ne voyait de Spider qu'une grande silhouette floue perdue dans la brume. Josh Hillman eut alors une sensation étrange, qu'il ne put nommer, dont il sut seulement qu'il ne l'avait encore jamais éprouvée.

Tandis qu'ils échangeaient des poignées de main, Valentine remarqua, sur le visage de cet homme élancé, la trace d'une légère confusion. Elle l'attribua aussitôt à quelque changement d'humeur de Billy, provoqué par l'attitude extravagante de Spider, le matin même. D'instinct, elle accentua sa pointe d'accent français et Josh Hillman perdit un peu plus son calme. Infiniment troublantes, de brèves visions subliminales de Paris au printemps s'en vinrent le tourmenter. Tandis qu'ils attendaient tous les trois la secrétaire et les contrats, le cerveau d'Hillman galopait.

Quand Billy lui avait parlé des contrats convenus au téléphone avec

Valentine, il avait été horrifié : sa cliente était une femme sensée, croyait-il. Comment pouvait-elle abandonner de la sorte une part de ses profits dans Scrupules et accorder des salaires aussi énormes à cette jeune styliste qu'elle connaissait à peine et à cet homme dont elle ne savait rien ? Il lui avait conseillé d'ajouter aux contrats une clause de résiliation : elle pourrait mettre fin à leur emploi et à leur participation aux bénéfices sur préavis de trois semaines. Patiemment, il lui avait expliqué qu'il importait peu que Scrupules perdît de l'argent comme une digue rompue ou qu'il n'y eût pas le moindre bénéfice à protéger. C'était une affaire de principe : il fallait avoir barre sur ces gens. Billy avait tout de suite saisi son point de vue. Il aurait préféré maintenant s'être montré un peu moins habile. L'idée que sa cliente, si dominatrice, si exigeante, si gâtée pourrait, sur un caprice, chasser Valentine, ne le séduisait en rien. Mais, au point où en étaient les choses, il était trop tard pour reculer.

Tandis que Spider et Valentine lisaient les contrats, Hillman, protégé derrière l'auvent de ses mains, étudiait la jeune fille. En posant les pouces sur ses joues et les index juste au-dessus des sourcils, il pouvait cacher une bonne partie de son visage, tout en affectant une attitude contemplative. C'est un truc qu'il utilisait souvent. Fasciné, il épiait les jeux de physionomie sur le petit minois de Valentine. Cela l'absorbait au point qu'il ne fit pas attention à Spider quand celui-ci s'arrêta de lire et dit : « Il y a quelque chose qui ne va pas. »

En revanche, quand Valentine bondit de son fauteuil en poussant en français un « *merde* » sonore, il sortit de son rêve en sursaut, toute dignité abandonnée.

— Quelle est cette *merde* ? s'écria-t-elle en faisant claquer les contrats sur le bureau.

La colère l'avait rendue si pâle que, n'eût été sa chevelure, on l'aurait prise pour une photo en noir et blanc.

— Cette clause selon quoi nous pouvons être renvoyés avec un préavis de trois semaines ! Il n'avait pas été question de ça avec Mrs Ikehorn au téléphone. Comment peut-elle oser maintenant ? C'est malhonnête, c'est déshonorant, c'est répugnant ! Je ne croyais pas ça d'elle, mais j'aurais dû m'en douter ! Nous ne signerons *jamais* ces contrats, Mr Hillman. Appelez-la, dites-le-lui tout de suite ! Expliquez-lui ce que je pense d'elle, par la même occasion. Viens, Elliott, on s'en va !

— L'idée ne vient pas d'elle, dit précipitamment Josh Hillman. C'est moi qui l'ai suggérée — simple prudence de juriste... Ne blâmez pas Mrs Ikehorn, elle n'a rien à voir là-dedans.

— Prudence de juriste !

Sa colère, sa stupeur, lui faisaient battre les cils.

— Je crache sur la prudence des juristes ! Ainsi c'est donc vous qui devriez avoir honte ! Vous avez fait là quelque chose de méprisable !

— Je... je regrette, en effet, répondit-il. Je vous supplie de me croire !

La contrariété, la consternation se lisaient clairement sur son visage.

— Val, mon trésor, ferme-la une foutue minute, veux-tu, commanda Spider d'un ton affable. Et maintenant, Mr Hillman, si c'était votre prudente idée d'ajouter cette clause, ne serait-ce pas aussi une prudente idée de la retirer?

— Il faut que j'en parle à Mrs Ikehorn, concéda le juriste à contrecœur.

— Nous attendrons dehors le temps que vous arriviez à la joindre, dit Spider en désignant le téléphone d'un doigt sévère. Peut-être obtiendrez-vous de votre secrétaire qu'elle nous apporte un peu de café?

Il saisit le bras de Valentine, à le broyer, et l'entraîna de force vers la porte avant qu'elle eût trouvé le temps de tout envoyer promener à nouveau.

Josh Hillman resta un moment silencieux, à donner des coups de chaussure dans le pied de la table. Cette punition infligée, il entreprit de feuilleter son annuaire personnel, trouva un numéro et fit un appel sur sa ligne privée. Il parla brièvement, rapidement, avec concentration, puis il demanda à sa secrétaire de lui ramener Valentine et Spider toute affaire cessante.

— Tout est réglé, annonça-t-il avec un sourire soulagé. Les changements seront apportés d'ici cinq minutes. Une année garantie, sans restrictions.

— Mouais.

Valentine gardait son air soupçonneux et méprisant. Quand on rapporta les documents, elle les lut mot à mot, avec un air sceptique, dans la haute tradition française. Quand Spider se fut bien assuré qu'il n'y avait plus de coup fourré, ils se résignèrent à signer.

Sitôt après leur départ, Josh Hillman demanda à sa secrétaire de bloquer tous les appels: il lui faudrait bien une demi-heure — peut-être plus, à en juger par certaines expériences passées — pour dénicher Billy Ikehorn et l'informer que malgré tous ses efforts, en dépit de tout ce qu'il avait tenté de faire ou de dire, ces deux-là avaient refusé de signer les contrats tant que n'en serait pas retranchée la clause offensante.

En rentrant dans sa chambre, tôt dans la soirée, Valentine trouva sur la petite table une corbeille irlandaise garnie de mousse où sept grands pieds d'orchidées semblaient avoir poussé, certaines complètement ouvertes, d'autres encore en bouton. Le printemps tout entier paraissait jaillir de cette corbeille, avec une grâce déchirante. Sur la carte étaient inscrits ces mots:

« Avec mes sincères excuses pour le contretemps de cet après-midi. J'espère avoir la permission de vous inviter à dîner une fois achevée ma pénitence... Josh Hillman. »

Cette nuit-là, vers trois heures, Spider, qui ne dormait point, entendit des coups timides frappés à sa porte. Il ouvrit pour trouver une Valentine éperdue, mal ficelée dans sa robe de chambre bleu foncé. Il la fit entrer rapidement, la déposa dans un fauteuil, inquiet et surpris.

— Val, qu'est-ce donc qui ne va pas? Bon Dieu, tu ne te sens pas bien?

Avec ses grands yeux verts, sans la couche épaisse de mascara noir qui les entourait d'habitude, on aurait dit une enfant terrifiée: ses grands yeux noyés de larmes qui n'avaient pas coulé... Jusqu'à ses boucles farouches qui semblaient moins agressives.

— Oh, Elliott, j'ai les foies!

— Toi, chérie? Et comment crois-tu que je me sente?

— Pourtant, vu la façon dont tu t'es conduit aujourd'hui... Tu t'es montré si effronté, si sûr de toi, si insolent avec Billy.

— Et toi, sur tes grands chevaux, toute prête à sortir du bureau de cet avocat! Je ne t'ai jamais vue si en colère, même contre moi...

— Je n'ai toujours pas compris ce qui m'est arrivé — quand je suis en rage, je cesse de penser. Mais depuis, j'ai réfléchi dans mon lit et je viens de réaliser que nous formions une belle paire de faussaires. De ma vie je n'ai fait d'achats pour un magasin mais je me suis assez frottée à des acheteurs dans mon travail pour savoir qu'ils avaient derrière eux des années d'expérience. Et toi, tu ne connais vraiment rien au commerce. Rien! Quand Billy m'a téléphoné, j'étais si furieuse que j'ai demandé la lune pour cette raison que je n'avais rien à perdre. Et maintenant que j'ai obtenu la lune, l'idée que je vais la perdre me terrifie. Mais qu'est-ce que nous *fichons* ici, Elliott?

Il la secoua doucement, posa la main sur son cou pour l'obliger à le regarder dans les yeux.

— Valentine, petite sotte... Tu as le cafard de trois heures du matin. On ne t'a donc jamais appris qu'il ne fallait penser à rien de sérieux sur le coup de trois heures du matin?

Ses yeux refusaient tout réconfort. Alors il se fit solennel.

— Maintenant écoute-moi, Valentine. Crois-tu que si je n'avais pas pensé que nous étions capables de faire marcher ce truc... à nous deux, je suis sûr que nous avons le talent et l'imagination nécessaires. Qu'importe si en réalité nous n'avons jamais acheté de vêtements. La mode, c'est notre partie, dis-toi bien ça. Tu crées des vêtements pour que les femmes aient l'air plus belles qu'elles ne sont vraiment. Je prends des photos afin qu'elles paraissent superbes. Nous sommes tous les deux des illusionnistes — et les meilleurs qui soient! La seule chose dont nous ayons besoin, c'est d'assez de temps pour repérer les lieux. Après, nous serons capables de changer Scrupules du tout au tout. Je le sais.

— Si ça pouvait être aussi simple...

Elle avait encore l'air désolée.

— Il y a tant de choses à quoi je ne suis pas habituée en Californie. Je ne suis pas dans mon élément... C'est effrayant. Et la manière dont tu parles à Mrs Ikehorn, Elliott, ça m'effraie aussi. As-tu la moindre idée de la façon dont on la traite sur la Septième Avenue? Comme une déesse... et pas seulement sur la Septième Avenue, partout... Elle est si *riche,* Elliott!

— Billy Ikehorn est une créature féminine comme les autres. Elle chie, elle baise, elle pisse, elle pète, elle mange, elle pleure, elle a des émotions, des soucis, elle s'inquiète de vieillir... C'est une femme, Valentine! Et si je l'oubliais un instant, je serais totalement incapable de travailler avec elle. Et toi pareil.

— Oh, Elliott, ce n'est pas non plus Jeanne d'Arc ni Chanel ni Gerry Ştutz. Ce n'est même pas Sonia Rykiel. Oh! et puis je suis une idiote!

Ce n'était plus l'enfant perdue de tout à l'heure. Il y avait une flamme dans son regard. Elle s'élança hors du fauteuil, entrouvrit la porte d'un geste rapide.

— Merci, Elliott, de garder la tête froide. Et maintenant, nous ferions aussi bien d'aller dormir un peu. Demain, c'est une grande journée pour les illusionnistes!

— Pas même un baiser pour me souhaiter bonne nuit, mon associée?

Valentine le toisa. Sa méfiance lui était revenue d'un coup envers son ami, ce type toujours tellement prêt à tout, disponible au point que c'en était écœurant. Elle savait qu'il n'avait pas eu de femme depuis Melanie Adams. D'un geste gracieux, elle allongea le bras, lui donna sa main à baiser. Puis elle s'enfuit dans le couloir après avoir murmuré, comme font les mères françaises quand elles couchent leurs enfants: *« Dors bien et fais de beaux rêves. »*

Billy Ikehorn s'était couchée assez tôt. Une erreur, se dit-elle, en se retrouvant éveillée, le cœur battant, sur le coup de cinq heures. Une sensation désagréable l'avait tirée brutalement de son sommeil, la sensation que quelque chose n'allait pas du tout. Dès qu'elle eut trouvé une position plus confortable, bien pelotonnée dans son lit, elle comprit de quoi il s'agissait. De quoi il s'agissait en fait tous les jours depuis un an bientôt: Scrupules... Si, d'un vœu, elle pouvait faire disparaître ce magasin et le changer en poussière, comme elle le ferait volontiers... et tout de suite encore!

L'idée de Scrupules avait saisi Billy quelque deux ans plus tôt. Ellis vivait alors la dernière année, interminable, de son agonie. A cette époque, Billy s'était tranquillement ménagée une vie secrète dans son atelier. Passé son bref moment d'intérêt pour Ash, elle avait congédié les trois infirmiers d'Ellis. Avec le même soin que la Grande Catherine choisissant les membres de sa fameuse garde personnelle, elle avait engagé de nouveaux garde-malades. Quelle ivresse de pouvoir ainsi, le temps de dénicher l'oiseau rare, jauger autant d'hommes qu'elle le souhaitait. Elle avait peine à croire qu'une telle liberté fût possible! Parfois l'un des élus ne savait la contenter, parfois, en revanche, un seul de ces jeunes gens la tenait en esclavage des mois durant. Puis le jour venait où elle découvrait qu'elle en avait assez, fût-ce du meilleur d'entre eux. Et, chaque fois, le remède était le même: un jour de préavis assorti d'une indemnité considérable. Longtemps, le rituel du choix, la sensation du pouvoir, du contrôle, la conscience de dominer les autres suffirent à la combler. Mais bientôt l'habitude épuisa tout le charme illicite de l'affaire. La pièce octogonale, avec sa toile, toujours la même, posée sur le chevalet, ses boîtes de matériel non déballées, toutes ces choses interdites avaient perdu leur couleur, leur relief. L'atmosphère clandestine de cette pièce fermée à clé avait longtemps occupé son esprit. Elle l'avait d'abord attirée comme un aimant, d'une façon irrésistible, puis cette séduction s'était, progressivement, émoussée. Un beau jour, ce ne lui fut en rien plus nécessaire qu'une call-girl ne l'est à un homme qui n'a pas d'autre choix. Cette hantise, qui la conduisait à butiner tous ces corps inconnus, à passer de l'un à l'autre, à s'en emparer le temps qu'elle voulait, cette obsession s'était éteinte dans la dernière année de la vie d'Ellis. L'assouvissement qu'elle avait connu dans cet atelier, les remèdes à la solitude qu'elle avait pensé parfois y trouver, tout cela, elle le comprit, n'existait plus.

Ellis, quant à lui, s'était pratiquement retranché du monde. Il ne communiquait plus avec les infirmiers ni même avec elle. Quand elle venait s'asseoir auprès de lui, il ne semblait plus vraiment la reconnaître ou, s'il le faisait, c'était avec indifférence. Quand elle lui tenait la main, qu'elle regardait ce visage creusé, celui d'un homme qui avait autrefois gouverné un empire, le cœur lui serrait tant qu'elle devait parfois s'enfuir.

Voila qui prouvait au moins, songeait-elle souvent après ça, qu'elle avait encore un cœur.

Elle avait énormément de temps à tuer. Billy n'avait jamais été de ces femmes qui se sentent à l'aise dans les comités de bienfaisance. Elle ne pouvait consacrer non plus tous ses loisirs au tennis : l'idée d'être un jour l'une de ces femmes obsédées de tennis qu'elle rencontrait un peu partout dans Beverly Hills lui répugnait d'instinct.

Billy appela quelques-unes de ses amies de rencontre, des femmes qu'elle avait bien souvent perdues de vue depuis un an et plus. Elle convint de déjeuner avec elles. Pour expliquer sa quasi-disparition, elle fit simplement allusion à son mari, dont l'état lui interdisait de s'éloigner.

Elle s'aperçut qu'elle avait perdu un peu de sa classe, que son élégance était moins éclatante : voilà deux ans qu'elle avait disparu de la liste des femmes les mieux habillées. Elle ne s'était en fait rien acheté de nouveau depuis sa liaison avec Jake. Brusquement, sa passion des vêtements la reprit. Il lui en fallait maintenant, tout de suite, pour éprouver une sorte d'excitation sensuelle. Elle voulait se sentir, extérieurement au moins, aussi désirable et amoureuse qu'autrefois, quand Ellis était encore lui-même, qu'elle était l'un des arbitres de l'élégance. Rien, absolument rien dans sa garde-robe n'était plus à son goût :

comme si c'était une autre femme qui les avait achetés, tous ces vêtements, dans une autre vie...

Billy fit une razzia dans les boutiques et les grands magasins de Beverly Hills. Elle n'éprouvait plus les mêmes raisons d'acheter qu'autrefois. Elle avait en revanche un esprit plus critique que jamais et cachait de moins en moins sa répugnance pour ce qui n'était pas de toute première qualité. Bien peu de chose avait grâce à ses yeux. Mais elle était prisonnière de la Californie et ne pouvait songer à s'absenter longtemps pour faire ses achats à New York ou Paris.

Un jour qu'elle se promenait sur Rodeo Drive, Billy observa tous les nouveaux immeubles qui se construisaient dans cette longue et belle avenue. Il y avait là d'innombrables boutiques de luxe, qu'elle connaissait par cœur dans leurs moindres recoins sans pouvoir jamais y trouver ce qu'elle cherchait. Alors lui prit l'envie de construire Scrupules. Ce fut un désir violent, qui lui fit battre le cœur, un besoin obsédant comme elle n'en avait point connu depuis bien des années. Scrupules viendrait peupler les longues plages désertes de son existence.. Elle le *voulait*. Elle l'aurait. Elle montrerait à tout Beverly Hills comment il fallait gérer un magasin de grande classe. Scrupules... on n'entendrait parler que de cela dans les milieux de mode, ce serait un nouveau bastion de l'élégance, un avant-poste du raffinement, une citadelle de la grâce comme on n'en voyait encore qu'à Paris.

Pendant l'année que dura la construction du magasin, Billy se livra tout entière à son obsession.

Bien sûr, elle n'attendait pas vraiment des bénéfices de l'entreprise. Josh Hillman l'avait soigneusement mise en garde : tout cet argent qu'elle répandait sans compter pour l'achat du terrain, la construction, l'aménagement intérieur, elle devait s'attendre à ne plus le revoir. Il n'imaginait pas comment les bénéfices réalisés sur la vente de vêtements coûteux – ceux-ci seraient-ils proposés deux fois plus cher qu'on ne les avait achetés – pourraient couvrir les dépenses engagées dans Scrupules.

Billy l'avait gourmandé :

– Josh, je ne fais pas cela pour gagner de l'argent. Vous savez bien que je n'arrive même pas à dépenser mes revenus. Après tout ce que je donne à des œuvres de bienfaisance – même avec tous ces millions de dollars distribués chaque année... – ils continuent de s'accroître. Je me fais plaisir et que personne ne vienne me dire que je ne puis pas me le permettre ! Bien sûr que je le puis et vous le savez parfaitement. C'est une affaire entre moi et moi !

Au matin, à peine sortie du bref sommeil qui l'avait gagnée à la pointe de l'aube, Billy Ikehorn appela Josh Hillman à son domicile. Elle avait contracté cette détestable habitude auprès d'Ellis Ikehorn, au temps de sa puissance et de sa gloire.

— Josh, à quel point suis-je engagée auprès de ces deux-là, je veux dire : Elliott et Valentine ?

— Eh bien, ils ont des contrats, certes, mais il est est encore possible de les recheter pour moins d'une année de salaire, si c'est cela que vous avez en tête. Il y a peu de chance qu'ils vous intentent un procès. Ils n'ont certainement pas les moyens de s'offrir un grand avocat et je n'imagine guère qu'un bon juriste aille prendre leur affaire en charge pour un résultat très aléatoire. Pourquoi me demandez-vous ça ?

Il y avait dans sa question une nuance d'inquiétude tout à fait inhabituelle.

— Je suis seulement en train d'envisager toutes mes possibilités.

Billy ne voulait pas vraiment admettre son intention de se débarrasser de Spider et Valentine. A son réveil, lorsqu'elle avait très sérieusement caressé l'idée de vendre Scrupules, elle s'était aperçue qu'elle avait au moins eu raison sur un point : le terrain valait déjà plus cher qu'elle ne l'avait payé. Même s'il lui fallait brader l'immeuble, au moins serait-elle libérée de cette honte qui l'étouffait : celle de diriger un magasin en déconfiture.

Elle avait senti le découragement la gagner. Elle attendait tant de Scrupules ! Il restait son gadget. Mais elle ne saurait tolérer d'être ainsi humiliée publiquement. C'est bien là ce qu'elle redoutait le plus au monde. Son corps, seul, avait réchappé du martyre qu'elle avait enduré aux alentours de sa dix-huitième année : elle en gardait, au moral, des cicatrices ineffaçables. Rien de ce qui lui était arrivé ensuite n'avait pu lui faire oublier le passé. Quelques heures après, Spider téléphona. Elle était en train de s'habiller.

— Billy, j'ai passé la moitié de la nuit à réfléchir au moyen de chambouler Scrupules pour faire un tabac. Pourrions-nous en parler aujourd'hui ?

— Je ne suis vraiment pas d'humeur à ça. Franchement, j'en ai pardessus la tête de toute cette histoire. Hier, c'est tout juste si vous ne faisiez pas des claquettes au plafond... et un restaurant par-ci et un salon de massage par-là... Je ne marche plus dans aucune de vos combines, Spider.

— Je ne promets que du sérieux. Écoutez, j'ai déniché une voiture. Il fait un temps superbe. Si on allait jusqu'à Santa Barbara, déjeuner au Biltmore ? Là nous pourrons causer. Ça fait dix ans que je n'ai pas remonté la côte. Vous n'avez pas envie de vous échapper quelques heures ?

Assez bizarrement, elle en avait envie. Elle se sentait comme piégée pour l'éternité entre Beverly Hills et les piémonts de Santa Monica, qui séparaient l'ouest de Los Angeles de la vallée de San Fernando. Depuis des siècles elle n'avait pas déjeuné en dehors de la ville, si ce n'est pour les inévitables brunches dominicaux, à la Malibu Colony.

— Allez, Billy, venez donc ! Ça vous amusera, parole de scout.

— Oh bon... d'accord. Passez me prendre dans une heure.

Billy raccrocha, pensive. Si depuis bien des années elle n'avait pas parcouru cent cinquante kilomètres pour aller déjeuner quelque part, depuis plus longtemps encore on ne le lui avait pas proposé sur ce ton-là. Comme si elle n'était jamais qu'une fille qui se fait un peu prier.

Billy se souvenait parfaitement de la façon dont on parle aux gens qui ne sont pas riches. Désormais, elle rencontrait à tout instant chez autrui cette petite gêne caractéristique, cet excès d'égard, cet empressement à séduire, ce désir instinctif de toujours se montrer sous son meilleur jour... Peut-être ne se serait-elle jamais aperçue qu'on ne s'adresse pas aux riches comme on fait des autres, si son destin n'avait connu tournant si brutal. Les façons désinvoltes de Spider l'auraient-elle autant impressionnée si elle était née riche, si elle n'avait fait l'expérience d'une autre vie ? Quelques femmes seulement à Los Angeles, très peu en vérité, avaient assez de pouvoir et d'entregent pour se permettre d'oublier leur fortune. Sinon personne, vraiment personne ne lui parlait de la façon dont Spider venait de le faire.

Et qui d'autre que Spider aurait eu l'idée de choisir cette Mercedes décapotable ancien modèle ? Une sorte de cessez-le-feu tacite s'était établi entre eux dès l'instant où Spider lui avait demandé si elle désirait la capote levée ou baissée.

— Oh, baissée, s'il vous plaît, avait répondu Billy.

En trente-trois ans d'existence, pensa-t-elle alors, jamais personne ne l'avait promenée en décapotable ouverte. N'est-ce pourtant pas à ce genre de choses que toute Américaine bien née est censée avoir employée sa jeunesse ? Ou bien s'agirait-il des mœurs d'une autre génération ? Quoi qu'il en fût, elle était passée à côté.

Après Calabasas, l'autoroute était presque déserte. La vallée s'étirait tout autour, longue suite de collines brunes et calcinées avec parfois, mouchetant cette houle, quelques chênes vivaces. Si simple, ce paysage, qu'il faisait penser au dessin d'un enfant... Bientôt, passé Oxnard, ils purent voir, sur leur gauche, le Pacifique et il n'y eut plus rien entre eux et le Japon, plus rien si ce n'est, ici et là, un derrick. Spider, au volant, ressemblait à un danseur de flamenco en colère : il maudissait la limitation de vitesse comme si on lui avait volé ses chaussures à talons.

— La dernière fois que j'ai pris cette route, on pouvait y faire du 160 à l'aise. On était à Santa Barbara en moins d'une heure.

— Qu'est-ce qui vous pressait tant ?

— Oh, c'était juste pour le plaisir. Et parfois, après une soirée qui s'était finie tard, il me fallait encore ramener une fille chez elle avant que ses parents ne déclenchent une alerte générale.

— Un vrai gosse de Californie, c'est ça ?

— Article garanti d'origine... Si on doit vraiment gâcher sa jeunesse, c'est ici le meilleur endroit pour le faire.

Il rit à ses millions de souvenirs, de son grand rire allègre et paresseux.

Billy s'aperçut qu'elle tenait la meilleure des transitions possibles pour lui faire avouer enfin ce qu'il avait fait au juste depuis cette époque. Mais elle se trouvait si bien que c'était, pour le moment, le cadet de ses soucis. Le vent dans ses cheveux, le soleil sur sa figure, cette voiture découverte... Elle se prenait un peu pour cette fille qu'on voit sur les vieilles publicités de Coca-Cola. Elle sentait l'angoisse relâcher son étreinte à mesure qu'ils s'éloignaient de Rodeo Drive.

Jamais elle n'avait mis les pieds à Santa Barbara : du vivant d'Ellis, ils ne s'étaient déplacés qu'en avion. De plus, elle n'avait jamais eu envie de se rendre aux quelques réceptions où on l'avait conviée tout près de Santa Barbara, à Montecito. Là, sur quelques kilomètres carrés sévèrement protégés du public, se niche une villégiature pour milliardaires. C'est un endroit fameux pour la beauté du site, bien sûr, mais aussi pour les lois qui interdisent la vente de l'alcool sur le territoire et les fabuleux chais privés qu'on y trouve.

Le Biltmore ne lui avait pas dit grand-chose mais, quand elle le découvrit au détour d'un virage, ce fut un émerveillement. C'était, juché sur une terrasse qui dominait la mer, un vieil hôtel imposant et biscornu, un édifice romantique et merveilleusement conservé, où l'on retrouvait l'écho d'un passé aimable et digne. A l'arrière-plan, en amont, se succédaient tout au long de la côte des monts bleutés, tandis qu'au pied de la bâtisse, le ressac venait battre les falaises.

— La Riviera française devait ressembler à cela, voici cinquante ans, s'exclama-t-elle.

— Je n'y ai jamais été, dit Spider.

— J'y allais souvent avec mon mari. Mais ici, vraiment... c'est parfait ! J'ignorais qu'il y eût de tels endroits si près de la ville.

— Il n'y en a pas d'autres aussi près. Mais quand on continue à suivre la côte, c'est de plus en plus beau. Mangerons-nous dehors ou à l'intérieur ?

Ils se tenaient devant l'entrée de l'hôtel. Billy ne put s'empêcher de le trouver éblouissant. Ce sourire qui, rare privilège, ne semblait jamais attendre de la vie que des choses agréables... Un sacré type, un type vraiment épatant, et elle s'y connaissait : ces cheveux blonds, ces yeux bleus, si bleus... Une combinaison tellement attendue pourtant : pourquoi donc est-ce que ça marchait toujours ?

— Dehors, bien sûr...

Il attendait d'elle quelque chose et elle savait de quoi il s'agissait. Aussi se tenait-elle sur ses gardes. C'était peut-être le genre de type à vous retourner comme une crêpe mais elle-même n'était pas du genre à se laisser rouler dans la farine. Et elle avait bien toujours l'intention de retirer ses marrons du feu.

En envoyant la corbeille de fleurs à Valentine, Josh Hillman avait peut-être commis le premier geste vraiment superflu de son existence. En l'appelant pour l'inviter à dîner le lendemain, il risqua le second.

Valentine tomba aussitôt sous le charme de l'Escadrille. C'était exactement le genre d'endroit qu'elle espérait trouver en Californie : une sorte de merveilleux canular. En fait, elle se rendait bien compte qu'elle était aussi en train de tomber sous le charme de Josh Hillman. Spider mis à part, elle avait passé toutes ces dernières années en compagnie d'hommes qui n'étaient pas vraiment des hommes, ou bien d'autres qui en étaient peut-être mais dont le principal intérêt dans l'existence était d'acheter ou de vendre des vêtements pour des femmes. Ça allait bien comme ça ! Elle était mûre pour un homme sérieux — sans être guindé. Un homme solide — sans être vieux jeu. Bref, un homme réel ! Quand à Josh Hillman, il avait, en invitant Valentine, rompu avec la routine de vingt années de mariage, vingt années où il avait toujours accompli ses devoirs. Il respirait un parfum de liberté, découvrait des perspectives infinies.

Leur table était tout contre la baie. Le soir tombait ; dans l'obscurité, ils voyaient flotter les feux des avions sur le point d'atterrir. Derrière la vitre insonorisée, les appareils évoquaient des poissons fabuleux, aux yeux phosphorescents.

— Valentine... d'où sortez-vous ce nom ? demanda-t-il.

Elle remarqua avec étonnement qu'il le prononçait à la française.

— Ma mère était une fan de Chevalier — mon nom est tiré d'une chanson.

— Ah, c'est donc *cette* Valentine-là !

— Vous la connaissez ? Est-ce possible ?

Il fredonna les premières mesures puis, d'une voix si timide qu'on l'entendait à peine, il chanta les paroles : *« Elle avait de tout petits petons, Valentine, Valentine. Elle avait de tout petits tétons, que je tâtais à tâtons, tonton, tontaine...*

— Mais *comment* savez-vous ça ?

— Mon camarade de chambre à l'École de droit passait ce disque sans arrêt.

— Fabuleux ! Et le reste, le connaissez-vous ? Non ? Vous avez raté le meilleur... Elle n'avait pas bon caractère ! Et puis elle n'était pas très intelligente, elle était jalouse, autoritaire aussi. Et puis un jour, figurez-vous, bien des années plus tard, Chevalier la rencontre dans la rue. Et il lui voit des grands pieds, un double menton, une triple poitrine !

— Valentine ! Vous me brisez le cœur. J'aurais préféré ignorer tout ça.

Ils éclatèrent de rire, de ce rire aphrodisiaque qui saisit deux êtres quand ils ont décidé de s'échapper du réel ensemble, ne fût-ce que le temps d'une soirée. Un rire sonore très particulier, un rire complice, qui veut dire qu'on se plaît beaucoup plus qu'on ne le croyait d'abord.

— Vous êtes une vraie New-Yorkaise, n'est-ce pas ?

— Une vraie rien du tout plutôt, j'en ai bien peur. Une femme sans patrie, ni vraie New-Yorkaise, ni vraie Parisienne... Et maintenant, la Californie... C'est vraiment comique. Peut-on jamais devenir un vrai Californien ?

— Vous l'êtes déjà. La plupart des vrais Californiens sont venus d'ailleurs. Il n'y a qu'une poignée d'indigènes, des gens qui sont là depuis parfois deux siècles. Avant cela, il n'y avait ici que des Indiens et des pères franciscains. Nous sommes un État d'immigrants au sein d'une nation d'immigrants.

— Mais vous sentez-vous chez vous ?

— Oui, et je vous emmènerai un de ces jours dans Fairfax Avenue. Vous comprendrez ce que je veux dire.

Un instant, Josh s'étonna lui-même d'avoir lancé cette invitation. Pourquoi voulait-il donc montrer à Valentine, cette fille tellement élégante qu'elle semblait respirer l'air de Paris, pourquoi voulait-il lui montrer le ghetto de son enfance, si animé, populeux et bruyant ? Si véritablement dépourvu de toute espèce d'élégance...

Spider et Billy déjeunèrent dehors, sous l'auvent du Santa Barbara Biltmore. Un écran de verre, entouré de fleurs et de palmiers, les protégeait de la forte brise qui soufflait du Pacifique. Billy attendait calmement : elle savait que c'était à Spider de montrer son jeu. Elle buvait du xérès avec de la glace, tout en mangeant un sandwich club. Avec supplément mayonnaise pour redoubler son péché — un péché que bien sûr elle expierait plus tard par l'abstinence. Elle se sentait agréablement maîtresse de la situation.

Bientôt, l'œil exercé de Spider lui apprit que cette dame ne serait jamais aussi détendue qu'elle l'était maintenant, assise à cette terrasse.

— Charmant, n'est-ce pas ? dit-il avec insouciance.

Elle se contenta d'un sourire approbateur. Elle entendait bien tenir sa langue.

— Je suis resté si longtemps sur la côte Est, continua-t-il, que j'avais pratiquement oublié à quoi ressemblait la Californie. Et Beverly Hills ! Bon Dieu, je m'attends vraiment à ce que cet endroit disparaisse par une belle nuit, comme Brigadoon [1], et qu'on ne le revoie plus de tout un siècle. Pas vous ?

— Sans doute, répondit Billy, imprudemment.

— Je sentais que vous étiez capable de comprendre ça, Billy. Quand

1. Célèbre film de Vincente Minelli, tourné en 1954, avec Gene Kelly et Cyd Charisse. C'est l'histoire d'un village d'Écosse disparu, qui retrouve la vie tous les cent ans.

nous avons débarqué hier, Val et moi, nous avons vraiment eu la sensation qu'il s'agissait d'une nouvelle donne.

Billy se ramassait, prête à répliquer, mais Spider ne lui en laissa pas le temps.

— Prenez Scrupules, installez-le à Paris ou New York, à Milan ou Tokyo, et vous aurez la huitième merveille du monde. Les femmes feraient la queue tout autour du pâté de maisons dans l'espoir d'y pénétrer... C'est tellement parfait, ça a tant de classe ! Mais Billy, Billy ! A Beverly Hills ! Patrie des femmes riches les plus négligées de l'univers ! J'ai tellement l'habitude de New York... je devais sans cesse faire des efforts pour ne pas oublier que ces femmes qu'on voit dans les rues en pantalons et T-shirts pourraient, la plupart, s'offrir absolument n'importe quoi. Pas vous ?

Billy avait souvent eu la même idée. Aussi ne put-elle s'interdire de lui jeter un coup d'œil vaguement approbateur. Avant qu'elle ait pu placer un mot, Spider la fixa de son air le plus persuasif et poursuivit :

— Si vous nous donniez, à Valentine et moi, tout au plus une semaine ou deux, le temps de nous acclimater, de nous promener en ville, de voir ce que les femmes achètent réellement dans le genre coûteux, d'observer ce qu'elles portent le soir, bref, si vous nous laissiez poser un regard neuf sur tout cet endroit, je suis certain que nous pourrions faire de Scrupules la plus belle réussite de la ville.

— Une semaine ou deux ? Vraiment ?

Billy voulut avoir l'air aussi sarcastique que possible. Mais pouvait-elle lui refuser une semaine ou deux sans paraître stupide et naïve, sans avoir l'air d'une dilettante, d'une de ces riches petites garces qui changent d'avis tous les jours? Non, évidemment, c'était le bon sens même.

— C'est ça. Le même délai que vous accorderiez à un nouveau coiffeur. Après, s'il travaille mal, vous en changeriez.

— Je le ferais certainement, dit sèchement Billy.

— Bien sûr que vous le feriez.

Spider la regarda d'un air approbateur. Toutes ces années passées à écouter des modèles volubiles commençaient à porter leurs fruits.

— Val travaillera sur les stocks, elle étudiera le côté marchandise de l'affaire. Moi, je travaillerai sur le concept.

— Le concept ? Un instant, Spider... Au téléphone, Valentine m'avait assuré que vous étiez le meilleur vendeur du monde, que vous pouviez réorganiser complètement le magasin. Qu'est-ce que le « concept » vient faire là-dedans ?

— Je suis en effet le meilleur vendeur du monde mais, d'abord, je dois savoir un peu qui sont mes clientes, comment elles vivent, ce qu'est très précisément la cible, ce qui peut les conduire à vouloir acheter chez Scupules. Le « concept », c'est ce qui va les faire acheter. Ne comprenez-vous pas, Billy, qu'acheter une robe, ce doit être aussi satisfaisant qu'une bonne séance de baise ? On peut bien baiser de toutes sortes de manières. J'ai seulement besoin de savoir laquelle convient le mieux dans un endroit comme Beverly Hills.

Billy, atterrée, s'aperçut qu'elle hochait la tête. Elle n'avait jamais rien entendu qu'elle pût si bien comprendre, d'une manière aussi viscérale. Elle n'avait pas oublié cette époque de sa vie où toute sa sexualité se résumait à l'achat de nouveaux vêtements.

— Très bien, Spider. Tout ça est parfaitement clair. Quand puis-je espérer que votre « concept » sera livré à ce monde en attente ?

— Dans deux semaines au plus. Et maintenant, si vous avez terminé votre déjeuner, nous ferions bien de nous apprêter à rentrer avant de nous trouver sur la route à l'heure de pointe. Prête, Billy ?

Sur le chemin du retour à Holmby Hills, Billy eut tout le loisir de se convaincre que Spider, qui qu'il fût en réalité, ne pouvait certainement pas être considéré comme un mauvais vendeur. Reste qu'elle avait accordé deux semaines, rien de plus. Si, au terme de ce délai, il ne lui ramenait pas quelque chose de solide, ils seraient virés tous les deux, sans autre forme de procès. Elle s'en fit fermement la promesse.

Le dîner achevé, Josh Hillman fut confronté à un problème tout à fait nouveau pour lui. Un problème absurdement démodé mais bien réel tout de même. Le restaurant les avait réunis et leur intimité se réduisait à cela : ce toit au-dessus de leurs têtes. Ils ne se connaissaient pas suffisamment pour se retrouver, sans transition, dans quelque endroit privé...

Il finit par avoir une inspiration : le Pickwick Drive In de Burbank, bien sûr ! L'un des repaires favoris des gamins. Josh n'avait pas mis les pieds dans un drive in depuis ses années de collège.

— Valentine, puisque vous voulez vraiment vous sentir dans la peau d'un autochtone, je vais vous introduire à l'une de nos grandes traditions californiennes, annonça-t-il en réglant la note.

— Irons-nous à une première de Hollywood ?

Il y avait une interrogation sur son visage belliqueux. Une interrogation qui semblait suspendue dans l'air et n'avait rien à voir avec les premières de Hollywood.

— Pas ce soir. C'est d'ailleurs devenu un peu ringard, les premières. Il n'y en a plus très souvent, en tout cas plus comme avant. Non, je pensais vous faire voir un film dans un drive in.

— Qu'est-ce qu'on joue ?

— C'est tout à fait accessoire... ça n'a même aucune importance. Venez !

Ils partirent vers le drive in dans un silence frémissant. Sortis du restaurant, ils n'avaient plus songé qu'à ce qui allait se passer maintenant. C'était une sensation trop excitante pour qu'ils pussent en parler ni d'ailleurs parler d'autre chose. Josh acheta les billets comme s'il était un vieil habitué. Solennellement, il initia Valentine au fonctionnement du haut-parleur. Elle eut juste le temps de voir quatre voitures se heurter de plein fouet sur l'écran avant de le sentir qui se glissait vers elle, qui la prenait dans ses bras. Pendant de longues minutes, ils en restèrent là, comme étourdis. Josh l'enveloppait étroitement et Valentine se blottit contre sa poitrine. Ils ne parlaient pas. Ils s'accrochaient simplement l'un à l'autre, attentifs au bruit de leur respiration, aux battements de leur cœur. Cette chaleur, cette intimité, le simple fait de se tenir ainsi serrés les remplissaient d'un bonheur inexprimable. Cette étreinte résolument silencieuse était plus émouvante que tous les mots de la terre. C'était un moment suspendu, hors de toute réflexion, de tout projet, de toute déclaration. Loin de tout artifice et de toute convenance. L'un de ces moments privilégiés qui veulent tout dire et pourtant ne signifient rien. L'un de ces moments où l'on apprend qu'on a besoin l'un de l'autre, où l'on abdique dans les bras de l'autre, où l'on est effrayé de le faire en sachant pourtant que c'est un acte nécessaire et juste. Puis, après de longues minutes, chacun chercha les lèvres de l'autre, comme si une vague les emportait tous les deux. La seule chose qu'ils se dirent, ce fut leur nom. Embrasser Valentine, c'était comme, au terme d'un rude hiver, enfouir son visage dans un frais bouquet de fleurs printanières. Il y avait tant de choses à découvrir sur ces lèvres-là, mais d'abord, il passa sa langue sur son nez, sur ses trois taches de rousseur, comme il avait eu envie de le faire tout au long du repas. Elle le mordilla en retour, tel un jeune chiot. La pointe de ses cils noirs papillonnait sur ses joues. Du bout de la langue, il goûta la chair de son cou.

— Et maintenant, que va-t-il se passer ? demanda-t-il doucement. Le sais-tu, ma chérie ?

— Non, répondit-elle. J'en sais aussi peu — j'en sais beaucoup moins — que toi.

Il l'embrassa encore et encore, tel un collégien. A coups de petits baisers impétueux et fervents qu'il éparpillait sur ses yeux, ses oreilles, son menton, ses cheveux. Tout l'élan transi de sa jeunesse studieuse, toute sa spontanéité perdue cherchait à s'exprimer ainsi, il voulait trouver des mots romantiques mais ne sut dire que ceci : « Faisons des folies ensemble, Valentine. »

Mais il y avait en elle une force qui lui interdisait de se laisser emporter. Elle s'était abandonnée totalement au réconfort de ses bras, à cette merveilleuse insouciance. Maintenant, elle battait en retraite, elle se rétractait, retrouvait un peu de la force qui était en elle. Elle revenait au sens des réalités et, avec lui, naissait l'inquiétude, l'effarement d'être là, en train d'embrasser cet homme qu'elle connaissait depuis hier, qui était marié, qui avait des enfants. Elle ne put que prononcer ces mots, d'une voix claire : « Peut-être. »

Spider était vraiment au regret de rendre la Mercedes au marchand de voitures anciennes, qui se trouvait en face du Beverly Wilshire Hotel : hélas, ce n'était pas exactement ce qu'il cherchait, mais il reviendrait... Puis il eut envie d'aller surprendre Valentine, de lui raconter cette journée qu'il venait de passer avec Billy. Ne la trouvant point, il se fit monter à dîner dans sa chambre et s'étendit sur son lit pour réfléchir. Ces antennes merveilleusement sensibles qui lui permettaient de déceler la pensée cachée des femmes, ne lui avaient jamais rien appris d'aussi net : les deux prochaines semaines seraient tout à fait cruciales. Il avait le sentiment que, s'il n'avait su bercer Billy avec de douces paroles, Valentine et lui auraient très bien pu se retrouver dans l'avion dès demain. Cette dame était du genre dissimulé, capricieux. Elle était à deux doigts de se dégager de toute cette histoire. Elle était tellement habituée à voir les événements se plier à sa volonté qu'elle en avait perdu toute considération pour autrui, à supposer qu'elle en eût jamais eu. Elle était pourrie jusqu'à la moelle, se montait très vite. Pourtant, il y avait encore en elle quelque chose de vulnérable. Spider estima qu'à tout prendre, en déployant les ressources de son imagination, il serait capable de la manœuvrer.

Elle n'était pas de la race des Harriet Toppingham, comme il l'avait cru la nuit d'avant. Ce n'était pas la peur qu'elle désirait voir chez un homme mais le courage au contraire. La hardiesse l'impressionnait, elle savait se montrer loyale. Au fond, il fallait bien le reconnaître, c'était plutôt une bonne fille.

Mais d'abord, avant d'entreprendre la conversion de Billy, il lui restait deux choses à apprendre et deux semaines pour le faire. Il lui fallait d'abord s'imprégner de l'ambiance des magasins à succès de Beverly Hills. Il lui fallait aussi découvrir la façon dont les femmes de Californie dépensaient leur argent en toilettes. Le *comment* de la chose... D'évidence, leur garde-robe n'était pas fondée sur ce qu'il avait coutume d'observer à New York : ces merveilleux manteaux de ville, ces jolis ensembles, ces vêtements raffinés qu'on affichait dans la rue comme au bureau. C'est fou ce que les femmes, au coin de la 57e Rue et de la Cinquième Avenue, pouvaient avoir l'air différent des femmes à l'angle de Wilshire et de Rodeo Drive... Il s'endormait en y songeant quand, soudain, deux mots jaillis dans son esprit le firent sursauter. Il se maudit de n'y avoir pas songé plus tôt et se bénit d'avoir une telle chance : il était *un enfant du pays* !

Seigneur tout-puissant, c'était là le foutu trésor de la Sierra Madre ! Un homme qui possède six sœurs, se dit Spider avec allégresse, est un homme riche. A moins d'être grec, bien sûr, et d'avoir l'obligation sacrée de les marier toutes.

Il y avait un bloc sur sa table de nuit où il se mit à jeter des notes. Cinq des filles étaient mariées, dont trois l'étaient très bien. A l'heure qu'il est, ce devait être de jeunes mères de famille à l'abri du besoin.

Bon Dieu... Spider le réalisait tout juste : tandis qu'il vivait dans sa soupente à New York, 90 pour cent peut-être des jeunes filles et des jeunes gens dorés qu'il avait connus au cours de ses études, étaient devenus de bons citoyens, bien installés, bien assis. Tout à l'heure, il avait eu la tentation de faire donner une réception par Billy. Ainsi, il aurait pu observer, avec Valentine, la façon dont les femmes d'ici se paraient le soir. Puis, en y réfléchissant, il avait préféré ne lui demander aucune aide. Il voulait s'en tirer tout seul. Il avait eu sacrément raison d'attendre d'avoir les idées claires. Au bas de sa liste de noms, Spider inscrivit, en lettres de trois centimètres :

A TOUT LE MONDE — VOUDRAIS UNE RÉCEPTION DE BIENVENUE DANS LES DEUX SEMAINES — HABILLÉE.

De l'autre main, il composa sur le téléphone un vieux numéro, un numéro familier, le seul qu'il eût pris soin de ne jamais oublier :

— M'MAN ! Allô, M'man ! Je suis de retour !

9

AU COURS des deux semaines qui suivirent son coup de téléphone à sa mère, Spider eut besoin de tout son allant, de tout son bon goût naturel, de toutes les ressources de son imagination ; il lui fallut exploiter à fond ses talents : cet œil exercé à saisir les détails, ce sens qu'il avait de ce qui « marche » visuellement et de ce qui n'y parvient pas tout à fait... On était, par bonheur, à la fin du mois d'août, une époque où l'on s'affairait beaucoup, où les magasins de Beverly Hills commençaient à recevoir les articles d'automne. C'était aussi, partout en ville, la période où l'on soldait les vêtements d'été.

Chacun de son côté, ils arpentèrent les rues mètre par mètre. Au nord de Wilshire, ils écumèrent Rodeo Drive, Comnden Drive et Bedford Drive, sur les deux trottoirs et dans les deux sens. Puis ils étudièrent à la loupe le moindre magasin de Dayton Way, de Brighton Way, de la « petite » Santa Monica, en zigzaguant d'un trottoir à l'autre. Ils retournèrent à peu près tout ce qu'il y avait dans Wilshire Boulevard, mis à part la chaussée, et fouillèrent de fond en comble tous les magasins importants, depuis Robinson, tout à l'Ouest, jusqu'à Bonwit Teller, qui marque la limite orientale du secteur commercial de la rue. En passant par Saks, Magnin, Elizabeth Arden et Delman... Tout cela constituait un réseau très dense, de forme vaguement triangulaire. A New York, il se serait étiré, de blocs d'immeubles en pâtés de maisons, tout au long de la Cinquième Avenue et de Madison Avenue. A Beverly Hills, en revanche, l'espace était si resserré qu'il était facile d'atteindre à pied le moindre magasin, la moindre boutique. Une boutique moyenne, sur Rodeo Drive, se louait quatre-vingt-seize mille dollars par an : celles qui ne marchaient pas devaient bien vite mettre la clé sous la porte.

Spider s'efforçait de graver dans sa mémoire les caractéristiques des différents magasins. C'est tout juste s'il ne léchait pas les murs pour en emporter la peinture. Parfois, il lui arrivait de se cogner dans une Valentine affairée. Celle-ci étudiait les vestiaires de solde pour voir ce qui ne s'était pas vendu la saison passée. Elle donnait des envies de meurtre aux vendeuses en inspectant méticuleusement tous les articles nouveaux, qu'elle enregistrait sur le bloc à croquis de sa mémoire mais qu'elle n'achetait jamais, n'étant pas, comme elle disait toujours pour s'excuser, suffisamment « emballée ». Avec ses nouveaux costumes, admirablement coupés, qu'il avait achetés en toute hâte avant de quitter New York, Spider passait, à n'en pas douter, pour un client possible. Sous le prétexte fréquent de choisir un cadeau pour sa mère ou l'une de ses sœurs, il flânait, tendait l'oreille, liait conversation avec des propriétaires de magasin sans méfiance, avec des clientes, avec des vendeuses.

Tout au long de ces deux semaines, on donna huit soirées en l'honneur de Spider, où il vint beaucoup de monde, où l'on s'amusa énormément, bien qu'il eût fallu les improviser en toute hâte. Les sœurs d'Elliott, quand elles étaient enfants, avaient toujours senti, chez Spider, tant d'amour à revendre, qu'elles n'éprouvaient pas le besoin de se disputer ses faveurs. Maintenant qu'elles avaient grandi, en revanche, c'était à qui fêterait le mieux ce frère légendaire dont leurs amis les entendaient si souvent parler, mais qu'ils avaient rarement vu en chair et en os. Personne ne parvenait à croire vraiment que Valentine ne fût pour lui qu'une associée d'affaires. Avec cette allure sexy de Française, cette vivacité, et puis ces yeux-là... — à qui prétendait-il raconter des histoires ? Aussi tout le monde fut-il extrêmement, excessivement poli avec elle. S'il ne lui avait jamais été trop difficile de sympathiser avec les petites amies d'Elliott, se disait souvent Valentine quand elle trouvait le temps d'y réfléchir, les dames de sa famille en revanche, bonté divine, ne pensaient vraiment qu'à la chose... Reste pourtant qu'il valait vraiment la peine d'être reçue chez elles, même d'une façon si... amène — un peu comme si elle était venue chez chacune de ces sœurs pour lui ravir son trésor... Car ces réceptions, mieux que tout autre chose au cours de ces deux semaines épuisantes, lui permirent d'observer la façon dont s'habillaient, entre San Francisco et San Diego, les femmes aisées. Josh lui téléphonait tous les jours mais elle n'eut vraiment pas une minute à lui consacrer jusqu'à la fin de ce marathon. Valentine se languissait de lui mais elle ne pouvait s'autoriser le moindre abandon, la moindre effusion sentimentale, dans une période aussi démente, à un moment aussi crucial.

Au cours de ces deux semaines qu'elle avait accordées à Valentine et Spider, Billy rendit plusieurs visites furibondes à Scrupules. Les vestiaires de soldes s'y entassaient et ce spectacle lui soulevait le cœur, bien qu'elle le sût inévitable. Seule sa terreur de perdre la face l'empêchait de faire disparaître tous ces articles soldés, de les expédier à l'armée du salut : elle pouvait imaginer à quelle vitesse se répandrait la nouvelle d'une telle facétie. C'est à peine si elle pouvait contenir son envie d'avoir un ultime entretien avec ces deux imposteurs, et d'en finir avec tout ce gâchis.

Puis vint le grand jour. Billy, assise derrière son bureau, impassible, toisait Valentine et Spider, avec la mine indifférente d'un bourreau patenté. Elle était alors quasiment arrivée à la conclusion que tous les ennuis de Scrupules étaient de leur faute. Spider se tenait affalé contre le mur, merveilleusement nonchalant dans son léger costume de tartan *glen*, l'un des excellents complets qu'il s'était offerts à New York chez Dunhill Tailors. Avec une satisfaction sévère, Billy constata que, sous son apparence désinvolte, il semblait grave et préoccupé. Valentine s'était juchée sur un fauteuil. Elle attendait visiblement qu'il parlât le premier. Billy se dit qu'elle avait l'air parfaitement épuisée, presque groggy.

— En avant, Spider, dit Billy, d'une voix terne, ennuyée.

Tout en elle, et jusqu'à sa posture, respirait l'indifférence la plus totale.

— J'ai de bonnes nouvelles.

— Quelle surprise...

— Vous n'avez qu'un rival à vaincre pour devenir le magasin numéro un de Beverly Hills. Et vous n'avez qu'une façon d'y parvenir.

— Tout ça est parfaitement absurde. Essayez de vous exprimer d'une manière sensée, Spider. N'avions-nous pas convenu que ce genre de pirouettes n'était plus de mises.

— Votre rival s'appelle Scrupules.

D'un geste de la main, il l'empêcha de l'interrompre. Il planta ses yeux dans les siens, si bien qu'elle se tut. Mais la méfiance et la colère animaient ses noirs sourcils.

— On pourrait exprimer ça d'une façon plus carrée. Votre rival, c'est la façon dont vous avez *rêvé* Scrupules, c'est la manière dont vous vouliez qu'il fût, c'est ce magasin que vous croyiez attendu par tout le sud de la Californie. *Vous vous êtes trompée,* Billy. De dix mille kilomètres environ... Je saisis bien la nature de votre rêve, il s'accorde à vos goûts personnels, il en est le fruit nécessaire. Mais c'est aussi vain que de prétendre construire le Petit Trianon à l'emplacement du musée de cire d'Hollywood. Il est des choses qu'on ne peut tout bonnement transposer. Vous pouvez aller vendre du Coca-Cola en Afrique, vous pouvez trouver dans le centre d'Abu Dhabi autant de Mercedes qu'il y en a dans Beverly Hills. En revanche, un seul Dior est possible et il se trouve avenue Montaigne, à Paris. Et il doit y rester... *Renoncez à votre fantasme Dior, Billy, ou bien offrez-vous un billet pour Paris*. Ici, la lumière est différente, le climat aussi, c'est une autre civilisation, d'autres clientes, avec d'autres besoins. Le commerce des vêtements doit être conçu d'une façon absolument, radicalement différente. Vous savez mieux que personne à quel point c'est une affaire sérieuse de choisir une toilette ici. C'est une très grande décision.

Billy était tellement sidérée, moins d'ailleurs par ce qu'il disait que par *sa manière* de lui parler, qu'elle ne tenta même pas de répliquer.

— Regardez les choses en face. A Beverly Hills, vous avez une zone commerciale avec autant de choix, de vrai luxe que dans les meilleurs endroits de New York. Elle est moins vaste mais la population elle aussi est moins considérable. Or, il est probable que cette zone n'existerait pas, qu'elle ne s'étendrait pas jour après jour s'il n'y avait une clientèle pour la soutenir. Mais Scrupules n'accroche pas cette clientèle. Pourquoi ? Parce que ce magasin ne convient pas.

— Ne convient pas ?

Billy lui lança un regard furieux.

— On ne trouve pas au monde de magasin plus élégant, plus confortable, même à Paris ! J'y ai veillé.

— Il ne convient pas comme DIVERTISSEMENT !

Valentine et Billy le contemplèrent sans mot dire. Il poursuivit :

— Le shopping, de nos jours, c'est une autre façon de s'amuser, Billy, que ça vous plaise ou non. Une visite à Scrupules *ce n'est, tout simplement, pas drôle*. Les clientes que vous pourriez toucher attendent des magasins qu'elles fréquentent qu'ils les divertissent. On peut même pousser les choses à fond et appeler ça le concept Disneyland.

— Disneyland !

Billy avait parlé d'une voix sourde et horrifiée, écœurée.

— Oui, Disneyland... Le shopping considéré comme une partie de plaisir, le shopping vu comme un éclat de rire. Il n'y a aucun doute que dans les deux cas, c'est le même argent, ce sont les mêmes dollars qui changent de mains, mais si votre cliente, qu'elle soit d'ici ou de Santa Barbara ou qu'il s'agisse d'une touriste étrangère, a le choix entre Scrupules et Giorgio, votre voisin d'en face, qui choisira-t-elle ? Vous entrez à Scrupules et vous découvrez un grand espace décoré avec prétention, avec pas moins de vingt-cinq nuances différentes de gris, d'une subtilité exquise, avec de petites chaises dorées disposées par endroits, et aussi une meute terrifiante de vendeuses entre deux âges, élégantes et hautaines, dont tout le comportement signale qu'elles parleraient plus volontiers français qu'anglais. A l'inverse, vous allez chez Giorgio, vous découvrez une grande cohue joyeuse, des gens qui boivent au bar, d'autres qui jouent au billard, des vendeuses coiffées de chapeaux farfelus, qui vous dévisagent exactement comme si elles avaient espéré vous voir entrer pour bavarder un bon coup. Les unes autant que les autres, on les sent prêtes à vous faire vous sentir en verve, à vous donner le sentiment d'être chouchouté.

— Il se trouve que Giorgio représente tout ce que n'est PAS Scrupules, dit Billy d'une voix glaciale.

— ... Et Giorgio est le tout premier magasin spécialisé du pays, New York y compris.

— Quoi? Je ne vous crois pas!

— Croyez-vous à plus de trois mille dollars de chiffre d'affaires annuel au mètre carré? Ils ont plus de douze cents mètres carrés d'espace de vente, ce qui signifie quatre millions de dollars de chiffre d'affaires par an, rien qu'en vêtements et accessoires. Et nous ne parlons là que d'une grande boutique. En comparaison, notre Saks local, avec un peu plus de cinquante mille mètres carrés, n'a fait que vingt millions de dollars en 1975. Ainsi vous voyez à quel point Giorgio sait utiliser son espace. Des dizaines de femmes laissent chaque année plus de cinquante mille dollars chez Giorgio, ses clientes viennent de toutes les cités prospères de la planète. On voit même des femmes y venir tous les jours, simplement pour voir les nouveautés. C'est une façon pour elles de s'occuper. Et elles achètent... Si vous saviez ce qu'elles achètent!

— Qu'est-ce qui vous permet d'affirmer tout ça, Spider?

Billy s'efforçait tant bien que mal de paraître indifférente.

— Eh bien... voilà, j'ai plus ou moins lié conversation avec le propriétaire, Fred Hayman. C'est lui qui me l'a dit. Après j'ai vérifié les chiffres grâce au *Women's Wear*. Mais ne pensez pas que Giorgio forme un cas unique; Billy. Tous les magasins de la ville où il est amusant de faire ses achats marchent d'une façon superbe. Dorso tout particulièrement. Rien que d'y pénétrer, on se sent bien, et ceci qu'on achète ou non. C'est pour moitié comme d'entrer dans un musée accueillant, pour moitié comme d'aller à une soirée vraiment épatante. Dans les deux cas, il s'agit d'une expérience sensuelle. Billy, Billy! les gens veulent se sentir *aimés* quand ils achètent leurs vêtements! *Et singulièrement les riches.*

— Vraiment, Spider? dit Billy en haussant les épaules.

— Ils ne veulent pas se sentir *jugé* par les vendeuses, continua Spider. J'ai joué au billard chez Giorgio l'autre jour et j'ai vu deux filles qui entraient ensemble. L'un était en short de tennis, l'autre en jeans crasseux, T-shirt sans soutien-gorge et sandales usées. J'ai pu observer leur moindre geste jusqu'à leur départ. Car les salons d'essayage sont là-bas si petits qu'il faut en sortir pour bien se voir dans la glace. Ces deux va-nu-pieds ont chacune acheté trois robes, une Chloé, une Thea Porter et une Zandra Rhodes... Aucune ne valait guère moins de deux mille dollars. J'ai demandé à l'une de ces filles s'il lui arrivait d'acheter chez Scrupules — en fait, nous avons même un peu joué au billard ensemble... Elle m'a répondu qu'elle était venue ici juste après l'ouverture mais que — je la cite textuellement, Billy — c'était vraiment trop compliqué de se mettre en grand tralala rien que pour aller faire ses achats dans un endroit aussi guindé et vieillot, avec toutes ces vendeuses snobinardes.

— Était-ce la fille en short de tennis ou celle en jeans crasseux? demanda Billy d'une voix dédaigneuse.

— Peu importe. Ce qui compte, c'est que je suis certain de ce que j'avance, au point que, si vous refusez le concept Disneyland — le commerce vu comme un divertissement — je n'ai plus aucune raison de rester ici. Si vous voulez ma démission, vous l'avez.

Billy le regarda, courroucée. Pour une fois, il n'utilisait pas son étonnant sourire. Il était vraiment sérieux comme un pape. Elle connaissait assez les hommes pour savoir quand ils plaisantent. Cet individu pensait tout ce qu'il disait.

— Seigneur, je commence à croire qu'au lieu de bâtir Scrupules, j'aurais mieux fait de racheter Giorgio!

Elle eut un rire amer. Des larmes étaient apparues dans ses yeux.

— C'est faux! Scrupules peut valoir dix fois Giorgio parce que vous possédez trois atout que Giorgio n'a pas : *l'espace... Valentine... et moi.*

Spider avait déjà senti qu'un changement se faisait en elle. Sa dernière remarque signalait un recul. Elle avait cédé un pouce d'une position chèrement défendue.

— Et quels sont donc vos projets? Installer une table de billard et demander à mes vendeuses de porter des vêtements dingues?

— Je ne songe à rien d'aussi simple ni à ce genre de plagiat. On redécore tout, y compris vos salons d'essayage immaculés. Il faut les rendre amusants et sexy, les personnaliser. Cela peut impliquer une nouvelle dépense de sept ou huit cent mille dollars en plus des millions engloutis déjà... Mais qui suffiraient à renverser la tendance. Un exemple : quand on franchira la porte de ce nouveau Scrupules, on se trouvera dans le bazar rural le plus fabuleux et le plus ravissant, débordant, grouillant de tout le nécessaire et de tout le superflu, des boutons anciens aux lis en pots, en passant par les bonbons à deux sous dans leurs bocaux de verre Waterford, les jouets anciens, les sécateurs les plus chers du monde, le papier à lettre artisanal, les coussins taillés dans des kilts de grand-mères, les coffrets en écaille et tous les appeaux imaginables... Et un authentique bazar, c'est tellement amusant que ça vous met de bonne humeur, même si vous n'y achetez rien. Selon moi, c'est un endroit où l'on peut acheter une babiole juste avant de quitter le magasin. Un cadeau coup de foudre... Mais ce pourrait être aussi l'accès de Luna Park. Un vrai Luna Park, c'est ainsi que je vois la plus grande partie du rez-de-chaussée. Pour les hommes : un pub. Il faut les occuper pendant que leurs femmes terminent leurs achats, et pour qu'ils ne se sentent point bêtement piégés dans un monde exclusivement féminin, nous leur offrirons toutes sortes de billards électriques, les nouveaux modèles électroniques, ainsi que des tables de backgammon, quatre au moins. Et, bien sûr, un rayon pour hommes, rien de plus que des accessoires mais ceux-ci les plus beaux du monde. Deux tables de ping-pong, peut-être – je n'ai pas encore décidé. Quant au reste de la salle, ce serait, à l'exception du fond, le paradis des accessoires féminins. Des monceaux, des montagnes de gâteries sublimes. Et seulement ce qu'il y a de plus beau, de plus cher, de plus nouveau, de plus inédit, de plus exclusif dans le genre superbe – vous me comprenez... Mais tout cela, avec un tel sens de la profusion, de l'accessibilité, tout cela si facile à toucher qu'elles ne pourront y résister. Les Nuits d'Arabie, le Trésor du Sultan. C'est ce qui les fait acheter, Billy... nullement le *besoin* – Dieu sait – d'un nouveau sac ou d'un autre foulard, mais le fait de se sentir bougrement bien. Elles veulent *être tentées...* elles peuvent se le permettre...

Enfin, tout au fond, un jardin d'hiver anglais. Douillet, intime, suranné, l'endroit idéal pour reprendre ses esprits avec une tasse de thé et des petits fours, ou bien un sorbet exotique ou encore un verre de champagne. Et puis, il va de soi que toutes les vitrines, tous les éléments d'exposition seront faciles à déplacer. Même les murs qui vont séparer notre bazar du jardin d'hiver pourraient coulisser. Ainsi, quand vous donnerez des soirées, il y aura des masses de place pour l'orchestre et les danseurs.

Il s'arrêta pour souffler.

– Des danseurs? dit Billy, d'une voix bizarre.

– Bien sûr... Il nous faudra fermer pour changer la décoration. Aussi ferons-nous la réouverture avec un grand bal. Après quoi vous organiserez des réunions dansantes deux fois par mois. La possibilité de transformer le premier niveau en salle de bal est incluse dans le coût du projet. Mis à part les galas de bienfaisance et un tout petit nombre de réceptions privées, les femmes n'ont pas ici suffisamment l'occasion de s'habiller. Or toutes le désirent – quelle femme ne le désire? – mais les maîtresses de maison ont pris l'habitude, en dehors des grandes occasions, de donner des réceptions plutôt décontractées. Alors, si vous en organisiez vous-même, sur invitation seulement, deux fois par mois, les femmes seront tout simplement obligées de faire des efforts de toilette. En outre, une fois par mois peut-être, le dimanche soir – à ce moment tellement ennuyeux, où il n'y a rien à faire dans cette ville – nous pourrions organiser un cercle de jeux. Avec, pour les gagnants, une robe de chez Scrupules en prime. L'argent collecté irait à des œuvres charitables, bien sûr, mais ce serait toujours moins cher que Las Vegas et un milliard de fois plus chic car il faudrait évidemment s'habiller à cette occasion et...

– Et les vêtements, Spider, où mettrons-nous tous les vêtements pendant qu'ils vont danser?

Désormais, il n'y avait plus, dans sa voix, autre chose que de la curiosité.

— Oh, les vêtements ne seront pas exposés au rez-de-chaussée. Je croyais en avoir déjà parlé. Les vêtements à Scrupules, c'est la distraction sérieuse. Nous vendrons en haut. Ainsi, nos clientes seront vraiment en tête à tête avec leur miroir. Bon Dieu ! Songez que même chez Saks, dans la salle « Park Avenue », ils n'ont que des rideaux, qui ne ferment même pas comme il faut... Tout le monde peut voir des femmes en petite tenue, il suffit de passer par là, et le prix de la robe qu'elles achètent importe peu... Je me demande comment elles le supportent. Non : à Scrupules, quand vous venez pour acheter, vous montez et vous avez droit au traitement spécial — un vrai salon d'essayage, le luxe, une dînette raffinée, gratuite, évidemment, le massage des pieds, vous vous souvenez ? Et même si vous ne venez que jeter un coup d'œil, on vous traite comme une princesse. Le genre de femmes « à jeter juste un coup d'œil » que nous aurons là-haut finiront toutes par devenir des clientes.

— Spider, tout ceci est très... intéressant. Mais comment nos clientes sauront-elles ce que nous avons en stock là-haut ? Jusqu'ici vous n'avez parlé que des accessoires et des articles de cadeaux du premier niveau. Je ne comprends pas comment vous avez pu l'oublier..., dit Billy, d'une voix traînante.

— J'y arrivais justement, Billy. Au rez-de-chaussée, où les acheteuses potentielles se trouvent forcément rassemblées, nous aurons une équipe permanente de mannequins, une large équipe, peut-être douze filles. Ou plus. Qui défileront, se promèneront, se changeront souvent pour montrer les nouveautés que nous avons à offrir. Je déteste les mannequins statifiés, ça vous coupe l'envie, mais les mannequins en chair et en os, au contraire, donnent le désir aux femmes de palper le tissu, de poser des questions, de se voir là-dedans. Bref, font tout ce qu'un cintre n'est pas fichu de faire. Quant aux vitrines, vous ai-je dit qu'elles seraient pleines, bourrées, saturées de choses merveilleuses, comme au matin de Noël, et ceci à longueur d'année ? En les changeant tous les trois jours, nous provoquerons des attroupements. Attendez, je vais vous dessiner ça pour...

— Spider, je vous en prie, ne prenez pas cette peine. Ai-je mal compris ou bien est-ce que vous prétendez faire de Scrupules une sorte de palais des jeux, avec des billards électriques, des bonbons à deux sous, des déjeuners gratuits, des salons d'essayage sexy et une équipe de mannequins demeure, des massages en tout genre et même du pince-fesses select ? Ou bien est-ce que j'exagère ?

Elle détachait chacun de ses mots comme si elle lisait une liste de blanchissage.

— Pour l'essentiel, c'est bien ça...

Il aurait eu encore beaucoup de choses à dire, mais il avait décidé de s'en tenir là. Si elle était incapable de comprendre...

— J'ADORE!

Billy jaillit comme une fusée de derrière son bureau. Elle embrassa une Valentine totalement ahurie, qui n'avait pas encore ouvert la bouche.

— Valentine! Ma chérie! J'ADORE!

— Selon la formule consacrée, dit Spider, chacun de nous a deux genres de boulots dans la vie : son business à lui et le show business.

Il se détacha du mur pour aller donner à Billy le baiser qu'à son idée, elle lui aurait elle-même octroyé si elle ne s'était sentie aussi embarrassée. Il se dit qu'il commençait à la comprendre. C'était une garce, bien sûr, mais pas tout à fait stupide.

Le lendemain matin, Scrupules fermait pour travaux. Billy passa toute la journée au téléphone : il s'agissait de dénicher Billy Baldwin, décorateur de réputation internationale, à qui l'on voulait enfin la redécoration de chacun des vingt-quatre salons d'essayage. Il n'avait encore jamais rien fait de ce genre mais Billy s'était bien entendue avec lui quand il avait refait l'appartement du Sherry Netherland, leur maison de La Barbade et la villa du midi de la France qu'elle possédait avec Ellis autrefois. Ils se comprenaient tous les deux et, pour Billy Ikehorn, Billy Baldwin était prêt à se pencher sur le problème des salons d'essayage. Elle abandonna le premier niveau à Ken Adam, un brillant scénographe, car il s'agissait surtout d'y réaliser un tour de force spectaculaire, à la manière de certains décors de théâtre. Billy ne fut point seulement bonne perdante : elle s'engagea à fond. Maintenant qu'elle avait accepté le concept de Spider, elle entendait que tout fût le plus somptueux possible et s'y employait tout entière. S'étant rendue à l'idée de créer un restaurant, elle vola au Scandia l'un de ses meilleurs chefs et lui donna carte blanche pour la bonne marche de la cuisine. Spider songeait à un simple plateau de sandwiches. Aussi fut-il stupéfait d'entendre le chef et Billy discuter de la quantité de saumon fumé qu'il fallait commander en Écosse, de caviar en Iran, d'endives en Belgique, de crabe au Maryland, de croissants frais à Paris. Le plateau initial devint une table à plateau pliante, en Plexiglas fumé, spécialement conçue pour les besoins de la cause. Les porcelaines seraient du Blind Earl, et donc épouvantablement chères, Stenben signerait les cristaux, l'argenterie massive viendrait de chez Tiffany. Les sets et les serviettes en coton imprimé, avec des motifs provençaux traditionnels, seraient fournis par Pierre Deux, dans Rodeo Drive : tout le monde en avait par-dessus la tête de Porthault, décida Billy.

La plus grande de ses contributions au nouveau Scrupules, ce furent peut-être ses talents de kidnappeuse. Pendant bien des années, elle s'était rendue fameuse auprès de toutes les vendeuses de la ville pour ses achats impulsifs. Convaincue désormais que c'était bien peu de chose, pour une vendeuse, de savoir le français à côté du charme et de la chaleur, elle se révéla une habile « débaucheuse ». Elle captura pour commencer Rosel Korman, une femme digne, calme et sympathique, un pilier de Saks. Puis Marguerite la bohême, une des têtes à chapeau de Giorgio. Sue, une jeune fille sage à queue de cheval, qui venait de chez Alan Austin. Elle obtint aussi Elisabeth et Mireille, deux jeunes Françaises de chez Dinaldo; la blonde et accueillante Christine, la rousse et désinvolte Ellen, toutes deux transfuges du Grand Magasin; Holley, enthousiaste et délicate à la fois, de chez Charles Galley, et puis une douzaine encore des meilleures vendeuses de la ville. Billy engagea aussi les plus grandes spécialistes de la retouche avec, en tête Henriette Schor, de Saks. Son seul échec fut de n'avoir pu obtenir la ravissante Kendall que rien n'aurait pu faire quitter Dorso. Dépitée, Billy fut bien obligée de le reconnaître : Dorso était tout de même un sérieux concurrent.

Elle mit également sur pied un service de livraison, alors que partout ailleurs, à travers la ville, les clientes milliardaires devaient venir collecter leurs achats elles-mêmes.

Durant les travaux du magasin, Valentine et Billy passèrent les stocks en revue. Depuis le jour où elle avait conçu l'idée de Scrupules, Billy s'était réservée le rôle d'acheteuse : ce qu'elle reprochait surtout aux autres magasins de Berverly Hills, c'est de n'y jamais trouver ce qu'elle cherchait. Elle s'était donc persuadée qu'en faisant elle-même le voyage de New York, en voyant tout ce qu'il y avait à vendre, elle serait à même d'effectuer une sélection de vêtements beaucoup plus excitante.

Mais Billy ignorait tout du métier d'acheteuse. Et ses choix se révélèrent une erreur aussi totale et désastreuse que d'avoir voulu refaire une boutique Dior à Beverly Hills. Valentine non plus n'était pas une acheteuse de métier. Du moins s'était-elle frottée pendant quatre ans aux acheteurs de la Septième Avenue. Et, avant, chez Balmain, elle avait été abreuvée du point de vue des acheteurs, tel qu'il ressortait des répétitions de collections et de toutes ces discussions animées où l'on se demandait si telle ou telle robe « marcherait » ou non. Avec ménagement, elle fit comprendre à Billy cette donnée essentielle : l'acheteuse ne doit point se laisser gouverner par ses goûts personnels; ce qui doit passer avant toute chose, c'est sa compréhension des besoins de la clientèle. Et de ses goûts.

C'est un art complexe que d'acheter pour des magasins. Même pour les vétérans du métier, même par des gens soigneusement formés, hautement expérimentés, crédités de nombreux succès, toute saison nouvelle est pleine de traquenard.

Billy se sentit alors moins humiliée par les mauvaises ventes de Scrupules — ça pouvait arriver à n'importe qui, n'est-ce pas? Quand Valentine comprit que les stocks lui étaient devenus un point moins sensible, elle osa lui suggérer que, peut-être, une grande partie de ce qu'elle avait commandé dans le passé était, disons, eh bien... trop intellectuel..

pour la moyenne des femmes. Certes, ajouta aussitôt Valentine, une femme comme Billy, si grande, d'une élégance si parfaite, était parfaitement capable de porter toutes ces choses qu'elle avait achetées. Mais où étaient donc les vêtements destinés à des femmes d'une élégance moins stricte? Et les vêtements sexy, féminins, les vêtements accrocheurs, les vêtements de charme? Bref, les choses qui se vendent... Où étaient ces « petites robes passe-partout » qui conviennent à toutes sortes d'usages et qui se laissent suffisamment oublier pour qu'on puisse les porter souvent? Billy ne pensait-elle pas que, si les femmes venaient se choisir des toilettes dans les collections des stylistes, cela pourrait aussi leur donner l'occasion d'acheter des articles sport, des petits ensembles, des vêtements pour les vacances, des tenues décontractées? Moins chers que les autres, certes, mais aussi, pourquoi abandonner cet argent – même cet argent-là – à la concurrence? Bien sûr, il n'était pas question de transiger sur la qualité. Mais elles devaient élargir leurs horizons.

– Vous cherchez à m'entraîner quelque part avec beaucoup d'astuce, Valentine, observa Billy.

– Mais aussi avec beaucoup de bon sens, riposta Valentine.

– Et, je n'en doute pas, avec un grand discernement?

– Oui.

– Ce que signifie? demanda Billy. Elle essayait de devancer les pensées de cette créature diabolique qu'elle avait engagée.

– Avant de pouvoir rouvrir le magasin, il nous faut entièrement renouveler le stock. Il va de soi que je dois aller à New York. Mais aussi à Paris, Londres, Rome et Milan, pour le prêt-à-porter des stylistes. On peut encore obtenir les livraisons automne-hiver avant qu'il ne soit trop tard. Pour le sportswear, il va falloir engager une autre acheteuse – deux peut-être – les meilleures en tout cas. Nos clientes sont paresseuses. Elles détestent être obligées de se garer à tel endroit pour voir telle sorte de vêtements puis se remettre au volant et se garer à nouveau ailleurs pour trouver des pantalons, des pulls et des corsages.

– Maintenant que je mesure l'étendue de la tâche et les dangers des mauvaises prévisions... commença Billy, d'un ton pensif.

– Oui?

– Croyez-vous... après tout, vous n'avez encore jamais fait d'achats pour un magasin, Valentine... Ne croyez-vous pas que nous devrions engager quelqu'un, une personne bourrée de références, pour aller à New York et en Europe?

– C'est comme vous voulez. Quand vous m'avez engagée, vous m'avez demandé de faire vos achats mais je me contenterais volontiers du stylisme et de créer quelques vêtements totalement exclusifs. Aux mêmes conditions, bien sûr... Ou alors vous me mettez à l'essai. Au pire, nous perdrons une saison.

Billy fit semblant de peser le pour et le contre. En fait, il était trop tard, on n'avait plus le choix et Billy le savait, et Valentine savait qu'elle le savait. On n'avait tout simplement plus le temps de se mettre à la recherche d'une acheteuse. Depuis déjà une semaine, Valentine aurait dû commencer sa tournée.

— Ma Tante Cornelie disait : « Quand le vin est tiré, il faut le boire. » Ou peut-être était-ce : « S'il vaut la peine de faire quelque chose, alors il vaut la peine de la faire bien »?

— Une femme tout à fait sensée, dit Valentine d'une voix neutre.

— Oui, sans aucun doute. Quand pouvez-vous partir?

Billy Ikehorn
sollicite l'honneur de votre présence
lors de la réception qu'elle donnera à SCRUPULES
le premier samedi de novembre 1976
21 heures
Bal
Tenue de soirée

Les invitations étaient à peine envoyées que le *Women's Wear* prévoyait déjà qu'il n'y aurait pas de soirée plus fameuse depuis celle où Truman Capote révéla au monde Kay Graham. Quand Billy s'était demandé qui elle devait inviter, Spider avait répondu : « Tout le monde. »

— Mais je ne connais pas « tout le monde », Spider. De qui parlez-vous?

Tandis qu'ils travaillaient ensemble à ressusciter Scrupules, Spider avait fait une curieuse découverte : Billy n'était nullement au fait de la vie mondaine, où il la croyait totalement plongée. Sa vie privée, sans attaches familiales, sans amis intimes, lui parut étrangement vide et insatisfaite. Il ne pouvait savoir que Billy avait presque toujours été une femme essentiellement solitaire. Les aléas de l'existence avaient fait d'elle un être détaché du monde. Sa jeunesse l'avait privée, peut-être à jamais, du talent de se faire aisément des amis. Toutes ces années l'avaient profondément marquée, où on l'avait traitée en paria. Et toutes les métamorphoses qu'avait pu connaître son corps n'en effaceraient jamais les traces. En quittant Boston, elle avait laissé sa famille derrière elle. En s'en allant de New York, après l'attaque d'Ellis, elle avait abandonné des relations qu'elle n'avait jamais remplacées. Des relations, d'ailleurs, qui, Jessica mise à part, ne furent jamais des amitiés véritables. A Los Angeles, elle aurait pu prendre un nouveau départ. Mais toutes ces années d'un isolement presque total, toutes ces années pénibles qu'elle avait passées dans la citadelle de Bel Air, l'avaient empêchée de se lier avec d'autres femmes.

Des millions de lecteurs de journaux et de magazines disaient « Billy » pour « Billy Ikehorn », tout comme ils connaissaient Liza Minnelli et Jackie Onassis sous les prénoms familiers de « Liza » et « Jackie ». Reste que Billy n'avait jamais assumé vraiment son statut de vedette des médias. Elle ne se *sentait* pas célèbre. Ellis lui avait appris à se défier de cette chose mesquine qu'à New York il est convenu d'appeler la « société ». Elle était heureuse d'avoir pu s'en tenir à l'écart. Quand elle s'était installée en Californie, on ne l'avait jamais vraiment vue tenter le moindre effort pour s'immerger dans la « société » de Los Angeles. Et puis, bien que Billy n'eût jamais souscrit à un principe essentiel de la « société » de Boston – car aucune autre n'est vraiment digne de ce nom – ses façons bostoniennes, sa pointe d'accent bostonien n'avaient, eux, jamais totalement disparu : ils renforçaient l'impression qu'elle donnait d'être, à jamais, d'une autre planète.

– Vous pouvez bien ne pas connaître tout le monde, tout le monde vous connaît, insista Spider.

– Eh bien, qu'est-ce que ça change? Je ne peux quand même pas inviter de parfaits inconnus, non?

– Vous feriez pourtant sacrément bien, répondit Spider. Nous venons de dépenser à peu près un million de dollars, ma chère, et ce serait grand dommage d'en réserver la faveur à vos seuls voisins.

– Écoutez, Spider, puisque vous êtes orfèvre, faites donc la liste vous-même..

Billy s'enfuit, avec le sentiment fugace et troublant que les choses lui échappaient. Spider, ces derniers temps, inclinait à lui faire cet effet. Il était tellement dans le coup, songea-t-elle en regrettant la faiblesse de ses propres talents mondains.

Pour Spider, ce fut une journée de grandes manœuvres. Il ouvrit sa liste sur les gens importants du cru. Puis il y ajouta les grands barons de l'industrie de toute la côte Ouest, depuis la frontière du Mexique jusqu'à celle du Canada. Les clients potentiels d'abord, après tout... Puis il continua avec des personnalités choisies de New York, de Chicago, de Detroit, de Dallas – et de Palm Beach. Puis Hollywood – l'Ancien et le Nouveau... L'*establishment* de la mode, bien sûr. Washington? Pourquoi ne pas avoir ce qu'il y a de mieux? Eh bien, quand même pas le président Carter, mais le vice-président Mondale sûrement, et puis il ne peut y avoir de *party* sans Tip O'Neill. Après quoi, il ajouta ce qu'il fallait bien continuer d'appeler le Jet Set international, mais alors, soigneusement filtrée, cette joyeuse bande d'enculés. Manquait-il quelqu'un? Bon Dieu! *La presse!* Spider se frappa le front : comment pouvait-il être aussi bête? C'était le nœud de l'affaire. Il s'était excité sur les vedettes, les politiciens et il avait tout simplement négligé leurs inventeurs. La presse donc... pas seulement la presse spécialisée dans la mode ni les cancans mondains, mais aussi les gens qu'il fallait à *People,* au *New York Magazine,* au *New West,* au *Los Angeles Times* et puis ceux des hebdos et puis ceux des groupes Condé Nast et Hearst. Les huiles de la télévision également. *Rolling Stone?* Peut-être pas. Walter Cronkite viendrait-il? Et Norman Mailer? Woodward et Bernstein? Bon Dieu, Scrupules pouvait facilement accueillir six ou sept cents personnes, une fois tirés tous les murs coulissants, escamotés tous les étalages, exactement comme l'avait prévu Ken Adam. Il pouvait donc se permettre d'inviter au moins quatre cents couples, se dit-il pour se rassurer : beaucoup ne feraient pas tout ce voyage, juste pour assister à un bal. Alors, il invita quelques dizaines de personnes en plus, sans oublier sa propre famille ni Josh Hillman et son épouse. Puis en voyant les feuilles posées devant lui, il songea qu'il s'était peut-être laissé entraîner. Il biffa quelques noms du Texas et de la Floride — d'ailleurs, combien de fois venaient-ils en Californie, ces gens-là? Puis il passa toutes ses listes au peigne fin, rayant toutes les personnes dont on pouvait douter qu'elles devinssent des clientes ou qu'elles fussent vraiment très célèbres. Il lui resta, pour finir, une liste de trois cent cinquante couples et le plus beau plateau pour la plus belle *party* de la décennie. Peut-être même la *Dernière Grande Party*. La plus coûteuse et la plus photographiée en tout cas, et à n'en pas douter, la plus excitante. Bref, de toutes celles des années 70, celle qui resterait à jamais gravée dans les mémoires.

Sans l'avoir vraiment cherché, Billy avait eu la main heureuse en donnant sa soirée le premier samedi de novembre 1976. C'était juste après les élections présidentielles. Les partisans du vaincu voulaient oublier, ceux du vainqueur avaient envie de fêter ça. Et puis, surtout, tout le monde souhaitait penser à autre chose que la politique, les cours du dollar et la pollution.

On avait à peine fini de régler les éclairages, de disposer les fleurs que les traiteurs arrivèrent pour dresser les buffets, installer les bars. Il y en avait plusieurs, très vastes, au premier niveau, qu'on avait entièrement libéré pour les danseurs. La grande idée de Spider fut d'installer un buffet, un bar et une douzaine de chaises dans chacun des vingt-quatre salons d'essayage. Personne, ce soir-là, ne pouvait ainsi manquer de visiter le second niveau. En bas, on dansa sans repos. Les trois meilleurs orchestres de Peter Duchin se relayèrent si bien qu'on ne manqua jamais de musique. On avait ouvert toutes grandes les portes du jardin d'hiver et les invités purent flâner dans le jardin à la française qui se trouvait derrière Scrupules. La lune même, une pleine lune admirable, était au rendez-vous. Une sorte de magie flottait dans la nuit tiède. Sous les éclairages de Ken Adam, les femmes parurent plus belles que jamais. Les hommes se sentirent romantiques, et aussi plus puissants. Peut-être, tout simplement, parce qu'on les avait conviés à cette soirée de gala, la plus ensorcelante, la plus brillante de toutes. Peut-être aussi parce qu'à Scrupules, tout concourait à nourrir, dans l'âme de chacun, des rêves de luxe parmi les plus fous. Même l'incessant mitraillage des flashes ajoutait au plaisir de la fête : il faut vraiment faire partie de cette petite poignée de célébrités authentiquement misanthropes pour réellement détester d'être pris en photo.

Scrupules rouvrit à la clientèle dès le lundi. A midi, ils surent qu'ils avaient triomphé. Valentine avait fait ses achats très tard en août mais la marchandise était arrivée à temps. On l'ajouta aux meilleurs achats d'automne qu'avait déjà faits Billy et, manœuvre extrêmement lucrative, tout fut pratiquement « dévalisé » (comme on dit dans le jargon de la mode) au cours de la première journée. Dès 10 h 30 du matin, Spider dut contacter une société d'intérim : il lui fallait six employés temporaires, rien que pour s'occuper de l'ouverture des nouveaux comptes clients. Le chef, qui avait l'habitude des monceaux de nourriture qu'on servait au Scandia, croyait avoir pris ses précautions. Il fut stupéfait, en fin de journée, de trouver presque vides ses grandes chambres froides. Ses quatre serveurs, ses trois aides de cuisine, ses deux sommeliers tremblaient littéralement d'épuisement. Les vendeuses, elles, tremblaient d'excitation, elles n'osaient y croire : aucune d'entre elles n'avait jamais autant vendu en une seule journée. Les masseuses orientales songèrent à démissionner, tant elles étaient lasses. Mais elles restèrent.

Quand on eut fermé les portes, Billy, Spider et Valentine se réunirent dans le bureau de Billy. Spider s'étendit sur le sol de tout son long. Valentine, qui avait aidé à la vente toute la journée, s'allongea sur le canapé Louis XI de Billy, une pièce inestimable, et se déchaussa d'un coup de pied.

– Cela peut-il durer? demanda Billy, d'une voix très douce.

– Foutre oui, que ça peut, dit Spider.

– Le shopping de Noël va commencer dans un rien de temps, murmura Valentine rêveuse.

– ON A GAGNÉ ! s'écria Billy.

– Foutre oui, qu'on a gagné, répondit Spider.

– Il me faut de la nouvelle marchandise, tout de suite, dit Valentine.

– VOUS ÊTES TOUS LES DEUX MERVEILLEUX ! proclama Billy.

– Foutre oui, qu'on l'est, dit Spider.

– Trente-huit femmes m'ont demandé de leur inventer quelque chose... Il me faut un assistant, des ateliers, des ouvrières, des tissus, tout... gémit Valentine.

– Tout ce qu'il vous faut, vous l'aurez. Dès demain, lui assura Billy.

– Foutre oui qu'elle l'aura, dit Spider.

– Et puis je dois faire une nouvelle tournée d'achats. Et même ainsi, j'aurai encore quelques semaines de retard pour le prêt-à-porter italien et français, je veux parler des collections printemps-été, dit Valentine, d'une voix lasse.

– Me le direz-vous enfin, Spider? Avez-vous jamais été dans le commerce? demanda Billy.

— Bien sûr, voyons, Billy... Qui a pu vous faire croire le contraire? dit Spider en riant.

— En tout cas, il y est maintenant.

— FOUTRE OUI QU'IL Y EST! exulta Billy.

Toute la semaine, tout le mois qui suivirent, le chiffre d'affaires déborda les espérances les plus folles. Même après que le choc de la nouveauté se fut estampée, que le mouvement de curiosité fut un peu retombé, la clientèle continua d'assurer un train d'achats qui jamais ne faiblit.

Le petit bazar, conçu à l'origine pour son climat de fête, pour sa fantaisie, devint le seul endroit possible pour acheter ses cadeaux et toutes ces choses-dont-on-ne-croyait-pas-avoir-besoin. Son succès fut tel que, pour Noël, Scrupules édita un catalogue très convoité.

Avec ses treillis, ses recoins discrets et confortables, ses sièges à pompons, ses fauteuils d'osier ancien, ses tables rondes drapées d'un chintz délicieusement désuet, mauve ou rose hortensia, ses corbeilles de bégonias, de cyclamens et d'orchidées, ses énormes fougères en pot, sa lumière douce et caressant enfin, le jardin d'hiver devint le rendez-vous favori des dames de la ville. On y échangeait des cancans futiles et des informations vitales ce qui, bien souvent, revenait au même.

Avec son rayon pour hommes, sa caverne d'Ali Baba où s'amoncelaient les accessoires féminins, son pub, ses tables de backgammon et ses billards électriques, le grand salon — le parc d'attractions de Spider — devint ce substitut des grands magasins Bloomingdale, dont on regrettait tant l'absence à Beverley Hills : ce fut un terrain de jeux pour grandes personnes, un endroit pour se montrer, pour se cogner dans les gens, pour se sentir excité et tout à la fois apaisé par une telle profusion s'ajoutant à une telle abondance.

Les créations couture de Valentine l'absorbèrent bientôt au point que Billy dut engager deux acheteuses aguerries. Valentine put aussi se consacrer à sa tâche, qui ajoutait beaucoup au prestige de la maison. Elle conservait cependant les fonctions d'acheteuse en chef. Deux autres acheteurs, l'un pour les accessoires, l'autre pour les cadeaux, tournaient presque sans arrêt et l'on voyait leurs cargaisons venir de tous les coins du monde.

Et Spider? Spider supervisait le tout, depuis les vitrines et la cuisine jusqu'au parking et au dernier des entrepôts. Mais sa fonction essentielle restait celle d'arbitre des élégances. Il l'avait assumée dès la première semaine : jamais une femme ne quittait Scrupules sans que Spider n'eût apporouvé ses achats. Il était toujours là pour la minute de vérité. Son goût était absolument irréprochable. Sa tâche comprenait deux aspects : d'un côté, il lui fallait convaincre des hésitantes qu'elles étaient réellement superbes dans cette toilette, de l'autre, faire admettre à des femmes emballées qu'une chose qu'elles adoraient ne leur convenait point. Jamais n'entrait en jeu le souci de vendre. Il préférait de beaucoup laisser partir une cliente les mains vides que de la voir, une fois rentrée chez elle, regretter son achat, décider qu'elle s'était trompée.

S'il sentait chez une femme cette légère réserve, cette trace d'hésitation qui signale toujours qu'on s'accommode simplement de quelque chose, qu'on n'est pas vraiment enthousiaste, alors il utilisait toutes les ressources de son charme pour la dissuader d'acheter. Seules le contentaient vraiment ces ventes où la cliente s'enflammait au point de vouloir lui vendre, à lui, ce qu'elle achetait pour elle. Posément, il s'arrangeait toujours pour qu'elle renonçât au moins à une toilette dont elle raffolait. Ainsi, quand elle serait rentrée chez elle, l'impression vertueuse d'avoir sacrifié la seule chose qu'elle désirait vraiment, viendrait apaiser son remords d'avoir dépensé tant d'argent. Pour subir avec succès l'inspection de Spider, il fallait avoir choisi des vêtements qui vous convenaient parfaitement ; il fallait aussi montrer de la ferveur à leur égard et vibrer de ce genre de désir qu'on ne peut vous imposer d'éprouver. Car on ne peut tirer de plaisir d'un orgasme feint.

En dernière analyse, c'est à Spider surtout, c'est à ce contrôle étroit qu'il exerçait sur ce qu'il convenait de vendre et sur qui devait l'acheter, que Scrupules devait son triomphe. C'est grâce à lui que la maison devint, en moins d'un an, le plus rentable de tous les magasins de luxe de Beverly Hills. Des États-Unis. Du monde.

10

C'EST sur la personne de Maggie Mac Gregor que Spider inaugura ses fonctions d'arbitre du goût. Il ne devait pourtant jamais le lui dire et elle ne le soupçonna pas davantage.

Maggie préparait son show hebdomadaire avec l'assistance d'une équipe de journalistes éprouvés, qui assuraient une grande part des enquêtes préliminaires. Elle utilisait également d'innombrables contacts qui, à des postes clés, avaient accès aux secrets des impresarii et des studios de cinéma. C'est seule en revanche, sans l'aide d'un autre animateur, qu'elle conduisait son émission. Directe, impertinente, toujours aux lisières de la vulgarité sans jamais y verser, on ne voyait qu'elle à l'image quand les caméras se détournaient de la vedette interviewée. Mais cela seulement pendant quelques fractions de seconde : Maggie était assez fine mouche pour comprendre que son public n'en aurait pas supporté davantage, impatient qu'il était de savoir si l'on pouvait percer, sur le visage d'une star, les secrets de sa réussite. Si son émission fascinait, c'était bien en partie pour cela : on y avait l'occasion d'étudier très soigneusement, très longuement, le moindre pore de peau, le moindre cillement, le moindre trait du visage d'une vedette. Une vedette qui, pour une fois, ne récitait pas un texte, une vedette un instant chassée de son piédestal et livrée à la merci des questions de Maggie. Bien sûr, cette vision fugitive ne vous apprenait rien, absolument rien sur les mystérieuses raisons qui font qu'on devient une vedette ou non. L'essentiel était que le public fût convaincu d'accéder au cœur du réel, et qu'il pensât découvrir, derrière la star, l'être humain.

C'est dès sa sortie du collège que Shirley Silverstein avait officieusement rejoint le vaste clan des Mac Gregor. Plus précisément sitôt qu'elle se sut assez débrouillarde, opiniâtre et dynamique pour aller jusqu'au bout. Au bout de quoi? Sans doute du chemin qui menait à Beverly Hills, se disait-elle. Beverly Hills, cette Terre promise où Moïse aurait très bien pu — et même sans doute aurait dû — conduire son peuple si, la mer Rouge franchie, cet imbécile n'avait tourné à droite plutôt qu'à gauche. Quand Maggie décida de changer le nom de Shirley, elle modifia aussi le nez de Shirley. Elle lui fit également laisser en route les 15 kilos qu'elle avait en trop et d'un même mouvement, le destin anonyme qui lui était assigné. En revanche, elle ne tenta jamais d'enrober d'un vernis distingué la juive verdeur de son langage.

Telle une invasion annuelle de moutiques géants, les nouveaux diplômés des écoles de journalisme s'en viennent, à peine éclos, tourmenter le service du personnel des grands magazines de New York. Maggie parvint à franchir ce barrage à *Cosmopolitan* en sollicitant un poste de secrétaire, alors qu'elle avait bien l'intention de devenir assistante de rédaction.

La rédactrice en chef, Roberta Ashley, considéra ce petit bout de fille de vingt-deux ans, avec son visage de bébé candide et rond, encadré d'une chevelure noire qui menaçait d'engloutir ses grands yeux bruns. Puis elle lui demanda, de ce ton carré qui fait sa gloire et son charme :

— Prenez-vous en sténo ou seulement en abrégé?

— Méthode Pitman. Cent mots à la minute. Aussi vite que vous pouvez parler. Ne vous faites pas de souci, lui répondit-elle avec aplomb.

Comme elle était d'une nature très avisée, la rédactrice en chef commença aussitôt à s'inquiéter : combien de temps allait durer cette aubaine?

Elle dura un an et demi, un an et demi de travail merveilleusement efficace, que Maggie mit à profit pour absorber tout ce qu'elle pouvait apprendre sur la marche d'un magazine. Elle observait et retenait tout ce dont on pouvait parler dans les notes et les réunions qui se succédaient sans trêve.

Un matin de l'hiver 1973, Maggie eut vent qu'entre Londres et Los Angeles, Candice Bergen s'était arrêtée discrètement pour un jour à New York. Et avait, la veille, dîné avec Helen Brown et son producteur de mari, David Brown.

Cinq minutes après, Maggie l'appelait à son hôtel d'un endroit discret :

— Miss Bergen? Ici Maggie Mac Gregor de *Cosmo*... Helen m'a priée de vous appeler. Nous savons que c'est un peu à la dernière minute et Helen vous aurait contactée elle-même si elle n'était en réunion de rédaction. Alors voilà... on se demandait s'il ne serait pas possible de faire une interview rapide avant que vous ne partiez. Je sais bien que vous n'avez guère le temps... Pas le temps du tout? Alors écoutez, ce que je pourrais faire c'est venir vous prendre avec une limousine et vous conduire à l'aéroport. Je pourrais enregistrer quelques petites choses durant le trajet. Vous savez, la vie, l'amour, le rouge à lèvres, ce genre de trucs; Hmm. Magnifique! Helen va être ravie! Je suis dans le hall de votre hôtel d'ici une demi-heure.

L'avion décolla avec quatre heures de retard, la divine Candice était d'humeur à donner ses tripes et Maggie réalisa une interview si remarquable que Bobbie Ashley se consola presque de perdre une secrétaire de premier ordre. Ce fut l'une de ces très rares interviews de vedette qui, après avoir posé la question rituelle : « Qui est en réalité Candice Bergen? », entreprenait si bien d'y répondre que la lectrice avait non seulement le sentiment de la connaître, mais aussi l'impression qu'elle avait de l'affection pour elle.

Chaque mois, durant presque deux ans, les interviews de vedettes réalisées par Maggie brillèrent au firmament de *Cosmo*. Elles étaient toujours pleines de révélations spectaculaires. Et pour un acteur ou une actrice, cela devint le signe même de l'accès au vedettariat que de voir son âme exhibée par Maggie. Au même titre que d'être disséqué à vif par Oriana Fallaci quand on est une personnalité politique.

Les goûts réels de Maggie en matière de toilettes n'apparurent au grand jour qu'à l'époque où elle s'imposa à la télévision : le contrat qu'elle avait signé incluait toutes ses dépenses de garde-robe. Le producteur lui avait fait clairement entendre ce qu'il attendait d'elle : elle devait endosser un nouveau personnage et sembler faire vraiment, intimement partie des milieux de cinéma.

Ayant reçu carte blanche, avec l'obligation de ne jamais porter à l'écran deux fois la même toilette, Maggie put assouvir sa passion pour une mode très grand genre et compliquée. Le malheur voulait qu'elle fût bâtie comme les femmes de la maison royale d'Angleterre. Elle tâcha pourtant de faire de son mieux.

Lors de la première visite qu'elle fit à Scrupules, elle s'était achetée tout le nécessaire pour six semaines de télévision. Spider était occupé à donner ses instructions à l'étalagiste qu'il avait volé aux grands magasins Bloomingdale quand Rosel Korman vint à passer. Rosel, qui allait devenir la vendeuse attitrée de Maggie, ne peut s'empêcher de lui apprendre la nouvelle : elle était enivrée par l'importance de sa vente.

— A-t-elle déjà essayé quelque chose? demanda-t-il.

— Non, elle emporte tout avec elle.

— Quel salon?

— Le sept.

— Voulez-vous tout rapporter là-bas, je vous prie. Absolument tout ce qu'elle a choisi. N'emballez rien. O.K.?

Le regard ahuri de la vendeuse se perdit dans son dos. Bientôt, il frappait à la porte du salon d'essayage de Maggie.

— Etees-vous présentable?

— Pour le moment, oui.

— Je suis Spider Elliott, Miss Mac Gregor... le directeur de Scrupules.

— Salut et adieu, Spider, dit Maggie tout en l'étudiant avec le plus vif intérêt. Il y avait belle lurette qu'elle ne se laissait plus impressionner par les beaux mâles, mais elle était restée suffisamment femme pour entendre résonner à ses oreilles, à la vue de ce grand type merveilleusement bâti qui lui souriait sur le seuil de la porte, un « tilt » prometteur!...

— J'adore cet endroit, continua-t-elle, mais je dois m'en aller travailler, et le plus vite possible.

— Alors, nous allons faire ça aussi vite que possible, répondit Spider.

Au moment même, la vendeuse, lourdement chargée, faisait son entrée par la porte restée ouverte. Elle était suivie d'une magasinière. Toutes deux transportaient les vêtements choisis par Maggie. Il y en avait pour huit mille dollars.

— Faire *quoi*? Et pourquoi tous ces trucs ne sont-ils pas encore emballés? Il suffisait de les enfiler sur des cintres et de les mettre dans des housses en plastique! Merde alors!

— Ma politique, c'est de ne jamais vendre un article qui ne rende pas vraiment justice à la cliente. Cela fait partie de l'approche Scrupules.

Spider sortait le grand jeu. Sitôt qu'il avait entendu prononcer le nom de Maggie Mac Gregor, une inspiration l'avait traversé. Il la considérait depuis longtemps comme la présentatrice la plus mal fagotée qui fût. Sans très bien voir encore où ça le conduirait, il sentit qu'il était sur la piste de quelque chose.

Rosel et son aide déployèrent les achats de Maggie. Bientôt la chaise longue et les fauteuils furent recouverts d'un extravagant patchwork de tissus éclatants et pailletés. A cette époque, Yves Saint Laurent venait de lâcher la bride à ses luxuriants fantasmes russes. Tous les achats de Maggie appartenaient à ce style revu et corrigé par la Septième Avenue. Elle avait choisi tout ce qu'il y avait de plus richement incrusté, de plus luxueusement élaboré. La Grande Catherine n'aurait pas été dépaysée dans ses nouvelles toilettes. Non plus que Mae West... Le salon ressemblait au département des costumes du Metropolitan Museum après une explosion.

— Depuis quand l'Inquisition met-elle son nez chez les couturiers?

s'emporta Maggie. Personne n'a à me dire ce que je peux ou non acheter!

Elle était furieuse mais tout aussi stupéfaite. Comme beaucoup de puissants tout récemment parvenus au pouvoir, elle défendait férocement ses droits et privilèges. Elle voyait une menace dans tout ce qui risquait de la ramener à son état de dépendance envers autrui. Sans tenir le moindre compte de ce qu'elle venait de dire, Spider se mit à lui tourner autour. Il la reluquait comme un objet qu'il aurait à photographier. Elle ne devait guère dépasser 1,50 mètre, songea-t-il. En revanche, elle atteignait sans doute les 60 kilos, dont 7 au moins au niveau de la poitrine. Des angles? Pas un seul. Du volume? A revendre. Les yeux étrécis, les narines frémissantes comme celles d'un chien de chasse, il soliloquait, mais Maggie pouvait entendre le moindre de ses mots.

– Mouais... mouais... tout est là. Pas grande... n'a pas besoin de l'être... pas d'os apparents, parfait aussi... mais... les nichons, mouais... formidables... les épaules, géniales... le cou : pas mal... un peu court mais pas mal... moelleux... sexy... les yeux, épatants, la peau épatante, la taille... n'en parlons pas... on peut tricher... les hanches, les hanches... moins difficiles que les nichons... du bon matériau, de qualité... a juste besoin... besoin...

– Besoin de *quoi*, pour l'amour de Dieu?

– Besoin d'être mis en valeur, besoin d'être montré autrement, dit-il, toujours pour lui-même.

Vivement, il se tourna vers la vendeuse.

– Rosel, apportez-moi tout ce que vous avez en 38 d'élégant, d'amincissant, de simple et de flou.

La vendeuse se hâta de disparaître et Spider se retourna vers Maggie. Celle-ci balançait entre la colère et la fascination. Comme la plupart des gens, trop heureuse de captiver l'attention, elle était, à ce prix, toujours prête à se laisser analyser sans murmure. Spider interrompit enfin sa revue de détail et la fixa droit dans les yeux. C'était un regard à la fois intense et complice, mais sans la moindre trace de flirt ni d'intérêt mercantile.

– Tout se ramène à cette question : l'idée que vous vous faites de vous-même, Maggie, votre regard intérieur... Si vous vous habillez mal, c'est que vous vous percevez d'une façon incorrecte.

– Mal? Incorrecte?

– Attendez, je vais vous expliquer. C'est simple affaire de perspective.

Spider saisit Maggie par les épaules et la fit pivoter de telle sorte que leurs deux images fussent reflétées ensemble par le grand miroir à trois pans.

– Maintenant, regardez très attentivement, comme si vous étiez en train d'étudier un tableau. Avec quelqu'un près de vous dans la glace, vous pouvez vous faire une idée de ce à quoi vous ressemblez vraiment, comparée à d'autres gens. Quand on se regarde seul, on a tendance à se fixer sur les détails, jamais sur le tout. Maintenant, regardez bien, Maggie. Quelle est la première chose que vous voyez?

Elle garda le silence, parfaitement incapable de répondre.

— Petite, c'est bien ça... continua Spider, faisant les demandes et les réponses. Hyper-féminine. Jusqu'à la moelle des os! Un petit bout de femme bien dodu. C'est là-dessus qu'il nous faut jouer. Tout le monde n'a pas cette chance. Mais vous n'avez jamais accepté la réalité de votre apparence. Ce que vous venez de choisir, il faudrait une Margaux Hemingway pour le porter. Maintenant, regardez bien attentivement. Vous allez voir ce que je veux dire. Spider prit sur un fauteuil une somptueuse robe gitane en lamé or. Il la tint devant elle : « Voyez, vous êtes tout bonnement noyée. Vous avez disparu. »

Rosel venait de rentrer avec, sur le bras, un monceau de robes empilées. Parmi elles, Spider choisit un modèle de Holly Harp, en crêpe, et le drapa sur Maggie, faisant choir de ses épaules le simple tissu rouge, souple et fluide.

— Parfait! Maintenant, vous voilà de retour dans le tableau. On découvre l'essence de ce que vous êtes, Maggie, jolie et féminine Maggie! Une vraie fille bien vivante! Nous pouvons enfin concentrer notre attention sur vos yeux, sur votre peau, bref, ailleurs que sur votre robe.

— Mais le style gitan, c'est le nouveau truc à la mode! se lamenta Maggie. Le crêpe traîne partout depuis des années. Vous ne lisez donc pas *Vogue*? ajouta-t-elle d'un ton plaintif.

— Vous ne devez jamais essayer de suivre la mode, Maggie, dit Spider d'un ton sévère. Vous n'avez pas la taille qui convient — il s'en faut de vingt centimètres — et pas le corps qu'il faut non plus. C'est un corps épatant pour des tas de choses mais incapable d'enlever des vêtements trop voyants. Il y a forcément un style qui vous convient mieux que les autres et je vous aiderai à le découvrir. Puis ce sera à vous d'être logique avec vous-même et de ne plus en démordre. La mode n'est là que pour être interprétée en fonction de ce que vous êtes : le « Maggisme de Maggie », voilà ce que vous devez avoir en tête chaque fois que vous achetez quelque chose. Demandez-vous toujours : « Suis-je encore là ou bien ai-je disparu? » Jouez le mince, jouez le simple, jouez le souple, le facile à porter. Mettez l'accent sur vos yeux, sur votre peau. Alors, vous ne disparaîtrez plus jamais.

Maggie eut envie de pleurer. Non qu'elle regrettât cet amas de tissus criards, toutes ces toilettes pour bal costumé : elle comprenait bien maintenant qu'elles étaient exclues. Non, elle était troublée de voir Spider prendre tellement au sérieux sa personne, s'intéresser vraiment à son *moi*, à la femme Maggie et non simplement à la vedette de télévision : à cette Maggie qui était assez fine pour avoir toujours eu le pressentiment troublant, l'inquiétante sensation, que, peut-être, elle n'entendait pas un foutu mot à ces histoires de vêtements. Bref, à cette

Maggie accablée de flatteries, cette Maggie à qui personne ne disait vraiment, crûment à quoi elle ressemblait.

– Vous ne pouvez imaginer à quel point je déteste savoir que je me suis trompée! dit Maggie en signe de reddition tacite.

Spider ne lui laissa pas deviner sa jubilation. C'était la première fois qu'il formulait les idées un peu vagues qu'il avait au sujet de la mode. Maggie ne sut jamais, quant à elle, qu'elle avait été la toute première Galatée du Pygmalion Spider Elliott. Il y en eut des centaines d'autres.

« *Star fucker* », baiseur de stars... Maggie n'avait point appris cette expression à l'École de journalisme de l'université de Columbia. Et à *Cosmopolitan,* quand elle était encore simple secrétaire, elle ne l'avait entendue prononcer qu'une ou deux fois. Bien que l'une des vocations de *Cosmo* fut de militer pour une sexualité plus riche et plus libre, ses rédactrices, sur les indications d'Helen Gurley Brown, maniaient une langue pure jusqu'à la délicatesse. Comme l'avait dit un jour Mrs Brown : « Vous pouvez dire tout ce qui vous chante à condition de le dire comme ferait une lady. »

Baiseur de stars... expression qui peut s'appliquer à tant de gens. Ce peut-être ce chauffeur de taxi qui garde dans un coin de sa tête la liste de toutes les vedettes qui n'ont jamais eu la fortune de héler sa voiture. Ou bien ce coiffeur qui bâcle le coup de peigne d'une cliente fidèle, tout en lui racontant les prodiges qu'il accomplissait hier encore sur la personne d'une habituée, vedette des jeux télévisés. « Baiseur de stars », cet homme riche et puissant dont les murs du bureau sont tapissés de photos où on le voit en compagnie de toutes sortes de personnalités politiques; ou ce professeur de gymnastique qui s'éternise sur les lombaires nouées d'une starlette, tandis que des dizaines de simples citoyennes exaspérées attendent fébrilement qu'il daigne leur prêter attention.

Baiser des stars, c'est ce que font en réalité, sur un registre mineur, des millions d'Américains chaque fois qu'ils achètent un magazine de cinéma ou un numéro de *People*, chaque fois qu'ils écoutent Miss Rona ou qu'ils regardent Dinah ou Merv, chaque fois qu'ils se régalent d'une rubrique de potins ou dévorent une chronique mondaine. Baiser des stars, c'est, la plupart du temps, une manière inoffensive de se baigner dans la clarté des astres, de se poudrer d'un peu de poussière d'étoiles, de satisfaire, l'espace d'un instant, le besoin que nous avons tous de nous sentir dans le secret des dieux.

Pour Maggie Mac Gregor, en revanche, après huit mois consacrés à interviewer des vedettes pour *Cosmo*, l'expression avait un sens nettement plus prosaïque. Baiser des stars signifiait « baiser avec des stars », de la façon la plus simple et la plus directe. C'est-à-dire avoir des rapports sexuels avec des acteurs célèbres.

C'était une collectionneuse. Que ce fût bon, mauvais ou insipide, voilà qui bientôt ne compta plus à ses yeux : seul importait vraiment, pour Maggie Mac Gregor, le fait d'avoir couché avec des célébrités, des hommes dont le nom était dans toutes les bouches. Elle s'envoyait en l'air avec la Gloire. Il lui suffisait de se trouver seule en compagnie d'une vedette pour être au bord de l'orgasme. Son partenaire n'était alors guère en peine de la faire jouir. Il lui suffisait de voir au-dessus d'elle, au-dessous d'elle ou bien à ses côtés, ce visage célèbre, ce corps fameux *qui la baisait*, oui, elle, Maggie Mac Gregor, qui n'était pas une star. Le sexe prenait alors une dimension nouvelle. Tout l'érotisme de la situation résidait dans la célébrité de son amant, célébrité qu'elle partageait le temps d'une baise.

Maggie apprit à trouver normal que ses aventures se limitent à une interview. Au début, elle avait cru que cela pourrait continuer dans la vie, puis elle avait compris qu'un acteur se souciait fort peu d'avoir une liaison de plus avec une journaliste, sauf dans ces moments où elle préparait sur lui un article : l'interview achevée, elle tombait dans la catégorie des fans surexcités. Elle n'était plus qu'une fille mignonne, certes, mais qu'on ne saurait prendre au sérieux. Chaque mois, c'était un nouveau reportage et une nouvelle pièce à son tableau, un nouveau trophée pour sa collection. Bien sûr elle était juive et venait d'une petite ville où on l'avait élevée dans le système de valeurs étriqué des Juifs des petites villes. Mais ces valeurs, de telles liaisons ne lui semblaient jamais les enfreindre. Elles n'avaient rien à faire avec l'amour, l'engagement ni l'attachement. C'était juste l'un des petits à-côtés qu'elle pouvait tirer de son talent. Pourtant, elle en restait, d'une certaine façon, insatisfaite, mais pas au point d'y renoncer. Son trouble n'avait rien à faire avec la morale ni aucune mesquinerie de ce genre. Ni même avec son intime conviction qu'il s'agissait là d'un jeu, d'une chose superficielle et facile — ah, ces expressions de collège, ces mots fatidiques qu'elle croyait avoir oubliés depuis longtemps ! Mais enfin, quelque chose n'allait pas, indéniablement.

Il lui fallut interviewer Vito Orsini pour saisir enfin de quoi il s'agissait.

Vito Orsini fut son premier producteur de cinéma. L'idée que Maggie se faisait des producteurs était vague. En fait, elle suivait à cet égard la sagesse des nations : il n'y avait plus de grands producteurs depuis Thalberg — à moins que ce ne fût Louis B. Mayer ou Selznick ? Mais peu importe, tout le monde savait bien que les producteurs avaient fait leur temps depuis belle lurette. Les gens qui s'intitulaient désormais producteurs devaient être des sortes d'imprésarios qui vous ficelaient ensemble une vedette, un scénariste et un réalisateur avant de céder le lot à un studio quelconque. Ou bien encore, c'était des employés des studios dont la tâche principale était d'assurer la liaison entre leurs dirigeants et le réalisateur. Rien de plus qu'un intermédiaire. Le réalisateur et le scénariste étaient les maîtres absolus du film, à eux revenait tout le mérite. Ces types entre deux âges, ces individus anonymes qui allaient en général par paire, et qui montaient sur le podium le soir des Oscars pour recevoir le prix du meilleur film, qui étaient-ce au juste? Des producteurs, des gens du studio ou quoi? Non que cela lui importât le moins du monde : les producteurs étaient des gens d'affaire, non des stars. Ah, bien sûr, Bob Evans était un producteur et une star à la fois, mais son cas était particulier : on le voyait à l'écran.

Cette sagesse des nations (ou plutôt, cette ignorance des nations) qu'acceptait si volontiers Maggie, reflétait pourtant, comme il arrive souvent, une certaine part de vérité.

Dans le cas de Vito Orsini en revanche, elle s'égarait totalement. Il était en effet de cette poignée de producteurs qui agissent comme une colle miracle : toutes les facettes d'un film, ce sont eux qui les font tenir ensemble. De nos jours, on voit bien peu de ces hommes prospérer à Hollywood non plus qu'en Angleterre, en France ou en Italie. Il est pourtant permis de penser que leur race ne s'éteindra jamais totalement. Rien ne peut en effet remplacer de tels personnages, qui président à la naissance d'un film depuis la germination de l'idée jusqu'au moment où les files d'attente commencent à se former devant les salles.

Vito Orsini était un producteur passionné. Une fois qu'il avait adopté un projet — idée originale, adaptation d'un roman ou mise en œuvre d'un synopsis —, sa première tâche était de réunir l'argent nécessaire au financement du film. Une fois coulées ces indispensables fondations, il pouvait tourner une bonne part de son attention vers le scénario. Il discutait toutes les retouches avec le ou les auteurs et jouait un rôle essentiel dans sa mise en forme définitive. Souvent il prenait un risque personnel, avançant de ses deniers pour payer les scénaristes ou prendre une option sur leur texte, avant même d'avoir trouvé le moyen définitif de financer le film. Vito Orsini recrutait lui-même le réalisateur puis, avec l'aide de celui-ci, il choisissait les acteurs. C'est lui qui engageait les techniciens importants, lui qui sélectionnait des lieux de tournage. Bref, il contrôlait tous les aspects du film jusqu'au début de la réalisation. Parvenu à ce point, il avait donné au moins un an de sa vie active au projet. A la différence de certains producteurs particulièrement en veine, des gens qui — tel Joe Levine — étaient parvenus à mettre leur signature sur des centaines de films, Vito ne déléguait jamais ses responsabilités. Il n'abandonnait point à des salariés grassement payés le droit d'imprimer sa marque aux films qu'il produisait. Ce n'était pas la bonne affaire qui l'intéressait au premier chef, mais le bon film. Stanley Kubrick a produit onze films en vingt-deux ans. Carlo Ponti, plus de trois cents en moins de quarante-huit ans. Il y a producteurs et producteurs.

Entre 1960 et 1977, entre l'année de son premier succès — il avait alors vingt-cinq ans — et celle de son mariage avec Billy Ikehorn, Vito

Orsini produisit, quant à lui, quelque vingt-trois films. C'est qu'il lui arrivait de travailler sur trois films à la fois : l'un n'était qu'à l'état de projet quand l'autre était en cours de tournage et le troisième parvenu au stade de la postproduction.

Vito Orsini travaillait si souvent en Europe que bien des gens le croyaient Italien. En fait, il était né aux États-Unis. Son père était un ancien bijoutier florentin : Benvenuto Bologna avait émigré aux États-Unis bien avant la naissance de son fils. Il eut tôt fait de comprendre le désagrément qu'il y avait à porter le nom d'une sauce pour spaghettis. Aussi le troqua-t-il pour celui, plus noble, d'Orsini, comme tant d'Italiens l'ont fait pour des motifs aussi minces. Benvenuto amassa une jolie fortune dans le négoce de l'argenterie et put élever sa famille dans un secteur prospère du Bronx, appelé Riverdale, où il avait pour voisin le maestro Toscanini. En 1950, impressionnable comme on l'est à quinze ans, Vito découvrit son premier film italien. Il s'agissait de ***Riz amer***, produit par Dino de Laurentiis. Vito fut aussitôt conquis par ce cinéma italien d'après guerre, si poignant et bouleversant, si neuf. Ses héros s'appelèrent De Laurentiis, Fellini, Carlo Ponti. Il s'en alla suivre les cours de cinéma de l'université de Californie. Son diplôme obtenu, alors que ses camarades s'efforçaient de trouver des emplois dans l'antichambre des studios Universal ou Columbia, Vito partit pour Rome. Là, il travailla comme accessoiriste, figurant, cascadeur, scénariste, assistant réalisateur, responsable d'unité de production enfin, avant de produire le premier de ses films. Il avait vingt-cinq ans. Son succès ne tint pas seulement à sa passion mais à l'intelligence, à la vivacité qu'il mettait à son service, à l'énergie et au talent qui la nourrissaient. Son premier film appartenait à ce genre qu'on désigna plus tard sous le nom de « Westerns Spaghetti ». Il fit de l'argent, de même que les trois suivants, des œuvres très commerciales elles aussi, dénuées de toute espèce de prétention. En 1965, enfin, alors qu'il atteignait sa trentième année, il disposa de références assez solides pour trouver l'argent nécessaire au genre de films qu'il avait toujours voulu faire. Après quoi, il ne revint plus en arrière.

Quand ses films entraient dans la phase du tournage, Vito devait, à contrecœur, relâcher les rênes de la production. Il fallait bien qu'il laissât la bride au réalisateur : dès l'instant où la caméra commençait à bourdonner, le film devenait, pour l'essentiel, la chose du metteur en scène. Il tentait de s'obliger, en vain la plupart du temps, à ne visiter le plateau que deux fois par jour. Il se sentait pareil à une mère qui ne pourrait approcher de son bébé élevé par une nourrice. Sur le plateau, on le voyait rôder, à l'habitude, dans l'ombre du metteur en scène. Il se tenait à six mètres de lui, par délicatesse, et légèrement de côté. Il étudiait tout ce que le réalisateur cadrait dans sa focale, mais d'assez loin cependant pour observer le comportement des acteurs qui n'étaient pas sur cette prise et surveiller les figurants. Pourquoi cette fille lisait-elle un magazine alors qu'elle était dans la prochaine mise en place? Qui était donc ce machino qui faisait tant de bruit en mâchant son chewing-gum? Cet assistant électro ne pouvait-il attendre un peu pour aller pisser? Les gens qui ne toléraient pas ses remontrances ne retravaillaient jamais pour lui. Nombreux pourtant ceux qui admiraient assez son perfectionnisme pour supporter de bonne grâce cet homme qu'on surnommait la « Mamma ». Quand il n'était pas sur le plateau d'un de ses films, c'est qu'on l'y attendait d'un moment à l'autre ou qu'il était pour quelque temps en conférence, qu'on ne pouvait le déranger pendant cinq minutes, qu'il serait à vous dès qu'il en aurait fini ou bien encore qu'il avait dû s'en aller mais reviendrait très vite. Invariablement, tel un monarque, il était toujours là où il était censé se trouver et se montrait ponctuel à tous ses rendez-vous. Beaucoup soupçonnaient qu'il y eût deux Vito Orsini.

Un producteur amoureux de son métier consacre ses soirées à visionner les rushes du film en tournage et le bout-à-bout des rushes des jours précédents. Dans la journée, quand il n'est pas sur le plateau, c'est qu'il est dehors, à réunir l'argent des films à venir, ou bien à suivre son film dans la fièvre de la postproduction, ou encore à participer aux séances de montage, à dénicher la musique adéquate. Il est partout à la fois, au montage, au doublage, au mixage. Il préside aux destinées du film jusqu'au moment où le lancement de la campagne publicitaire est achevé.

Il suit aussi de près les rentrées du film et peut même aller jusqu'à vérifier les comptes du distributeur pour s'assurer qu'il reçoit bien son pourcentage. Il va de soi qu'il conclut également des marchés pour vendre ses films au Koweït, en Argentine et en Suède. Avant d'aller se coucher, il peut lui arriver encore de donner une demi-douzaine de coups de téléphone aux directeurs des salles où son tout dernier film est projeté et s'informer des recettes. C'est une existence plus que remplie, avec beaucoup d'instants d'ivresse, et bien des moments d'abattement. Une vie que seul peut choisir de mener un homme passionné jusqu'à l'obsession.

A l'automne 1974, quand on demanda pour la première fois à Maggie d'interviewer Vito Orsini, celui-ci était sur un tournage à Rome, à deux semaines de l'achèvement d'un film dont les vedettes étaient Jeanne Moreau et Jean-Paul Belmondo. L'idée de découvrir l'Europe l'excitait assez pour lui faire oublier sa déception de ne point rencontrer, plutôt qu'Orsini, Belmondo, dont elle avait toujours été folle. Le magazine avait réservé pour elle au modeste hôtel Savoia, sur la via Veneto. Le Savoia est à un demi-bloc de l'Excelsior, ce fameux quartier général des gens de cinéma mais, côté prix, il revient seulement au quart de ce dernier : dans le groupe Hearst, on a toujours pratiqué, à l'égard des notes de frais, une politique plutôt conservatrice...

Avant d'interviewer une vedette, Maggie ne manquait jamais d'aller consulter les périodiques récents à la Bibliothèque municipale de New York. Elle y trouvait tous les ingrédients nécessaires pour concocter des questions pénétrantes et diaboliquement insolites. Mais pour l'interview d'un producteur, se lancer dans une telle expédition, avec toute la gêne et la perte de temps qu'elle représentait, sans parler des recherches dans des collections où manquait invariablement le numéro le plus important... non, vraiment, le jeu n'en valait pas la chandelle. Elle avait vu les deux derniers films d'Orsini — qui tous deux avaient fait le régal des critiques : cela lui parut suffire comme entrée en matière.

La suite d'Orsini à l'Excelsior répondait parfaitement à ce qu'elle pensait trouver. C'était un endroit impressionnant, avec un décor luxuriant, des téléphones qui sonnaient, des telex qu'on apportait, deux secrétaires qui tapaient et une foule de gens qui attendaient dans tous les coins et passaient des commandes au service d'étage en affichant toutes les nuances de l'inquiétude ou du désespoir. Maggie comprit que ce serait un bide. Comment interviewer quelqu'un qui, d'abord, ne vous intéresse pas vraiment et qui, de plus, vit au cœur d'une tornade? Pour avoir un bon contact il lui fallait nouer une conversation intime, dans des circonstances intimes. Pourtant, à l'instant prévu, l'une des secrétaires l'introduisit dans le sanctuaire d'Orsini, qui était le plus petit des trois salons de sa suite.

Quand elle posa ses yeux sur Vito Orsini, l'idée l'effleura pour la première fois que la sagesse des nations pouvait être prise en défaut. Au moins en ce qui concerne les producteurs. Il répondait pourtant au personnage à certains égards : le costume fait sur mesures chez Brioni, la coupe de cheveux très évidemment italienne, la montre de Bulgari, les chaussures de cuir fin excessivement cirées. Mais où était le gros mec pourvu d'un cigare? Où encore le petit homme un peu chauve avec un drôle d'accent? Elle pensait bien que Vito Orsini aurait l'air d'un Italien mais pas à la façon d'un noble César. Le visage de Maggie s'éclaira considérablement.

— Bienvenue à Rome, Miss Mac Gregor.

Mieux encore : il parlait l'anglais sans accent et faisait le baisemain comme personne.

— Bonté divine, dit Maggie, je pensais que vous seriez beaucoup plus vieux.

Elle se faisait une spécialité de ce genre de remarques volontairement maladroites.

— Trente-huit ans, dit Vito.

Il la gratifia d'un sourire où l'on pouvait lire clairement que, aussi délicieuse que fût sa jeunesse à elle, lui-même n'était pas encore si vieux. Ce sourire semblait venir de plus loin que ses yeux et *traverser* son regard. Il avait le nez hardi d'un proconsul et la peau uniformément bronzée. Toute sa personne semblait rayonner. Il avait l'autorité physique d'un grand chef d'orchestre.

— Dites-moi, demanda Maggie, toujours de sa façon la plus ingénue, que fait au juste un producteur de cinéma?

Elle s'était convaincue que marquer son ignorance, dans ce cas, ne serait pas seulement judicieux mais singulièrement approprié : une telle attitude pourrait conduire l'homme à lui faire des confidences qu'ensuite il regretterait toute sa vie. Elle obtenait toujours ainsi ses meilleures interviews.

— Je bénis le ciel que vous m'ayez posé cette question, dit Vito. Vous n'avez aucune idée du nombre de gens qui m'ont interviewé sans savoir vraiment — ni même vaguement — ce que je fais. Ils sont trop paresseux pour se soucier de l'apprendre. Je vais tout vous raconter. Mais pas maintenant... je dois me trouver au studio dans un quart d'heure. Dînons ensemble ce soir. Nous pourrions alors causer.

C'était aussi facile que d'ôter sa sucette à un bébé, songea Maggie en acquiesçant de la tête.

— Je passe vous prendre à 8 heures et je vous emmène dans l'un de mes endroits favoris. D'ici là, n'oubliez pas que Gucci est aussi cher ici qu'à New York. Tâchez de garder la tête froide...

Les producteurs qui parviennent à survivre dans ce métier ont forcément acquis un sixième sens particulièrement développé.

Ce soir-là, à l'Hostaria dell'Orso, Maggie n'eut pas besoin d'ouvrir son sac à malices, de recourir à tous ses trucs d'intervieweuse : ce talent de trouver tout de suite la veine jugulaire, cet art de poser la mauvaise question pour obtenir la bonne réponse, de se livrer juste assez pour désarmer les soupçons, de ne se montrer jamais trop déférente ni familière. Elle n'eut rien d'autre à faire qu'écouter.

Vito parla sans arrêt durant trois heures, après quoi il assura n'avoir fait qu'effleurer le sujet.

— Vito, s'il vous plaît, je ne veux rien entendre de plus. Je n'ai plus de bande et j'ai la crampe de l'écrivain. J'en sais beaucoup plus qu'aucune personne sensée ne serait disposée à en lire...

— C'est toujours comme ça avec moi. Il ne faut surtout jamais rien me demander. Personne ne vous a donc prévenu à mon sujet?

— Personne ne m'a rien expliqué au sujet de quoi que ce fût. On m'a juste dit de prendre un avion et de venir parler avec vous.

— Et si nous rentrions à mon hôtel pour parler de vous?

— J'ai cru que vous ne me le demanderiez jamais.

Et c'est grâce à Vito que Maggie comprit pourquoi, jusqu'à présent, « baiser avec des stars » n'avait pas été le pied : tout simplement baiser avec des stars, ce n'était pas faire l'amour. Vito était un grand romantique : quand elle se mit au lit avec lui, Maggie sentit brusquement que c'était elle, la grande vedette! Elle sut, pour la première fois, que sa poitrine opulente, son derrière voluptueux pouvaient constituer de prodigieux avantages, dès lors qu'on ne prenait plus pour critère l'idéal américain. Elle apprit qu'il y avait en ce monde un homme célèbre qui ne croyait pas lui accorder une faveur en lui offrant de faire connaissance avec sa queue.

Au printemps 1975, six mois après avoir quitté Rome, Maggie apprit que Vito produisait un nouveau film, *Slow Boat*, dont l'action se situait au Mexique. La vedette masculine, Ben Lowell, faisait partie des cinq acteurs les plus populaires aux États-Unis. C'était un spécialiste des emplois costauds et les hommes l'admiraient autant que les femmes. Le grand rôle féminin était tenu par une brillante actrice anglaise, la fameuse Mary Hanes. Mary Hanes avait la réputation d'être une diablesse au lit et aussi de posséder la langue la plus acérée, venimeuse et spirituelle de tout ce qui restait de l'Empire britannique.

Maggie persuada ses patronnes à *Cosmo* que le moment était bien choisi d'interviewer Ben Lowell, le plus 100 pour cent Américain de tous les acteurs, en un temps où les acteurs 100 pour cent américains se faisaient plutôt rares. Mais sa véritable raison d'aller sur ce tournage mexicain, réputé pour sa chaleur, son inconfort et sa mauvaise nourriture, c'était, bien sûr, de revoir Vito.

Maggie fut le seul membre de la presse à oser se risquer dans ces lieux. Joe Hyams, Jane Howard, Laura Cunningham et une douzaine d'autres signatures de moindre poids avaient poliment décliné l'invitation à connaître les affres d'un long voyage en charter pour se retrouver dans ce village de pêcheurs pourri dont les seuls attraits étaient une mer obstinément lisse et une ambiance sordide authentiquement tropicale. Il y avait d'autres propositions plus agréables. Il y en avait toujours...

Vito serra Maggie dans ses bras dès qu'elle parvint à s'extraire du petit avion immobilisé sur la piste mal entretenue.

— Comment va le film? souffla Maggie avant même de lui dire bonjour.

— C'est un tocard.

— Qu'est-ce qui peut te faire penser ça?

— Je respire l'odeur du sang dans la mer.

— Que veux-tu dire?

— Je ne peux pas t'expliquer au juste — il y a sans doute beaucoup de raisons mais je n'en connais encore que quelques-unes, répondit Vito. Il reste que je respire l'odeur du sang, Maggie, ça je peux te l'assurer.

Après une journée passée sur le plateau, où elle s'était contentée d'observer et de prendre des notes dans sa tête comme elle faisait toujours avant ses interviews, Maggie se sentit plus déroutée que jamais depuis le début de sa carrière.

Elle était accoutumée à la sage lenteur des tournages. Mais ce jour-là, sur le plateau de *Slow Boat*, il régnait une tension tout à fait inhabituelle. Rien qu'à flâner, elle se sentit prise d'angoisse. Pourtant elle avait appris à contempler avec détachement les prises de bec qui sont monnaie courante sur les plateaux de cinéma : d'une certaine façon, c'était de l'eau à son moulin, autant de choses bonnes à prendre et rien d'autre : tout comme un reporter chargé de couvrir un accident ne se sent nullement concerné par celui-ci.

De retour au motel, Maggie se mit en robe de chambre et courut chez Vito se blottir avec lui dans son lit.

– Si je ne t'aimais tant, Vito, je partirais demain, Ben Lowell ou pas. Mais je t'aime vraiment beaucoup, beaucoup... alors dis-moi donc ce qui se passe ici, bordel !

– Maggie, connais-tu le vieux dicton : « Quand les poissons commencent à puer, c'est toujours par la tête » ? Ce projet va mal depuis le premier jour. Comme pour le film d'avant, j'ai eu tant de peine à réunir l'argent qu'il m'a fallu renoncer à mes honoraires jusqu'à l'apparition des bénéfices. Le film avec Belmondo a fait un bide complet. Je suis sur la paille, Maggie.

Sur la paille ? Elle le regarda, superbe dans son pyjama de soie, sa robe de chambre en soie à monogramme...

– Je n'aurais jamais cru.

– Personne n'y croit jamais. C'est un secret du syndicat des producteurs. Nous sommes tous des joueurs – pire encore que des turfistes. C'est pourquoi nous n'avons pas vraiment de syndicat : nous avons bien trop peur que ça s'ébruite un jour.

– Oh Vito, mon chéri ! Tout va marcher très bien. Avec Ben Lowell et Mary Hanes... tu ne peux pas perdre. Une telle sensualité animale étalée sur l'écran... A eux deux, ils valent les six créatures les plus érotiques de la terre ! Tout le monde crève d'envie d'aller voir une vraiment belle histoire d'amour. Vito, je suis sûre que ça va casser la baraque.

Maggie l'enveloppa dans ses bras, le serra du plus fort qu'elle put.

– Que Dieu t'entende, répondit Vito, utilisant ainsi l'expression préférée de la mère de Maggie.

Moins d'une demi-heure après, Maggie fut prise d'une telle cliche – la fameuse « turista » sans doute – qu'elle ne put faire rien d'autre que courir se réfugier dans sa chambre. Encore n'avait-elle absorbé que la nourriture de l'intendance. Mais, au Mexique...

Il y eut un autre accident au cours de ces vingt-quatre heures de supplices et celui-là ne pouvait se réparer à l'Intétrix. Cette nuit-là, la doublure de Ben Lowell, un bel et jeune acteur du nom de Harry Brown, trébucha sur une poubelle dans le passage obscur qui courait derrière le motel. Il tomba et sa tête heurta un fragment de béton, si bien qu'il perdit connaissance et saigna à mort avant d'être découvert. Tandis que le médecin de la compagnie rédigeait le certificat de décès, Ben Lowell parlait à Vito.

— Bon Dieu... je connaissais ce gosse depuis des années. Je n'arrive pas à y croire. C'est affreux ! Il m'a doublé dans mes trois derniers films. Il n'a personne au monde... Avant son arrivée à Hollywood, c'était un paumé complet. Je lui ai procuré ce job il y a deux ans... Le gosse venait tout le temps rôder dans le coin, il voulait devenir acteur mais il n'avait aucun talent. Pauvre gosse. Pauvre Harry. Seigneur... Il avait grandi dans je ne sais quelle foutue ferme au diable mais il ne m'a jamais dit où ça se trouvait. Il faut s'occuper des obsèques, Vito, et vite. Nous sommes dans un pays chaud.

— Je crois qu'il serait préférable de renvoyer son corps à Los Angeles, Ben. Le studio n'aura plus qu'à ajouter ces frais à nos dépassements.

— Écoute-moi, Vito, le gosse aurait voulu être balancé dans la mer. C'est un truc dont je suis complètement sûr. Harry était affreusement paniqué à l'idée de... d'être incinéré ou enterré. *Je dois vraiment insister, Vito.*

L'acteur était réellement secoué, mais Vito n'arrivait pas à saisir la nature de son émotion. Ce n'était pas du chagrin ni la fureur d'être contredit. Il répéta, d'une voix soudain aiguë, violente : « Je dois insister ! » Alors Vito comprit ce qu'il ressentait. C'était de la peur.

— Vito, je ne pourrai jamais finir ce film s'il n'est pas mis à la mer. Je serai trop malade de le savoir enterré alors qu'il avait horreur de cette idée. Trop malade pour travailler...

De la peur *et* du chantage.

— O.K., dit Vito, je m'en occupe.

Le soleil n'était pas couché que Harry Brown s'enfonçait doucement sous les eaux.

Vito avait trop investi dans l'achèvement de *Slow Boat* pour ne pas céder au chantage de Ben Lowell. Il avait pour cela une raison décisive, dont il ne s'était pas ouvert à Maggie : après les mauvaises performances de ses deux derniers films, il avait dû fournir une caution, pour garantir l'achèvement de celui-ci. Afin de la réunir, il lui avait fallu vendre sa maison des environs de Rome et sa collection de lithographies. Il l'avait fait en connaissance de cause. Un producteur doit avoir confiance en son jugement. Même si cela implique qu'il doit risquer tout ce qu'il possède pour réunir l'argent nécessaire à l'achèvement du film.

Mais il devait absolument découvrir pour quelle raison on venait ainsi de le faire chanter. Ce film était en train de lui glisser des mains.

Le lendemain des funérailles de Harry Brown, le réalisateur passa toute la journée à faire et refaire une scène clé entre Ben Lowell et Mary Hanes. Avant même d'avoir vu les rushes, Vito sut que les éléments d'un bon film n'étaient pas réunis. Il avait passé la journée sur le plateau à regarder de tous ses yeux, sans se soucier de l'exaspération du metteur en scène. Il put ainsi remarquer plusieurs petites choses dont aucune n'avait, en elle-même, rien d'extraordinaire. Mais cela suffisait à son sixième sens, à son instinct de flambeur. Il en savait assez — assez de *quoi*, il n'aurait pu le dire — mais assez pour pousser une pointe ce soir-là, après dîner, jusqu'à la chambre de Mary Hanes.

Vito la trouva vêtue d'un slip de bikini et d'une sorte de brassière transparente qu'elle avait confectionnée à l'aide d'une de ses grandes écharpes de mousseline rouge. En dépit de sa minceur, elle avait une étrange présence charnelle. Chaque fois qu'il se trouvait seul avec elle, Vito avait l'impression d'entrer dans la cage aux fauves. Il y avait véritablement, chez cette jolie fille aux traits angéliques, quelque chose de funeste, de dangereux. C'est d'ailleurs grâce à ce singulier mélange qu'elle était devenue une star.

— Tiens, tiens... notre satané producteur en personne... Ou bien devrais-je dire : notre satané croque-mort ?

Elle était vautrée sur son lit défait. La chambre empestait la marijuana.

— Depuis quand fumes-tu ?

— Oh ça ? Depuis hier, je crois bien. Je n'en avais pas apporté avec moi. J'en ai eu un peu par ce charlatan que tu as fait venir de Mexico. Cent dollars... Et ce fils de pute ne m'a donné que vingt joints... Mais c'est de la bonne marchandise. Tu veux une taffe ? Viens par ici...

Vito prit une petite bouffée, serrant légèrement entre ses dents l'extrémité du joint pour empêcher la fumée d'atteindre sa gorge. Il comprit que Mary Hanes était complètement partie. Pourtant, comme tant de fumeurs d'herbe, elle était trop agitée pour pouvoir s'arrêter de parler.

— Tu t'y es donc mis après l'accident de Harry ? lui demanda calmement Vito. Je comprends... Quelle tristesse ! Un gosse si jeune, si beau. Une triste et stupide façon de mourir... Tu le trouvais *simpatico* ?

— *Simpatico ?* Pourquoi ces foutus mots italiens, Vito ? *Simpatico,* ce sacré plante-à-sec ? Il suçait la bite à Ben... Ben n'aurait jamais voulu faire un film sans le gosse dans les parages... Doublure ! Il avait plus de talent avec sa bouche que nulle part ailleurs... une langue qui pouvait te rendre dingo... il aurait fait n'importe quoi pour un dollar. *Simpatico !*

Elle parut méditer amèrement sur ce qu'elle venait de dire.

— Un autre whisky, Vito.

Elle tendit son verre. Dans sa culotte mini, sa brassière qui laissait tout deviner, et défoncée comme elle l'était, Mary Hanes continuait de paraître aussi innocente qu'un chérubin au plafond d'une petite église romane.

— Plante-à-sec?

Vito savait bien ce que ces mots signifiaient. Mais elle? Dans son état?

Elle le regarda avec dédain.

— Oh! le bébé en sucre... Le bébé à sa maman... Viens voir sa maman.

Elle lui saisit les mains, l'attira vers elle, guidant ses doigts sur son corps ferme et flexible, les glissant entre ses jambes.

— Même ce répugnant petit rien du tout voulait Mary, même cette petite pute, ce beau tas de chair fraîche. Ils veulent tous Mary. Et je le voulais de mon côté. Et Ben le savait — la maudite pédale... Il ne le perdait jamais de vue, cette foutue salope, il voulait le bel Harry tout à lui — et maintenant, le voilà baisé jusqu'à la moelle... bien fait pour lui, cet assassin de merde... qui va lui sucer la bite, désormais?

— Harry est tombé, Mary...

— Harry est tombé? Tu crois ça aussi? Tombé... Comment le gosse aurait-il pu tomber alors qu'il était en train de me baiser?

Elle eut un rire brusque. Une sorte de bruit mouillé, désagréable.

— Si tu avais vu la tête de Ben quand il a ouvert la porte... J'avais gagné, Vito, et il le savait... J'avais gagné.

— Alors? dit Vito, impassible.

— Alors, il l'a assommé, pauvre cul, avec la crosse de ce revolver qu'il trimballe partout... Tu savais pas ça, hein? Et puis il l'a traîné dehors... Et puis c'est tout.

— Il l'a laissé saigner à mort?

— C'est vrai... c'est bien trop vrai... bien, bien trop vrai... Mort et enterré comme un cafard aplati... comme un rat... loin, loin sous la mer. Oh! Vito, aide-moi! Je continue de le voir!

Vito alla chercher une bouteille d'eau minérale et le flacon de Valium sur la commode. Il fit prendre trois comprimés à la fille éperdue. C'était le seul procédé qu'il connût pour l'aider à redescendre sans dégât. Quelques heures plus tard, elle sombra enfin dans l'inconscience et se mit à ronfler. Alors il quitta sa chambre, non sans avoir réveillé son habilleuse et lui avoir fait jurer de rester auprès d'elle jusqu'au matin.

Ce fut Maggie qui trouva ce qu'il fallait faire. Quand Vito avait regagné sa chambre à l'aube en titubant de fatigue, il l'avait trouvée debout, guérie de ses maux d'estomac et inquiète de son absence. Vito avait appris que, dans l'industrie du cinéma, il ne faut jamais faire confiance à personne. Il aurait fort bien pu ne rien dire à Maggie de ce qu'il venait d'apprendre. Mais il avait aussi compris ceci : à supposer même que Mary Hanes parvînt à tenir sa langue jusqu'à la fin du tournage, elle rentrerait ensuite à Londres et, vu son absence totale de contrôle sur elle-même, quelques jours suffiraient pour que des rumeurs se missent à circuler et même que toute l'histoire fût déballée dans la presse internationale.

Quand il eut terminé son récit, Maggie resta un moment silencieuse. Puis elle laissa tomber : « Ah, les acteurs... »

– Voilà un commentaire dans la grande tradition de Hollywood.

Vito, qui n'avait plus rien à perdre, s'aperçut qu'il pouvait encore se sentir amusé.

– Tais-toi, mon chéri, laisse-moi réfléchir.

A bout de fatigue, Vito s'effondra sur le lit et sombra dans un sommeil léger, tandis que Maggie sortait son bloc et son crayon. Elle se mit à prendre des notes. Plusieurs fois, elle ratura, recommença. Une heure après, elle le réveillait :

– Écoute un peu ce qui s'est passé hier. Ben Lowell a tiré Mary Hanes des griffes d'un violeur. C'est un héros. Quant à elle, c'est une victime innocente. Ça te plaît?

– C'est épatant. C'est parfait... A ce détail près, c'est que tu es complètement folle.

– Ma mère elle-même me connaît mieux que ça. Vito, tu ne fais pas assez marcher ton imagination. Tout colle au poil, il suffit d'arranger un peu les détails. Maintenant, écoute-moi bien : Harry Brown est un très sale type, il s'est mis à embêter Mary Hanes depuis le jour de son arrivée ici. Il la terrorisait, elle en a parlé à Ben. La nuit dernière, alors que Ben passait devant la porte de Mary, il l'a entendue appeler au secours. Brown était sur elle, en train de la violer. Elle luttait pour se dégager, désespérément. Ben a empoigné le type qui, bien sûr, s'est défendu. Alors Ben a été obligé de le frapper. Il est tombé, il s'est cogné la tête sur le coin de la commode. On arrive maintenant au plus important : ils l'ont ranimé et il était encore très ivre mais complètement radouci. Il est sorti vivant de la pièce. Ben est resté pour réconforter Mary, puis il est parti à son tour. Ce n'est qu'au matin qu'on a retrouvé Brown. Il était sans doute un peu étourdi. Dans l'obscurité, il a buté sur cette poubelle. Il est tombé à nouveau, il s'est évanoui, il a saigné à mort. Le médecin n'a émis aucun doute à ce sujet. Si on l'a enseveli dans la mer, c'est pour les raisons que Ben t'a données. En quoi est-ce que ça cloche?

– Qui va croire ça?

– Tout le monde. Ben racontera cette histoire avec plus de conviction qu'il n'a jamais joué aucun rôle. Mary pareil, pour peu que tu exerces sur elle le genre de pression qui convient. Qui ne sait dans combien de scandales elle s'est trouvée impliquée... Avec celui-ci, elle serait finie elle aussi. Quant aux autres, ils ignorent tous ce qui s'est réellement passé.

– Maggie, mon cœur, Dieu sait si j'apprécie tes efforts mais *Cosmo* ne pourra pas imprimer cette histoire avant des mois. Ce ne sera plus que du mauvais réchauffé. Tout le dégât sera fait.

— Pas si je veux faire passer ça à la télé. Il faut que tu me trouves un avion tout de suite. J'irai à Los Angeles, je parlerai à l'un des types des actualités. Une équipe télé sera ici demain soir au plus tard. Ce sera diffusé avant même la fin du tournage. Publicité fantastique pour le film. Et personne ne sera en mesure de prouver que ça ne s'est point produit de cette façon. Frapper un type en train de violer une femme, ce n'est pas un crime, c'est une B.A. Tu m'entends, Vito? C'est ta dernière chance...

Tandis que Maggie se trouvait à Los Angeles, Vito fit du bon travail. Il se précipita chez Mary dès qu'elle fut réveillée; il la trouva encore secouée par les événements, mais lucide. Vito ferma la porte de la chambre à clé et balança à la jeune femme une magistrale paire de baffes. Puis, il lui mit les mains autour du cou et serra, s'arrêtant quand elle fut au bord de s'évanouir. Puis, il la déposa doucement sur le lit et attendit, la mine sévère.

— Quoi... quoi...

— Il y a un moment où les filles dans ton genre vont trop loin. Ce moment est arrivé. J'ai télégraphié à ton mari.

— *Con! sale con!* Tu sais bien qu'il était décidé à me quitter s'il y avait encore du gâchis... et mes *bébés*! Il va me les prendre. Oh, Bon Dieu, comment peut-on faire des choses pareilles... tout est fini... fini...

Elle était complètement désemparée.

— Ne fais pas l'idiote. Harry Brown était en train de te violer et Ben Lowell t'a tirée de là, il t'a peut-être même sauvé la vie. Vois la façon dont Brown t'a arrangée, vois comme il t'a frappée, étranglée. Ton mari est terriblement bouleversé. Tu sais comme il t'aime. Il sera là demain.

— Vito!

— L'équipe du journal télévisé sera là demain aussi. Ils voudront t'interviewer, bien sûr... alors, il serait peut-être bon de revoir ensemble cette histoire que tu m'as racontée hier. Allez Mary, remue-toi! D'accord, tu viens de traverser un cauchemar mais il ne te faut jamais très longtemps pour apprendre tes répliques.

Elle sourit, essuya le sang sur son visage meurtri :

— Tu es un très malin petit salaud, Vito! O.K., lis-moi mon rôle.

« Qui était Harry Brown et Ben Lowell l'a-t-il assassiné? » Tel fut le titre de l'émission qui remplaça deux show comiques d'une demi-heure. Elle eut un succès si prodigieux que le chef des actualités de la chaîne comprit qu'il venait de tomber sur une mine d'or. Il y avait un énorme public, là derrière, des gens à la fois drogués de télé et fans de vedettes. Avec l'émission grand public de Maggie, ils pourraient se vautrer à loisir dans les indiscrétions, tout en se croyant vertueusement au fait des choses de ce monde. Le responsable des actualités eut aussi peu de mal à persuader Maggie de lui signer un contrat pour une émission hebdomadaire que Maggie eut de peine à le convaincre d'envoyer une équipe au Mexique. Ils avaient tous les deux assez de nez pour reconnaître une affaire juteuse quand il s'en présentait une. Leur seule surprise fut de découvrir à quel point le filon était bon. Plus que bon. Fantastique. Un nouveau style de télévision était né : le magazine de cinéma paré du prestige du document d'actualité. Une nouvelle star des médias était née : Maggie Mac Gregor. Il n'y eut que deux perdants dans l'histoire : Harry Brown sur qui Ben Lowell continuait de verser en secret des larmes amères et le film de Vito, *Slow Boat*. L'énorme publicité dont il bénéficia ne l'empêcha pas de marcher mal : à l'époque où il fut distribué, l'épisode mexicain s'était depuis longtemps effacé de la conscience du public. Au vrai, plus personne ne s'en souciait. D'ailleurs, Vito l'avait bien dit. C'était un tocard.

Billy Ikehorn se sentait nerveuse. On était en avril 1977, cinq mois avaient passé depuis la réouverture de Scrupules. Elle s'était accoutumée à son succès trépidant, délirant. Grâce à Spider et Valentine, songea-t-elle, avec affection et reconnaissance. Mais voici que ce matin-là, aux petites heures – de nouveau, ces derniers temps, Billy se réveillait avant l'aube – elle avait senti que le triomphe de Scrupules ne lui suffisait plus. Billy était restée foncièrement trop honnête pour ne pas le comprendre : maintenant que Scrupules n'était plus pour elle un affreux déshonneur, qu'il ne la faisait plus se consumer de honte, qu'on ne riait plus sous cape à son sujet, les détails quotidiens de la gestion d'un magasin ne parvenaient plus à combler son existence. Les soirées dansantes qu'elle donnait deux fois par mois avaient d'abord enflammé son imagination. Elle y voyait une sorte de revanche sur ses horribles souvenirs de l'école de danse. Mais voici que même ces fêtes lui semblaient entrées dans la norme, étaient devenues maintenant les manifestations mondaines les plus attendues de Californie. Sa vie lui parut horriblement confinée. Un peu comme cette maison qu'elle avait un jour visitée avec Ellis, à Antigua, où toutes les fenêtres étaient tenues hermétiquement closes, afin que l'air salin apporté par la merveilleuse brise nocturne ne vînt gâter les quelques millions de dollars de peintures impressionnistes qui en paraient les murs.

Dans bientôt six mois, elle aurait trente-cinq ans. Elle parvenait tout juste au faîte de sa beauté et cet éclat durerait bien des années encore. Telle était sa fortune qu'elle ne pouvait en mesurer l'étendue. Et elle s'ennuyait. Quelle chose écœurante, songea Billy. Elle se demanda ce qu'en aurait pensé sa Tante Cornelie. Quant à elle, elle jugeait cela plus que révoltant : immoral et humiliant. Immoral parce que toute personne ayant ce qu'elle possédait, devrait, *devait* être heureuse. Humiliant parce que, d'évidence, elle ne l'était pas, et que donc elle devait s'en prendre à elle-même, à un défaut de sa nature. Elle manquait probablement de ressources intérieures, songea-t-elle avec amertume. Le code des gens de Boston lui revint en mémoire : une vie consacrée aux bonnes œuvres, aux grands dîners, au concert symphonique hebdomadaire, voilà, ça allait sans dire, qui aurait enrichi son esprit, comblé son âme!

Le monde entier était à sa portée, se dit-elle en feuilletant les pages d'*Architectural Digest*. Pour trois cent mille dollars, elle pourrait avoir un pavillon à Bali, construit en bois de cocotier, tout près de l'Océan, avec l'air conditionné. Et une piscine, bien sûr. Il y avait aussi une maison à vendre à Eleuthera, avec quatre cents mètres de plage de sable rose et une ligne de communication à longue distance privée. Le tout pour moins de trois millions de dollars, meublé (la liste des lignes de téléphone privées était-elle fournie avec les meubles?). Voulait-elle quelque chose de moins tropical? Elle pouvait choisir d'aller vivre à Bath, en Angleterre, au 7 Royal Crescent. Il ne lui en coûterait pas plus de soixante-quinze mille livres sterling pour posséder une maison faisant partie du plus bel ensemble d'architecture géorgienne qui soit au monde, construite en 1770 mais maintenant équipée d'un sauna et d'un garage pour cinq voitures. Ou bien il ne dépendait que d'elle d'adopter le genre de vie d'une femme comme Bunny Mellon : quatre résidences fabuleuses, deux décorateurs à plein temps, et le style du moindre de ses vêtements, depuis les chapeaux de tennis jusqu'aux robes de bal — sans parler de l'uniforme de ses domestiques — spécialement créé pour elle par Givenchy.

Elle pouvait obtenir sur cette terre absolument tout ce qu'elle désirait. N'avait qu'à le montrer du doigt. Mais elle en était incapable — et c'était ça le problème. Elle ne voulait pas d'une autre maison. Elle avait toujours un avion — un nouveau Lear jet — mais seules Valentine et les autres acheteuses l'utilisaient pour leurs déplacements. Le vignoble de Santa Helena apportait un profit substantiel. Il n'y avait aucune raison de s'en défaire. Acquérir un cheval, peut-être? Adopter un bébé? Une souris apprivoisée? En elle, ça crevait les yeux, quelque chose ne tournait pas rond.

Billy décida alors d'accepter l'invitation de Susan Arvey qui lui avait proposé de l'emmener au festival de Cannes. En fait, elle ne trouvait aucune bonne raison de ne pas le faire.

Susan Arvey était l'épouse de Curt Arvey, directeur du Harvey Film Studio. Ce n'était pas une femme spécialement intéressante. Pourtant Billy se sentait bien avec elle. Pour cette raison surtout qu'à l'inverse de tant d'autres, elle ne tombait pas en extase au moindre mot qui sortait de la bouche de Billy. Elle avait dépassé le stade de cette ostentation nerveuse et béate qu'affectionnent les nouveaux riches. Pour elle, les bonnes choses de la vie allaient de soi et cela rendait sa compagnie plutôt reposante. En tant qu'épouse d'un patron de studio, elle était considérée à l'égal d'une déesse par tout un milieu qui, en revanche, voyait en Billy Ikehorn, avec tout son argent, une simple curiosité. C'était une hôtesse accomplie, assez intelligente pour se garder de toute prétention excessive. Et puis surtout, Billy était comme les autres, elle n'avait cessé d'être fascinée par l'univers du cinéma. Tout au long de son adolescence malheureuse, elle n'avait vécu que pour les matinées du samedi. Durant toutes les années qu'avait duré la maladie d'Ellis, la salle de projection du manoir de Bel Air lui était devenue un refuge contre la réalité. Mais Billy, qui pourtant vivait parmi eux, connaissait peu de gens dans le cinéma. Elle n'aurait jamais voulu l'admettre mais ils avaient réellement quelque chose qui... l'intriguait.

Les Arvey passaient toujours les deux semaines du Festival au cap d'Antibes. Ils descendaient à l'hôtel du Cap. Pour s'y rendre depuis Cannes, il fallait trois quarts d'heure en voiture, par des routes sinueuses : les gens qui résidaient là ne le faisaient donc point par commodité. Le fait de descendre à l'hôtel du Cap avait une signification profondément symbolique. Cela voulait dire qu'on attendait que les autres vinssent à vous plutôt que l'inverse. C'était là un détail extrêmement important pour qui voulait vraiment compter dans les affaires. Cela signifiait qu'on pouvait se permettre de rester à l'écart, loin du charivari, et tenir sa cour sur ses propres terres, dans un endroit paisible et habilement écarté... au lieu de s'intégrer au troupeau et de se bagarrer pour obtenir une table au bar du Carlton ou du Majestic. Cela signifiait aussi qu'on pouvait s'offrir de payer 200 à 400 dollars par jour pour une suite, sans compter les taxes, les pourboires, les petits déjeuners et toutes sortes de notes subreptices et sournoises qui venaient s'ajouter au prix affiché. Les Arvey retenaient toujours deux suites : dans l'une, Curt traitait ses affaires, dans l'autre, ils se retiraient pour dormir.

— Venez donc avec nous, Billy, lui avait dit Susan un mois plus tôt. Curt est par monts et par vaux toute la sainte journée. Je n'ai rien d'autre à faire qu'à me promener toute seule dans les environs. Je loue toujours une voiture avec chauffeur et je fais toute la Côte. En mai, c'est le paradis... Et puis le soir, il y a toujours un grand dîner quelque part avec toutes sortes de gens très amusants. C'est vraiment merveilleux, du moins tant qu'on peut éviter Cannes. Et ça le serait tellement plus encore si vous me teniez compagnie. D'ailleurs, ça fait trop longtemps que vous restez enferrée ici, en Californie. Le moment est venu de vous échapper un peu. Scrupules arrivera bien à se défendre sans vous pendant quelques semaines. Nous pourrions nous arrêter à Paris sur le chemin du retour. Venez donc!

— Mais vous ne devez donc pas assister à des projections tous les soirs? demanda bizarrement Billy.

— Grands Dieux non! Bon... je suppose que certains *le font*, bien sûr... Mais Curt peut voir tout ce qui l'intéresse en projection privée. Il n'a qu'à demander une copie.

Susan était toujours confondue par les gens qui s'imaginaient qu'on allait au festival de Cannes pour voir des films. Bien sûr, si l'on avait une œuvre en compétition, il fallait faire acte de présence. Mais sinon... Bonté divine, quelle drôle d'idée, vraiment!

II

DANS les milieux de cinéma, on n'a jamais entendu personne dire le moindre bien du Festival de Cannes ni vu quiconque s'en tenir à l'écart. C'est la grande foire commerciale à ne pas manquer. L'art lui sert de vitrine : ce qui importe vraiment, ce sont les affaires qu'on y traite. On y conclut des marchés innombrables. Un sur dix peut-être porteront leurs fruits, ou même un sur vingt. Ce n'est point un endroit pour les purs créateurs. D'ailleurs, on ne voit guère à Cannes de metteurs en scène, d'acteurs, de scénaristes. Ils ne s'y rendent que s'ils ont collaboré à des films en compétition. Et même dans ce cas, il a fallu que le producteur leur mette l'épée dans les reins. Qu'un acteur se trouve à Cannes sans raison valable, c'est qu'il a des visées ouvertement publicitaires.

Tous les producteurs sont là en revanche, et puis tous les agents, distributeurs, et autres spécialistes des relations publiques. Ils accourent de partout, d'Égypte, du Japon, de l'Inde ou du Canada, d'Israël... et même de France. Ils ont des mots de passe qu'ils se chuchotent à l'oreille, pour bien marquer qu'ils sont au-dessus de cette mêlée infiniment vulgaire. Et cela même alors qu'ils en font partie. On y trouve aussi les putes du monde entier, mâles et femelles. Et toute la presse de la planète. On y rencontre même des critiques de cinéma, lesquels vont jusqu'à voir des films, en compagnie des indigènes et autres individus si peu occupés à vendre ou acheter de la pellicule qu'ils trouvent le temps de la regarder projetée sur l'écran.

Vito lui aussi était là. Il pressait son tocard mexicain come un citron et s'efforçait encore de le refiler à quelques pays. Il tentait aussi de réunir un peu d'argent pour l'adaptation d'un livre qu'il venait de découvrir. Ses trois derniers films n'avaient fait aucun bénéfice. Mais, dans cet univers où les réputations ont la vie dure, on le considérait toujours comme un très grand producteur. Peu de gens connaissaient l'état réel de son compte en banque, moins encore le montant de ses dettes, mais c'était justement ceux-là qui pouvaient lui procurer de l'argent frais. Tous les autres festivaliers, sans exception, le considéraient simplement comme un brillant producteur, au palmarès éclatant.

Et même les hommes qui connaissaient sa situation véritable ne le rejetaient pas pour autant. Avant lui, combien d'autres avaient traversé des mauvaises passes, avant de refaire surface avec un vrai tabac, un de ces records d'entrées qui enrichissent tous les intéressés? L'industrie cinématographique, plus que toute autre, ne survit qu'au prix de risques énormes, et par les vertus d'un optimisme indestructible.

Les financiers eux-mêmes, si méfiants de nature, tout retranchés qu'ils sont derrière leurs colonnes chiffrées et leurs dossiers, ne pourraient tenir longtemps s'ils n'étaient capables d'accueillir une idée nouvelle, s'ils ne savaient parfois dire oui plutôt que non. Les studios et leurs distributeurs, tout comme les distributeurs indépendants, ne pourraient subsister s'ils n'avaient rien à vendre. Mais le produit dont ils s'occupent, ce n'est que bel et bien achevé, par définition, qu'on le connaît vraiment, qu'on peut le tester. C'est-à-dire à un moment où l'argent se trouve déjà dépensé, pour le meilleur ou pour le pire. Nul ne saurait, d'avance, garantir que tel film fera de l'argent et tel autre non.

Bref, Vito était encore largement dans le coup. Pas au point de pouvoir s'installer à l'hôtel du Cap mais sûrement assez pour se faire un devoir d'occuper une petite suite au Majestic. Comment se serait-il passé d'un salon? On ne saurait traiter des affaires, assis sur un lit... Et puis le Majestic gardait une certaine tenue, une certaine classe qu'on ne trouvait pas au Carlton, lequel était au foyer de la tourmente. Le Majestic était certes un peu plus cher mais, d'un autre côté, son hall n'était pas alloué tout entier comme celui, pourtant imposant, du Carlton, à des compagnies de cinéma. Il n'était pas nécessaire, pour aller de la porte au bar, de faire du slalom dans un labyrinthe de stands enluminés, d'où l'on vous balançait à la figure d'innombrables brochures publicitaires. Vito se demandait à quoi comparer le mieux cette foule dans le hall du Carlton : une réunion de chameliers, une assemblée de marchands de tapis? Ou bien un grand rassemblement d'escrocs de classe internationale? A moins que ce ne soit de *flics* de classe internationale...

Impossible, en tout cas, d'en juger d'après les visages, ni le son des voix, emmêlées dans un brouhaha planétaire. Vito ne savait que trop bien pourquoi tout le monde, ici, semblait toujours regarder par-dessus l'épaule du voisin : c'est qu'ils cherchaient tous à repérer des débiteurs, ou à éviter des créanciers.

La suite de Vito donnait, par-delà la Croisette, sur un croissant de plage. Au crépuscule, quand le soleil descendait derrière les mâts et les voilures des bateaux ancrés là-bas, dans le vieux port toujours prospère, cet endroit était, à n'en pas douter, l'un des plus romantiques de la terre. Et Vito rêvait au balcon. Il rêvait d'argent.

Assister au Festival de Cannes quand on a un gros succès derrière soi, c'est un moment sublime, sans doute l'une des expériences les plus enivrantes que puisse connaître un homme. Il avait bien souvent vécu de tels instants, connu de telles saisons où, près de sa table au bar, une dizaine de distributeurs se tenaient en ligne, dans l'espoir de traiter avec lui, pareils à des cavaliers s'arrachant une débutante. Son heure reviendrait, songeait-il. Mais ce ne serait point cette année.

Il quitta le balcon, entreprit de se changer. Curt Arvey l'avait prié de se joindre au dîner qu'il donnait au Pavillon d'Eden Roc. Ce Pavillon était le restaurant de l'hôtel du Cap. On se rendait de l'un à l'autre par une merveilleuse allée, longue et large, au travers d'un grand parc odorant, tout bruissant d'oiseaux.

Eden Roc est un endroit très célèbre à cause de la piscine de l'hôtel. Cette chose en béton, qui date des années folles, informe et nauséabonde, se niche près du rivage, au sein d'une grande formation rocheuse. Pour une raison quelconque, on le tenait autrefois pour un symbole de la vie dorée. Nulle créature en ce monde ayant un peu le respect de soi n'irait pourtant confier son corps à l'eau bizarrement douteuse de cette misérable piscine. Nombreux, cependant, les gens qui prennent ici des bains de soleil. Tout près de là, se trouve le Pavillon, qui est, en revanche, un endroit raffiné, très coté, un restaurant qui continue d'attirer les foules.

Si Arvey l'avait convié, c'était, Vito n'en doutait pas, qu'il avait besoin d'un dîneur en plus. Les deux hommes ne s'aimaient guère. Arvey avait autrefois gagné de l'argent grâce à Vito mais son studio avait contribué au financement de deux des trois derniers films d'Orsini. Il semblait bien que le studio fût rentré dans ses fonds, mais, au dire des comptables, sans dégager ensuite le moindre profit. Une opération blanche, donc, prétendaient-ils. Pourtant Vito les soupçonnait fort de cacher des bénéfices quelque part. Mais il était incapable de rien prouver. Qu'il n'aimât pas Arvey ne l'avait cependant point empêché d'accepter son invitation : en période de Festival, toute rencontre peut être fructueuse. Et puis, comme le chantait si bien Doris Day : *que sera sera...*

Vito se sentait très Italien ce soir.

Comme la plupart des hôtesses averties, Susan Arvey tenait à ce que chacun de ses invités se sentît flatté de la présence de tous les autres. Il fallait pour cela qu'on fût bien au fait des titres éminents d'autrui. Susan évoquait carrément les mérites de chacun en faisant les présentations. Elle le faisait avec tant d'aisance que la très grande majorité des gens ne s'en rendaient pas vraiment compte. Mais l'impression subsistait, aux limites de la conscience. Susan Arvey n'était pas seulement une entremetteuse de haut vol : un véritable génie des relations publiques dormait en elle. Beaucoup de ses invités – les meilleurs à ses yeux – se passaient bien sûr de tout commentaire. C'est ainsi qu'elle n'avait nul besoin de coller une étiquette à Billy Ikehorn non plus qu'à Vito Orsini.

Ce soir-là, elle avait invité quatorze personnes. Tout le monde fit d'abord connaissance en prenant un verre dans l'une des suites d'Arvey. Susan avait certainement connu des assemblées plus brillantes. Pour être franc, cette équipe-là était même plutôt médiocre mais, en période de Festival, il faut faire avec ce qu'on a. En d'autres circonstances, Susan n'aurait jamais invité Vito, du moins pas avant qu'il n'ait remporté un nouveau succès. Mais il lui fallait un quatorzième et Curt lui avait suggéré son nom. Tandis que l'on servait les cocktails, Susan s'occupa à parfaire ses présentations. Aussi ne s'aperçut-elle pas tout de suite que Vito Orsini semblait bien décidé à monopoliser Billy Ikehorn. Ils faisaient bande à part et cela n'allait pas, mais alors pas du tout.

En conduisant sa petite troupe vers le restaurant, elle trouva le temps de sussurer à Billy que Vito Orsini, vraiment, jouait de malchance : ses trois derniers films n'avaient absolument pas marché.

– Il m'en a parlé, rétorqua Billy. C'est renversant, non? Le public est vraiment en dessous de tout. Je les ai adorés tous les trois. Je pense, moi, que c'est un génie – un nouveau Bergman ou presque. Vous m'avez bien placée à côté de lui, n'est-ce pas?

– Je ne crois pas.

– Alors, faites-le, je vous en prie, très chère.

Il y avait dans la voix de Billy un tranchant, une résonance métallique que bien peu de personnes en ce monde auraient immédiatement perçu. On pouvait en fait les compter sur les doigts d'une seule main : Valentine, Spider, Hank Sanders, Jake Cassidy et Josh Hillman.

– Eh bien, certainement, répondit Susan à contrecœur.

Peut-être Billy éprouvait-elle simplement l'envie de flirter un peu. Juste ciel, ça devait faire des années que... Voilà qui expliquait tout, bien sûr.

— Vous n'avez pas mis les pieds à Cannes? demanda Vito avec curiosité, alors qu'ils entamaient le dîner.

— Susan trouve ça tout simplement grotesque. Demain nous allons voir les Giacometti à la Fondation Maeght puis, s'il nous reste assez de temps, il y a une merveilleuse maison ancienne à Grasse, restaurée dans le style de l'époque. Une maison du XVIe siècle, je crois.

— Demain, vous irez au Festival de Cannes.

— Moi?

— Oui, vous bien sûr. Vous en mourez d'envie. Ce n'est pas tout simplement grotesque. C'est *L'Enfer* de Dante qui serait peint par Bosch avec une touche de Dali et un soupçon de George Grosz. Et si vous regardez au-dehors, du côté de la mer, c'est un pur Dufy. Susan me fait rire. Vous faites dix mille kilomètres pour voir le cirque le plus célèbre de la terre, mais sa foutue délicatesse l'empêche d'aventurer un pied sous le chapiteau. Je n'ai pas l'impression que vous lui ressembliez...

— On n'a jamais employé le mot « délicat » à mon sujet.

— Quels autres alors?

— Je n'en ai pas la moindre idée. Disons que je ne suis pas du genre réservé et... non vraiment, je n'en sais rien.

— Procédons par élimination : ni délicate ni réservée, pour commencer. Ni laide ni insignifiante. Pas stupide non plus mais pourtant pas très sûre d'elle-même, non? Pas immature mais cependant pas tout à fait adulte. Pas terriblement heureuse mais non plus mélancolique. Peut-être... oui, je crois que c'est ça : un peu timide.

— Arrêtez!

— Vous n'aimez pas parler de vous?

— Ce n'est pas ça. Vous me mettez dans l'embarras.

— Et pourquoi donc?

— Toute cette analyse instantanée du caractère... Vous ne me connaissez que depuis une heure.

— Mais ai-je dit quelque chose avec quoi vous ne soyez pas d'accord?

— Non... et c'est bien ça qui m'ennuie. Je me croyais un peu plus mystérieuse.

Maintenant, on l'aurait vraiment trouvée du genre réservée, songea-t-elle, avec contrariété.

— Mais pour moi, vous êtes une femme très mystérieuse. Je ne parle que de ce que je vois, des choses évidentes. C'est mon métier de les sentir. Tout comme si vous étiez un personnage dans un script. Dans ce qui constitue les grandes lignes du script — ce qu'on appelle le synopsis — nous écririons quelque chose du genre : « Billy Ikehorn est une jeune veuve, belle et riche, qui n'a rien à quoi se raccrocher dans l'existence. Aussi se rend-elle au Festival de Cannes avec une amie, en espérant se distraire. » Ainsi, nous aurons situé le personnage. A partir de là, nous pouvons développer. Mais cela ne veut pas dire que nous sachions rien de vraiment important à son sujet. Les motivations, les nuances... Le script en révélera certaines, l'actrice choisie pour incarner Billy Ikehorn en apportera d'autres — et puis sa propre nature va nourrir le personnage. Le public fera le reste. Chaque spectateur met quelque chose de différent derrière le concept « veuve, jeune et riche ». Ceci pour dire que vous restez toujours aussi mystérieuse.

— Je n'aurais que trois lignes dans un synopsis?

— Un peu plus. Après tout, c'est Billy Ikehorn que vous jouez.

— Mais je *suis* Billy Ikehorn.

— C'est peut-être la même chose.

— Oh, ce vieux cliché : chacun de nous joue un rôle... dit-elle avec dédain.

— Non.

Il arrêta là ses explications et changea, adroitement, de sujet. Il sentait bien que rien ne pourrait piquer sa curiosité davantage. Il se laissait conduire par son sixième sens. Avec Billy, il n'avait pas d'autre projet que s'amuser. Il éprouvait un malin plaisir à la délivrer, ne fût-ce que pour un jour, de cette atmosphère terriblement raréfiée où l'enfermait Susan Arvey. Qu'un être eût assez de superbe pour ne pas se risquer dans le grand bazar du Festival, voilà qui offusquait cet homme de terrain. Et puis elle était si belle.

Billy se réfugia sous les grands airs qu'elle avait hérités des Winthrop. Elle tenait si résolument baissées ses paupières que Vito ne pouvait savoir ce qu'elle éprouvait à l'idée de passer la journée suivante en sa compagnie. Dès l'instant où ils s'étaient rencontrés, Billy avait bien vu que c'était un virtuose. N'aurait-elle pas vu un seul de ses films qu'elle l'aurait quand même compris. Comment ne pas voir en lui un homme qui avait franchi toutes sortes de frontières, un homme qui ne perdait pas son temps à douter de ses actes? Qui se contentait d'aller de l'avant, d'agir tout simplement? Un être impulsif, intrépide... Au début, elle l'avait surtout pris pour un Latin traditionnel, avec son grand nez aquilin, aristocratique, ses lèvres fermes et charnues, ses cheveux drus, aussi frisés que ceux qu'on voit aux statues de Donatello. Mais il avait en même temps un tel mépris de l'étiquette, il se dévouait tellement à son objectif, sans détour ni faiblesse... non, l'énergie dont brûlait cet homme appartenait vraiment à ce siècle.

Le matin suivant, Vito vint prendre Billy. Il lui était déjà arrivé d'aller à Cannes, bien sûr, du temps d'Ellis, quand ils avaient une maison au Cap-Ferrat, dans ce complexe résidentiel pour milliardaires situé non loin de Beaulieu. Mais elle n'avait jamais fait qu'une ou deux intrusions dans la ville pour dénicher quelque objet dans l'une des succursales des magasins parisiens ou pour acheter quelques marrons glacés à Ellis qui en raffolait. Ils n'utilisaient leur villa qu'un mois environ par an, au début du printemps et à la fin de l'automne, avant et après la saison touristique. Son souvenir le plus puissant était celui d'un alignement d'hôtels immenses, plutôt déserts, en bordure de la vaste Corniche, le long d'une plage caillouteuse.

Vito n'avait cessé de donner de gros pourboires au même maître d'hôtel durant quinze ans d'affilée et ce sésame lui permit de s'assurer d'une toute petite table à la terrasse du Carlton. Il laissa Billy examiner les lieux. Sur quelques centaines de mètres dans toutes les directions, elle vit grouiller des milliers de créatures. Ceci, semblait-il, dans le plus grand désordre. Chacun pourtant avait l'air de savoir ce qu'il voulait et paraissait avide de l'obtenir. Personne n'avait un regard pour la mer qui se creusait là-bas derrière la plage et flirtait avec le soleil. Nul ne contemplait, tout au long de la Croisette, le pimpant déploiement des drapeaux de tous les pays, qui claquaient au sommet de grands mâts blancs. Un peu partout, bousculés par la foule impatiente, des hommes s'attroupaient. S'arrêtant parfois au beau milieu d'une allée ou sur les marches qui conduisaient à une terrasse découverte, ils poursuivaient une discussion qui semblait extraordinairement compliquée. La vaste Corniche n'était plus qu'une muraille, apparemment inébranlable, de voitures immobilisées, dont les conducteurs klaxonnaient avec fureur. On se serait cru dans l'ambiance de Grand Central Station à l'heure de pointe, ou sur un stade avant un grand match, ou encore à la Bourse, un jour de grande fièvre. Tout cela sous le ciel de la Méditerranée, brillant et serein, que, dans sa préoccupation, ignorait la multitude.

— Excitant, non? dit enfin Vito.

— Terriblement, répondit Billy. Elle sourit : Je n'aurais pu imaginer une chose pareille. Qui sont tous ces gens, dites-moi? En connaissez-vous?

— Quelques-uns. Peut-être trop, en vérité. Cet homme, là-bas, avec le chapeau sur la tête : il a ramassé cinquante millions de dollars en tournant des films pornos au Japon. Il est là pour dénicher des Suédoises à gros seins, qui accepteraient de se faire brider les yeux par un chirurgien. Après quoi, il leur maquillera le corps et pourra faire ainsi du porno meilleur encore : il trouve que les Japonaises ont des seins trop petits. L'homme qui est avec lui a cinquante Suédoises à vendre... Ils discutent sur le prix. La grande blonde à cette table, là-bas, est un homme. Il attend sa maîtresse qui est une directrice de distribution. Celle-ci n'aime que les hommes qui s'habillent en femme. Elle dépense quarante mille dollars par an chez Dior pour qu'il ait toujours les plus beaux atours. Les trois Arabes derrière nous viennent du Koweït. Ils ont neuf cents millions de dollars et rêvent de créer une industrie du cinéma dans leur pays. Mais personne ne veut aller vivre là-bas, quel que soit le prix. S'ils s'en retournent sans leur industrie du cinéma, ils pourraient bien y laisser leur vie. D'où leur nervosité croissante. Ils projettent très sérieusement de kidnapper Francis Ford Coppola et, si possible, Stanley Kubrick, mais ils ne sont pas certains de pouvoir se les offrir. Ces Russes, qui attendent d'avoir une table, cherchent à persuader George Roy Hill de faire un remake de *Guerre et Paix*, où toute leur armée pourrait servir de figurants. Mais ils veulent que l'action soit située dans le futur afin de pouvoir utiliser leur aviation et leurs nouveaux sous-marins nucléaires...

— Vito!

— Si je ne vous racontais pas la stricte vérité, ce serait assommant.

— Bon, dites toujours.

Ses yeux sombres étaient aussi flirteurs que la mer.

— Parlons des pourcentages. Prélèvement sur le bénéfice brut. Ou sur le bénéfice net. Prélèvement différé. Virgules et fractions derrière la virgule. Taux de rentabilité du film à Turin. Et au Caire. Espérances de recettes à Detroit, à...

— Je préférais l'autre manière.

— Et pourtant, vous me semblez de ces femmes qui trouvent plus d'attrait à la vérité qu'au trucage.

— J'aime qu'on me laisse certaines illusions.

— Vous auriez fait une belle ratée dans ce métier.

Elle se tourna vers lui, soudain grave.

— Savez-vous que Susan pense que vous êtes sur le point de devenir un raté? Ce n'est pas vrai, n'est-ce pas?

— Non. Je ne crois pas. J'ai fait vingt-trois films. Six seulement n'ont pas eu de succès auprès du public. Sept ont fait de l'argent sans avoir de succès auprès des critiques. Les dix autres furent des réussites sur les deux plans. C'est une très bonne performance. Dans l'immédiat, j'ai trois cents mille dollars de dettes. Trois de mes films coup sur coup n'ont pas rapporté un sou sans vraiment perdre de l'argent. Aussi je crois que ma chance peut encore tourner.

— Comment pouvez-vous montrer un tel sang-froid?

— Ne vous arrive-t-il pas d'être un peu sotte, par hasard? Si je me faisais du souci, j'abandonnerais ce métier. C'est bien simple : rien ne me plaît autant que faire des films. Et je les fais très bien. Je ne sais pas toujours ce que demande le public, aussi m'arrive-t-il de perdre de l'argent. Mais, si je me préoccupais seulement du public, je finirais par être comme les autres. Ma passion, c'est de faire des choses qui me plaisent. Cela vaut la peine de se bagarrer. Je crois en moi, en mes idées, en ma façon de travailler. C'est tout.

— Ça ne vous fait rien d'être un jour au sommet et le lendemain au fond du trou? Vous n'avez pas peur qu'on rie dans votre dos?

Il la regarda, étonné.

— D'où vous viennent de telles idées? Personne n'aime qu'on se moque de lui, c'est bien certain, mais je n'en ai que faire. C'est un secteur très versatile. Si je n'acceptais pas de prendre des risques, j'entrerais dans les affaires de mon père et je fabriquerais de l'argenterie.

Tant de simplicité dans la confiance en soi irritait Billy : c'est un comportement qu'elle enviait.

— Vous avez un sacré culot pour un homme endetté...

— Voilà qui est bien dans l'esprit du Festival, dit-il en riant. Vous commencez à vous mettre dans l'ambiance. Venez, allons nous promener. Il y a ici un représentant éminent du Nouvel Hollywood qui attend de s'installer à notre table afin de s'acheter un peu de cocaïne.

Elle regarda autour d'elle, s'efforçant de repérer qui faisait l'objet de cette nouvelle plaisanterie.

— Mais c'est... Il se drogue vraiment?

— Oui, ça finira bien par vous venir aux oreilles... En général, je dis la vérité.

Ils allèrent déjeuner dans un bistro du vieux Cannes puis ils consacrèrent l'après-midi à vagabonder par la ville, à lécher les vitrines des antiquaires et à fouiner sur le vieux port, loin des foules du Festival. Vito la ramena ensuite à l'hôtel du Cap pour qu'elle se mît en robe du soir. Après quoi, ils allèrent voir un film anglais dans l'immense Palais du Festival.

Depuis l'époque où l'on jetait les chrétiens aux lions, jamais on n'a vu public aussi haineux que celui de Cannes. La presse du monde communiste siffle et crie des insultes. La presse du monde libre conspue et crie des insultes. La presse du tiers monde siffle, conspue et crie des insultes. Un curieux concours de circonstances fait que, chaque année, soient présentés malgré tout quelques films qui n'offusquent la presse d'aucun pays. Il leur arrive quand même bien souvent de blesser certains membres du jury, cet ONU miniature où les terrains d'entente sont encore plus étroits que dans celui de New York. Il est bien rare que le choix du vainqueur soit populaire.

— Avez-vous déjà eu un film en compétition? demanda Billy.

— Oui, et même deux fois. Voici dix ans, j'ai eu *Street Lamps*. Et voici trois ans, *Shadows*.

— Oh, je me souviens très bien des deux. Je les ai adorés... *Street Lamps*, surtout.

— J'aurais aimé vous avoir dans le public. C'était comme si on me conduisait à l'échafaud.

— A ce point?

— Pire encore. Mais, malgré cet accueil réservé, *Street Lamps*, ensuite, m'a rapporté beaucoup d'argent.

— Et qu'est devenu cet argent, Vito?

— Chaque fois que j'en ai possédé, je l'ai dépensé. A bien vivre. A prendre pas mal de bon temps. Pour prix de mes péchés, j'ai souvent investi dans mes propres films... La plupart du temps, hélas, ce furent ceux qui ne rapportaient rien mais je ne regrette pas un centime... Simplement, j'en ai fait d'autres.

Après le film, Vito emmena Billy souper au Moulin de Mougins, qui a trois étoiles au Michelin.

— Ne vous faites pas trop d'illusions, la cuisine sera franchement abominable, dit-il gaiement. En période de Festival, les chefs perdent tout talent, les serveurs sont plus renfrognés que jamais, les maîtres d'hôtel se comportent comme s'ils brûlaient de l'envie de refuser votre pourboire, bien qu'ils n'en viennent jamais à ces extrémités. Même les bons vins tournent au vinaigre.

— Mais pourquoi diable?

— Je pense qu'ils n'aiment guère les gens de cinéma.

Tandis que Vito la reconduisait à l'hôtel, Billy ressentit une folle envie de savoir quand elle le reverrait. Comme il ne disait rien, elle finit par risquer une question.

— Cela vous plairait-il de venir ici déjeuner demain?

— Désolé mais je vais être pris toute la journée. Deux hommes arrivent ici demain et je dois les voir tous les deux.

— Oh!

Billy n'avait pas souvenir que, dans sa vie adulte, quiconque eût refusé l'une de ses invitations. Cela ne s'était jamais produit depuis qu'elle avait épousé Ellis Ikehorn. Ce qui faisait quatorze ans.

— Après-demain alors? qu'en dites-vous?

— Ça dépendra. Si je vois ces deux types demain, je pense que ce sera possible. Mais je ne viendrai pas ici. Susan risquerait de se joindre à nous. Elle me fait penser au maître d'hôtel du Moulin de Mougins. Je vous emmenerai à la Colombe d'or. J'appellerai demain soir pour vous dire si ça marche ou non.

Il n'imaginait pas une seconde qu'elle pût faire d'autres projets dans l'intervalle, songea-t-elle avec colère. Elle ne pouvait d'ailleurs l'imaginer non plus. Foutu conquistador! Ce qui la rendait encore plus furieuse, c'est de savoir qu'elle l'attendrait.

— Il se pourrait que je ne sois pas là, mentit Billy.

— *Que sera sera,* comme on dit au bon vieux pays.

— Mon cul! Cette chanson a été écrite pour *L'Homme qui en savait trop.*

— Mon Dieu! Une fan de Doris Day!

— Eh oui, ce sont des choses qui arrivent, dit-elle, prise de court.

— Eh bien, nous aurons au moins cela en commun. Bonne nuit, Billy.

— Vito?

— Oui, chérie!

Ils gisaient nus, dans un désordre échevelé et sublime, sur le lit de Vito, au Majestic. Billy sentait son cœur s'épanouir. C'était comme une petite fleur en papier qu'on aurait jetée, toute sèche et pâle, dans une coupe de vin rouge où elle se serait imbibée à loisir, gonflée à satiété de ce liquide enivrant, jusqu'à devenir une grande corolle rouge et ronde, un gros coquelicot tout humide de la rosée du matin. Elle se sentait féline, toute engourdie d'avoir fait si bien l'amour.

— Vito, veux-tu m'épouser?

– Non, ma chérie. Non, hélas.
– Mais pourquoi donc?
– Tu as trop d'argent.
– Je savais bien que tu répondrais ça. C'est franchement, c'est totalement ridicule!
– Pas pour un Italien.
– Merde, tu es Américain!
– Mais j'ai les idées d'un Italien, la fierté d'un Italien. J'aurais besoin d'être maître chez moi. Comment serait-ce jamais possible? Nous pourrions bien signer vingt contrats, pour expliquer que jamais je ne toucherais à ton argent, nous n'en vivrions pas moins comme tu l'as toujours fait, donc sur ton argent.
– Vito, je ne peux supporter de ne pas t'avoir à moi.
– « M'avoir »... Billy, ma chérie, même ta manière de penser est faussée. Je t'adore vraiment, ce qui d'ailleurs est mon problème et non le tien. Mais jamais je ne me considérerais comme quelqu'un que tu puisses acquérir.
– Pourquoi me places-tu dans mon tort?
– Parce que tu l'es. Retourne-toi et embrasse-moi. Qu'attends-tu? Voilà qui est mieux. Beaucoup mieux. Surtout, ne t'arrête pas.

L'eût-elle pu qu'elle ne se serait point arrêtée. Jamais elle n'avait été amoureuse ainsi. Sa rencontre avec Vito l'avait anéantie. Il n'avait absolument rien à voir avec les rêves de grandeur de sa jeunesse, avec ce comte français dont elle s'était toquée pour la simple raison qu'alors elle se découvrait elle-même.

Quant à Ellis, qu'elle avait adoré, il l'avait tellement protégée. Il était si doux – et tellement plus âgé qu'elle – qu'il n'y avait jamais eu ce mordant dans leur amour; non, ils n'avaient jamais lutté d'égal à égal. Ç'avait été comme de se laisser choir dans un lit de plumes. Mais Vito... Vito la rendait folle, exactement comme dans ces chansons idiotes des adolescents. Jamais il ne se plierait à sa volonté, il ne céderait pas un pouce de ses convictions. Et puis, il voyait en elle. Pire encore : il la comprenait. Il n'était que de sept ans plus âgé mais il voulait bien la considérer comme une enfant.

Elle le mordit. Doucement : elle avait appris déjà qu'à le mordre trop fort, elle se ferait mordre en retour.

Pendant qu'il subissait les adorables pincements, les délicats mordillements de sa bouche enflammée, Vito n'avait cessé de fixer la mer. Il se faisait vraiment du souci. Il était jusque-là parvenu à lui cacher sa nature romantique. Dès leur première rencontre, Vito avait compris qu'elle était terriblement gâtée. Elle était certainement femme à vouloir prendre l'avantage, quelle que fût la partie qu'on jouât. Il ne comptait vraiment pas tomber amoureux d'elle. Mais il n'avait pu s'en empêcher. Sa beauté, vibrante comme la sonnerie d'un cuivre, était du genre qui s'impose. La ligne de ce cou si long, la courbe de cette oreille, la lourde masse de cette chevelure et puis ces yeux, avec leurs iris striés... aucune femme ne lui avait jamais plu à ce point, pourtant. Il aurait encore pu s'échapper mais voilà, il avait percé trop vite ce qui se cachait derrière ses grands airs. Il avait trop tôt découvert sa profonde solitude. Et la comprendre ainsi avait été une funeste erreur : dévoilée, elle devenait vulnérable; vulnérable, elle était digne d'être aimée.

Chaque jour, elle était devenue plus réelle; la « veuve jeune et riche » du scénario s'était progressivement effacée. La tendresse, la compassion avaient meurtri le cœur de Vito. De mauvaise grâce, il avait senti qu'il lui faudrait bientôt s'avouer qu'il l'aimait. Il n'avait jamais connu de femme si parfaitement sensuelle.

— D'une sensualité sans réticence, sans pudeur, sans le moindre embarras. Ils s'entendaient vraiment bien. Mais... elle était trop riche.

— Et que dirais-tu de vivre ensemble, tout simplement? Ainsi, je ne t' « aurais » pas. Qu'en penses-tu ?

— Non, Billy. D'ailleurs, c'est l'homme qui, en principe, demande ces choses à la femme.

— Il en allait peut-être ainsi voici quinze ans. Aujourd'hui, les femmes peuvent demander ce qu'elles veulent et l'obtenir.

— Pas de moi, ma chérie. Pas avant que je veuille bien l'accorder.

— Tu vas contre le progrès.

Soudain, elle se sentit fausse. Jamais elle n'avait accordé le moindre intérêt à la libération des femmes. Et voici qu'elle avait l'air d'une vraie militante, qui cotiserait au mouvement depuis des années. C'était absurde comme attitude mais ça valait encore mieux que de sembler rejetée. Il lui parut préférable de faire de mauvaises plaisanteries que d'avouer le désir qui la consumait d'être aimée de lui. Le désir qu'il l'épousât. Oui, comme l'une de ces héroïnes des romans du XIXe siècle, l'une de ces filles hébétées et stupides, auxquelles, il y avait si longtemps, elle s'était bien jurée de ne jamais ressembler.

Curt Arvey était un salaud de première. Il était capable d'en faire beaucoup rien que pour le plaisir de marquer un point. Il s'ennuyait fermement avec sa femme Susan. L'équilibre de leur couple était toujours menacé. Ils parvenaient pourtant à s'entendre et, entre eux, il n'y avait jamais de bagarre ouverte.

Susan s'était mis en tête que cette histoire, entre Billy et Orsini, était entièrement de sa faute à lui. Ne l'avait-il point poussée à inviter Vito? A l'entendre, Orsini n'était qu'un gigolo, un coureur de dot. Façon bien peu subtile, en vérité, de rappeler à Curt que, s'il avait pu démarrer, c'était grâce à l'argent de Susan. Voilà qui d'ailleurs était plutôt exact. En revanche, ce n'était point l'argent de Susan qui l'avait conduit au sommet, point l'argent de Susan qui lui permettait aujourd'hui de mener la vie qu'elle menait à Beverley Hills. Et elle prétendait lui indiquer les gens qu'il convenait d'inviter ou non à ses propres dîners? Plutôt crever.

Arvey téléphona à Vito. Il lui demanda de venir à l'hôtel prendre le petit déjeuner en sa compagnie.

— La rumeur prétend que vous avez un nouveau projet, Vito. Pouvez-vous m'en parler?

— C'est le premier roman d'une jeune Française. Une nouvelle Françoise Sagan, mais en beaucoup mieux. J'ai décroché l'option pour une bouchée de pain. Il s'agit d'une histoire d'amour à propos de...

— Encore une histoire d'amour? Le Mexique ne vous en a donc pas guéri?

— Est-ce qu'attraper la grippe vous guérirait de respirer, Curt? Le jour où les gens n'iront plus voir des histoires d'amour — de bonnes histoires d'amour, Curt, la terre s'arrêtera de tourner. Je sens vraiment ce bouquin. En France, il se vend merveilleusement bien. Il est sur le point d'être publié aux États-Unis et en Angleterre... Il sort ce printemps.

— A-t-il besoin d'une affiche?

— Il pourrait s'en tirer sans ça... Les héros sont très jeunes. On pourrait le boucler pour deux millions deux, peut-être deux millions nets, selon l'endroit du tournage. Pas besoin de le situer en France; c'est une histoire universelle.

— Roméo et Juliette?

— Ouais. Mais avec un truc différent — un happy end.

— Ça me paraît bon. Allez-y, parlez à nos financiers et montez l'affaire.

— Pas question, Curt!

Vito était tout pâle.

— Pas question? Et pourquoi donc, bordel?

Curt, de saisissement, avait laissé choir sa serviette.

— C'est Billy qui vous a bourré le crâne. Je ne tolérerai jamais qu'une femme se mette à financer mes films...

— Bon Dieu, mais vous êtes parano, Vito! Le jour où j'accepterai qu'une gonzesse pleine aux as vienne me donner deux millions de dollars pour que *mon* studio fabrique un film que *nous* distribuerions, sur un projet auquel j'aurais *personnellement* donné le feu vert et dont je devrais rendre compte à mes actionnaires, à mon conseil d'administration... eh bien ce n'est pas demain la veille! Je ne travaille pas de cette façon-là et vous le savez très bien. Aucun studio ne travaille de cette façon-là...

Arvey disait vrai et Vito le savait bien.

En regardant la porte se refermer derrière Orsini, Arvey ne put réprimer un sourire. Un sourire malicieux et vengeur, celui que procure le pouvoir. Montrer enfin qui était le patron à cette snob de Philadelphie qu'il avait épousée, voilà qui valait bien deux millions deux...

Pendant le trajet du retour, Vito se livra à une activité inédite pour lui : l'introspection. Dans un moment comme celui-là, avec le feu vert donné pour un film auquel il croyait plus encore qu'à tous les autres, il se serait normalement absorbé dans la recherche des réalisateurs et des scénaristes possibles. Certes, il ressentait une ivresse, réellement, mais Billy y était pour quelque chose. Qu'avait-elle donc à voir dans tout ça ?

A l'entrée de Cannes, il se trouva pris dans les encombrements de fin de matinée et ce fut alors qu'il comprit : cet élan qui toujours le poussait à se demander tout de suite ce que tel livre ou telle idée pourrait bien rendre au cinéma, c'était le même qui lui donnait envie de changer, de remodeler l'existence de Billy. Il voyait cette fille malheureuse et voulait en faire une femme heureuse. Qu'il fût le seul à savoir qu'elle était malheureuse en dépit des apparences, voilà qui rendait la chose encore plus séduisante. Il adorait ses longs doigts de pieds, sa stature. Il était bouleversé de découvrir son corps pulpeux chaque fois qu'elle ôtait ses vêtements, ses vêtements ridiculement superbes : il y avait tant de choses cachées en elle. Il aurait voulu toujours avoir dans l'oreille cette pointe d'accent bostonien qu'il pensait être le seul à remarquer. Il aurait voulu la mettre enceinte. Si seulement elle avait été une pauvre jeune starlette et lui un producteur tout-puissant. Alors il n'aurait eu qu'à se dire : « Voilà, c'est cette fille-là, c'est elle dont je veux faire une star... » et puis il l'aurait métamorphosée. Si seulement, songeait Vito — et il riait de ses fantasmes, de ses rêves de potentat — si seulement elle avait été Sophia Loren, toute jeune encore, et lui, Carlo Ponti... Mais ce genre de rêveries, c'était bon pour le jeune homme qu'il avait été autrefois. Désormais, il fallait regarder les choses en face.

Enfin, il parvint à penser à autre chose : quel serait le metteur en scène idéal pour sa prochaine production ?

Billy errait dans le parc de l'hôtel du Cap, s'égarant dans les allées mangées d'herbe, évitant soigneusement les clairières où elle aurait pu tomber sur un autre client occupé à lézarder sur un banc. Elle rôda dans le potager où poussaient, en rangs bien entretenus, les fleurs de l'hôtel et les légumes du restaurant. Tout le monde était en train de faire la grasse matinée ou bien de sacrifier au rite du petit déjeuner au lit. A part un jardinier solitaire, elle avait tous ces hectares pour elle seule.

Elle finit par s'asseoir à l'ombre d'un arbre, toute bourdonnante et moirée de soleil. Une odeur en montait qui ne ressemblait à rien de ce qu'on pouvait connaître aux États-Unis. L'odeur même, se dit-elle, d'une civilisation millénaire.

Puis elle s'efforça de réfléchir.

Elle se conduisait comme une petite fille en mal d'amour. Et si ce n'était qu'une affaire de sexe? Vito comme personne savait faire ce qui plaisait aux femmes. Il y avait une telle... « générosité » – elle ne trouva pas d'autre mot – dans sa façon de faire l'amour. Ces dernières années, elle s'était comportée en véritable prédatrice. C'est elle qui ordonnait toujours et disait très précisément à son amant ce qu'elle attendait de lui. Et combien de temps. Et s'il ne voulait ou ne pouvait pas, elle le plaquait aussitôt pour s'en chercher un autre. Ses exigences ne souffraient aucune discussion. Elle prenait toujours son plaisir aussi vite que possible. C'est bien pour ça qu'ils étaient faits, tous ces jeunes infirmiers qui un jour ou l'autre, passaient leur chemin avec, en poche, des indemnités si généreuses. Ce qui pouvait ensuite leur arriver, ce qu'était vraiment leur univers, Billy ne l'avait jamais su et ne s'était jamais souciée de l'apprendre: elle n'avait jamais employé l'expression, même en pensée, mais c'étaient, à ses yeux, des putes mâles. Tout cela, elle le comprenait bien maintenant. Elle comprenait aussi qu'elle les avait méprisés. S'était-elle méprisée du même coup? Autant n'y pas songer.

Oh ! mais avec Vito, c'était bien autre chose : ses façons rapaces l'abandonnaient aussitôt; elle n'en gardait même aucun souvenir. Il semblait vagabonder dans son corps, goûter le plaisir d'une longue promenade à petits pas sur son cher domaine. Il faisait grand cas de tout ce qui la concernait, comme si le bonheur qu'il lui procurait la rendait plus précieuse encore à ses yeux. Quand elle jouissait, on aurait pensé qu'elle lui faisait un présent inestimable et pourtant c'était lui qui lui offrait ce cadeau. Il était si merveilleusement nonchalant... C'était chaque fois comme s'ils avaient tout le temps devant eux, comme si rien ne pressait jamais, et que toute contrainte eût disparu. L'instant présent était leur seul horizon. Il avait effacé chez elle toute trace de cynisme, de dureté. Dans ses bras, elle était douce, alanguie, offerte comme cela ne lui était pas arrivé depuis... depuis Paris.

Billy se releva, quitta son arbre et s'en retourna vers l'hôtel. C'était en fait un château aux murs ocrés, avec de grands volets d'un gris-bleu très pâle. Non, elle le savait bien que ce n'était point une simple affaire de sexe. Quoiqu'il arrivât, elle en était certaine, Vito serait l'amour de sa vie. Et cette idée la terrifia.

Les derniers jours du Festival de Cannes ressemblent à la fin d'une année de collège, quand les examens sont terminés. Tous ceux qui ont déjà vu projeter leur film quittent la ville aussi vite que possible. Les autres, ceux qui restent, ressentent comme un changement d'atmosphère. L'ambiance de carnaval s'est brusquement évanouie. Avait-elle seulement existé?

La presse soigne ses gueules de bois, ses indigestions et s'en va par petits paquets. Les façades des hôtels retrouvent leur dignité à mesure qu'on en décroche tous les panneaux publicitaires sophistiqués. On peut trouver un serveur, et se faire enfin correctement servir à boire.

Susan Arvey était dans tous ses états: selon leurs projets elles auraient dû déjà se trouver à Paris. Mais Billy semblait ne pouvoir décoller du cap d'Antibes. Et tout ça par la faute de ce Vito Orsini; il terminait ses ventes à l'étranger. Dans un dernier sursaut d'énergie, il avait réussi à caser son film mexicain dans une douzaine de pays: il avait beau savoir désormais qu'il pourrait produire son nouveau projet, il se montrait incapable de *ne pas* conclure une vente, et peu lui importait s'il ne pouvait situer sur une carte le pays de l'acheteur. Et comment, en voyant Billy à ce point, pouvait-il encore trouver le temps de traiter ses affaires? Susan, en tout cas, ne se gêna pas pour dire à Curt sa façon de penser au sujet de sa décision de financer le prochain film de Vito.

La veille de la fin du Festival, Vito invita Billy à déjeuner à La Réserve de Beaulieu. Le restaurant de ce petit joyau d'hôtel est une grande galerie de marbre, ouverte et ombragée, entièrement bâchée de toile de rose, qui regarde la mer. C'est, à coup sûr, de toutes les salles à manger en plein air de la terre, la plus élégante. Billy écoutait Vito commander le déjeuner dans un italien parfait. Un déjeuner, d'ailleurs, auquel elle n'entendait point toucher. Soudain, elle s'aperçut qu'elle était en train de s'imprégner de la scène, derrière l'écran de ses lunettes de soleil, comme si elle voulait bien s'en souvenir plus tard. Elle s'efforçait de photographier Vito, tel qu'il était en cet instant – un homme de bronze, aussi méditerranéen que la mer dans son dos – alors qu'il expliquait au maître d'hôtel, gestes à l'appui, qu'il faudrait servir les écrevisses avec trois sauces différentes.

Elle se comportait exactement comme si le sort en était jeté. Comme s'il ne lui restait plus qu'à sauver la face en considérant tout cet épisode comme un de ses nouveaux caprices d'une femme frivole. Une femme capable de flirter jusqu'à la frénésie mais sans vraiment s'engager, une chercheuse de sensations, une belle parleuse qui faisait des promesses en l'air. Elle s'attachait à brider ses émotions, à les rapetisser, les rétrécir, à les enfermer dans ces frontières étroites où pendant si longtemps elle n'avait cessé de les contenir.

Lentement, elle ôta ses lunettes, les posa sur la nappe rose. *Non,* elle ne céderait point à ce défaut de son caractère. Il lui fallait *affronter le risque* d'un nouveau refus. Tant pis pour le sentiment d'humiliation dont elle le paierait plus tard et qui la tiendrait en éveil au cœur de la nuit, pendant bien des années, jusqu'à ce que tout cela ne fût plus qu'un souvenir. Elle était consciente de son obstination, de son insistance maladroite – et même: brutale. Mais elle s'en moquait.

– Vito...

Il y avait une vibration dans sa voix qui lui fit aussitôt lever les yeux.

– Je ne trouve pas l'argument décisif.

– De quoi parles-tu?

– Je voulais te séduire en me pliant à faire ce que tu attends d'une femme. Je voulais te convaincre que tu ne pourrais jamais me laisser partir mais je me suis trompée.

– Je ne comprends pas, Billy.

– Je me suis trompée parce que mon argent, lui, ne s'en ira jamais... Le voudrais-je que je ne pourrais m'en défaire. Et je ne le veux pas.

– Je ne peux t'en blâmer.

– Non, tu ne peux pas t'en tirer ainsi, avec une pirouette verbale. Je suis riche et le serai toujours. C'est très important pour moi. Mais trouves-tu que ce soit juste? Si j'étais un homme et toi une femme, si j'étais riche et pas toi, il n'y aurait aucun problème, n'est-ce pas? Nous pourrions tenter le coup, n'est-ce pas, et tout le monde trouverait ça parfaitement naturel – Normal. Prévisible.

Il plongea ses yeux dans son regard intrépide, invaincu, passionné et se tut.

– Vito, je suis sûre qu'il existe d'autres hommes en ce monde qu'on ne saurait acheter – mais ils ne m'aiment point. Toi, tu m'aimes. Mais tu sacrifies cet amour, simplement pour montrer à quel point tu es capable de résister à la tentation. Mais c'est là un mouvement d'orgueil parfaitement inutile parce qu'après cela, tu continueras de m'aimer. Ainsi serons-nous tous les deux perdants, et pour le reste de nos jours, c'est bien ça?

– Billy...

– Mais, comme je disais, je n'ai pas trouvé l'argument décisif. Tout ça est un tel gaspillage... J'ai horreur du gaspillage.

– Moi aussi.

C'était au-delà de l'amour, songea Vito. *C'était,* tout simplement. Comme le destin, comme le pays de sa naissance, comme l'inévitable.

Il posa ses mains sur les siennes.

– Je vais te le donner, l'argument décisif. Tu dois me promettre de ne jamais, sous aucun prétexte, m'acheter de Rolls.

Billy se leva brusquement.

– Et puis, ajouta-t-il, de ne jamais organiser de surprise-party en mon honneur.

Les délicates écrevisses et les verres de vin allèrent s'écraser sur le sol, éclaboussant le marbre en tout sens. Les mots de Vito n'avaient pas encore pénétré l'esprit de Billy. Mais il y avait un endroit en elle – son ventre, son cœur? – qui les comprenait avant son cerveau, un endroit que le bonheur gonflait déjà. Tout le monde, dans ce restaurant policé, avait tourné la tête dans leur direction. Quelle insulte avait bien pu proférer cet homme pour que cette femme s'avançât vers lui d'une façon si peu civilisée.

– Si tu as dit cela pour me faire marcher, *je te tue*!

– Je ne plaisante jamais sur les affaires de famille.

Les convives retournèrent à leur assiette: sans doute encore une querelle d'amoureux... Tandis qu'autour d'elle, des serveurs faisaient disparaître les débris, Billy se renversa dans son fauteuil. Elle rayonnait d'allégresse et se sentait intimidée comme une petite fille.

— Ne dis pas: « Je te l'avais bien dit »...

De son index, il suivit le contour de ses lèvres et cueillit une larme sur sa joue avant qu'elle ne tombât dans le seul plat resté intact, une saucière de mayonnaise aux herbes.

Le maître d'hôtel, un vigoureux Milanais communiste, se prit à songer qu'avec ces deux-là, le poulet à l'estragon et le soufflé au citron seraient gâchés sans doute. Mais d'un autre côté, il semblait assuré de recevoir un fabuleux pourboire. Si seulement tous les sales capitalistes de la terre pouvaient être aussi amoureux, le monde serait meilleur pour les classes laborieuses.

Le câble était adressé à Valentine. Elle l'ouvrit, le parcourut, incrédule, puis se rua dans le bureau qu'elle partageait avec Spider. Elle lui jeta le papier à la figure:

ÉPOUSE DANS UNE SEMAINE VITO ORSINI. C'EST L'HOMME LE PLUS MERVEILLEUX DE LA TERRE. S'IL VOUS PLAÎT, FAITES-MOI QUELQUE CHOSE DE NUPTIAL. JE SUIS TELLEMENT HEUREUSE QUE JE NE PEUX Y CROIRE. TENDRESSE ET BAISERS. BILLY.

— Sacré bordel de merde! Je ne peux pas y croire non plus... Ça ne ressemble pas à notre patronne... Mais Valentine... pourquoi diable pleures-tu donc?

— Elliott, tu ne sais pas un foutu mot de ce que peut être une femme!

Maggie apprit la nouvelle au cours d'une réunion de travail avec son principal collaborateur.

— Eh bien ça alors! Mais Bon Dieu j'y pense, cet Orsini, c'est bien ton copain, Maggie? Tu vas pouvoir couvrir le mariage en exclusivité, non? C'est le plus gros coup de ce genre depuis que Gary Grant a épousé Barbara Hutton!

— Tu peux te le mettre au cul!

12

POUR Spider et Valentine, les quelque huit semaines qui s'écoulèrent entre la fin du Festival de Cannes 1977 et le week-end du Quatre-Juillet, constituèrent, à bien des égards, une période de règlements de comptes avec le passé. Pour Vito, ce fut le temps du renouveau. Pour Billy, enfin, ç'aurait dû être l'époque de sa lune de miel. Mais, en y repensant bien, celle-ci n'avait duré que onze heures, l'espace d'un vol polaire entre l'aéroport d'Orly et celui de Los Angeles. Et encore, ce jour-là, n'étaient-ils point mariés.

Dès que l'avenir de Scrupules lui parut bien assuré, Valentine se mit en quête d'un logement. Avant toute chose, il lui fallait à tout prix sauvegarder son intimité. Elle ne pouvait songer à louer une petite maison, il y aurait trop de voisins curieux. Non plus d'ailleurs qu'un appartement dans un immeuble ordinaire, où les gens pourraient aller et venir à leur guise: ce dont elle avait besoin, c'est d'un endroit où Josh Hillman et elle pourraient se rencontrer, s'aimer en toute sécurité. Il fallait en outre que ce fût assez près de Scrupules, assez près de chez Josh et pas trop loin non plus de ses bureaux dans Century City: ses nombreuses occupations restreignaient déjà sérieusement le temps qu'ils pouvaient passer ensemble.

Enfin elle découvrit un dernier étage avec terrasse dans un magnifique nouvel immeuble d'Alta Loma Road, dans l'Ouest de Hollywood. Il ne se trouvait qu'à quelques pâtés de maisons de la limite orientale de Beverly Hills. L'endroit avait tout pour lui plaire: à la réception, dans le hall, siégeait en permanence un gardien qui interrogeait tous les visiteurs. Impossible d'atteindre l'ascenseur sans qu'on vous eût annoncé ni donné l'autorisation de monter.

Certes, à ses yeux, il y avait aussi des inconvénients. D'inévitables parois de verre entouraient une partie du living et de la chambre. Quand elle s'en approchait par surprise, tout l'Ouest de Los Angeles et, par-delà, tout l'Océan jusqu'à l'horizon, se dressaient brusquement devant elle et c'était une vue trop profonde et trop vaste, trop élevée aussi. Valentine était un véritable rat des villes: tant de ciel, tant de lumière lui donnaient le sentiment de visiter une autre planète. Mais c'était aussi une illusionniste, une prestidigitatrice née. Quand son mobilier fut arrivé de New York — le même qui l'avait précédée aux États-Unis, voici plus de cinq années — elle employa tout son talent, sa nostalgie de nécromancienne à recréer l'atmosphère d'un autre lieu, le climat d'un autre temps. Quand elle fermait ses nouvelles persiennes de bois blanches, qu'elle tirait ses nouveaux rideaux rose et blanc, en toile romantique — réplique presque fidèle des anciens, trop râpés désormais — qu'elle allumait ses lampes enfin avec leur abat-jour rouge, l'illusion était complète. Elle recouvrit son vieux canapé de velours et ses fauteuils profonds d'une cotonnade — un imprimé rustique et vieillot, avec des ramages verts et blancs qui évoquaient la Normandie. Enfin, elle recouvrit le plancher de ce qui fut sa seule folie véritable, un très vieux tapis à l'aiguille, avec un motif fleuri, merveilleusement fané.

Sa nouvelle cuisine constituait un grand progrès sur les installations qu'elle avait improvisées à New York. Voulant en faire un endroit typiquement français, elle avait opéré une razzia chez Williams Sanoma de Beverly Hills, et y avait amoncelé des cruches en terre cuite, des casseroles rutilantes, des fouets métalliques, des ustensiles en cuivre, de lourds plats de faïence blanche avec des rayures bleues. Josh, jaloux de son indépendance, l'inondait des seuls cadeaux qu'elle voulait bien accepter de lui: des plantes vertes et des lithographies. Vu le peu de murs dont elle disposait, celles-ci furent bientôt si nombreuses qu'elle dut les faire grimper jusqu'au plafond, et même dans la cuisine.

Malgré cette débauche de verre, Valentine s'accommodait fort bien de sa nouvelle demeure. C'est qu'elle servait son propos. Personne, elle en était bien certaine, n'irait imaginer la raison profonde de son choix. Billy était bien trop absorbée par son nouveau mariage pour se soucier des affaires d'autrui. Quant à la femme de Josh, elle ne voyait, à l'entendre, rien de suspect dans ces trois soirées qu'il passait chaque semaine avec Valentine. Toute sa vie, il avait travaillé tard et cette habitude portait ses fruits. Elliott? Eh bien, il s'en était fallu de peu mais elle avait quand même réussi à lui donner le change... Le soir même où elle avait enfin emménagé, l'homme de service dans le hall lui avait annoncé l'arrivée d'Elliott. Elle était alors avec Josh, étrennant le nouveau lit. Prise de panique, elle avait demandé au gardien de lui expliquer qu'elle était déjà couchée, qu'elle était épuisée, tout près de s'endormir. Pourtant, le lendemain, au bureau, Elliott l'avait regardée d'un air bizarre.

— Déjà au lit, Valentine, à sept heures et demie? Et puis d'ailleurs, pourquoi ne m'as-tu pas laissé monter? Ce ne serait pas la première fois que je te borderais!

— C'est justement le problème... Tu me traites sans le moindre égard. Cette bonne vieille Valentine, et si on allait voir ce qu'elle mijote pour le dîner... Je ne suis pas ta septième sœur, Elliott!

— Ah non, Val, ce n'est pas juste! C'est même dégoûtant de ta part! Je ne t'ai jamais traitée sans égard... tu es ma meilleure amie.

— Ne sois pas idiot.

Elle agita ses boucles, comme un petit feu de joie, pour ne pas devoir affronter son regard blessé.

— Personne ne veut croire qu'un homme et une femme soient contents d'être les meilleurs amis du monde. Les gens vont penser que je ne suis qu'une de tes petites amies après tant d'autres, une de plus dans le fameux défilé. Peux-tu t'imaginer le contraire un seul instant? Et ça, je ne le veux pas, Elliott, surtout maintenant que nous sommes comme cul et chemise ou presque. Bon Dieu, mais nous partageons le même bureau... et jusqu'à la même table!

— Un bureau où je ne mets pratiquement jamais les pieds. Et puis tu as un atelier à ta disposition, Valentine... Mais, si tu y tiens vraiment, je trouverai bien un autre endroit pour m'installer.

Spider semblait aussi stupéfait que si elle lui avait porté une botte avec son crayon à dessin.

— Mais ne te fais plus de souci... Je ne viendrai te voir que sur invitation. Hier, je voulais seulement t'apporter un cadeau, pour ta pendaison de crémaillère, et aussi te montrer une lettre amusante que j'ai reçue... mon premier courrier de fan!

— Oh, ne sois donc pas si bête, Elliott... Tout ce que je te demande, c'est d'appeler avant de venir.

Valentine se hâtait de quitter son masque d'indignation. Elle avait été trop loin. Sous ses dehors virils, quel bébé c'était! Elle lui toucha la main.

— Je suis désolée... Aurai-je quand même mon cadeau?

— Réclame-le à ton portier de luxe... Une caisse de champagne bougrement lourde. Il m'a aidé à la traîner jusqu'à l'ascenseur. Espérons qu'il ne va pas tomber victime d'un coup de soif et tout vider avant ton retour...

— Oh, merci, Elliott! Viens donc en boire un peu avec moi ce soir... je t'en prie!

Elle inclina sa tête flamboyante et se mit à le dévisager d'un air innocent, à l'abri des deux franges jumelles que faisaient ses cils et ses cheveux. Ainsi, cette petite garce mal embouchée avait fini par apprendre à flirter quelque part..., songea-t-il.

— Si j'ai le temps.

— Essaie, je t'en prie... je veux te montrer mon nid. Et cette lettre amusante dont tu parlais, c'était quoi?

— Oh, rien que cette poule sexy à qui j'avais fait des photos gratis à New York alors que je n'avais pas d'autre boulot. Tu t'en souviens? Elle se faisait appeler Cotton Candy. Elle est tombée sur une photo de nous dans *People* la semaine dernière — tu sais, ce reportage qu'ils ont fait sur *Scrupules*... Elle m'a reconnu. Elle m'écrit que ces photos ont changé sa vie. Maintenent, grâce à elles, elle a pu se mettre à son compte. Elle a choisi la meilleure pour en faire une espèce de carte de visite. Regarde un peu! Numéro de téléphone et tout... J'aurais dû lui demander un pourcentage.

Valentine prit la photo qu'il lui tendait et la contempla, les yeux ronds.

— A côté, j'ai l'air d'un garçon... je préfère ton courrier de fan au mien. Moi j'ai reçu une lettre de Prince, ce fumier. Il me dit à quel point il est heureux de me voir si bien réussir. Quel culot... Dis, Elliott, tu viens ce soir, n'est-ce pas?

— Bien sûr que je viens...

Il vint et resta dîner, à son habitude, et comme elle s'y attendait. Mais Valentine savait que leur amitié avait changé, que la trame s'en était desserrée pour faire place à ce secret dans sa vie: Josh. Mise à part son histoire avec Alan Wilton, c'était la première chose qu'elle fût obligée de lui cacher et leurs rapports en étaient subtilement altérés.

Dans divers petits domaines, elle se montrait réservée désormais, réticente et secrète. Elle s'imaginait qu'il ne voyait rien mais il voyait tout. Aussi nettement que, dans sa chambre, il avait remarqué son nouveau lit à deux places.

On approchait des fêtes du 4-Juillet. Valentine avait été conviée à la grande soirée annuelle de Jacob Lace. Billy et Spider aussi d'ailleurs mais ils n'iraient point. Valentine, elle, ne put résister, même si, pour un séjour aussi bref, il lui fallait parcourir cinq mille kilomètres. Toute la mode y serait. Maintenant qu'elle faisait indiscutablement partie de ce monde, qu'elle était devenue Valentine, de Scrupules, elle voulait retourner à New York pour voir un peu de quoi les choses avaient l'air depuis une position aussi éminente.

Josh l'accompagnait à la fête de Lace. Elle ne lui avait pas vraiment demandé comment il s'était débrouillé et ne voulait pas savoir non plus ce qu'il avait raconté à sa femme. En tout cas, il avait paru bien décidé à s'y rendre avec elle, soulignant que, dans une telle cohue, on ne pourrait les croire forcément ensemble comme cela ne manquerait d'arriver dans un restaurant quelconque. Et puis la fête annuelle de Lace n'était jamais couverte par la presse. Bref, pour Valentine, l'horizon était sans nuages, à ce détail près: il lui fallait faire ses bagages. Cette femme dont le métier était de créer des garde-robes complètes pour les autres se révélait totalement catastrophée, véritablement paralysée, dès lors qu'il s'agissait de faire sa propre valise. Hier encore, elle avait expédié une cliente équipée de pied en cap pour une saison d'été qui débutait par une croisière dans les îles grecques, suivie d'un congrès à Oslo et d'un mariage princier à Londres avec seulement deux valises...

Elle contempla la robe qu'elle s'était inventée pour l'occasion : un corsage plissé, en mousseline vert pâle, avec des manches longues et un décolleté dégageant les épaules, rentré dans une grande jupe à frou frou, faite de huit couches séparées de linon parme, et ceinturée d'une écharpe en velours, du même vert que ses yeux. Très fête champêtre, mais comment l'emballer? songea-t-elle, consternée. Elle imagina Elliott en train de lui répondre, dans son nouveau personnage de dictateur de la mode: « mais dans sa housse, évidemment »...

Tandis que Valentine entassait ses affaires, Spider Elliott se prenait en pitié sans en discerner la raison: ce genre d'état d'âme lui était aussi étranger qu'une poussée de furoncles sur le cul. Allongé près de sa piscine avec, dans la main, le grand verre du vendredi soir, il décida de se changer les idées en faisant le compte des bonnes choses de son existence.

Ainsi, cette maison qu'il venait de louer... Juste passé le coin de Doheny Drive, au nord de Sunset Boulevard, tout au fond d'une impasse qu'on pouvait aisément rater. Ne démontrait-elle pas, cette demeure, d'une façon parfaitement encourageante, comme un homme peut se ménager une merveilleuse existence quand il n'a point de femme ni d'enfants à entretenir? La maison avait été reconvertie à cet usage par le propriétaire de Spider, célèbre metteur en scène et père de neuf enfants qui, tout de suite après son cinquième divorce, avait fait vœu de célibat, sinon de chasteté. Ce serment, écrit avec le sang de son homme d'affaires, était symbolisé par la vaste baignoire Jacuzzi, à jet puissant, entourée de plantes vertes qui occupait un angle de l'immense salon organisé sur deux étages.

Spider soupçonna que quelque chose n'allait pas avec ce Jacuzzi, ou alors qu'il fonctionnait vraiment trop bien: le metteur en scène s'était, depuis, remarié et sa sixième femme avait refusé de vivre dans cette maison, dont l'atmosphère lui semblait porter le souvenir de trop de plaisirs et de jeux interdits. Du plaisir et des jeux... songea Spider, morose. Est-ce que ça existait réellement, ces choses, ou bien se racontait-on simplement des histoires? Gravement, il continua de dresser la liste de ses bienfaits. Scrupules faisait sensation dans les milieux du commerce et c'était largement grâce à lui. Hourrah pour Billy Ikehorn Orsini, puisque le magasin était à elle... Les femmes de Beverly Hills et d'un tas d'autres endroits situés au nord, au sud et à l'est de Beverly Hills l'envahissaient tous les jours, elles réclamaient Spider à cor et à cris pour qu'il leur apprît à se voir avec d'autres yeux. Il comptait plus encore pour elles que leur coiffeur, leur pépiniériste et même leurs moniteurs de tennis. Hourrah pour ces braves femmes de Beverly Hills... Peut-être leur serait-il un jour aussi nécessaire qu'un bon psychanalyste. Ou même un chirurgien esthétique. Et puis, au diable la chirurgie esthétique! Son amie Valentine était en plein boom, elle s'affirmait comme l'une des meilleures stylistes du moment. On n'en avait que pour elle dans le *Women's Wear Daily* et aussi dans *Vogue*, sans parler du *Bazaar*. Hourrah pour Valentine O'Neill et son petit secret, quel qu'il fût, et d'ailleurs, il n'en avait rien à foutre ni même à branler qu'elle ait résolu de se cloîtrer mais attention : en faisant bien les choses, avec autant de gorilles qu'une étoile du rock pour veiller sur sa porte. Ce petit bout de fille pourrie, cette irascible petite française cachottière et sournoise... Encore heureux qu'il n'y ait jamais rien eu entre eux. Une bonne chose à rajouter à sa liste.

Le téléphone retentit. Il le laissa sonner six fois avant de se résoudre à répondre.

— Spider?

Cette voix... on ne pouvait s'y tromper... Cette voix de glace incandescente, une ombre planait sur elle, tentatrice: celle d'une beauté sudiste, terriblement guindée, provocante. Il fut incapable de répondre.

— Spider? répéta la voix. Spider, je sais que c'est toi. Les domestiques, eux, répondent toujours.

— Bonjour, Melanie. Au revoir, Melanie.

— Ne raccroche pas, *je t'en supplie*! Accorde-moi seulement une minute. Je pense à toi depuis si longtemps, Spider, mais je n'avais pas le courage d'appeler.

— Fallait pas te donner cette peine.

— Seigneur! Je comprends que tu aies l'air hostile à ce point. Tu as raison de l'être. Je ne me suis jamais pardonnée de t'avoir écrit cette lettre...

— Formidable.

— Non, je t'en prie, laisse-moi t'expliquer... C'était une espèce de peur. Je ne pensais pas vraiment ce que je disais... Ce n'était pas vrai, pas du tout... Mais j'avais si peur de dépendre de toi... Oh Spider, c'est bien simple, tout m'échappait. Il fallait que je sois vache avec toi. J'avais tellement peur, tu comprends...

— Je m'en fiche éperdument, Melanie. Il n'y a pas eu de dégâts. Bonsoir.

— Attends! Je t'en supplie, attends! J'ai besoin de te voir, Spider. Tu es la seule personne dans ce coin qui m'ait aimée autrefois. Il faut que je te parle... Il faut absolument que je te voie.

— Et ton espèce de sorcier, ce Wells Cope — il ne t'aime donc pas?

Spider se maudissait de poursuivre cette conversation mais il n'avait jamais encore senti, dans sa voix, d'accents aussi ouvertement suppliants. Elle s'était toujours montrée si obstinément, si invariablement distante, l'attirant d'une main pour mieux le repousser de l'autre.

— Wells? Pas comme tu l'imagines quand tu parles d'aimer. Je suis si seule, Spider... Je t'en prie, laisse-moi te voir.

— Non, Melanie. C'est une mauvaise idée, un exercice inutile; nous n'avons rien à nous dire.

— Spider, Spider...

Elle sanglotait maintenant, sans retenue. Spider avait des faiblesses pour la plupart des caractéristiques féminines. Rien pourtant ne le faisait aussi violemment réagir que de savoir une fille malheureuse. Il avait trop aimé Melanie autrefois, se dit-il, pour lui tourner le dos maintenant qu'elle était dans la peine. Tout en sachant très bien que ce n'était point par compassion qu'il agissait ainsi. Mais simplement, parce qu'il était incapable de lui résister.

— Je suis encore chez moi une heure, Melanie. Si tu souhaites venir jusqu'ici pour quelques minutes, O.K., mais rien de plus. Je dois être à la plage pour l'heure du dîner.

— Dis-moi seulement comment on va chez toi. J'arrive tout de suite. Oh, merci, Spider!

Tandis qu'elle achevait de noter l'itinéraire, des larmes coulaient encore sur ses joues, mais, quand elle reposa le téléphone, la satisfaction se lisait déjà, à peine esquissée encore, sur sa bouche merveilleuse.

— Demain, retour au travail.

Vito avait dit cela avec un profond plaisir et Billy rit de cette charmante plaisanterie : ils étaient arrivés la veille dans sa propriété de Holmby Hills, et passaient depuis le plus clair de leur temps à rattraper le décalage horaire. Leurs bagages n'étaient même pas défaits, du moins les siens et, maintenant qu'elle y songeait, ils n'étaient pas mariés non plus.

— J'aurais dû m'y mettre dès ce matin, continua-t-il.

Il arpentait nerveusement la chambre, tournant autour du grand lit à colonnes qui occupait le centre de cette pièce de 80 mètres carrés, avec ses rideaux ondoyants de soie géranium.

— Scénaristes de mes deux, on ne peut jamais les toucher le dimanche. Je suis sûr qu'ils s'en vont sur leurs foutus bateaux rien que pour ne pas avoir à répondre au téléphone... en fait, ils ont horreur de l'eau, ces connards.

Billy quitta le lit, s'avança vers lui, nue. Il ruminait debout, devant l'une des nombreuses fenêtres de cette chambre magique. Mais il ne voyait même pas le jardin anglais qui s'étendait à ses pieds ni, par-delà l'enceinte, les sombres frondaisons où des sentiers forestiers tapissés de fleurs sauvages conduisaient aux serres copiées sur les serres victoriennes de Kew. Elle posa ses mains sur les épaules de Vito et se tint devant lui, poitrine contre poitrine, plongeant son regard tout au fond de ses yeux, là où de petits reflets jaunes regardaient dans ses iris. Pieds nus, il n'avait que six centimètres de plus qu'elle et Billy prétendait qu'ils étaient jumeaux. Elle frotta son nez au sien. Comment les hommes à petit nez parvenaient-ils à respirer? Elle l'inspecta gravement, s'efforçant sans succès de déranger ses boucles épaisses et drues.

— Tu es sérieux.

Ce n'était pas une question.

— Mais, pour l'amour de Dieu, ne vois-tu pas que je suis déjà en retard sur le programme! C'est presque la fin mai. Je dois commencer à tourner en juillet au plus tard. Il ne me reste plus que juin pour avoir un scénario en mains, trouver un réalisateur, réunir la distribution, dénicher l'opérateur adéquat...

— Et si tu ne commençais à tourner qu'en septembre-octobre? Qu'est-ce que ça changerait?

— Changerait?

Vito resta un moment stupéfait puis il se souvint que certaines personnes n'entendaient absolument rien à la façon dont on fait un film.

— Billy, ma chère et merveilleuse Billy! Mais c'est une histoire d'amour! Il faut que le film soit terminé à temps pour être mis en circulation à Noël et pas un jour plus tard.

Elle semblait encore perplexe.

— Noël, Billy, c'est ce moment où les *gosses* ont quitté le collège. Ils sont de retour à la maison, c'est le temps des vacances, tout le monde va au cinéma. Et qui va voir des films d'amour? Les gosses, mon cœur... les jeunes, le plus gros public du cinéma.

Billy eut enfin l'air de comprendre.

— Mais bien sûr, c'est parfaitement logique. J'aurais dû y penser. Eh oui, Noël, bien sûr... Mais Vito... et notre mariage? Je l'avais prévu pour vendredi mais si tu dois être si occupé...

— Dis-moi simplement où et quand. Ne t'inquiète pas... je vais combiner mes rendez-vous pour être là de bonne heure. Mais tâche d'arranger ça après 18 h 30, ma chérie. D'accord?

Billy commençait à se faire une vague idée de l'industrie du cinéma. Au cours des semaines et des mois qui suivirent, elle en apprendrait bien plus encore. Plus, se dirait-elle souvent, qu'elle n'eût souhaité.

Le roman français achevé par Vito s'appelait *Les Miroirs du printemps*. Il changea ce titre pour *Miroirs*. Avec un budget de deux millions deux cent mille dollars, *Miroirs* serait ce qu'on appelle dans cette industrie un « petit » film. Les « petits » films occupent une place indécise entre les « grands » films, qui reviennent à plus de huit millions de dollars et emploient des stars pour se garantir contre l'échec — cela ne suffit d'ailleurs pas toujours mais on persiste à le croire nécessaire — et les séries B ou film à « petit budget ». Ces derniers coûtent bien moins qu'un million de dollars. On les destine à cette partie du public qui hante les drive in ou les salles de quartier. Ce sont des gens qui paient pour voir des films de courses de voiture, de majorettes ou de vampires.

Quand ils étaient rentrés de Paris, Vito avait dressé dans l'avion la liste des gens qu'il voulait. Elle était fort courte : Fifi Hill pour réalisateur, Sid Amos comme scénariste, Per Svenberg à la caméra. Hill recevait d'ordinaire quatre cent mille dollars par film. On ne pouvait attendre d'Amos qu'il travaillât à moins de deux mille cinq cents dollars. Quant à Svenberg, il pesait cinq mille dollars par semaine et Vito aurait besoin de lui pendant sept semaines. Cela faisait ensemble six cent quatre-vingt-cinq mille dollars de talent. Mais Vito comptait bien les engager pour trois cent mille dollars au plus, en leur offrant un pourcentage sur sa part de bénéfices éventuelle. Il était grand temps de réunir certains appuis, grand temps de montrer la finesse de son jeu de jambes. Grand temps que sa chance tournât, si elle devait jamais le faire...

Le premier des trois que contacta Vito fut Sid Amos, un scénariste extraordinairement rapide, et le meilleur écrivain possible pour signer l'adaptation d'une histoire d'amour.

— Eh bien, Vito, il est certain que j'aimerais te tirer d'affaire... Tu m'as rendu service au moment où j'en avais le plus grand besoin. Mais franchement, je suis débordé, mon vieux. Mon agent, ce bouffe-merde, me prend pour une machine à écrire électrique à deux têtes. Il m'a collé du travail pour les trois ans à venir sans dételer.

— J'ai décroché le livre de l'année, Sid. J'ai décroché Fifi et Svenberg. Je te demande de dire à ton agent que tu prends ce boulot pour la simple raison que tu le dois à toi-même. Si le nom de quelqu'un d'autre est au générique de *Miroirs*, tu ne te le pardonneras jamais. Ce livre constitue un matériau superbe, tu l'as reconnu toi-même. Il va sans dire que tu seras payé en liquide, directement à ta société de Panama. Soixante-quinze mille dollars. Tu peux toujours raconter à ton agent et aux gars du fisc que tu as fais ça au tarif syndical, pour un vieux copain.

— Soixante-quinze mille dollars! Tu plaisantes... Ce n'est pas très sympa, Vito.

— Et 5 pour cent sur ma part...

— Sept et demi... Et je ne fais ça que pour baiser les gens du fisc... C'est aussi pour le plaisir de contempler la bouille de mon agent.

Et d'un. Maintenant, aux deux autres...

Huit ans plus tôt, encore inconnu et nouveau dans le métier, Fifi Hill s'était vu confié son premier travail de réalisateur par Vito. Ç'avait été le premier succès de Fifi et bien d'autres avaient suivi. Mais Vito ne comptait pas seulement sur sa gratitude qui est une chose plus démodée encore, à Hollywood, que la virginité : il savait que Hill rêvait depuis toujours de faire un film avec Per Svenberg. Vito n'avait pas encore contacté le grand cameraman, mais il promit à Fifi d'obtenir ses services.

— Si je ne réussis pas à l'avoir, Fifi, le marché est nul.

— Tu parlais de cent cingt-cinq mille. Et quel pourcentage déjà, Vito?

— Dix...

— Douze et demi... et Svenberg.

Les directeurs de la photographie entretiennent une vieille rancune, parfaitement justifiée, envers l'industrie du film. Svenberg, en particulier. Il n'était renommé qu'à l'intérieur de la profession. Chez les critiques, c'était à qui citerait Vermeer, Léonard de Vinci, Rembrandt, à propos de son travail. Le public, en revanche, mise à part l'élite des cinglés de cinéma, l'ignorait totalement. Vito le savait prêt à faire quasiment n'importe quoi pour voir son nom devenir enfin célèbre. Il promit au géant suédois que la mention « Directeur de la Photographie : Per Svenberg » apparaîtrait en évidence dans tous les espaces publicitaires achetés dans la presse et sur tous les éléments promotionnels consacrés à *Miroirs...* à condition qu'il marchât pour deux mille dollars par semaine. Le studio lutterait avec la dernière énergie contre un engagement que Vito n'était d'ailleurs nullement habilité à fournir. Mais on n'a rien sans rien.

Après un mois de négociations, Vito sentit qu'il avait en main les principaux éléments de sa production. Son budget avait maintenant dépassé les deux millions de dollars de plus ou moins deux cent mille. Or, l'industrie du cinéma, c'est presque toujours plus, presque jamais moins.

Ce budget, Vito estima pourtant qu'il pourrait faire avec. A condition que rien — mais vraiment rien — ne clochât.

Quelle robe devait donc porter Melanie pour aller chez Spider? Ce problème la fit se sentir plus en forme qu'elle n'avait été depuis sa dernière apparition sur un plateau.

Le choix de son apparence vestimentaire pour une rencontre qu'elle préparait depuis des semaines soulevait en elle une vague d'excitation érotique. Dans la maison d'amis de Wells Cope, elle explora minutieusement ses placards. En proie à une délicieuse panique, elle envisagea dix possibilités pour les rejeter ensuite, depuis la nonchalance affectée d'une simple paire de jeans jusqu'à son short Jean Muir, du rose le plus délicat, tout simple mais terriblement accrocheur. Au bout de quelques minutes, elle trouva la robe qui servirait le mieux son propos : du plus innocent des bleu pâle, en batiste, avec un col rond et large et des manches courtes et bouffantes, et une ceinture bleue pour l'ajuster. Avec une capeline, l'illusion serait complète. Mais elle choisit de mettre un simple ruban bleu dans ses cheveux couleur de muscade et de cannelle. Presque pas de maquillage, les jambes nues et bronzées, les pieds pris dans de fines sandales à talons bas et le tour était joué : elle ferait l'effet souhaité, celui d'une fille sage, un peu enfant, plutôt provinciale et, surtout, vulnérable.

Dès l'achèvement de son premier film, l'insatisfaction s'était à nouveau emparée d'elle. Tout le temps du tournage, elle s'était sentie en état de grâce. C'était, pour Melanie, une bénédiction de se réveiller le matin avec l'idée de consacrer toute sa journée à jouer. Pour la première fois, elle s'était sentie bien dans sa peau. C'est donc qu'elle était née pour ce métier d'actrice, qu'elle avait enfin trouvé sa voie, que cette angoisse étrange, inexplicable, qui l'avait toujours habitée, venait simplement de ce qu'elle n'avait pas trouvé l'emploi qui lui convenait. Quand le film fut terminé, lors de la traditionnelle fête de bouclage, Melanie avait continué d'habiter son rôle. Elle s'exprimait toujours avec l'hésitation, la candeur du personnage qu'elle venait de jouer alors que tout le monde autour d'elle, les techniciens comme les acteurs, se détendait, retrouvait l'univers quotidien et n'avait plus qu'une idée : oublier le film.

Le lendemain, elle s'était réveillée en plein désarroi. Il n'y avait plus de studio où se rendre, plus de maquilleuses ni d'habilleuses pour attendre son arrivée, plus de metteur en scène pour lui expliquer les choses, plus de caméra pour établir son existence. Wells Cope lui avait dit que c'était là un réflexe parfaitement naturel : tout effort soutenu de création est suivi de ce genre de vide. Tous les acteurs, toutes les actrices en passaient par là, lui avait-il assuré. Et puis, très vite, cet état disparaît : la vie normale reprend son cours jusqu'au prochain film.

— Quand va-t-on le commencer?... je veux dire : mon prochain film?

— Melanie, Melanie... Sois raisonnable... Il y a encore des mois de travail sur ce film-là. Et même quand il sera vraiment prêt, j'ai bien l'intention de ne le distribuer qu'au moment choisi, quand les meilleures salles seront disponibles. Ce que je dirige, comprends-tu, ce n'est pas la fabrique des films Melanie Adams. Le tout est de t'utiliser au mieux, afin que tu deviennes une grande star — et il s'en faut encore de beaucoup. Cela demande une préparation soigneuse, beaucoup de maîtrise. Je n'ai pas l'intention de me servir de toi pour inonder le marché. Non, avant d'entreprendre ton prochain film, il faut que j'aie mis la main sur le scénario parfait. Je cherche, vois-tu, je lis des épreuves et des manuscrits tous les jours. Mais je n'ai rien trouvé de bien pour le moment, ni même de pas trop mal. Pourquoi te montres-tu si impatiente? Tu devrais employer tes loisirs à te distraire... déjeune avec des amies, joue au tennis, prends des leçons de danse, achète-toi des vêtements. Tu travailles avec David Walker... Cela devrait suffire à t'occuper, chérie.

Il était retourné aux manuscrits qui s'empilaient près de son fauteuil. Wells Cope recevait beaucoup et toutes les femmes que comptait son cercle choisi d'amis auraient été ravies de déjeuner avec Melanie. Pourtant, elle ne les appela point. Les conversations entre filles ne l'avaient jamais intéressée, et ceci même au collège. Elle n'était pas douée pour les rapports intimes, fussent-ils superficiels. Elle n'avait, pour s'occuper, que ses cours d'art dramatique – mais son professeur ne lui accordait plus que deux heures par jour – et ses leçons de danse moderne. Et aussi, l'attente...

Tout allait changer pour elle, se disait-elle, tout allait lui arriver dès que son film serait dans les salles. Mais elle ne savait pas très bien ce qu'elle entendait par « tout ». Sauf qu'elle avait été si vite et si loin que tout devait changer pour elle, c'était obligé, tout devait merveilleusement changer.

Le film de Melanie sortit au début du printemps de 1977. Aucun critique ne manqua de tomber amoureux d'elle. On n'avait jamais vu une inconnue triompher de la sorte depuis bien des années. Cinq des critiques les plus importants des États-Unis ne furent guère réjouis de s'apercevoir que quatre de leurs détestables confrères estimaient eux aussi que Melanie Adams était la « nouvelle Garbo ». Elle lut tous les comptes rendus avec enthousiasme. Wells Cope donna un grand dîner, qui fit sensation. Mais rien ne changea. De gens qu'elle avait connus dans le passé, elle reçut des dizaines de messages de félicitations. Elle relut les critiques publiées dans le pays tout entier. Mais rien ne changea.

– Mais qu'espérais-tu donc? demanda Welles avec une légère exaspération (c'était là le plus fort des sentiments qu'il s'autorisait à montrer en dehors des salles de montage). Il ne s'agissait pas d'un sacre mais, simplement, de la première étape d'une carrière. Tout ce qui t'arrive est parfaitement normal chez quelqu'un qui commence seulement, comme toi, à se faire un nom. Si tu veux avoir vraiment l'impression que ta vie a changé, retourne donc à New York voir les filles de l'agence Ford ou, mieux encore, rentre chez toi voir tes parents... A Louisville, on te traitera en vedette. Mais ici? Tout ce que tu peux espérer, ce sont des demandes d'interviews. Peut-être quelqu'un te reconnaîtra-t-il dans la rue ou dans un magasin, mais cela mis à part... Dans cette ville, tu n'es jamais qu'une nouvelle tête, Melanie. Que crois-tu donc que font les actrices entre deux films? Et les plus grandes d'entre elles? Eh bien, elles attendent, en suivant des cours. Si elles sont mariées, elles s'occupent d'arranger leur maison, d'élever leurs gosses et d'attendre. Si elles font de la télévision, elles peuvent participer à des émissions de jeux – et attendre.

– Je peux toujours me mettre aux travaux d'aiguille, murmura Melanie. Il y avait, dans ses yeux, des larmes de déception et de chagrin.

– Excellente idée. Tu es sur la bonne voie, dit Wells distraitement en retournant à son manuscrit.

Melanie se fit passer son film des dizaines de fois dans la salle de projection de Wells. Maintenant qu'elle n'était plus devant la caméra, cette femme sur l'écran aurait pu aussi bien être une autre. Elle ne parvenait plus à se confondre avec cette silhouette qu'elle voyait projetée. Elle se retrouvait toujours assise du côté de la salle, elle n'était plus rien que Melanie, qui elle-même était... était quoi? Elle se remit à chercher son regard dans la glace. Il lui arrivait de plus en plus souvent d'imaginer qu'elle était une autre. Ah, comme elle aurait aimé naître dans la peau d'une Glenda Jackson. Oui, à coup sûr, elle serait vraiment, totalement *là*, une créature réellement achevée, un être fort, autoritaire, arrogant, si seulement il lui avait fallu se construire à partir de zéro... Si elle avait dû surmonter sa vilaine peau, vaincre la laideur de son corps. Oui, si seulement elle avait ressemblé à Glenda Jackson, aujourd'hui Melanie saurait vraiment qui elle était.

Que son premier film n'eût su la combler, mettre fin à cette quête qu'elle avait menée toute son existence, voilà qui la rendait plus avide que jamais de voir ce qu'elle pourrait obtenir d'autrui. Manipuler Wells? C'était sans espoir. Quoi qu'elle pût dire ou faire, il se montrait toujours avec elle d'une patience infinie. C'était là sa façon d'aimer. Leurs rapports sexuels avaient la grâce délicate d'une sarabande.

Elle s'en était d'ailleurs trouvée d'abord merveilleusement apaisée avant de se sentir, à cause de cela même, de plus en plus irréelle. L'absence de curiosité de Wells à son égard contribuait aussi à ce malaise. Ce fut alors qu'elle commença à risquer quelques coups de téléphone chez Spider. Elle se souvenait de sa passion, si insistante, si exigeante et curieuse. Elle pensait y trouver une sorte de réponse à ses questions. Spider ne l'avait jamais laissée en paix; sans trêve, il avait tenté de savoir qui elle était. Peut-être, cette fois, pourrait-il le lui apprendre.

Elle frappa deux coups timides à sa porte, avant qu'il ne se décidât à lui ouvrir. Melanie resta plantée sur le seuil, dans une offrande ingénue de sa beauté sublime. Les yeux baissés, elle attendait qu'il lui proposât d'entrer.

— Oh, pas de ces sottises, Melanie, dit Spider d'une voix dure. Ne fais pas comme si j'avais l'intention de te claquer la porte au nez. Entre... nous avons le temps de prendre un verre en vitesse.

— Spider, oh! Spider, comme tu parais changé! dit-elle.

Il avait oublié cette voix, si tendre et douloureuse, et l'impression qu'elle lui faisait toujours. Une voix comme celle-là, se dit-il avec fureur, la loi devrait la réserver aux femmes laides... Il lui donna une vodka-tonic, se rappelant machinalement ce qu'elle buvait d'habitude, et lui fit signe de s'asseoir à l'autre bout du grand canapé. Son living était tout blanc, très sobre. Environné à longueur de journée d'un véritable déferlement d'objets, Spider avait choisi de vivre dans un espace aussi vide que possible. Il tira un fauteuil de toile pliant assez loin de Melanie pour établir entre eux une distance inconfortable. Alors, elle glissa sur le divan pour se rapprocher de lui. Faute de pouvoir déplacer à nouveau son siège, Spider se figea dans sa position. Il attendait sans mot dire.

— Merci de m'avoir permis de venir -- sa voix était mourante. Il fallait que je te voie, Spider... peut-être pourras-tu m'expliquer les choses.

— T'expliquer !

— Je suis tellement embrouillée... Et tu me posais toujours toutes sortes de questions à mon sujet... Peut-être comprendras-tu ce qui se passe.

— Tu frappes à la mauvaise porte, ma chère. Va donc te faire examiner dans le Canyon des Divans, sur Bredford Drive. Tu trouveras là des dizaines de braves types qui s'entraînent depuis des années dans l'espoir de t'aider un jour à découvrir ce qui va si bougrement mal en toi. Moi je ne suis pas analyste et ce n'est pas maintenant que je vais m'y mettre. Si tu as besoin d'un conseil pour ta garde-robe, je serai ravi de t'aider. Sinon... débrouille-toi.

— Je ne t'avais jamais vu cruel, Spider.

— Tu peux parler.

— Je sais.

Elle le regarda sans mot dire, avec gravité. Il n'y avait pas l'ombre d'une prière dans ses yeux ni trace de cajolerie. En soi, c'était du grand art. Le silence s'éternisait. Elle ne voulait point se servir du langage pour peser sur ses sentiments. Elle savait ne pas devoir le faire.

— Et puis merde! Quel est ton problème? Wells Cope? Ta carrière?

— Non, non... pas vraiment. Il est aussi gentil avec moi qu'il le serait avec n'importe qui. Et puis il s'échine à me trouver un nouveau scénario... Je n'ai pas à me plaindre de ça. C'est juste que rien n'a l'air de tourner comme je m'y attendais. Je ne suis pas heureuse, Spider.

Elle prononça ces dernières paroles avec une véritable stupeur, comme si elle venait seulement de s'en apercevoir, en mettant pour la première fois des mots sur ses impressions.

— Et tu attends de moi que je te dise pourquoi ? demanda Spider d'une voix neutre, achevant d'exprimer sa pensée.

— Oui.

— Pourquoi moi?

— Nous avons été heureux autrefois... j'ai pensé que tu en saurais encore la raison...

Elle était toute simple et triste, comme étonnée, dépouillée de son mystère. En signe, aurait-on dit, d'ultime reddition.

— Je sais bien pourquoi j'étais heureux alors, Melanie, mais, en ce qui te concerne, je n'ai jamais eu la moindre certitude.

La voix de Spider restait dure. Il ne voulait plus maintenant d'une victoire.

— Oh, *si*... je l'étais vraiment. Et puis j'ai été heureuse à nouveau quand je suis venue ici et puis heureuse tout le temps que j'ai travaillé et après... j'ai cessé de l'être.

— Et tu t'imagines maintenant pouvoir revenir vers moi et te sentir heureuse à nouveau. C'est bien ça, Melanie?

Timidement, elle fit signe que oui.

— Ça ne peux pas marcher ainsi... tu devrais pourtant le savoir.

— Mais si, ça le pourrait. Je suis sûre que ça le pourrait. Oh, tu sais, je ne suis pas si naïve, j'ai déjà entendu toutes ces histoires, « ne reviens plus jamais », etc., mais je ne crois pas que ce soit vrai pour tout le monde. Avec nous, ce pourrait être différent. J'ai changé, Spider; j'ai mûri, je crois. Je ne suis plus la même... Tu es le seul dont... dont je me sois jamais sentie proche. Je t'en prie, je t'en supplie!

— Je vais être en retard à mon dîner, Melanie.

Elle se leva du canapé, s'avança vers lui. Il ne bougea pas. Alors elle s'agenouilla sur le plancher nu et serra ses jambes dans ses bras, reposant le menton sur ses genoux, telle une enfant fatiguée.

— Laisse-moi seulement rester ainsi une minute... Et puis je m'en irai, murmura-t-elle d'une petite voix penaude. Oh, c'est si bon d'être à nouveau tout près de toi, à simplement te toucher... à simplement rester contre toi... Ça me suffirait presque.

Elle leva la tête de ses genoux, le regarda dans les yeux :

— Spider?

— *Merde!*

Spider la releva, la porta dans sa chambre. Tandis qu'il la déshabillait, elle le couvrait de petits baisers rapides partout où elle pouvait l'atteindre, comme si elle redoutait qu'il ne changeât d'avis. Quand elle sentit ses mains se promener sur son corps nu, ses lèvres chercher tous les endroits qu'il aimait autrefois, elle gémit de plaisir, sans retenue. Quand elle sentit la chaleur de sa bouche entre ses cuisses, elle murmura entre ses dents serrées : « C'est bon, c'est bon, ah! que c'est bon! » Lorsqu'il la pénétra, elle soupira de béatitude et son corps répondit à tous les mouvements du sien. Quand tout fut terminé, ils reposèrent un instant ensemble, épuisés. Puis Spider s'éloigna brusquement, alla s'asseoir tout au bord du lit. Il contempla Melanie, son corps étalé, totalement offert. Paresseusement, elle se tourna vers lui, le fixa avec un sourire satisfait.

— Oh, c'était si bon... Mon Dieu, je me sens tellement bien partout.

Elle agita ses doigts de pieds, étira ses bras au-dessus de sa tête, poussa un profond soupir de soulagement. Cette fois, Spider était bien sûr qu'elle ne jouait point. Il ne pouvait s'y tromper, il avait vu souvent cette aura qui se dégage des femmes quand leur sexe est comblé. Le sourire de Melanie s'épanouit, devint triomphal. Elle avança la main pour lui caresser la poitrine.

— Je le savais... J'en étais sûre... Tu vois bien que j'avais raison. Nous pouvons de nouveau nous aimer.

— Tu te sens heureuse, maintenant?

— Terriblement heureuse, mon chéri! Oh, mon Spider chéri!

— Pas moi.

— Quoi !

— J'éprouve à peu près le même genre de bonheur qu'après un bon massage. Ma bite te remercie mais... Quant à me sentir *heureux*... heureux dans mon cœur? Non. C'était les paroles sans la musique, Melanie.

Il vit son sourire s'effacer, chassé par la peur. Alors, il pressa sa main sur les siennes.

— Désolé, ma douce, mais je n'éprouve rien d'autre qu'un sentiment de vide. De vide et de tristesse.

— Mais comment serait-ce possible alors que tu m'as rendue si heureuse?

Cette voix plaintive, c'était bien le son le plus authentique qu'il eût jamais entendu sortir de ses lèvres.

— Ça ne me suffit plus, Melanie. Tu ne m'aimes pas. Tu désires seulement que je t'aime.

— Non, Spider, je te jure! Je t'aime... je t'aime, pour de vrai!

— S'il en allait ainsi, je n'éprouverais pas cette tristesse, cette impression de vide. J'écoute toujours mes tripes. Tu aimes la façon dont je t'ai fait te sentir bien, tu aimes la façon dont tu es entrée ici pour me séduire, tu aimes les attentions, les caresses, tu aimes qu'on s'occupe de Melanie, qu'on la questionne et qu'on parle d'elle et qu'on discute de ce qui ne va pas en elle. Quant à m'aimer... Voyons, tu ne m'as seulement jamais demandé comment j'allais. Tu aimes ce que tu sais obtenir, jamais ce que tu pourrais donner. Écoute, peut-être espères-tu vraiment parvenir à m'aimer, mais ça ne marchera pas.

— Comment te convaincre... Que pourrais-je te dire... Que pourrais-je faire pour que tu croies...

— Tu ne peux pas, ne sois pas triste, ma chérie, mais tu ne peux pas, voilà tout.

Elle le regarda et comprit qu'il en savait plus sur Melanie que Melanie elle-même. Elle avait besoin de cette connaissance, besoin de l'acquérir.

— Spider...

— Laisse tomber, Melanie. Ça ne marchera pas.

Sa voix était implacable, détachée. Pis encore : ouvertement soulagée. Melanie elle-même, qui ne l'avait jamais encore connu, reconnaissait le parfum de la défaite. Toute lueur disparut brusquement de ses yeux. Ce fut comme si l'on éteignait un poste de télévision.

— Mais, mais... oh, Spider... que vais-je devenir? gémit-elle.

Du doigt, il suivit la courbe de son visage, depuis l'oreille jusqu'au menton. C'était un doigt impersonnel et un geste sans réplique. Un geste qui ressemblait à un coup...

— Rentre donc chez toi, Melanie... Quelque chose finit toujours par arriver quand on est la plus belle fille du monde...

— Ça me fait vraiment un sacré bien, ce que tu me dis là!

— Ne crache pas dessus, mon petit, ne crache pas dessus.

Quand Josh et Valentine arrivèrent à la *party* de Lace, la fête battait son plein. Valentine avait combiné cette arrivée tardive dans le dessein de ne pas attirer l'attention. C'est perdus dans la foule qu'ils traversèrent les pelouses vallonnées, enivrés par une sensation tout à fait inhabituelle : ils s'affichaient ensemble.

Mais ils ne passèrent guère inaperçus. Valentine avait l'air d'une jeune magicienne visitant son domaine : avec son pied léger, sa démarche dansante, une robe outrageusement romantique, il ne semblait lui manquer qu'une baguette à la main, avec une étoile scintillante à son bout, pour être proclamée Tatiana, Reine des Fées. Josh connaissait une Valentine toute différente — confinée entre quatre murs, cuisinant des dîners, buvant du vin et faisant l'amour : il avait peine à croire que ce fût la même personne qui, maintenant, se glissait parmi des centaines de personnes éminentes ou célèbres avec le même aplomb que si elle avait grandi sous les projecteurs.

Un petit homme se détacha d'un groupe et courut vers eux. Il jeta ses bras autour de Valentine sans accorder le moindre regard à Josh.

— Jimbo!

Elle riait de bonheur.

— Je devrais te donner une fessée, voilà ce que je devrais faire, petite salope.

Elle rit de plus belle, en faisant courir ses doigts dans les cheveux de l'inconnu. Josh contemplait la scène : il n'arrivait pas à croire qu'on pût parler ainsi à Valentine.

— C'est dingue ce que tu as pu nous manquer à tous. A Prince, surtout. Non! *A moi* surtout... Comment as-tu osé te sauver sous le misérable prétexte de devenir riche et célèbre? Je ne pourrai jamais te le pardonner. Et la gratitude, espèce de traînée? M'as-tu seulement envoyé une carte à Noël?

— Je ne t'ai pas oublié, Jimbo... Mais j'avais tant de choses à faire... Oh, comme si tu ne le savais pas. Je te présente Josh Hillman. Josh, Jimbo Lombardi, un de mes anciens camarades de jeu, un vrai polisson, j'en ai bien peur.

Les deux hommes se serrèrent la main, l'air contraint. Valentine se cramponnait toujours au bras de Jimbo.

— Dis-moi donc un peu ce que tu fabriques, créature du diable? Qui as-tu corrompu ces derniers temps?

— Eh bien...

— Raconte.

— Bon — on dit que toutes les nouvelles modes démarrent sur la côte Ouest, mais, cette fois, je crois bien que New York vient en premier et moi je viens en premier à New York, je suis *le numero uno*!

— Cesse donc de faire tous ces mystères, le taquina-t-elle.

— De jolis petits jeunes mariés...

Jimbo redressa fièrement la tête :

— Presque des mariés du jour...

— Jimbo! Mais c'est abominable! dit Valentine d'un ton moqueur. Comment fais-tu? Tu te caches dehors, derrière les marches de l'église, et tu les séduis?

— Il n'en est pas question, Valentine. Comme tu y vas... J'attends le premier anniversaire du mariage, c'est bien le moins, et puis... Eh bien, tout ce que je puis dire, c'est que tu serais étonnée de voir à quel point c'est facile...

— Ah, non, pas du tout! Et les épouses éplorées, que deviennent-elles dans l'histoire?

— Si curieux que ça paraisse, elles sont en général tellement excitées d'être invitées aux fêtes de Prince qu'elles s'en soucient le moins du monde. Oh, elles trouvent aussi le moyen de s'amuser, permets-moi de te le dire. C'est très rigolo. Quand je pense que tu rates tout ça!

— Et Prince? Qu'est-ce qu'il pense de tes activités annexes?

— Sacrebleu, mais Prince et moi sommes quasiment mariés, mon cœur! Tu le sais bien. Je lui appartiens pour la vie... il se moque des à-côtés. Prince ne pense pas qu'il faut tenir la bride aux gens.

— Il n'a pourtant pas cessé de le faire avec moi, dit Valentine d'un ton badin mais où perçait encore de la rancune.

— Mais Valentine chérie, il s'agissait des affaires! Écoute-moi, il est quelque part dans le coin. Il serait absolument désolé de ne pas te voir. Je m'en vais le trouver et lui dire que tu es là.

— On te prendra en chasse tout à l'heure.

Il partit comme une flèche, après avoir donné un nouveau baiser à Valentine et salué Josh de la main.

— Qu'est-ce que c'était que *ça*? demanda Josh, interloqué.

— Oh! juste un vieux pote à moi. Un ami merveilleux, réellement... Il faudra seulement que tu apprennes à le connaître, chéri.

— Je ne crois pas que ce soit inscrit dans les astres.

— Allons, ne sois pas si collet monté. Tout le monde ne peut pas être avocat.

Valentine était toute rouge du plaisir d'avoir revu Jimbo. Elle avait toujours apprécié sa gouaille et ses airs séducteurs. Et puis aussi, qu'il ait tout de suite épousé sa cause dans la bande de Prince.

— Jimbo a été un soldat très courageux, vraiment, il a ramené des décorations à la pelle de Corée. Et puis il était hétéro, je veux dire en ce temps-là. L'histoire la plus drôle que j'aie jamais entendue, c'est quand il m'a raconté la façon dont il s'est fait séduire sur son lit d'hôpital. Il était en traction et totalement incapable de se défendre. Il s'agissait d'un infirmier, je crois, ou peut-être bien d'un médecin. C'est après ça qu'il a commencé à mener joyeuse vie.

— Certainement, dit Josh, en s'efforçant de ne pas laisser percer sa mauvaise humeur.

Une heure et demie plus tard, alors qu'ils attendaient que le barman leur préparât des verres dans l'un des pavillons du parc, Josh se raidit soudain : un homme terriblement beau venait d'apercevoir et, visiblement, de reconnaître Valentine. Il avait aussitôt fait demi-tour, comme s'il voulait l'éviter mais Valentine le héla, d'une voix forte et impérieuse.

— Et comment ça va, Alan?

Il se retourna et s'avança vers eux, avec un sourire contraint.

— Josh, voici Alan Wilton, qui fut mon premier employeur sur la Septième Avenue. Josh est un ami de Californie, Alan.

— Ah, bien..., dit nerveusement Wilton, je lis tout ce qu'on écrit à votre sujet, Valentine. C'est une merveilleuse réussite... Je suis absolument ravi pour vous et nullement surpris d'ailleurs. Vous étiez vraiment partie pour devenir une grande styliste. Ce n'était qu'une affaire de temps.

— Et dites-moi, Alan, ronronna Valentine. Comment va votre petit ami, Sergio? Est-il toujours avec vous, fait-il toujours exactement ce que vous désirez, prend-il toujours bien ses ordres?... A moins que ce ne soit lui qui les donne... n'est-ce pas, Alan? Vous ne l'avez donc pas amené ce soir? Non? Pas invité? Quel dommage, vraiment. Un si beau garçon, ce Sergio, tellement séduisant... Tout à fait irrésistible, en vérité, vous ne trouvez pas, Alan?

Josh, qui n'y comprenait goutte, vit la peau olivâtre et lisse de l'inconnu tourner au rouge brique.

— Valentine... commença Alan d'un ton suppliant.

— Eh bien? Sergio est-il toujours avec vous, oui ou non?

Josh ne lui avait jamais connu une voix aussi glaciale et dure.

— Il travaille toujours avec moi, c'est exact.

— Oh, comme c'est merveilleux d'être aussi fidèlement servi, vous ne trouvez pas? Tant de loyauté, d'honnêteté... Ah, dites donc, Alan, vous êtes vraiment un sacré veinard! En fait, je connaissais déjà la réponse à ma question de tout à l'heure... J'ai vu votre nouvelle ligne et Sergio continue d'utiliser mes vieux dessins. Le moment est peut-être venu d'en changer, non? A moins qu'il ne se soit rendu trop... trop indispensable? Peut-être estimez-vous ne pas pouvoir vous passer de lui, c'est ça? Comme elle est étroite la frontière qui sépare le maître du serviteur... ou devrais-je dire : de l'esclave? J'y ai souvent pensé. Pas vous, Alan?

Valentine se détourna, saisit le bras de Josh et s'éloigna à grands pas, toute vibrante d'une émotion dont Josh ne pouvait percer les raisons.

— De quoi s'agissait-il, pour l'amour de Dieu ?

— Ce sale pédé!

— Alors là, je ne comprends plus... Tu adores Jimbo et tu détestes ce type! C'est dément!

— Ne me demande pas d'explications, Josh. C'est vraiment trop compliqué.

Valentine prit une profonde inspiration. Elle secoua furieusement l'écheveau bouclé de ses cheveux paprika, comme si elle voulait chasser tout l'incident de son esprit.

— Viens, j'aperçois des personnes que je veux que tu connaisses... Prince et sa bande. Observe bien les gens extra, mon chéri, nous n'avons rien de telle à Beverly Hills. Quelques pâles copies, peut-être, mais rien de vraiment approchant.

Éclatante et lumineuse, elle alla vers un groupe très mode, jusqu'à l'extravagance. Josh, qui restait en retrait, entendit que tous accueillaient Valentine avec le genre d'acclamations que d'habitude on réserbe aux candidats présidentiels et aux lauréats des Oscars. Sur un signe pressant de Valentine, il s'avança à contrecœur. Un homme tenait les deux mains de la jeune fille dans la sienne; en dépit de son smoking, il avait l'allure seigneuriale d'un de ces grands propriétaires terriens toujours vêtus de tweed.

— Eh bien, ma très chère Valentine, disait l'homme, vous me devez absolument tout, voyez-vous. Si je ne vous avais pas viré, comme un fichu imbécile, vous seriez toujours à travailler chez moi au lieu de devenir la plus grande des nouvelles stars de la mode.

— Ah, mais non, Prince, détrompez-vous! répliqua Valentine, avec une parfaite assurance. J'aurais bien trouvé le moyen d'y parvenir même sans le secours de vos mauvais procédés...

Et elle l'embrassa sans rancune.

Quand Valentine les présenta l'un à l'autre, Prince regarda Josh avec intérêt.

— Voici donc votre galant Californien, mon chou ?

— Oh, Prince, ne faites donc pas l'idiot. Mr Hillman est mon avocat. Je l'ai amené pour me protéger de mes vieux amis.

— Hillman, mais bien sûr... Josh Hillman... suis-je bête !

Il se tourna vers Josh, planta son regard dans ses yeux, savourant son effet.

— Votre femme Joanne est une de mes plus adorables clientes... Joanne et moi nous connaissons depuis belle lurette, Mr Hillman, comme vous le sauriez sans doute si vous vous souveniez d'avoir réglé mes factures... Une dame tout à fait charmante, vraiment délicieuse... Je vous prie de l'embrasser de ma part à votre retour à Los Angeles.

— Je n'y manquerai pas, Mr... ah, Mr Prince, répondit Josh.

— Prince tout court, Mr Hillman, Prince tout court... répliqua-t-il avec un petit rire étouffé. On aurait cru Henry VIII en personne.

Valentine s'appliqua à les faire battre progressivement en retraite. Après quoi, elle tourna vers Josh une figure pâle et bouleversée. Ses yeux étaient pleins d'inquiétude.

— Oh, mon Dieu, je n'aurais jamais imaginé... et Prince va tout lui raconter dans le moindre détail, tu peux compter sur lui... je le connais trop bien pour imaginer qu'il laissera passer une occasion pareille. Peut-être que si j'allais lui parler...

— Il n'en est pas question, répondit Josh. Cela ne ferait que confirmer ses soupçons. Pour l'instant, il n'a aucune certitude. Si tu lui parles, il saura tout. Et puis, après tout, un avocat peut bien se montrer en public avec sa cliente. Ne lui fais pas s'imaginer autre chose, ma chérie... Tout ça n'est pas grave.

Toute tremblante, elle le tire par le bras, le conduisit à l'abri d'un bosquet.

— Oh, Josh, tu n'aurais pas dû venir... Je suis terriblement inquiète.

— Tu n'as pas à l'être, je t'assure. Tu es bien trop belle pour te faire du souci. Tu gâcherais la fête... ce soir, tu es une fée d'Irlande et tu gaspilles cette robe merveilleuse en restant ici, dans l'obscurité. Allons danser! Non? Bon, alors, si tu ne danses pas, restons tranquillement à nous câliner sous les arbres.

Il l'étreignit et l'embrassa jusqu'au moment où il sentit qu'elle se détendait et commençait à réagir à ses baisers, en dépit du choc que Prince lui avait donné.

— Voilà qui est mieux, chérie. Et *maintenant*, dansons!

Et Josh la fit tournoyer jusqu'au parquet de danse. Il y avait là toutes sortes de femmes ravissantes mais aucune, en cette nuit triomphale, ne pouvait éclipser Valentine.

Comme à l'aller, Valentine et Josh avaient prévu de voyager par des vols séparés. Ainsi ne pourrait-on les surprendre ensemble à l'arrivée. Pourtant, le matin qui suivit la fête, Josh changea son billet pour être dans l'avion de Valentine. Personne, expliqua-t-il, ne l'attendrait à l'aéroport: il venait d'appeler les siens pour les avertir qu'il ignorait quand au juste il rentrerait.

Assise près du hublot, Valentine passait mentalement en revue quelques-uns des moments les plus délectables de la réception de Lace, quand Josh interrompit sa songerie:

— Cesse de rêver, ma chérie, et écoute-moi.

Valentine se tourna vers lui mais son esprit vagabondait encore.

— J'ai quelque chose à te dire, continua Josh — il prit sa main dans la sienne — je veux qu'on se marie.

— Oh, non!

Valentine fut, tout autant que Josh, stupéfaite de la violence et de la vivacite de sa réaction. Tout inattendue que fût la proposition, la réponse avait été instantanée.

— Tu n'es pas sérieux, c'est *impossible*!

— Ce n'est nullement impossible. En fait, j'y pense depuis des mois sans bien m'en rendre compte. Je l'ai seulement compris la nuit dernière.

— Non, Josh, non et non! C'est parfaitement dingue! Cela vient simplement de ce que tu es de bonne humeur parce qu'il n'y a pas le moindre téléphone dans cet avion. Quelle folie, voyons!

— Absolument pas, ma chérie, d'ailleurs, suis-je du genre à faire des folies?

Elle le regarda. Elle n'était plus seulement étonnée mais furieuse.

— Et moi dans tout ça? Et si je voulais avoir des enfants? Toi tu as les tiens, tous grands déjà. Tu ne peux donc pas comprendre ça? s'écria-t-elle, vindicative.

— Je te mettrais volontiers enceinte dès demain. Tu peux avoir tous les enfants que tu désires, du moins en ce qui me concerne. Il se trouve que les bébés, j'adore ça... simplement, je ne t'en avais jamais parlé — il sourit d'un air moqueur — c'est mon vice caché.

— Et ma carrière? Elle ne fait que débuter, Josh. Il me faut travailler à longueur de journée, même le samedi. Je ne pourrais jamais tenir une maison comme le fait ta femme...

— Valentine, petite sosotte, tu dis des absurdités... Écoute, tu peux avoir autant de mioches que tu peux en faire *et* poursuivre ta carrière *et* avoir tous les gens qu'il te faut pour tenir ta maison *et*, d'ailleurs, je ne désire pas vivre sur un grand pied. Tu ne m'aimes donc pas assez, Valentine? C'est de ça qu'il s'agit en fait?

Elle secoua la tête, s'arracha à son regard inquisiteur.

— Tu as un esprit trop rigoureux, Josh; je ne peux pas t'expliquer tout ça d'une façon logique. C'est un sentiment trop vaste. Nous vivions un amour si merveilleux et voici que, maintenant, il faut tout ficher en l'air, tout le monde va voir sa vie bouleversée, chacun va devoir changer de place et tout ça parce que tu veux te marier... Ce n'est tout simplement pas... comme il faut.

Josh eut un sourire soulagé, indulgent. Cette idée s'était logée depuis si longtemps dans son subconscient qu'il n'avait pas imaginé à quel point elle pourrait en être surprise, et même véritablement choquée. Après tout, Valentine n'était-elle point le produit d'une culture qui ne prenait pas le mariage à la légère ni le divorce? Et n'était-ce pas aussi son cas?

— Écoute, ma chérie, si tu ne dis ni oui ni non, peux-tu au moins me donner un peut-être provisoire ?

A regret, mais incapable de rester sur ses positions, Valentine répondit :

— Un *peut-être définitif* et c'est absolument *tout*. Et je te préviens, Josh, ne t'imagine pas que ce soit plus, parce que ça ne l'est pas! Et ne fais aucun projet qui me concerne. Et puis n'en parle à personne, *personne*... ou bien je dirai non, je te le garantis. Je ne veux pas me laisser entraîner dans quoi que ce soit. Je ne veux pas subir de pressions. Je ne veux prendre aucune décision avant d'y être prête.

— C'est encore plus difficile de traiter une affaire avec toi qu'avec Louis B. Mayer[1]. Et il est mort... Très bien, nous partirons d'un « peut-être » définitif et je verrai si je peux gagner du terrain.

1. L'un des fondateurs — comme son nom l'indique — de la Metro Goldwyn Mayer (MGM).

Son esprit juridique était déjà en train d'échafauder des plans pour divorcer d'avec Joanne avec le minimum de récriminations, le maximum de dignité et les moindre pertes sur les biens indivis. Il se sentait raisonnablement certain que toute espèce de « peut-être » venant d'une fille comme Valentine pouvait un jour déboucher sur un « oui ».

Les trois rôles principaux de *Miroirs* avaient été distribués bien avant ce 4 juillet : les deux jeunes héros naturellement, le troisième étant celui d'une fille qui était leur amie commune. Ce dernier personnage – il s'agissait plutôt d'un important second rôle – serait joué par une fille du nom de Dolly Moon.

Dolly Moon était jusque-là surtout connue pour sa participation régulière à des émissions comiques; et son rire, à mi-chemin entre le gloussement, le hululement et le hennissement, l'avait rendue très familière aux télespectateurs. Son allure empruntée, ses yeux ronds perpétuellement écarquillés par l'étonnement, sa bouche trop grande toujours au bord de l'éclat de rire, son gros derrière et ses énormes seins lui conféraient ce qu'il est convenu d'appeler, dans le jargon du métier, un inoubliable physique comique.

Quant aux deux amants, ils seraient incarnés par Sandra Simon et Hugh Kennedy. Sandra Simon était une actrice de dix-neuf ans. Elle avait une grâce fluide et le charme poignant d'une enfant des rues. Elle aussi venait de la télévision où elle tenait alors la vedette dans une série terriblement populaire et son agent avait eu toutes les peines du monde à en faire modifier le scénario pour qu'elle pût travailler avec Vito.

Hugh Kennedy sortait de l'École d'art dramatique de Yale. Il avait tenu beaucoup de petits emplois au théâtre avant de décrocher son premier rôle au cinéma dans un film mineur. Mais Kennedy avait le beau physique romantique qui convenait à un emploi contemporain, c'était un de ces types virils qui semblent avoir pratiquement déserté les écrans, au grand dam des spectatrices.

Juin n'était pas fini que, déjà, la plupart des seconds rôles étaient eux aussi distribués. Sid Amos, lancé à sa vitesse maximale, avait livré les trois quarts d'un scénario que Vito jugea meilleur encore qu'il n'espérait. Le reste fut promis pour la semaine suivante. Le train frénétique de ces dernières semaines avait fait de Vito un être fébrile et rayonnant. Il ne souhaitait rien moins que d'avoir un samedi libre. Pourtant, ce jour-là, après avoir tenté, en vain, de passer une dizaine de coups de téléphone, il dut se résoudre à l'inévitable et prendre quelques heures de détente avec Billy.

– Tu sais ce que je vais faire? dit-il.

– Appeler Tokyo?

– T'emmener dîner. Ça mérite bien ça, une grande belle fille comme toi, tellement formidable et sexy! Un dîner romantique... des spaghetti !

— Hourra, fit Billy, mais son trait d'ironie fut perdu : depuis leur mariage, Vito n'avait jamais pris le moindre repas chez lui sans un téléphone à ses côtés. Lorsqu'ils étaient rentrés de Cannes, il avait aussitôt fait installer trois lignes différentes avec des postes dans leur chambre, dans sa salle de bain, dans son cabinet de toilette, dans la bibliothèque et la salle à manger, dans le salon et le pavillon de piscine enfin. Soit vingt et un récepteurs, dont chacun était muni d'un fil spécial très long. Tous lui étaient réservés : Vito se méfiait des téléphones à touches. Il préférait avoir un appareil pour chaque conversation qu'il menait.

A part quoi, il n'avait rien changé au manoir anglais de Billy. C'était une maison à colombages, patinée par le temps. Elle avait été construite au début des années vingt par une famille qui l'avait sans cesse occupée depuis lors. Les six hectares du domaine constituaient le dernier vestige de l'ancienne concession espagnole du Rancho San José de Buenos Aires.

Billy l'avait payée deux millions et demi de dollars en 1975. Elle avait consacré un million supplémentaire à réaménager et redécorer la maison. Celle-ci était passée de trente-six à vingt pièces, des pièces parfaitement voluptueuses, pleines de trésors et d'agréments. Maintenant qu'il s'était résolu à épouser Billy en dépit de son argent, Vito en goûtait les charmes sans réticence, entre ses coups de téléphone et ses réunions de travail.

— Allons à la Boutique, dit-il. En s'y prenant tout de suite, on pourra sans doute avoir une table. Pourquoi n'appellerais-tu pas Adolph pour réserver à 8 h 30 ?

— Si tu as envie d'une soirée romantique, répondit-elle aigrement, pourquoi ne pas commencer par appeler Adolph toi-même ?

Alors qu'on les conduisait au meilleur box du restaurant, Vito repéra Maggie Mac Gregor, assise en compagnie d'un jeune homme à l'une des petites tables qui occupaient le milieu de la pièce. Il lui fit signe et, sitôt que Billy fut assise, s'en vint la saluer en la gratifiant d'une étreinte formidable. Ils échangèrent quelques propos animés, après quoi Billy vit Maggie et l'homme qui l'accompagnait se lever tous les deux et s'approcher du box.

— Quelle veine ! Ils n'ont même pas encore commandé. Nous allons pouvoir nous installer tous ensemble, dit Vito, radieux. Pousse-toi donc un petit peu, Billy, la place ne manque pas. Chérie, tu connais Maggie Mac Gregor bien sûr. Et voici Herb Henry, qui produit son émission. Ils viennent de terminer l'enregistrement et Maggie s'est sentie une envie subite de *pasta*. Bon Dieu, je meurs de faim moi aussi.

Assuré que tout le monde s'était bien tassé dans le box, Vito tourna son attention vers la carte.

— Je ne voulais pas vous déranger dans votre dîner, dit Maggie en s'excusant, mais Vito y tenait absolument et vous savez à quel point il sait être irrésistible quand il veut quelque chose.

— Oh, vous ne me dérangez en aucune façon. Je suis absolument ravie, dit Billy.

Un gracieux sourire, digne de Tante Cornelie, était venu masquer sa contrariété.

Les deux femmes se connaissaient bien sûr: Scrupules comptait Maggie parmi ses toutes premières clientes. Mais elles n'avaient jamais fait autre chose qu'échanger des saluts. Aux yeux de Billy, Maggie était comme ces petits caniches agressifs, hargneux, qui peuvent se révéler dangereux si on ne les approche pas avec précaution : elle affichait sans retenue et, semblait-il, sans la moindre honte, sa soif d'influence et de pouvoir. Billy qui, elle-même, ressentait cet impérieux besoin de dominer, le décelait chez autrui avant n'importe quoi d'autre : tout comme un arriviste invétéré repère aussitôt, parmi des centaines de gens, son semblable. Pour couronner le tout, Billy se sentait godiche à côté de Maggie. Celle-ci avait été séduite par les nouvelles toilettes qu'elle portait à la télévision au point qu'elle s'était commandée pour elle-même une garde-robe complète chez Scrupules. Choisis sur les conseils de Spider, ces vêtements étaient si ingénieux et discrets en même temps qu'ils faisaient d'elle une sorte de courtisane ambiguë, avec un air virginal, une espèce de vertueuse petite entremetteuse, quelque chose comme un rose Fragonard, un pimpant Boucher en costume moderne.

Quant à Maggie, tout intelligente qu'elle était, elle ressentait, à l'égard de Billy, un véritable blocage. Elle ne la voyait que dans une seule de ses dimensions : c'était La Femme-Qui-A-Tout, et point seulement ces avantages évidents que procure la fortune. Mais aussi ces ascendants Winthrop que Maggie ne parvenait jamais à oublier comme elle ne pouvait oublier sa haute taille, cette merveilleuse minceur qu'elle enviait, non plus que cet animal de Vito Orsini que Billy avait épousé. Celle-ci la terrorisait et il lui répugnait profondément d'éprouver un tel sentiment. Elle voyait bien que, si une Maggie Mac Gregor ne pouvait connaître la peur, une Shirley Silverstein, elle, était parfaitement capable de se liquéfier en présence d'une Wilhelmine Winthrop. De se liquéfier totalement.

Maggie se tourna vers Vito qui était enfin venu à bout de commandes.

— Mon chaton, roucoula-t-elle. Est-ce bien vrai tout ce qu'on raconte au sujet de ton prochain film? Fifi m'a dit que vous partiez en repérage. J'ai l'intention d'aller sur le tournage avec une équipe — nous pourrions peut-être recueillir encore de ces belles histoires...

Vito fit un signe pour conjurer le sort.

— Bon Dieu, Maggie, je ne suis pas superstitieux mais, franchement, crois-tu que ce soit une si bonne idée?

Ils rirent tous les deux, d'un rire plein de sous-entendus complices, qui déconcerta Billy et Herb Henry.

— Écoute un peu, mon chou, la façon dont je vois ça... je suis ton obligée, tu comprends ce que je veux dire?

Vito fit un signe de tête affirmatif. Il était parfaitement conscient que les ambitions personnelles de Maggie étaient pour quelque chose dans son extraordinaire présence d'esprit au Mexique. Lui-même, dans ce genre de situation, n'aurait pas manqué de saisir l'occasion au vol.

— Quand tu auras fini ton repérage, poursuivit Maggie, fais-le moi savoir et nous organiserons tout ça. J'en ai tellement marre de faire des trucs sur les acteurs que ça me donne envie de vomir. Je veux préparer une émission sur les producteurs, une journée dans la vie d'un producteur, quelque chose sur un vrai mec, pour une fois. Ouais, l'idée me séduit de plus en plus... un style complètement différent. Et tu es le producteur le plus mec qui soit dans toute la profession.

Elle contempla Vito d'un œil appréciateur et nostalgique puis, se rappelant un peu tard les usages, elle se tourna vers Billy:

— Vous ne pensez pas que ce serait une bonne idée?

Vito ne laissa pas à Billy le temps de répondre:

— Nous tournons à Mendocino, Maggie. Coup d'envoi le 5 juillet. Six semaines au même endroit.

Billy sentit que son charmant sourire figé faisait place à une expression de surprise indignée. Elle avait bien compris que Vito envisageait divers lieux de tournage en Californie du Nord mais elle ignorait que tout était déjà décidé. Elle s'était mise à écouter ce que disait Vito au téléphone dans l'espoir de recueillir quelques détails sur ses activités. Des détails qu'il oubliait généralement de lui donner... Mais cette fois, c'était une sacrée grosse nouvelle!

— Alors, continuait Vito, si tu penses sérieusement venir, demande à la chaîne de te pistonner un peu et de faire les réservations tout de suite. L'endroit va être envahi par les touristes.

— Rien ne vaudra jamais ce motel mexicain où nous étions la dernière fois, dit Maggie avec un rire dont, encore une fois, tout le monde se sentit exclu, sauf Vito.

Billy se sentait complètement sur la touche. Elle était assise là, dans ce restaurant, à côté du mari qu'elle aimait. Et pourtant lui revenait étrangement le souvenir de ces repas à la pension où elle se trouvait piégée à la même table que des filles populaires auprès des autres, contrainte de les écouter jacasser sur leurs amies communes et les *parties* à venir... Tandis qu'invisible et négligeable, elle barbotait dans le marécage de son humiliation, submergée de haine au spectacle de sa frustration...

Le dîner n'était pas achevé que Billy avait fait l'expérience d'un sentiment nouveau pour elle: la jalousie. Sentiment immonde, vil s'il en est, et qui, jusqu'alors, lui avait été épargné.

Elle voyait Vito, son époux depuis moins d'un mois, totalement absorbé dans sa conversation avec une femme qui faisait partie de son univers de travail, une femme avec qui il partageait visiblement des secrets. Oubliant sa présence, il bavardait avec délices, mangeait avec délectation, comme si elle, Billy, n'existait pas à ses yeux... Elle sentit la jalousie lui poignarder le ventre, en même temps que sa conscience souffrait elle aussi de comprendre qu'elle était capable d'éprouver une émotion aussi répugnante et dégradante.

Sur le chemin du retour, Billy demanda d'un ton insouciant, détaché:

— Dis-moi, Vito, tu connais Maggie depuis une éternité, n'est-ce pas?

— Non, ma chérie, depuis deux ans seulement. Elle est venue un jour à Rome pour m'interviewer. Tu sais: ce film avec Belmondo et Moreau.

— C'est quand tu as eu cette aventure avec elle?

Gaiement, toujours comme en passant... Un autre que Vito s'y serait peut-être trompé.

— Voyons, Billy, nous ne sommes plus des enfants! Nous n'avons pas attendu de nous connaître pour perdre notre virginité... Et puis nous nous étions mis d'accord, avant de nous marier, pour ne jamais évoquer le passé. Tu ne te souviens pas de cette conversation que nous avons eue dans l'avion?

Il secoua la tête, la regarda gravement:

— Je ne veux rien savoir, jamais, *pas un mot* sur les hommes que tu as eus dans ta vie. Je suis un type terriblement jaloux. C'est une chose que je sais à mon sujet et je souhaiterais réellement que ce ne fût pas vrai. Mais je peux du moins m'interdire de songer à ton passé, de le fouiller. J'attends les mêmes égards de ta part, au sujet de la vie que j'ai pu mener avant de te connaître.

Il quitta son volant d'une main, la posa sur les siennes:

— Je dois reconnaître que Maggie t'a frotté le nez dedans, ce soir. Aussi ne te fais-je pas de reproches. Oui, nous avons eu effectivement une petite aventure à Rome, rien de vraiment important, mais depuis, nous sommes bons amis.

— Tu oublies le Mexique...

En parlant, elle sentit sa bouche se tordre de dégoût envers elle-même. Mais elle n'avait pu retenir sa pensée.

Vito hurla de rire.

— Le Mexique! Chère, chère petite sotte, adorable petite *idiote*! Cet affreux motel, c'est là où... Mais tu ne te rappelles donc pas l'histoire de Ben Lowell : sa doublure qu'il avait frappée et qui est morte ensuite ? Juste ciel, mais où étais-tu donc ? On en a parlé dans le monde entier...

— Je m'en souviens vaguement. J'étais absorbée par Scrupules. Mais avec Maggie? Au Mexique... As-tu...

— Écoute mon amour, là tu vas trop loin. C'est exactement le genre de conversation sordide que nous nous étions bien promis d'éviter. « As-tu fait ceci, as-tu fait ça, combien de fois, où, est-ce que c'était bon... as-tu ressenti ceci ou cela ? » toutes ces questions ridicules et qui font mal... Au Mexique, Maggie a eu la cliche dès le premier soir, puisque tu tiens à avoir des détails croustillants, et, à partir de là, ç'a été un véritable cauchemar. On s'est retrouvé avec un cadavre sur les bras. Une saison en enfer... Maintenant assez avec ce sujet, pour toujours et à jamais... Tu n'as pas la moindre raison d'être jalouse d'aucune femme au monde et je ne t'en fournirai jamais l'occasion. Je n'aime que toi. Aucune fille ne tient une seconde devant toi. Tu es ma *femme.*

Billy sentit s'apaiser sa jalousie, s'estomper cette nausée qui lui secouait l'estomac. Mais les paroles de Vito n'en avaient pas eu véritablement raison. En fait ce n'était pas tant la femme Maggie qui la rendait jalouse mais la Maggie qui jouait un rôle dans l'obsession de Vito : la Maggie qui avait sa place dans le monde du cinéma.

Une nouvelle région s'était ouverte dans sa conscience, un endroit putride, une poche de fiel. Cela pourrait bien se cicatriser en apparence, ce ne serait jamais pour autant guéri. Elle ne cesserait plus de gratter cette plaie, de la mettre à vif. Aussi longtemps du moins que, plongé dans ses conversations professionnelles, il serait capable d'oublier sa présence.

Tandis qu'ils montaient à leur chambre, enlacés, Billy se disait avec fureur que c'était justement ce genre d'hommes qu'elle pourrait jamais respecter : dévoués à leur travail, passionnés, acharnés, capables de se donner tout entier à leur tâche. Quand, la première fois qu'elle lui avait demandé de l'épouser, Vito avait répondu à Billy qu'il n'était pas de ceux qu'elle pouvait « acquérir », elle avait compris par là qu'on ne l'achetait point. En fait, elle le comprenait maintenant, il voulait dire qu'on ne le possédait point. Ainsi s'était-elle enfermée, tête baissée, dans ce paradoxe : elle qui voulait toujours posséder, voici qu'elle avait désiré, avec une ardeur infinie, comme elle n'avait jamais désiré personne, un homme qu'elle ne pouvait posséder. Usant de toutes ses forces, déployant toutes ses séductions, elle avait élevé les murs de sa propre prison.

13

Le lundi qui suivit ce dîner à La Boutique, Vito, accompagné de Fifi Hill et du directeur artistique de *Miroirs,* partit pour cinq jours de repérage à Mendocino. On était au début de juillet. La solitude s'abattit sur Billy comme une tenture poussiéreuse.

Depuis son mariage, six semaines auparavant, elle avait négligé Scrupules. Aussi courut-elle se réfugier dans son bureau. C'était le seul endroit du magasin qu'on n'eût pas redécoré. Billy avait adoré cette pièce merveilleusement tranquille mais elle la trouvait maintenant d'une tristesse singulière. Tout lui parut sans vie, comme privé d'une dimension essentielle : les murs tendus de velours gris bleu, avec leur collection d'aquarelles de Cecil Beaton, comme le mobilier Louis XV raffiné, avec ses marqueteries savantes, ses dorures ouvragées, le bureau à cylindre dont elle se servait comme table de travail – alors qu'il aurait dû se trouver dans quelque musée – et même le serre-papier de Fabergé, confectionné pour le tsar Nicolas II, où elle conservait ses principaux documents... Cette pièce ne lui apporta aucun réconfort.

Elle sortit, agacée, et entreprit de visiter Scrupules de fond en comble. Mais elle ne trouva rien à critiquer : durant son absence, le magasin avait prospéré d'une façon indécente.

Après déjeuner, elle avait rendez-vous avec Valentine, pour discuter ensemble de sa garde-robe d'automne. Quand elles travaillaient ainsi toutes les deux, Billy sentait, chez Valentine, une subtile métamorphose qui l'intriguait beaucoup. Depuis un an, il semblait que la jeune fille eût progressivement acquis cette patine délicate que vous procure la célébrité. Comme si sur elle s'était déposé, couche après couche, par touches légères, presque imperceptibles, quelque chose qui n'était point de l'éclat, point non plus de l'afféterie ni de la gloriole, non, peut-être tout simplement... de l'assurance. Certes, elle n'avait jamais cessé de montrer un grand esprit de décision mais il y avait autrefois, dans ses façons crânes, une nuance un peu trop provocante, comme si elle était toujours prête à partir comme un pétard à la moindre contradiction. Elle s'était radoucie désormais, elle avait mûri et vous abordait avec une détermination tranquille. Elle n'avait plus, à l'égard de Billy, cette attitude de défi qui poussait celle-ci à la contredire. Dans son travail, elle affichait une conviction paisible, celle d'une professionnelle aguerrie. Cela faisait un contraste amusant, bien que singulièrement impressionnant, avec son personnage fougueux, enfantin, dont on avait vu désormais tant de photos dans la presse : à côté des profits qu'apportait son service au magasin, elle attirait à Scrupules, dans les journaux et les revues, une publicité inappréciable.

Quelle excellente idée vraiment elle avait eu de faire venir Valentine, se félicita Billy. Mais que faisait donc la jeune fille pour se distraire ? Il n'y avait aucune liaison discrète entre elle et Spider Elliott, ça, Billy en était bien certaine. Non, vraiment, il ne pouvait guère s'agir de Spider, à moins que celui-ci n'eût un frère jumeau : d'après ce qu'elle entendait dire ici et là, Spider menait de front tant d'affaires amoureuses qu'elle s'étonnait qu'il eût encore la force de venir travailler. Il était pourtant le premier au magasin, chaque matin, et le dernier à partir le soir.

Ils parcoururent ensemble le magasin et Billy mesura à quel point l'arrivée de Spider dans une pièce pouvait changer l'atmosphère, apaiser les tensions, créer une excitation nouvelle, donner de l'élan aux vendeuses fatiguées. Comme par magie, il faisait s'imaginer spirituelles les femmes sans relief, se croire intelligentes les jolies femmes et se trouver jolies les femmes intelligentes – qui, pourtant, songea Billy, n'auraient jamais dû tomber dans ce genre de panneau. C'était vraiment un homme-orchestre, un type épatant, se dit-elle : gentil, amusant, malin... il donnait envie aux femmes de lui donner ce qu'elles avaient de meilleur. Il avait pourtant changé lui aussi. Son sourire païen, si gourmand de plaisirs, avait pâli, dirait-on. Ce n'était qu'un sourire désormais. Non plus une attente.

Valentine O'Neill et Spider Elliott... que deviendrait Scrupules sans eux, cette grande caravane, ce bazar baroque, ce pays des merveilles ?

Ils pouvaient bien être ses associés, ses employés, Billy sentait qu'elle ne les connaissait vraiment ni l'un ni l'autre. Jamais ne lui venait à l'esprit que, voici seulement quelques mois, ce genre de préoccupations lui aurait été parfaitement étranger. Peut-être aurait-elle été indignée ou, pour le moins surprise, si on lui avait fait observer que cette réceptivité nouvelle aux changements survenus en Spider et Valentine témoignait d'un changement en elle, plus profond encore.

Mendocino, la petite ville côtière que Vito avait choisie pour cadre de son film, voilà bien le vrai *Brigadoon* californien. A quelque trois cents kilomètres au nord de San Francisco, par des routes sinueuses, elle apparaît au voyageur – fût-il le moins imaginatif – comme une cité surgie intacte des brumes du siècle dernier, une contrée où notre monde n'aurait accès. Elle est située sur un escarpement circulaire dont les pentes rudes surplombent de haut le Pacifique. Le village tout entier est classé monument historique: ses limites une fois franchies, c'est en vain que le voyageur y chercherait un Mac Donald's, un Burger King ou le moindre signe indiquant que les temps modernes sont parvenus à défigurer ce village enchanté. Cet ancien bourg de minotiers fut fondé au début des années 1850 dans un style victorien très simple, comme on en voit au Cap Code, qui est connu sous le nom de gothique des charpentiers. Contrairement à l'idée qu'on se fait habituellement de la Californie, toutes les maisons y sont en bois, poutres et bardeaux compris. Les jaunes, les bleus et les roses dont elles furent peintes autrefois, ternis et patinés par le temps, ont pris des nuances de pastels romantiques. Les habitations sont entourées de prairies sauvages, envahies par les ronces, les fleurs champêtres et les rosiers séculaires. Toute construction nouvelle – très rarement autorisée d'ailleurs – doit scrupuleusement respecter le style de l'architecture. Les enseignes de l'unique hôtel, de la banque, du grand magasin et du bureau de poste sont elles aussi d'époque. Les trois côtés du bourg qui regardent le Pacifique sont protégés par de vastes étendues d'herbe, dénudées et balayées par le vent, qui rappellent les moors d'Écosse. Ces prairies ont été érigées en parc naturel d'État et rien ne viendra jamais modifier leur aspect.

Pourtant la population de Mendocino est loin d'être figée dans le passé. Le site attire beaucoup de jeunes artistes et artisans, tous individualistes têtus. Ils assurent leur subsistance en proposant leurs œuvres aux touristes qui envahissent chaque année l'endroit, ou bien en gérant des boutiques, des galeries d'art et de petits restaurants nichés dans les quelques rangées de vieilles maisons qui occupent le centre ville. D'une façon générale, les habitants du comté de Mendocino sont d'une race fière et querelleuse et, ces derniers temps, ils ont à plusieurs reprises « fait sécession » de l'État de Calinornie.

Vito avait décidé de tourner *Miroirs* à Mendocino pour diverses raisons. Il lui fallait transposer en Amérique l'action du roman français – *les Miroirs du printemps* – dont le thème du film était tiré. Or l'histoire était originellement située à Honfleur et ce bourg de pêcheurs normand, qui a inspiré tant de peintres, est lui aussi hanté par les artistes et les touristes. On retrouve également, dans les deux endroits, le même genre de climat, souvent frais et brumeux jusqu'au plein cœur de l'été.

Avant le début du tournage, on avait soigneusement choisi les sites, convenu des loyers, signé tous les contrats requis, obtenu toutes les autorisations désirables et recruté comme figurants bon nombre des habitants de l'endroit, aussi colorés qu'une troupe de jeunes bohémiens. Vito avait loué une petite maison pour lui et une autre pour le metteur en scène, Fifi Hill. Svenberg, le directeur de la photographie, résidait à l'hôtel local, ainsi que les acteurs principaux. Quand on aurait besoin d'eux, d'autres acteurs moins importants viendraient de San Francisco dans un petit avion capable de se poser sur le minuscule terrain de Mendocino. Les techniciens furent installés dans les motels de Fort Bragg, une ville excessivement banale située à quelques kilomètres au nord.

Billy n'avait jamais mis les pieds à Mendocino. Elle n'était pourtant située qu'à une centaine de kilomètres au nord-ouest de Napa Valley mais on ne pouvait y accéder de l'intérieur que par deux petites routes de campagnes étroites et sinueuses, avec beaucoup de virages en épingle à cheveux. Cela faisait bien longtemps qu'elle entendait parler de cet endroit pittoresque. Elle se sentait tout excitée à l'idée d'y passer quelques semaines au milieu de l'été, pendant le tournage de *Miroirs*.

Billy croyait désormais en connaître un bon bout sur le cinéma, après avoir entendu deux mois durant Vito régler au téléphone les détails de la préproduction. Elle s'était imaginé qu'il s'agissait là d'un prologue nécessairement ennuyeux et désagréable, qu'une véritable fièvre créatrice allait lui succéder sitôt que les caméras commenceraient à tourner. Voulant éviter toute ostentation, elle mit dans ses bagages ses vêtements les plus simples : ses pantalons de toile les plus passe-partout, ses plus vieilles jupes de soie ou de coton, ses sweaters les plus classiques. Le soir, elle pensait que Vito l'emmènerait dîner dans l'une ou l'autre des excellentes petites auberges qui entouraient Mendocino. Aussi ajouta-t-elle quelques jupes longues, quelques hauts à la fois élégants et discrets et quelques vestes douillettes pour se protéger de la fraîcheur nocturne. Les chaussures... Bon Dieu, ce qu'il fallait de chaussures à une femme ! Sa passion des toilettes n'avait jamais eu raison de son ennui d'être obligée d'acheter, chaque fois, la paire de chaussures assortie. Tonnerre ! Son plus grand sac à chaussures, qu'elle espérait ne pas devoir emmener, se trouva bientôt plein.

Billy calcula qu'elle pourrait s'en tirer avec quatre sacs à main seulement et les plus simples de ses boucles d'oreilles et chaînes d'or. Vraiment si peu de choses... Elle bourra un autre sac de lingerie et de sautsde-lit : au moins pourrait-elle se montrer séduisante quand ils seraient seuls à la maison tous les deux. Vito l'avait certes avertie que leur habitation, l'une des rares encore disponibles au cœur de la saison, était vraiment très simple et même tout près de tomber en ruine. Mais ce ne pouvait être à ce point, bien sûr. Et puis quelle importance ? L'essentiel c'était qu'ils fussent ensemble dans cette aventure — un été de tournage à Mendocino... Rien que ces mots avaient quelque chose de palpitant.

Vito redoutait qu'elle ne sût trop à quoi s'occuper durant la semaine. Il lui avait même suggéré de faire simplement un saut pour les week-ends. Mais cette proposition l'avait indignée. Croyait-il donc qu'elle s'intéressait si peu à son travail ? Bien au contraire : elle brûlait de participer à l'élaboration d'un film.

Le tournage de *Miroirs* débuta le mardi 5 juillet. Deux jours après, à l'heure du déjeuner, on était encore à l'œuvre dans les hautes herbes d'une prairie, à une portée de pont de Mendocino, d'où l'on découvrait le bourg tout entier. L'équipe de tournage et les électriciens s'étaient installés au bord d'un étang à nénuphars, parfaitement circulaire, miraculeusement tapi dans la végétation de ce pré accidenté et broussailleux. Quand on ignorait sa position exacte, on risquait fort d'y tomber.

C'est ce qui déjà était arrivé à Billy. Explorant les lieux le premier jour, alors qu'on ne s'était pas encore servi de l'étang, elle avait glissé sur ses pentes escarpées et boueuses et s'était retrouvée dans l'eau bourbeuse jusqu'aux aisselles. Son pantalon de toile blanc et son sac Hermès favori, en cuir et toile blanche, avaient été gâchés. Le plus grand dommage fut cependant causé à son orgueil. Elle avait poussé des cris aigus et l'on avait dû dépêcher deux machinos pour la tirer de cette mare d'une profondeur insoupçonnée. L'un d'eux fut désigné pour la reconduire — trempée comme une soupe, humiliée, semblable à une Ophélie qui se serait trompée d'emploi — jusqu'à la maison où elle put se changer.

Pourtant, en y repensant, cette note de gros burlesque avait fait d'elle un membre du groupe. Pendant ces quelques minutes où elle s'était trouvée mise en vedette, Billy avait senti, pour la première et la dernière fois, que les acteurs et l'équipe de tournage la considéraient autrement qu'en spectatrice parfaitement inutile. Car c'était là très précisément ce qu'elle était : un badaud superflu. Tous les gens qui, à Mendocino, étaient plus ou moins impliqués dans la réalisation de *Miroirs,* avaient des tâches précises à remplir. Tous, excepté Billy. Elle était le plus improductif de tous les accessoires : la Femme du Producteur. Jamais elle ne s'était sentie si transparente et, paradoxalement, si présente ; jamais elle ne s'était jugée si déplacée. Les pantalons sur mesure, les chemisiers tout simples qu'elle avait apportés, lui donnaient l'air aussi peu dans la note que si elle exhibait l'une de ces robes édouardiennes qu'on portait à Ascot. Billy ne pouvait empêcher que ses plus vieilles tenues sport ne le fussent que d'un an, qu'elles tombassent d'une manière impeccable, qu'elles fussent réalisées sur commande dans les tissus les plus raffinés, dans les nuances estivales les plus délicatement fondues. Elle ne pouvait rien contre son incapacité totale à les porter sans ce chic inné, cette prodigieuse élégance naturelle que leur simplicité même ne faisait que souligner davantage. Elle ne pouvait rien contre cette évidence : son style, sa haute taille, la façon même dont elle était bâtie, tout cela lui interdisait de se fondre jamais dans l'équipe, où chacun portait le même uniforme négligé, bien fatigué, qui était visiblement *correct* en ces circonstances — vestes denim et jeans — et ceci, de Vito jusqu'au dernier des machinistes. Elle se sentait aussi excentrique qu'un Anglais dînant en smoking et chemise empesée au plus profond de l'Afrique la plus noire. Encore cette étrange étiquette était-elle entrée dans les mœurs depuis bien longtemps. Billy, elle, se sentait simplement en dehors du coup.

Elle entreprit de fouiller les boutiques de Mendocino et de Fort-Bragg, dans l'espoir vain de découvrir des jeans à la fois assez étroits et longs pour lui convenir, tout en se disant que le problème ne résidait pas vraiment dans son apparence. C'était là chose tout à fait mineure, en regard de ce vieil ennemi qu'elle avait à combattre : cette révélation douloureuse de se sentir toujours exclue, cette morne grisaille de sa jeunesse qu'elle retrouvait chaque fois qu'un groupe, quel qu'il fût, ne l'associait pas à son activité fiévreuse, à ses affaires compliquées. Même entourée des gens de sa famille, elle s'était sentie pareille à une gosse affamée, le nez écrasé à la devanture d'un restaurant, regardant de tous ses yeux les dîneurs joyeux et insouciants. « Le temps guérit toutes les blessures... » Qui donc avait dit ça ? Elle n'en savait foutrement rien mais celui-là ignorait foutrement de quoi il parlait, songeait-elle furieuse. *Rien* ne guérit jamais les vieilles blessures. Elles étaient toujours là, tapies quelque part en elle, prêtes à la paralyser dès qu'un concours de circonstances la replongeait dans ses émotions d'autrefois... Alors, brusquement, toute sa séduction, tout son argent, tout son pouvoir, bref toutes les grâces advenues depuis ses dix-huit ans ne lui semblaient plus qu'un trompe-l'œil. Allait-elle donc souffrir toute sa vie de ces anciens traumatismes ? Il fallait qu'elle sortît enfin de cette nuit d'une façon ou d'une autre, décida-t-elle, avec tant de résolution marquée sur son visage, qu'elle semblait plus grande et plus assurée que jamais.

Sur le tournage, Billy faisait bonne figure. Quelqu'un avait déniché un fauteuil de toile inutilisé et l'avait posé près du siège de Vito. En théorie, c'était une place toute désignée pour rester à ses côtés. Mais en pratique, Vito n'utilisait presque jamais son fauteuil, sinon pour y laisser tomber sa veste, son sweater et, quand montait la chaleur du jour, sa chemise. Chaque fois qu'il passait par là pour se dépouiller d'un nouveau vêtement, il ébouriffait distraitement les cheveux de Billy, lui demandait si elle allait bien, si son livre était bon, puis il repartait au galop avant qu'elle n'eût trouvé le temps de répondre à aucune de ses questions. Elle était alors empourprée de colère et se sentait pareille à un chien sans maître.

Pendant le tournage, il était ici et là et partout à la fois, éparpillé comme une espèce de chiendent latino-américain, ne cessant jamais de vérifier et revérifier que chacun accomplissait bien sa tâche avec 100 pour cent d'efficacité. Quand tournaient les caméras, il prenait des notes à l'intention de Fifi, pour que celui-ci bénéficiât d'un regard neuf.

Depuis sa mésaventure dans l'étang, Billy se sentait quasiment clouée sur son fauteuil. Des câbles électriques d'une nature énigmatique mais indiscutablement sinistre lui tendaient des pièges un peu partout. En se promenant, elle savait qu'elle risquait de se mettre en travers d'un groupe de techniciens quelconque. Or elle s'était bien juré de ne plus jamais causer le moindre ennui. Pourtant, même de ce poste d'observation immobile, il suffit de quelques jours à Billy pour ressentir très nettement que le tournage d'un film consistait en 98 pour cent d'attente contre 2 pour cent d'action. Rien de ce qu'elle avait connu dans sa vie, et certainement rien de ce qu'elle avait lu sur le cinéma, ne l'avait préparée à cet implacable ennui. Si les choses allaient si lentement, s'était-elle dit au début, c'est que le tournage ne faisait que commencer. Mais bientôt elle s'aperçut que tout le processus était, par essence, monotone. Lugubre, elle se dit qu'il devait être plus captivant d'observer un vieillard gâteux occupé à construire un bateau de balsa à l'intérieur d'une bouteille.

Serait-elle donc la seule personne au monde à ne point ranger dans la catégorie des spectacles vivants et inspirés le fait de passer la moitié du jour dans l'attente d'une mise en place, avant de s'apercevoir qu'il faut refaire toutes les lumières? Il n'y avait personne à qui elle osât poser la question. Plutôt se décomposer sur place, tomber en morceaux dans son fauteuil que faire la moindre remarque à Vito... et puis, de toute façon, les seules fois qu'ils étaient seuls ensemble, c'était tard dans la nuit, après les rushes. Assise là, sur son pliant de metteur en scène, Billy se prit à sourire intérieurement. Quelle importance, se disait-elle en aspirant violemment sa lèvre inférieure, que Vito fût aux quatre cents coups toute la journée, toujours occupé avec d'autres gens: le soir venu, elle pouvait difficilement le rater. Il avait à cœur de la tenir toujours superbement baisée, bien à fond, au point que toutes ses observations sur le caractère assommant du tournage, elle les faisait d'habitude à travers un halo de brume, tous les sens en attente.

Elle l'aperçut à trente mètres, qui gesticulait torse nu, avec l'éblouissante énergie d'un chef de partisans, et s'aperçut qu'elle le désirait encore mais tout de suite, bordel, pas dans dix heures de là. Elle sentit tout son corps se tendre d'une façon presque irrésistible, totalement insupportable, en imaginant qu'ils se dirigeaient tous deux vers le Winnebago[1] parqué un peu plus loin à l'usage de Vito: la porte fermée à clé, elle dépouillerait ses vêtements puis resterait ainsi, debout, parfaitement immobile, les jambes bien écartées, à regarder sa bite se dresser et durcir, son visage prendre une expression brutale, aveugle, tel un taureau sacré, pareil au génie des forêts dans les dessins de Cocteau, comme chaque fois qu'il la voyait nue. En songeant à toutes ces choses, en se représentant son odeur — alors que déjà, il commençait à transpirer au soleil — Billy baissa les paupières sur ses yeux vagues et se mit à frotter ses cuisses doucement l'une contre l'autre.

— Déjeuner, Mrs Ikehorn! lui hurla quelqu'un dans l'oreille. Elle sauta de son fauteuil, le renversant presque, mais l'inconnu s'était déjà éloigné.

Le déjeuner, songea-t-elle, toute rougissante et furieuse. Comment osaient-ils appeler déjeuner ce repas révoltant qu'un traiteur spécialisé dans le ravitaillement des équipes de tournage leur fournissait tous les jours sur le plateau. De tradition, la nourriture était abondante: d'énormes platées de côtes de porc accompagnées de frites, des cocottes de spaghetti et de boulettes de viande, des poulets frits entiers, des bacs de salade de pommes de terre, des monceaux de côtes de bœuf rôties, luisantes de graisse, des potées de saucisses et de haricots au four tout incrustés de sucre brun, chacun de ces mets aussi lourd et indigeste que les autres.

Obligée qu'elle était d'affronter ce festin pour camionneurs, Billy avait fini par dénicher un peu de gelée de fruits et, par miracle, un plateau de fromage blanc, entouré de carottes râpées, nourriture qu'elle haïssait depuis l'école mais qui, au moins, n'était pas frite. Vito passant l'heure du repas en conférence, elle avait mangé seule les deux premiers jours, l'air emprunté, avant de se résoudre à emporter son plateau dans le Winnebago.

Billy s'installa dans la roulotte, tout son univers réduit à une montagne de fromage blanc, et comprit qu'elle était trop en colère pour manger: c'était comme si une balle de caoutchouc lui emplissait le ventre. Elle enrageait de sentir à quel point l'équipe de *Miroirs* la tenait pour une étrangère, elle était furieuse aussi de son incurable timidité mais tout cela, Billy le comprenait bien, n'entrait que pour une faible part dans son irritation. Qu'elle fût une étrangère ou pas, la plupart des gens ne se soucient pas à ce point de leurs semblables, moins en tout cas que chacun l'imagine: elle pourrait s'afficher en robe de garden-party fleurie, avec une traîne dans le dos et dans sa main une ombrelle, que tout le monde, à n'en pas douter, s'en foutrait éperdument.

Non, il y avait une cause plus importante à sa colère: elle en voulait

1. Marque de caravane.

à Vito de la négliger et pourtant d'être obligé de se conduire ainsi pour bien faire son métier. Elle en voulait à ce métier qui faisait d'elle, nécessairement, une laissée-pour-compte. Et puis elle en voulait à ce désir qui l'avait prise d'être à ses côtés si bien qu'elle se retrouvait coincée, à Mendocino, inutile et misérable. Et encore elle était furieuse de savoir qu'en rentrant maintenant à Los Angeles, elle aurait perdu son pari contre elle-même. Car son départ montrerait qu'elle ne savait tolérer de voir les choses ne point se plier à sa volonté. Elle enrageait de ne pouvoir obtenir ce qu'elle voulait quand elle le voulait et de la façon qu'elle le voulait. Elle était tout près d'exploser de colère à l'idée que, merde, comme on fait son lit, on se couche.

La pellicule impressionnée chaque jour était envoyée au développement par avion dans un labo de Los Angeles qui la réexpédiait aussitôt. Le directeur de la production avait découvert à Fort Bragg un cinéma désaffecté qui permettait de visionner les rushes dans d'assez bonnes conditions. Merci bien pour les soupers dans les petites auberges, songeait Billy...: Vito avait tout juste le temps de regagner la maison, de prendre une douche rapide, d'enfiler une autre paire de jeans. Puis ils allaient rejoindre Fifi, Svenberg, Sandra Simon et Hugh Kennedy pour manger un morceau rapide dans une sorte de crêperie avant la projection.

La perspective de visionner des rushes avait d'abord réjoui Billy. Son imagination, nourrie par Hollywood, voyait une grande salle de projection privée, de profonds fauteuils de cuir, un ruban de fumée s'envolant de coûteux cigares, bref toute une aura de privilèges. Voire, dans un coin, le fantôme d'Irving Thalbert [1]... La réalité était bien différente: une antique salle de cinéma qui sentait la pisse, avec des sièges défoncés qui, pour peu que l'un ou l'autre des microbes qu'ils recelaient fût encore en activité, ne manqueraient pas de transmettre à tout le monde quelque maladie inavouable. Et puis un écran où se bousculaient des images incompréhensibles.

Après avoir vu cinq ou six versions presque identiques de la même scène et entendu Vito, Fifi Hill et Svenberg en discuter avec animation comme s'il y avait entre elles quelque différence majeure, essentielle, Billy se mit à pester en secret contre ces interminables pinaillages. Étaient-ils donc incapables de prendre la moindre décision sans en passer par ce supplice? L'un seulement d'entre eux avait-il une notion claire de ce qu'il convenait de faire? N'entretenaient-ils point tous ces problèmes, ne s'exagéraient-ils point les difficultés du choix pour des raisons de préséance, chacun entendant bien donner toute la mesure de son pouvoir et laisser la bride à ses conceptions créatrices? Des créa-

1. L'un des grands producteurs de l'époque héroïque de Hollywood. Vice-président de la MGM pendant douze ans. On lui doit notamment *La Grande Parade, Grand Hôtel, Les Mutinés du Bounty, Une nuit à l'Opéra.*

teurs? Mon cul! Ce qu'ils faisaient, c'était de tout petits pâtés. Chipoti, chipoti, chipota...

Certain samedi, ayant achevé de discuter avec Fifi Hill de quelques remaniements à apporter au script, Vito eut enfin loisir de prêter attention à sa femme. On était dans les temps, les rushes promettaient de grandes choses, Sandra Simon et Hugh Kennedy avaient amorcé une idylle véritable et leurs scènes ensemble fusaient d'une sensualité qui crevait l'écran et que Fifi, de son propre aveu, n'aurait jamais pu leur arracher autrement. Le travail de Svenberg à la caméra était plus inspiré que jamais. Enfin, de façon rassurante, le groupe électrogène s'était déjà détraqué. Comme cela est toujours supposé se produire au moins une fois tôt ou tard, autant que ce fût tôt que tard; ainsi les choses étaient dans l'ordre.

Tandis qu'il étendait les bras pour l'attirer vers ses genoux, Billy risqua une question :

— Vito, ne t'arrive-t-il donc jamais d'être... impatient ?

Elle allait dire « excédé » puis « impatient » lui parut mieux approprié. Moins nuancé de reproche.

— Impatient, chérie ? Quand ça, par exemple ?

— Eh bien par exemple, souviens-toi, quand le groupe électrogène est tombé en panne et que, pendant deux heures, on ne put rien faire d'autre que s'asseoir et attendre qu'il fût établi.

— Ouais. Ça me fait toujours grimper aux murs. Mais, en fait, ça n'a pas vraiment d'importance... Après tout, ce truc est tellement rasant d'un bout à l'autre, qu'une heure de plus ou de moins ne fait aucune différence à long terme.

— *Rasant !*

— Bien sûr Billy, ma douce Billy chérie... Pose donc ta tête ici, sur mes genoux. Ah, que c'est bon ! Le tournage d'un film est la chose la plus rasante de toute l'industrie du cinéma.

— Mais tu n'as pas l'air de quelqu'un qui se rase ! Tu ne te conduis pas comme quelqu'un qui se rase ! Je veux dire... tu es totalement absorbé par tout ça. Je n'y comprends plus rien...

Elle souleva la tête du nid chaud entre ses jambes, le regarda, stupéfaite.

— Écoute, c'est très simple : c'est rasant bien sûr... mais ça ne me rase pas.

— Ça ne veut rien dire.

— Je vais te donner un exemple. C'est comme d'être enceinte. Quelle femme oserait prétendre que, pendant la plus grande partie de ces neuf mois, elle fait autre chose que s'embêter à mourir ? On ne peut pas rêver au « miracle de la naissance » vingt-quatre heures sur vingt-quatre. Seulement voilà, de temps à autre, le bébé lui donne un coup de pied et ça, c'est fascinant, c'est émouvant, c'est bien réel. Et, pendant tout ce temps, elle n'arrête pas de grossir et c'est sacrément intéressant; et puis, à la fin, il y a un bébé. Aussi est-ce rasant mais ça ne la rase pas. De toute façon, le plus grand plaisir, c'est après, après la production, au moment du montage et du mixage. Il avait l'air content de son explication.

– Je comprends parfaitement, dit Billy, et rien n'était plus exact : tout cela signifiait que Vito était à la fois le père et la mère de son film et qu'elle ne faisait pas vraiment partie de la famille, sinon par alliance.

Merde et merde. L'homme qu'elle aimait consacrait sa vie à faire ce pour quoi il était fait et elle en suffoquait de colère. Toutes ces conneries à propos des bébés... Comment diable pouvait-il savoir ce que c'est qu'être enceinte ? Faire des films, c'était bien un passe-temps pour les enfants et les fous, deux espèces persuadées d'accoucher d'œuvres d'art.

Peut-être bien que lui, ça ne le rasait point, mais elle, en revanche, ça l'assommait, ça la barbait, ça la rasait jusqu'à l'os.

Josh Hillman et sa femme dînaient de saumon froid et de concombres en salade dans leur salle à manger. Cette pièce superbe qui donnait sur Roxbury Drive, pouvait accueillir quarante personnes pour un dîner assis ou trois cents pour une réception, comme ils en donnaient souvent. Mais ce soir-là, ils n'étaient que tous les deux. Même leurs enfants étaient allés passer l'été en France pour améliorer leur pratique de la langue.

– Comment s'est passée ta journée ? demanda Josh à Joanne. Il avait épuisé tous ses potins de bureau mais ne voulait pas laisser retomber le silence.

– Ma journée ?

Elle parut légèrement surprise.

– J'ai déjeuné avec Susan Arvey. Je la trouve un peu désagréable. Peut-être l'a-t-elle toujours été mais il semble que ça ne s'arrange pas. Et puis il y avait Prince en ville avec sa collection, j'ai donc été chez Amelia Grey me commander quelques petites choses pour l'automne.

– Comment va Prince ?

– Comment va... Mais, Josh, tu ne l'as jamais rencontré !

– Eh bien, c'est que... tu en parles depuis tant d'années que pour moi, c'est comme s'il faisait partie de la famille.

– C'est une chose que j'ai peine à m'imaginer, dit-elle en riant. Je doute qu'il puisse s'intégrer. Nous sommes loin d'être assez chics pour lui. Enfin, il allait très bien, comme d'habitude, toujours aussi adorable avec moi. Et il a quelques modèles qui ont beaucoup d'allure, des trucs beaucoup mieux que l'an dernier.

Prince ne lui avait donc rien dit à son sujet... Pourquoi se sentait-il à ce point déçu ? Son esprit agile, trop bien, trop longuement exercé à résoudre rapidement les problèmes, lui fournit aussitôt la réponse qu'il aurait souhaité ne pas connaître : il avait compté sur Prince pour faire son sale boulot à sa place. Il était tellement certain, tellement convaincu que l'homme ne pourrait s'empêcher de raconter à Joanne qu'il l'avait vu à la fête de Lace en compagnie de Valentine... Cela aurait précipité les événements. Maintenant, c'était à lui de faire les premiers pas. Bien tranquille dans son fauteuil, Joanne sonna la bonne pour qu'elle vînt débarrasser la table. Elle avait l'air tout à fait contente de son sort.

Au diable toute cette affaire. Et qu'il aille au diable, lui aussi, pour se montrer si lâche.

— Un thé glacé, très cher ?

— Volontiers.

Quand Dolly Moon arriva à Mendocino, deux semaines de tournage s'étaient déjà écoulées. Vito s'était soigneusement arrangé pour qu'au cours de ces quinze premiers jours, on filmât les scènes où elle n'apparaissait point. Ainsi économisait-il mille dollars au moins sur la chambre et la nourriture et trois mille dollars sur le cachet de la comédienne. Ces quatre mille dollars pouvaient sembler peu de chose en regard d'un budget de deux millions deux cent mille dollars mais il savait que, dans la production de *Miroirs,* chaque cent allait compter.

Billy remarqua pour la première fois cet apport à la distribution quand Dolly et Sandra Simon furent filmées ensemble dans une rue de Mendocino. Elle se dit que les deux filles formaient un merveilleux contraste. Sandra, d'une beauté si poétique, si lyrique et l'autre, si bondissante et amusante avec, en elle, une sorte de générosité maladroite.

A la pause du déjeuner, elle fit la queue devant la grande table du traiteur. Au moment où elle passait sans s'arrêter devant les côtes de porc-frites, elle entendit une voix dans son dos.

— Je sens que je vais être malade...

Billy se retourna, alarmée. C'était Dolly Moon, elle semblait atterrée.

— Qu'est-ce qui ne va pas ?

— Ce qui ne va pas ? Ne voyez-vous pas qu'il n'y a rien sur cette table qui ne soit en train de nager dans la graisse ?

— Tout au bout de la rangée, vous trouverez du fromage blanc et des carottes en salade.

— Oh, surtout pas ! Ce serait une insulte à mon estomac. Hé, dites... à moins que vous n'aimiez toutes ces saletés, pourquoi ne pas faire scission et s'en aller manger ensemble ? J'ai repéré un endroit où il y a des sandwiches, des avocats, du jambon, des poivrons grillés, des tranches de dinde froide, bref des choses qu'un être humain peut avaler sans se changer en baleine. Qu'en dites-vous ?

— Montrez-moi le chemin.

Une grande partie des touristes étant absorbée dans la contemplation du repas de l'équipe de *Miroirs*, Billy et Dolly purent se serrer à une table libre dans un snack voisin qui servait des aliments diététiques, des plats froids et des lasagnes maison.

Dolly dévora en silence la moitié d'un énorme sandwich, tandis que Billy l'observait avec une curiosité intense tout en picorant du thon en salade. Il y avait dans sa chevelure vaporeuse des mèches qui étaient exactement de la couleur de la marmelade d'orange et d'autres d'une nuance claire et brune absolument indéfinissable. Son regard gris bleu était angélique, sa taille et son nez minuscules. Tout le reste, en revanche, jouait la démesure.

— Ils se posent là, non ? dit enfin Dolly, sur le ton de la conversation.

— Quoi donc ?

— Oh, ça va ! Ma poitrine et mon cul... vous croyez que je ne suis pas au courant ? Écoutez, j'étais dans un collège mormon et je ne pouvais même pas tenter de me proposer comme *cheerleader* [1] quand j'avais seulement douze ans... Il paraît que je donnais une mauvaise image. C'est alors que j'ai perdu la foi. Et pourtant, sans eux, je n'aurais peut-être pas été fichue de gagner ma vie.

— Mais c'est totalement faux, Dolly! Je connais votre travail. J'ai vu les bouts d'essai que vous avez tournés. Vous êtes une actrice vraiment douée, terriblement douée ! s'écria Billy.

Dans sa voix, il n'y avait pas la moindre trace de flatterie. Dolly sourit. C'était un sourire joyeux, candide, sans complications.

— Ça alors ! Savez-vous que vous êtes à peu près la seule à m'avoir jamais dit ça ? D'habitude, on reste planté à regarder mes nichons et mon cul sans prêter la moindre attention à ce que je dis. Je parie que même si je jouais lady Macbeth ou la mère de Hamlet ou Médée...

— Ou Juliette ou Camille ou Ophélie ou, dites donc, pourquoi pas... je vous verrais presque en Peter Pan!

Elles rirent en chœur à l'idée de tous les personnages que Dolly ne pourrait jamais incarner.

— Mince alors ! Je suis contente d'avoir fait votre connaissance, dit enfin Dolly, réprimant un dernier rire, un de ces gloussements qui n'appartenaient qu'à elle. J'ai seulement débarqué hier au soir et je ne connais pas une âme dans l'équipe. On m'a donné la chambre à côté de celle de Sandra Simon. Avec Hugh Kennedy, ils ont fait un raffut des plus embarrassants pendant la moitié de la nuit, ce qui signifie que je ne pourrai pas m'en faire une amie. Et sapristi, tourner en extérieur sans avoir d'amie, c'est dur !

— J'ai remarqué, dit Billy avec conviction. Qu'entendez-vous par « raffut embarrassant » ?

— Eh bien, ils s'en payaient tellement que j'étais dans tous mes états mais, d'un autre côté, j'ai pensé que ça ne se faisait pas d'écouter des

1. Filles choisies dans les collèges pour encourager les garçons au cours des matches et entraîner les applaudissements.

choses aussi intimes... d'où mon embarras. Aujourd'hui, je vais m'acheter des boules Quies.

— Voilà pourquoi ils ne se montrent jamais au déjeuner...

— On peut en faire pas mal en une heure. Ils prennent sans doute un petit déjeuner copieux. C'est pas beau l'amour ?

— Oh que oui, c'est beau, dit Billy, d'une voix rêveuse.

— Une fille comme vous... dites-moi, c'est quoi votre nom ? Billy ? C'est gentil... Une fille comme vous doit se faire un million de mecs.

— C'était le cas autrefois, dit Billy, mais maintenant, je suis la femme d'un seul homme.

— Je viens de renoncer à l'être. Ça a duré un an mais mon jules, ce salaud de Sunrise, aimait ses chevaux sauvages plus que moi. Crénom, j'aimerais trouver quelqu'un de solide mais c'est pas facile quand on a l'air d'une pute. Un jour j'ai essayé de porter une perruque brune quelconque, des lunettes et une robe toute bête et trop grande de deux tailles. La première fois que j'ai traversé la rue, un camionneur s'est mis à hurler : « Hé, la binoclarde, tu veux un bout de ma saucisse? » et ensuite un déménageur m'a dit qu'avec des pare-chocs comme les miens, je n'avais pas besoin de voir où j'allais alors à quoi bon m'embêter avec ces lunettes?... En quelque sorte, c'est sans espoir.

Dolly soupira, tel un sage mélancolique.

— Ouais, j'ai vraiment besoin d'un type solide mais pas embêtant, peut-être quelque chose dans le genre d'un dentiste ou d'un comptable ou bien... quelle autre sorte d'homme est supposée solide ?

Solide... voilà vraiment un sujet sur quoi Billy se pensait merveilleusement qualifiée pour la conseiller. Elle se sentit envahie du désir de faire du bien à Dolly Moon. Elle bénissait le destin qui l'avait mise en position de donner qulques-uns des meilleurs conseils qu'on lui eût jamais fournis.

— Oh, écoutez-moi bien, Dolly. Quand j'avais quelques années de moins que vous, je suis partie vivre à New York et, là-bas, j'avais une compagne de chambre...

Dans un silence captivé, Dolly écouta Billy lui parler de l'époque de Jessica, de l'époque de Katie Gibbs, de l'époque de ses merveilleux Juifs. Billy n'avait jamais eu de conversation aussi intime et spontanée avec aucune femme, sinon, précisément, Jessica en ces jours anciens. Mais comment Dolly l'aurait-elle su ? Elle trouvait simplement que sa nouvelle amie était gentille et futée. Et aussi qu'elle portait des vêtements plutôt jolis et puis qu'elle avait tout ce qu'elle aimait trouver chez une femme.

Le temps de retourner à pied vers la partie de la rue interdite au public, elles avaient déjà résolu de se retrouver chaque jour pour déjeuner.

Alors qu'elles approchaient de la roulotte du maquilleur, Dolly dit à regret :

— Je dois faire un arrêt ici pour commencer, Billy. Dites-moi, quel est votre boulot au juste : habilleuse, coiffeuse, script ?

— Ils donnent aussi à manger à celles qui se contentent de rester assises et d'attendre.

— Je ne saisis pas très bien.

— Je reste assise et j'attends mon mari, Vito Orsini.

— Oh, mon Dieu ! Vous êtes la Femme du Producteur !

— Dolly, si jamais vous redites ça une seule fois, je ne vous raconte absolument plus rien sur la façon de dénicher des Juifs. Je vous cacherai les meilleurs et je ne leur donnerai même pas votre numéro de téléphone. Je suis Billy, vous êtes Dolly et voilà tout.

— Mais, bon Dieu, vous n'êtes donc pas fière d'être la... la vous-savez-quoi ?

— Je suis terriblement fière de *lui* mais *pas* d'être la vous-savez-quoi. Tout le monde se demande ce que je viens ficher ici. Mais c'est que nous ne sommes mariés que depuis un peu plus de deux mois et... et...

Dolly l'entoura de ses bras pour la réconforter.

— Écoutez, j'ai suivi un cavalier de rodéo pendant une année entière et j'ai une peur atroce des chevaux, alors je sais parfaitement ce que vous ressentez. Du moins je suppose que Mr Orsini n'empeste pas le crottin quand il rentre le soir. A propos, Mr Hill insiste pour que je voie les rushes tous les soirs. Accepteriez-vous de vous asseoir auprès de moi et de m'expliquer ? Je n'arrive jamais à comprendre de quoi il s'agit. Je n'ai fait qu'un tout petit film avant celui-ci et je me sens un peu paumée. Hé ! Qu'est-ce qu'il y a de si drôle ? Après tout, vous êtes la F... Billy, vous devenez hystérique ! Hé, ça suffit ! Oh, Seigneur, où sont passés mes Kleenex ?

Un mercredi, alors qu'on était en plein tournage, Maggie Mac Greggor et son équipe de télévision arrivèrent pour passer cinq ou six jours à rassembler du matériel pour l'émission qu'elle allait consacrer à Vito. Titre provisoire : « Une journée dans la vie d'un producteur ».

Sans rien laisser filtrer de ses sombres pensées, Billy regardait Maggie s'activer gaiement, pleine de cette conviction justifiée des journalistes de télévision que les affaires du monde entier sont leur terrain de jeu personnel. Maggie était d'ailleurs la première vedette à se montrer en ces lieux, du moins aux yeux des autochtones qui s'attroupaient sur son passage. Ils avaient désormais tellement l'habitude d'observer les progrès du tournage qu'ils considéraient toute la chose avec autant de détachement que les cabrioles de leurs chats, de leurs chiens ou de leurs bébés. Ils marquaient un intérêt bienveillant pour tous les gens de *Miroirs* mais n'en reconnaissaient aucun, à l'exception de Sandra Simon. Encore celle-ci n'était-elle familière qu'aux ménagères qui suivaient son feuilleton. Mais Maggie Mac Gregor ! Un tiers au moins des foyers regardait son émission toutes les semaines. Coupés comme ils l'étaient du monde, ce show leur donnait l'impression de comprendre ce qui se passait dans ces grandes cités chaotiques qu'ils avaient fui avec tant de dégoût.

Maggie s'ébattait librement, elle sautillait avec insouciance par-dessus les câbles, s'immisçait sans vergogne dans les groupes de techniciens, comme si *Miroirs* tout entier était sa propriété, depuis Vito jusqu'au dernier des bâtons d'eye-liner dans la roulotte du maquilleur. Elle se conduisait absolument comme chez elle au cœur même de ce territoire interdit – l'univers du tournage – dont Billy se sentait tenue à l'écart par des barrières qui, pour être invisibles, restaient infranchissables. Ses yeux pareils à deux éclats de granite, elle songeait amèrement que Maggie, elle, avait toutes les foutues RÉFÉRENCES nécessaires. Bon Dieu, qui fallait-il donc baiser pour *échapper* à ce film ?

Elle résolut de faire une grande promenade à l'aventure parmi les prairies sauvages des alentours. Elle s'éloignerait du tournage, se trouverait un bon coin dans l'herbe, elle s'allongerait simplement, le temps de revenir à une humeur plus joyeuse et raisonnable. Dolly, son amie Dolly, était de service. Elle irait donc seule, le nez au vent, et reviendrait détendue, requinquée, relaxée.

Quand elle rentra trois heures après, elle se sentait une autre femme. Elle s'était laissé caresser par le soleil et le vent et la brise du Pacifique. Par le sumac vénéneux [1] aussi qui poussait avec la même liberté que les fleurs des champs et les ronces mais de façon plus sournoise : le lendemain, Billy s'envolait à destination de Los Angeles et du meilleur dermatologue de la côte Ouest. S'efforçant de ne point se gratter, elle contemplait le paysage par le hublot et se demandait s'il valait la peine d'aller se frotter à la flore de la région pour éviter d'avoir à supporter le reste du séjour à Mendocino. Ce n'était sans doute pas l'alternative idéale, mais, bon Dieu, tout devait valoir mieux qu'un tel supplice.

Elle ne tarda pas à changer d'avis en découvrant que le sumac vénéneux reléguait les bonnes vieilles orties au niveau de l'érythème des nourrissons. Aucun médecin n'y pouvait grand-chose, sinon soulager un tout petit peu les démangeaisons et prescrire des tranquillisants et des somnifères. Elle passa, hébétée, cinq journéres misérables dans un inconfort irrémédiable, sa détresse à peine soulagée de voir que l'éruption ne gagnait point son visage. Vito l'appelait tous les soirs mais leurs conversations ne pouvaient être que décevantes : on ne peut se pencher ni s'apitoyer éternellement sur une histoire de démangeaisons. Tandis que Vito tentait de la réconforter à longue distance, Billy pouvait

1. Variété arbustière communément appelée « arbre à gale » ; ce type d'arbuste *(poison ivy* ou *poison oak)* est très répandu dans l'Ouest américain. En touchant ses feuilles, on risque de violentes éruptions et démangeaisons. Ces plantes sont reconnaissables à leurs baies et à leurs feuilles grisâtres *(N.d.T.)*.

entendre dans le lointain Sven ou Fifi qui vociférait. Vito lui parlait et pourtant elle sentait que son esprit était encore avec eux. Billy demandait des nouvelles du film mais n'écoutait pas vraiment les brèves réponses qu'il lui faisait. Finalement, « tout va bien, chéri (ou chérie), tout va très bien » devint, pour tous deux, la formule passe-partout de ces conversations à demi sincères, de ces frustrants appels du soir.

Au bout de dix jours, Billy perçut un tournant dans sa maladie. Sur ses mains, entre ses doigts, sur toute la surface de ses jambes, les énormes cloques se desséchaient doucement. Elle ne se réveillait plus vingt fois par nuit, horrifiée de constater qu'elle se grattait dans son sommeil. Elle avait toujours l'air aussi appétissante qu'une pâtée pour chiens, se dit-elle. En dépit de quoi, elle eut brusquement une envie folle de compagnie. Impulsivement, elle décrocha le téléphone, composa le numéro de Jessica Thorpe Strauss à Easthampton.

— Jessie ? Grâce à Dieu, tu es chez toi !

— Billy, ma chérie ! Où es-tu donc ? A New York ?

— Non, de retour chez moi en Californie, en train de me rétablir de la sournoise attaque d'un arbre poison et sur le point de m'ouvrir les veines si jamais je parviens à les trouver.

— Mon Dieu ! Et moi qui te croyais occupée à passer une lune de miel absolument exquise avec un homme divin.

— Pas exactement. Comment vont tes cinq merveilleux enfants et mon cher David ?

— Ne m'en parle pas, ma belle.

— Qu'est-ce qui ne va pas ?

— Cet enfant de salaud leur apprend à faire de la voile toute la journée. Et tous les jours... tu sais comme j'ai le mal de mer, même dans un bateau à rames... Tout ce qu'il attendent de moi, c'est que je leur fournisse sans relâche des chaussons de tennis secs — ou plutôt des espèces de baskets, enfin je ne sais trop quoi... Je refuse d'apprendre. Sans parler des douzaines de chaussettes propres. Quel été sinistre !

— Si je t'envoyais un avion, Jessie, aimerais-tu venir me voir pendant quelques jours ? Il nous faudra rester à la maison car je n'ose pas encore mettre le nez dehors. Mais ce serait tellement amusant ! plaida Billy.

— Quand ton avion peut-il être ici ?

Jessica arriva le lendemain, toujours aussi divinement effondrée, même si les sept ou huit kilos dont elle avait garni sa frêle carcasse donnaient à cet effondrement général une allure plus alléchante et voluptueuse que poétique et pathétique.

Les deux femmes reprirent leur conversation exactement où elles l'avaient laissée quatre ans plus tôt, lors de leurs dernières retrouvailles. Et au bout de deux jours, elles avaient l'une et l'autre passé en revue et commenté tous les événements majeurs intervenus dans l'intervalle.

Enfin, Billy se sentit assez bien pour aller s'asseoir au bord de la piscine, à l'ombre de la paillote hawaïenne. Jessica s'installa près d'elle au soleil, barbotant des orteils avec ravissement.

Elle regardait Billy de côté. Puis, s'étant bien assurée que tout ce qu'elle avait observé durant ces quelques jours sur le visage de son amie n'était nullement le fruit d'une illusion, elle délaissa la piscine et se tourna vers elle :

— Quand donc vas-tu enfin cesser de jouer au petit soldat et tout me raconter ?

— Te raconter quoi ? Je n'ai rien à cacher. Je n'ai cessé de me faire plaindre depuis ton arrivée et à chaque plainte et gémissement, je me suis sentie un peu mieux. Quel drôle de soldat je fais...

— Allez, vas-y.

— Où veux-tu en venir ?

— Vito.

— Vito ?

— Ton mari.

— Ah !

— Bien sûr. Le seul et l'unique, s'obstinait l'implacable Jessica. Vito, le jeune épousé.

— Il est tout simplement merveilleux, Jessie. J'ignorais totalement qu'un homme pût recéler une belle énergie... Être aussi créatif, aussi dynamique...

— Tu parles !

— Je ne pourrai jamais te donner le change...

— Est-ce un dix ?

— Oh, ça absolument. Tu peux me faire confiance là-dessus.

— Alors, de quel atroce inconvénient, de quel dilemme intolérable de quel traquenard imprévu et totalement irrémédiable s'agit-il ?

— Qui parle de traquenard ?

— Toutes les femmes que je connais. Et moi la première, certains soirs où, par exemple, je m'apprête à me coucher et que David dort déjà à poings fermés. Tout mari a, d'une façon ou de l'autre, un vice caché.

— Pas Ellis, dit Billy d'une voix sourde.

— Oh, Billy, ce n'est pas de jeu ! Pendant sept années entières, tu es restée pour Ellis la femme-enfant qu'il avait épousée. Jamais tu n'es devenue une femme comme les autres, pour cette simple raison qu'il faisait tout pour te plaire, te protéger, te rendre heureuse. Tu as pris le pas même sur l'œuvre de sa vie. Et après sa paralysie, tu ne pouvais guère être une femme comme les autres non plus. Je ne te fais pas de reproches, mon amour, mais tu n'as jamais appris les règles du jeu.

— Le jeu ? Les règles ? Tu parles comme un de ces livres de recettes conjugales où l'on conseille d'enfiler des collants de cuir noir et d'attendre son mari avec deux décilitres de gin *on the rocks* dans une main et dans l'autre une humble demande d'augmentation d'allocation ménagère. Je ne peux pas croire ça de toi, Jessie.

Jessie hocha la tête avec une gaieté mêlée de compassion. Pourquoi donc Billy ne voulait-elle pas affronter les réalités ? Ça n'avait rien à voir avec le cuir et, d'ailleurs, David raffolait des « bodies » en satin, si terriblement sexy, de Fernando Sanchez.

— Le jeu s'appelle « réussir son mariage ». Et les règles sont tous les compromis qu'il faut faire pour y parvenir.

— Les compromis ! s'écria Billy, piqué au vif. Mais des compromis, je ne fais que cela depuis notre mariage ! Un foutu compromis après l'autre. Petite Billy, si douce et soumise... Crois-moi, tu n'aurais pas reconnu ta vieille amie si tu m'avais vue là-bas, à Mendocino, dans mon rôle d'épouse modèle !

— Et ayant horreur de ça à chaque instant...

— A peu de chose près. A mon avis, Vito n'avait vraiment conscience que j'étais là que lorsque nous faisions l'amour. Et encore, je me demande s'il m'aurait seulement reconnue s'il n'avait pu voir ma chatte?... L'enfant de salaud pourri !

— Eh bien, si c'est à ce point, divorce.

— Tu est tombée sur la tête ? Je suis absolument folle de lui. J'ai eu un tel mal à l'avoir... Je ne suis pas près de le laisser s'échapper. Je ne pourrais me passer de ce baiseur.

— Alors, décide-toi à faire des compromis. De bonne grâce, de plein gré, de grand cœur, avec toute ton âme.

— Oh ! Seigneur, c'est vraiment trop demander ! Non, vraiment ça suffit ! Tu parles comme toutes les sœurs Brontë réunies, ces espèces de névropathes soumises... Tu n'as donc jamais entendu parler de la libération de la Femme ? Et pourquoi diable ne devrait-il pas faire certains compromis lui aussi ?

— Il les a déjà faits. Il t'a épousée contre tout ce que lui dictait son bon sens. Il accepte de mener ton style de vie, tout en sachant que les dix dixièmes des gens qu'il rencontre s'imaginent probablement qu'il est une espèce de type entretenu. Pourtant, il ne s'est pas laissé arrêter par cette idée et il ne t'a pas forcée non plus à changer ta façon de vivre.

— Oh, ça...

— C'est beaucoup, Billy, surtout pour quelqu'un comme Vito, avec toute cette fierté de mâle italien dont tu m'as tant parlé.

— Je suppose que tu as raison. Bon, d'accord, tu as raison. Il reste que...

Jessica vint embrasser Billy sur le sommet du crâne.

— C'est la crise du retour de lune de miel, voilà tout. On en passe toutes par là, dit-elle. Patience, dans quelques mois, tu ne t'en souviendras même plus. Écoute, on devrait dîner de quelque chose qui fasse horriblement grossir et puis ne rien prendre demain, au moins jusqu'à l'heure du déjeuner. On a bien besoin de ça toutes les deux.

— Comment peux-tu parler de « besoin » pour des choses qui font grossir ? demanda Billy, perplexe.

— C'est très simple. Tu n'as jamais entendu parler de cette théorie sur les régimes qui a cours en Europe ? Si ton système métabolique est habitué à ne jamais absorber d'aliments qui font grossir et que tu lui en procures brusquement, ton corps est en état de choc et tu perds aussitôt du poids. Bien sûr, il ne faut pas en faire une habitude.

— Tu es bien sûre de ce que tu avances ? demanda Billy, en lorgnant la bedaine naissante mais bien visible de son amie.

— Absolument, je pèserais une tonne si je ne faisais pas ça de temps en temps.

Elles éclatèrent de rire et n'abordèrent plus la question du mariage jusqu'à la fin du séjour de Jessica. Celle-ci regagna Easthampton le week-end suivant. C'est à regret qu'elle laissait Billy retourner à ses menus planifiés mais elle éprouvait, à sa grande confusion, un certain vague à l'âme en songeant à sa petite bande de bronzés qui commençait à sérieusement lui manquer.

— Billy chérie, dit Jessica alors qu'elles se faisaient leurs adieux au pied du Learjet, j'ai bien peur de ne pas t'avoir été d'un grand secours mais le conseil que je t'ai donné est le meilleur que je connaisse. Souviens-toi : « Tout gouvernement — en fait tout bienfait et tout plaisir humain, toute vertu et toute sagesse — est fondé sur le compromis et l'échange. »

— Où diable as-tu déniché ce petit sermon brodé sur l'oreiller ?

— C'est d'Edmund Burke [1], sauf erreur de ma part.

Jessica fit une moue malicieuse. Elle avait toujours été fière de sa mémoire pour les citations, une mémoire de forte en thème qui lui assurait un avantage permanent sur sa terrible belle-mère.

— Fiche-moi le camp, fille de Vassar, dit Billy en riant. Elle étreignit une deuxième fois sa minuscule amie.

— « Va et ne pèche plus », ou quelque chose comme ça... Souviens-toi que je suis la seule personne au monde qui t'ai connue à une époque où tu n'étais pas si terriblement vertueuse ni si foutrement tolérante.

Là-bas, à Mendocino, on venait de visionner les rushes. Vito et Fifi firent tout le trajet du retour en silence, un épais silence qu'ils ne rompirent qu'une fois installés un verre à la main dans le salon humide de Vito, sur la housse des fauteuils défoncés.

— C'est fini, dit Vito.

— Même un aveugle s'en rendrait compte, répondit Fifi. Rien qu'à leurs voix...

— Et ça fait deux jours que ça dure. Hier, j'ai cru que peut-être elle ne se sentait pas bien mais aujourd'hui, sur le plateau, je les observais...

— Mais aussi quand n'observes-tu point ? dit doucement Fifi, trop accablé pour s'essayer au sarcasme.

1. Écrivain, homme d'État et brillant orateur britannique du XVIIIe siècle.

— ... En espérant qu'ils allaient se rabibocher. Mais il ne faut plus nous raconter d'histoires. Il n'y a pas un mètre de bobine utilisable. C'est ainsi. Maintenant, nous avons pris deux jours de retard et ces foutus gosses ne nous font plus rien de bon.

— J'ai utilisé tous les trucs que je connais. Ça ne donne rien de rien, Vito. Sandra ne veut pas parler, Hugh ne veut rien dire, ils disent qu'ils font de leur mieux, elle pleure, il pleure... un peloton d'exécution, c'est de ça que nous avons besoin !

— Un film, Fifi. Nous avons besoin d'un film. Je n'ai pas trouvé le temps de t'en parler avant les rushes mais, juste après le dîner, ils m'ont harponné l'un après l'autre pour m'annoncer qu'ils ne joueraient pas les scènes prévues pour les deux prochains jours.

— Ne joueraient pas !

Fifi bondit de son siège, l'air égaré.

— Ouais, la scène de nu, la scène d'amour bien grosse et bien grasse dont nous avons absolument besoin pour donner tout son sens au film. La scène la plus importante de tout le bordel... Ils ne veulent pas — je dis bien *pas* — se montrer ensemble dans une scène de nu.

— Qu'as-tu dit, Vito ? Qu'as-tu fait ? *Ils ne peuvent pas nous faire ça* ! Pour l'amour de Dieu... trouve quelque chose.

— Annule le tournage pour demain matin, Fifi, ça ne servirait à rien. Toi et moi irons ensemble parler à chacun de ces crétins de mômes. Il faut crever l'abcès. On va régler tout ça. Il arrive les pires trucs aux films et pourtant on finit toujours par les faire, tu le sais bien.

— D'accord, d'accord, mais quand tu tournes une histoire d'amour et que le type et la fille se comportent exactement comme si leur partenaire était un bout de barbaque pourrie, ce n'est pas comme d'avoir un requin articulé qui se détraque ou la pluie qui tombe quand on veut du soleil... Allons, Vito, tu sais bien que tout, *tout* dans ce film repose sur l'illusion que ceux deux-là s'aiment encore plus que Roméo et Juliette. Et jusqu'à il y a deux jours, ils m'avaient moi-même convaincu que ce n'était pas une illusion.

— Allons faire un petit somme, Fifi. Je te vois au petit déjeuner à l'hôtel. Et après, on se met au boulot.

Fifi prit tristement congé puis Vito s'assit pour réfléchir encore un peu. Si Fifi se rongeait les sangs pour la qualité du jeu de ces deux interprètes, Vito devait affronter de son côté un problème beaucoup plus sérieux. Quand Maggie était venue à Mendocino deux semaines plus tôt, elle lui avait appris des choses qu'il eut beaucoup de peine à croire.

— Vito, lui avait-elle dit avec insistance, je ne peux pas te révéler qui me l'a raconté, mais, crois-moi, ce n'est pas une simple rumeur. Arvey a dit qu'il avait l'intention d'exercer son droit de reprise sur *Miroirs* à la première occasion.

— Mais pourquoi, Maggie, pourquoi ?

Ils connaissaient bien tous deux la nature de cette clause de reprise, qu'on retrouve dans la plupart des contrats. Elle stipule que le studio peut se substituer au producteur dès l'instant où celui-ci déborde son budget. Elle n'est en fait presque jamais appliquée : des centaines de producteurs moins cotés que Vito Orsini commettent des dépassements de budget et de calendrier sans s'attirer autre chose que quelques grognements de la part des gens du studio.

— D'après ce que j'ai pu comprendre, il ne décolère pas de t'avoir procuré l'argent de *Miroirs*. S'il t'a donné le feu vert pour ce projet, c'était juste pour enculer sa garce de femme et qu'elle sache bien qui était le patron du studio. Il voulait seulement se donner des airs, pour autant que je l'ai compris, et puis après, quand Billy et toi vous êtes mariés, il s'est senti blousé. Il fait un geste grandiose pour embêter sa femme et voilà que, quelques semaines après, tu t'enfuis avec l'une des filles les plus riches du monde et il se retrouve tout seul avec cette snob de Philadelphie qui ne lui a jamais donné un centime sans le lui rappeler cent fois.

— L'argent de Billy... mais il n'a rien à faire avec moi !

— Ouais, va donc raconter ça à Arvey. Il estime que tu devrais financer tes films avec son blé plutôt qu'avec l'argent de son studio. Je sais, je sais, ce n'est pas ton genre mais il est furax. C'est un type mesquin et envieux. Il a juré de t'avoir au tournant et n'attend qu'une occasion.

Hé oui, songeait Vito en repensant aux paroles de Maggie, il aurait dû se méfier beaucoup plus quand Arvey lui avait donné si rapidement son accord. Il croyait à toute cette histoire. Tout ça collait vraiment trop bien. Tout était parfaitement logique, hélas.

Le lendemain, peu avant midi, Fifi Hill et Vito repéraient un coin discret à l'hôtel Mendocino et s'installaient au milieu de tout un fatras victorien, parmi les appuis-tête en dentelle et les palmiers en pot, tels deux samouraïs en déroute qui cherchent le meilleur endroit possible pour se faire hara-kiri.

— C'est insensé, grogna Vito. Écoute, Fifi, si Sandra était morte et déjà froide, elle serait revenue à la vie après tout ce que je lui ai raconté. J'ai tout essayé, j'ai essayé la vérité, mais la vérité elle-même n'a pas marché. Je lui ai dit que c'était la chance de sa vie, je lui ai dit que ce film ferait d'elle une star, je lui ai dit qu'elle ne pouvait pas nous faire ça à tous les deux, je lui ai dit qu'elle ne pourrait jamais plus travailler ; je lui ai dit que sa mère allait mourir de chagrin ; je lui ai dit qu'elle serait sur la liste noire de tous les *impresarii* et de tous les producteurs du monde entier ; j'ai supplié, j'ai tempêté, j'ai tout fait sauf la baiser. Et j'aurais même été jusqu'à la baiser si elle n'avait été comme un glaçon.

— J'étais là, Vito. Fais-moi grâce, je t'en prie, dit Fifi avec lassitude. Mais Vito ne lui prêta aucune attention.

— Et ce petit enculé de Hugh Kennedy, quel beau salaud. « Appelez mon agent ! » D'accord, j'appellerai son agent. Ne sait-il donc pas qu'il est en train de commettre un suicide professionnel ?

— Pas assez malin pour s'en apercevoir... Tu en as déjà déniché de plus futés, Vito. Et puis d'ailleurs, même si on obtenait qu'ils la jouent enfin, cette scène de nu, à quoi ça nous avancerait vu leur état d'esprit ?

— Peut-être n'est-ce qu'une querelle d'amoureux. Je retourne parler à Sandra seul à seul...

Une voix timide l'interrompit à ses côtés :

— Mr Orsini ?

— Dolly, Dolly chérie ! La dernière personne sensée qui nous reste en ce monde... Laissez-nous, mon cœur, nous sommes en train de causer.

— J'ai quelque chose d'important à vous dire. Ce n'est pas que je sois une rapporteuse, j'aurais préféré en parler à Billy pour qu'elle vous le raconte ensuite, seulement voilà, elle n'est pas ici, aussi j'ai pensé...

— Quoi donc?

— Écoutez, ce n'est pas du tout ce que vous croyez. Je vous ai entendu parler de « querelle d'amoureux » mais c'est pire. Au travers du mur de ma chambre tous les bruits, toutes les conversations filtrent. J'aurais dû m'acheter des boules Quies ! Je peux vous dire par exemple que tout a commencé quand Sandra a accusé Hugh de prendre la vedette, de lui voler des scènes et...

— C'est exact, intervint Fifi. Je l'y ai déjà pris. Je lui ai donné un avertissement mais il a encore essayé.

— Et alors Hugh est devenu mauvais et il lui a dit qu'elle ne savait pas jouer, qu'elle n'était qu'une vedette tocarde de feuilleton minable, alors que lui était un véritable acteur de théâtre, vous comprenez ; elle lui a rétorqué que sa queue n'était pas plus grosse qu'un pouce de bébé mais hélas pas aussi ferme et alors il a dit qu'on ne pouvait même pas repérer ses tétons, qu'il fallait d'abord arriver à trouver ses nichons et elle a dit qu'il avait une peau dégueulasse, pleine de boutons et il a dit qu'il n'avait jamais si mal baisé qu'avec elle — et que sa connasse sentait la marée —, et ainsi, de pis en pis. Je ne peux même pas répéter la plupart des vannes qu'ils se sont balancées... Je serais bien trop embarrassée.

— Le sens général de cette conversation ne nous a pas échappé, dit Fifi.

— Ce n'est donc pas une querelle d'amoureux, conclut Dolly, c'est de la haine pure et simple. J'entends par là qu'ils ont été trop loin dans leurs vacheries. Le fait est qu'il a vraiment une toute petite queue. Elle y avait souvent fait allusion auparavant mais pas de cette façon-là, c'était plutôt du genre « bon, elle est petite mais bien placée », des trucs comme ça.

— Ouais, ils ont décidément été trop loin. Merci, Dolly, c'est bien utile de savoir enfin ce qui se passe. Maintenant, barrez-vous, mon chou, nous avons à causer.

— C'est cuit, Vito, dit Fifi. Quel homme serait capable d'oublier ce genre de choses même s'il le souhaitait ? Et ce gosse-là ne le souhaite pas du tout.

Il y eut un long silence. Le hall de l'hôtel, avec son décor victorien tarabiscoté, s'emplissait progressivement de touristes assoiffés que servaient de jolies barmaids.

— Nous utiliserons des doublures, annonça Vito. C'est faisable, Fifi !

— Pour une scène de nu ? Tu es fou !

— Je n'ai pas dit que c'était raisonnable. J'ai simplement dit qu'il fallait le faire. Il y a assez de gamins et de gamines dans cette ville : on finira bien par en trouver qui, maquillés et vus de dos, pourront passer pour Sandra et Hugh. Les perruques, Fifi, les perruques... On en dénichera cet après-midi. Puis on tournera les scènes deux fois, une fois avec Hugh et la doublure de Sandra, et après l'inverse. On ne filmera jamais le visage des doublures. Juste le corps et la nuque. Et après, nous ferons les raccords.

— On ne s'en tirera jamais comme ça !

— Avons-nous le choix ?

Ce furent deux journées d'un travail épuisant. Après quoi, Fifi rappela à Vito qu'il fallait encore recommencer les deux jours de tournage qui précédaient la scène de nu. Heureusement tous les autres plans prévus par le script ne mettaient jamais Sandra et Hugh seuls en présence : il n'y aurait sans doute aucune difficulté de ce côté-là. Mais pour ces deux jours qui manquaient ?

— Cette nuit, j'ai remanié le script, dit Vito. Voilà.... C'est une autre façon d'aborder les choses mais qui revient au même. J'ai simplement gonflé le rôle de Dolly... ça colle avec mes changements.

Fifi lut rapidement les nouveaux feuillets.

— Ça colle, ça colle... mais où trouverons-nous le temps ?

Vito lui tendit une deuxième liasse.

— Ces scènes qui nous manquent, nous n'en avons pas absolument besoin. J'ai comblé les trous et arrangé les transitions. L'ensemble tient debout. Si bien que maintenant, nous n'avons plus qu'un jour de retard, Fifi, et si tu n'arrives pas à nous arranger ça, on te vire à coups de pied de l'Association des metteurs en scène.

— T'es content de toi, hein, vieux salaud ?

— Ce sont les charmes du métier, voilà tout.

14

LORSQUE enfin elle retourna à Mendocino, pour la dernière semaine du tournage, Billy découvrit les vertus égalisatrices de l'arbre poison. Un vrai niveleur miracle. Nombreux étaient les machinos, les électros, les gars de la régie, les membres de l'équipe caméra qui avaient subi de vilaines atteintes de ce mal exécrable. Elle n'était plus la Femme du Producteur, mais la camarade blessée qui a quitté l'hôpital de campagne pour remonter au front et poursuivre le combat aux côtés des troupes. Depuis Svenberg, drapé dans sa rêveuse solitude, jusqu'aux conducteurs de « chars à miel » – ainsi désigne-t-on les indispensables toilettes ambulantes –, chacun la saluait, lui demandait de ses nouvelles. Beaucoup brûlaient de comparer leurs symptômes aux siens et Billy se trouva souvent entourée d'un groupe fraternel, où divers membres de l'équipe discutaient des mérites des piqûres de cortisone ou des simples lotions de calamine.

Dolly et Billy purent déjeuner ensemble tous les jours. Billy n'avait jamais cessé – et ne cesserait jamais – de faire le compte des calories qu'elle ingérait. Comment n'aurait-elle pas été frappée par le volume des sandwiches qu'avalait Dolly, en dépit de sa poitrine merveilleusement épanouie, de son postérieur rabelaisien ? Ce jour-là, son casse-croûte comportait des tranches d'avocat, avec une mayonnaise de ketchup, empilés sur une couche de brie, une couche de pastrami, une autre de foie haché, le tout serré entre les deux moitiés bien épaisses et beurrées d'un petit pain au cumin. Elle accompagnait le tout d'une salade de pommes de terre avec supplément mayonnaise.

— Merde, dit-elle en nettoyant son saladier de pommes de terre, on a peut-être le temps de prendre un deuxième sandwich, non ?

— Tu as encore de l'appétit ? demanda Billy avec un respect religieux mêlé de reproche.

— Je meurs de faim. Tu comprends, une fois que j'ai dégueulé mon petit déjeuner, ça fait long à attendre jusqu'à midi.

— Dégueulé ?

— Bien sûr. Mais ça ne va pas durer. Je ne suis qu'au tout début du troisième mois. Tout le monde dit que c'est le pire moment pour les nausées matinales.

— Oh Dolly ! Bonté divine... Comment est-ce arrivé ?

Dolly roula ses grands yeux vers le ciel. Ses délicieux gloussements se mêlaient aux petits cris étouffés de Billy. Enfin celle-ci se fut assez calmée pour demander :

— Que vas-tu faire ?

— Eh bien, il faudrait sûrement que je fasse quelque chose mais je ne sais pourquoi... j'ai envie d'avoir ce bébé. Ça a l'air un peu dingue mais je *sens* que c'est la chose à faire, tu comprends. J'ai déjà été enceinte sans même envisager la possibilité de garder l'enfant. Mais cette fois...

Billy eut le sentiment que son amie était vraiment déboussolée mais qu'en même temps elle se complaisait dans cet état : elle donnait l'impression de planer un peu mais, tout autant, de vouloir réellement ce bébé.

— Et le père ? demanda Billy dans une tentative pour la ramener sur terre.

— Il serait prêt à m'épouser dès demain mais je ne me vois guère passer le restant de mes jours en tournées de rodéos. Aussi, pourquoi a-t-il fallu qu'il vienne se produire à Los Angeles pour les fêtes du 4-Juillet ? Je lui en parlerai après. Qui aurait dit qu'il suffirait d'oublier de prendre la pilule pendant deux jours...

— N'importe quel gynécologue, Dolly. Et l'argent ? Ça coûte cher d'avoir un bébé, et puis il faut payer la nourrice, acheter des vêtements de grossesse...

Sa voix s'éteignit. Elle savait bien que ça entraînait d'autres dépenses encore mais elle était incapable de les énumérer ainsi, au pied levé : Billy ne s'était jamais beaucoup intéressée à la maternité.

— Avec ce que *Miroirs* va me rapporter, je peux tenir un an, un an et demi. Après, je verrai. Si je n'arrive pas à décrocher du boulot, il y a toujours Sunrise. Et puis zut, tout ça s'arrangera bien tout seul, comme font toujours les choses quand on les veut assez fort. Elle avait l'air étrangement détachée, un peu dans les nuages, toute ronronnante et engourdie.

Billy l'observait : Dolly avait peine à contenir sa joie d'être enceinte. Une optimiste béate comme elle n'en avait jamais vu.

— Pourrais-je... Crois-tu que... le bébé aura besoin d'une marraine?

— *Oh oui!* Oui!

Dolly serra Billy sur son cœur, à l'étouffer. « Je ne veux personne d'autre que toi. »

Billy se dit qu'ainsi, elle serait au moins sûre qu'on ferait bien les choses. Son filleul ne naîtrait point sans viatique. Des visions de baptêmes bostoniens surgirent dans sa mémoire. Timbales d'argent et vieux xérès, évêque et petits fours, couverts en argent massif... Et puis, il faudrait un berceau, une layette, un landau... Tout ça pour commencer. Ensuite on verrait.

Le tournage de *Miroirs* s'acheva dans les temps, le vendredi 23 août; le lendemain on donnait la fête de bouclage. Vito et Fifi, tout épuisés qu'ils étaient, dansèrent avec une jubilation nerveuse. Ils expliquèrent à Billy que la fin de toute production exige une *party* de ce genre. Celle-ci remplit une double fonction : elle célèbre la conclusion de longues semaines de travail et donne à tout le monde l'occasion de se noircir et d'enterrer les nombreuses haches de guerre qui ne manquent pas de voltiger au cours d'un tournage, le plus harmonieux fût-il.

Pour les besoins de la fête, la production avait investi les salons privés du Mendocino Hotel. A dix heures, la soirée battait son plein. Le buffet raffiné avait été déjà mis en pièces, renouvelé et remis en pièces. Le bar resterait ouvert jusqu'au moment où le dernier invité choisirait d'aller dormir. Maintenant que le film était achevé, il n'y avait d'ailleurs aucune raison de partir se coucher. Deux personnes pourtant s'éclipsèrent un peu tôt, sembla-t-il, et d'une manière qui ne laissait planer aucun doute sur leurs intentions : Sandra Simon et Hugh Kennedy...

— Pardonnez-moi, Mr Orsini, vint annoncer le directeur de l'hôtel, mais il y a dans le hall un homme qui insiste pour vous voir. Il dit qu'il appartient aux Studios Arvey.

Dans le hall, Vito se trouva en présence d'un inconnu en costume et cravate. Il se présenta brièvement comme faisant partie des services juridiques du studio et tendit une enveloppe à Vito que celui-ci ouvrit avec le pressentiment soudain qu'il s'agissait d'un ennui : ce n'est pas ainsi qu'un studio transmet ses messages.

Il parcourut rapidement la lettre : « *conformément au paragraphe... contrat... relatif à la production du film de cinéma intitulé* Miroirs... *il vous est notifié par la présente... le studio exerce son droit de reprise sur la production, le producteur ayant failli à s'en tenir au budget convenu...* »

Vito contempla le juriste avec un calme parfait qui ne laissait rien percer de son désir de meurtre. Il était inutile de discuter avec cet homme. Selon ses propres calculs, Vito était resté dans les limites du budget mais il faudrait des mois pour que le service financier et son imaginatif service de comptabilité fissent ou non la preuve qu'il était vraiment en dépassement. Et alors, il serait trop tard.

— Bien, dit Vito, voulez-vous boire un verre?

— Non merci. Je suis venu pour recueillir toute la pellicule en votre possession, jusqu'au dernier mètre. J'en suis désolé mais ce sont mes instructions. Le négatif aussi, bien sûr. J'ai deux hommes et une camionnette dehors pour transporter le tout. Nous nous sommes perdus en venant de San Francisco. C'est la raison pour laquelle j'ai dû venir ainsi troubler votre soirée.

— Aïe, c'est un coup dur, mais je crains bien que vous n'ayez fait tout ce voyage pour rien. On pourra peut-être quand même vous trouver une chambre ici pour la nuit.

— Pour rien?

— Je n'ai pas ici un seul mètre de pellicule. Aucun négatif. Rien. Ils doivent être déjà arrivés au studio.

— Vous savez bien que non.

Le juriste commençait à s'énerver.

Vito se tourna vers Fifi Hill et Svenberg qui l'avaient suivi dans le hall.

— Fifi, est-ce que tu aurais fait quelque chose de la copie par hasard? Sais-tu où se trouve le négatif? Arvey reprend la production et ce monsieur les voudrait.

Fifi eut l'air de tomber des nues.

— Que veux-tu que j'en foute? Peut-être que Svenberg est au courant... Per?

Le maigre Suédois secoua la tête.

— Je m'occupe de la caméra, moi, je ne garde pas le film sous mon lit.

— Désolé, dit Vito, mais il est sans doute en transit je ne sais où. Il finira bien par se montrer. Les films ne se perdent jamais, vous savez.

Le juriste regarda ces trois hommes qui l'affrontaient avec un air parfaitement innocent. Lundi, il aurait un ordre de saisie et alors il pourrait contraindre Orsini à lui remettre le film. D'ici là, il n'y avait rien à faire. Une existence passée au service juridique du studio lui avait enseigné bien des principes élémentaires de sagesse.

— J'accepte votre verre. Et puis j'ai sauté le dîner. Vous reste-t-il quelque chose à manger?

Billy se trouvait au milieu d'un cercle d'hommes visiblement admiratifs quand Vito apparut à ses côtés pour lui chuchoter qu'ils s'en allaient. Elle estima d'abord que c'était un peu tôt puis elle comprit que, le film étant terminé, Vito devait mourir d'envie de fêter ça en faisant l'amour.

Elle prit tendrement congé de ses nouveaux copains et s'éloigna en toute hâte. Vito trouva une porte de service qui leur permit de se glisser dehors sans être vus de la foule et, la saisissant par le coude, il l'entraîna dans une course jusqu'à la voiture. La joie de Billy fut de courte durée : Fifi les attendait. Ils rentrèrent chez eux dans un silence que Billy eut la sagesse de respecter. Dès qu'ils eurent franchi la porte, Vito lui apprit les intentions d'Arvey comme il l'avait fait avec Svenberg et Fifi plusieurs semaines auparavant. Une minute suffit à Billy pour bien comprendre que la Clause de Reprise pouvait être mise en jeu même si Vito n'avait pas réellement dépassé son budget.

— Je n'ai pas le temps de leur prouver qu'ils se trompent, dit Vito, lugubre.

— Mais que pourraient-ils en faire? demanda Billy, dans sa candide ignorance. Elle se sentait à la fois inquiète et déroutée : « Tout est sur pellicule. La copie est terminée. Le film est entièrement fait... pourquoi le veulent-ils maintenant? »

— Si jamais ils mettent la main dessus, ils donneront la pellicule à couper à l'une de leurs monteuses maison. Elle en fera ce que bon lui chante. Ce sera sans doute un beau massacre, un travail de tâcheron vite bâclé et ceci sans qu'on ait le moindre droit de regard sur tout ce gâchis. Rien ne pourra les empêcher de coller là-dessus une musique au rabais. Et après, tel que je connais Arvey, et vu son état d'esprit, je parie qu'ils vont foutre tout ça bout à bout à la vitesse grand V, balancer là-dessus quelques effets sonores et le mettre dans les salles, tout saignant de partout. Ils peuvent très bien s'emparer de cette pellicule et en faire un film dont personne n'irait imaginer que c'est Fifi qui a signé la mise en scène et Svenberg la photo. La post-production, c'est capital : ou l'on crée vraiment une œuvre... ou on la démolit.

— Ah, Vito, gémit Billy, je trouve ça insupportable.

— Moi aussi, chérie... C'est pourquoi j'ai mis la pellicule sous clé jusqu'au dernier mètre à Fort Bragg. Le négatif a été retiré du labo de San Francisco et déposé à mon nom. Maggie ne m'avait pas plus tôt prévenu que j'ai décidé de prendre toutes ces précautions.

— Et Arvey? demanda Fifi, que Vito avait tenu informé tout du long. Il ne va pas s'écraser pour autant.

— Cette ordure pourrie n'aura pas le choix, répondit Vito avec une résolution farouche. Je ne donnerai pas la pellicule au studio tant que le film ne sera pas entièrement terminé, monté, mixé et mis en musique.

— Toronto. C'est ça ton idée? demanda Fifi.

— Non, nous travaillerons à Hollywood. Nos techniciens sont les meilleurs de la profession, tu le sais. C'est faisable, même si ça nous force à louer des chambres d'hôtel. Ça s'est déjà fait. Billy l'interrompit, tout excitée, avec une brusque bouffée d'allégresse à l'idée d'être enfin utile à quelque chose.

— Des chambres d'hôtel ! Alors que nous avons la maison ? Vito, tu ne vois donc pas que c'est l'endroit idéal ? Une propriété privée, avec toutes les pièces possibles et imaginables et des gardes pour empêcher les inconnus d'entrer. Oh, Vito, tu ne peux pas refuser ! Je t'en prie, permets-moi... supplia-t-elle, en voyant qu'il hésitait.

— Des gardes ? quels gardes ? demanda Vito.

Billy rougit légèrement. Elle n'avait jamais songé qu'il n'était pas au courant.

— Depuis qu'Ellis est mort, j'ai toujours eu des gardes armés vingt-quatre heures sur vingt-quatre. Je redoute toujours un peu qu'on essaye... oh je ne sais pas moi... d'entrer dans la maison ou de voler mes bijoux ou alors... Eh bien... de me kidnapper, ce genre de chose. Ils sont transparents. Il faut vraiment savoir où porter son regard. Et puis il y a la loge du gardien à l'entrée.

Les deux hommes restaient muets de stupeur. Les *capos* de la Mafia, les rock stars, Sammy Davis Junior, oui, tous ces gens-là ont des gardes du corps... mais Billy ? En fait, quelle personne aussi riche que Billy aurait hésité ? Ces gardes allaient tellement de soi pour elle qu'elle les oubliait d'un mois sur l'autre. Ils ne représentaient pas une grosse dépense. C'était comme les collants : une fois par an, elle s'en achetait douze douzaines dans chaque couleur, ainsi elle avait toujours sous la main celui qui convenait... simple précaution.

— La maison ne sera jamais plus comme avant, avertit Vito.

— Accepte, Vito, ou sinon, c'est moi qui le ferai, dit Fifi. Je suppose que vous avez une chambre d'amis disponible, ma chère Billy ? Je vais m'y installer. Comme ça, s'il me faut faire des journées de dix-huit heures, je serai dans la note.

— Des journées de vingt-quatre heures, Fifi... répondit Vito, et celle-ci commence à la minute même. Nous prenons le Winnerbago et nous allons à Fort Bragg chercher la pellicule. Je n'abandonnerai pas une seule chute derrière moi. Billy, tu vas faire nos bagages à tous les deux, tandis que Fifi et moi allons charger la cargaison. Il y a à peu près vingt gros cartons à déménager... nous serons de retour dans deux heures. En roulant toute la nuit, nous pouvons être chez nous avant même que le juriste ne se réveille.

— Oui, chéri, dit Billy en cachant sa résignation. Le moment paraissait plutôt mal choisi pour suggérer de faire l'amour... Allons, juste un petit coup pour la route, si l'on peut dire...

Billy s'était-elle réellement imaginé que ce serait une sorte de partie de plaisir de monter un film dans sa propre maison ? Au cours des semaines qui suivirent, elle trouva à peine une minute pour se poser la question. Rien ne l'avait jamais préparée à ces jours et ces nuits dont on semblait jamais ne voir le bout, à cette activité fébrile, opiniâtre, obsessionnelle, à ce perpétuel état de siège qu'était maintenant sa vie et celle de toutes les personnes impliquées dans le montage du film. Le vaste manoir Tudor, si agréable à vivre, était devenu tout ensemble une usine infernale, une chaufferie, le lieu d'une étrange partie de campagne, un sous-marin en alerte, une cafétéria de luxe et une maison de santé un tantinet princière.

Outre Fifi, on avait aussitôt installé deux autres pensionnaires : la monteuse, Brandy White, une femme brillante avec qui Vito avait souvent travaillé dans le passé, et son assistante et maîtresse, Mary Webster. Elles avaient raconté à toutes leurs amies qu'elles partaient en vacances ensemble, ce qui n'avait surpris personne dans leur petit cercle de lesbiennes talentueuses.

— Il nous faudra aussi une chambre pour la script, avait dit Vito à Billy au cours du long trajet nocturne, entre Mendocino et Los Angeles.

— En quoi consiste le travail d'une script? avait demandé Billy.

— Elle prend des notes sur tout ce que nous disons, la monteuse, Fifi et moi, quand nous visionnons la pellicule, puis elle les tape afin que tout soit consigné pour le travail du lendemain. En outre, elle prend les messages, répond au téléphone, s'occupe un peu de tout.

— Je m'en charge, avait dit Billy.

— Écoute, mon cœur, je sais bien que tu veux te rendre utile, mais tu ne peux pas t'imaginer à quel point ce boulot est assommant et minutieux... Tu en tomberais dingue en l'espace d'une semaine.

— Vito, c'est moi la script. Si mon travail ne te convient pas, libre à toi de me remplacer. Je n'en serai pas blessée. Il se trouve simplement que je ne veux pas rester plantée là comme une âme en peine à sucer mon pouce pendant que vous autres allez terminer ce film. Moi aussi, je suis intéressée au succès de l'entreprise, ne l'oublie pas. Je suis la Femme du Producteur. *Et* la script. C'est là enfin un domaine où tu peux utiliser mes talents.

— Et la maison... Ne l'as-tu pas mise à notre disposition?

— Vito, il n'est pas question ici de t'offrir quelque chose que je posséderais par le hasard d'un héritage. Ce que je te propose, c'est d'employer mes compétences, de mettre mes loisirs à contribution, mon énergie... tu ne peux donc pas comprendre ça?

Vito avait accepté à contrecœur, persuadé qu'elle ne pourrait supporter longtemps l'atmosphère obscure, étouffante, tendue d'une salle de montage. Mais il suffit d'une journée à Billy pour retrouver le solide métier qu'elle avait acquis chez Katie Gibbs. Sa soif de *produire*, depuis si longtemps bridée, la fit s'accrocher à son travail, se tenir toujours en alerte, se montrer totalement disponible.

Bourrée de matériel de location, la bibliothèque de Billy fut convertie en salle de montage. Le plus grand des deux salons fut transformé en salle de projection. Chargé de composer la musique de

Miroirs, Mick Silverstein s'installa au piano à queue — un Steinway — dans ce qui avait été la salle de jeux et se mit à travailler sur les différents thèmes du film. Une semaine n'était pas écoulée que deux bruiteurs venaient à leur tour exercer quotidiennement leurs talents, à mesure que les bobines étaient terminées. Bien qu'on les eût relégués dans une partie éloignée de la vaste demeure, ils firent un bruit si importun qu'on dut les faire déménager pour le garage. On tenait table ouverte en permanence dans la salle à manger car il était impossible de prévoir le moment où chacun trouverait le temps de se nourrir. Fifi, Vito, Billy, Brandy et Mary prenaient leur petit déjeuner à 7 heures. Après quoi, de 11 heures à minuit, il devait toujours y avoir de la nourriture disponible.

En matière d'économie domestique, le savoir de Billy se limitait à deux choses : comment faire disparaître les taches de sang à l'eau froide et comment garder ses serviteurs. Tante Cornelie lui avait enseigné la première recette à sa puberté ; la seconde, elle la tenait d'Ellis : « N'engage jamais que les meilleurs professionnels, lui avait-il dit, traite-les avec tous les égards, donne-leur au moins 20 pour cent de plus que le tarif habituel... et que le ciel soit avec toi. »

Le maître d'hôtel et le chef de Billy étaient à son service depuis bien des années. Mais, après dix jours de buffet chaud et froid à toute heure, soumis à une demande anarchique, son chef, jusque-là dorloté, prit ses jambes à son cou, en maudissant dans sa barbe l'excentricité des mœurs et la désinvolture des patrons. Le maître d'hôtel, en revanche, était d'une étoffe plus souple. Il embaucha deux filles de cuisine supplémentaires et, pour préparer les plats, fit venir deux de ses copains, qui, durant la seconde guerre, avaient servi avec lui dans l'Intendance. Les trois bonnes habituelles s'efforcèrent de tenir la maison aussi propre que possible, bien qu'elles fussent très choquées par l'amoncellement des détritus d'origine imprécise, le débordement des mégots, les taches sur les murs, les trous que faisait, dans les tapis persans anciens, le matériel de location. Sans parler de la moquette de la salle à manger : en dépit de tous leurs efforts, une armée entière semblait toujours l'avoir piétinée en renversant sur son passage des escalopes de veau à la crème.

Josh Hillman lui aussi faisait partie de l'équipe. Depuis son bureau, il bombardait le studio de réponses dilatoires en réplique à un feu nourri de sommations légales.

Un jour qu'il vint voir Billy, il remarqua, au moment d'être introduit par les cerbères de l'entrée, la présence sur le trottoir de trois personnages flegmatiques. Ceux-ci guettaient la sortie de Vito afin de lui présenter une assignation.

— Arvey n'a aucune imagination, dit-il à Billy. S'il tenait vraiment à assigner Vito, il pourrait louer un hélicoptère, atterrir sur la pelouse avec ses troupes et se forcer un chemin jusqu'à la porte.

Billy eut un rire las.

— Ça pourrait très bien en venir là. Dans l'état de fureur où il est, qui sait ce qu'il va encore inventer?

Hillman avait peine à reconnaître Billy dans ses vêtements de travail : tenue de jogging en éponge qui, maintenant, pochait au derrière, chaussures de tennis, queue de cheval décontractée. Si elle n'avait porté ces gros diamants aux oreilles, il l'aurait facilement prise pour... eh bien, il n'aurait pas osé l'affirmer, mais Billy Ikehorn semblait avoir laissé place à une autre femme : efficace, passablement harassée et arrangée à la va-comme-je-te-pousse. Il songea qu'elle était devenue une espèce de terrassier endiamanté. Elle s'était accoutumée désormais au rythme dément que s'imposaient les professionnels. Une journée de huit heures lui aurait paru dérisoire. Une sourde ambiance de crise maîtrisée était devenue la règle, le moindre loisir une aberration.

— J'ai beaucoup de mal à les tenir en respect, dit-il à Billy. Comment ça va ici? Combien de temps vous faut-il encore?

— On voit le bout du tunnel, soupira-t-elle. Le film fait la navette tous les jours entre le labo et la maison pour le tirage des copies, les truquages, le titrage... et d'autres choses encore que je ne saisis pas très bien.

— Comment faites-vous pour éviter les tueurs qui sont dehors? demanda-t-il avec curiosité.

Josh n'avait affaire qu'au langage, aux documents, jamais au film réel, enjeu de toute cette bataille.

— Nous utilisons des camionnettes de livraison. Parfois, il y a écrit dessus « Quincaillerie des pionniers », d'autres fois, c'est la « Maison Jargensen ». Nous permutons. Demain, ce sera une marque de désherbant infaillible.

Billy était fière de cette combine dont l'idée lui revenait.

— Combien de semaines encore avant que tout soit fini?

— Il reste probablement quinze jours de montage. L'agent de Fifi l'a appelé hier soir pour lui dire qu'Arvey le mettait sur sa liste noire et lui faisait un procès en même temps que l'Association des Réalisateurs. Il a expliqué à l'Association que Fifi était en rupture de contrat et complice d'un vol. L'agent de Fifi redoute qu'il ne perde sa carte professionnelle.

— Et Fifi, qu'a-t-il fait? demanda Josh, inquiet.

— Il a prié son agent de dire à Arvey qu'il aille se faire faire un truc impossible à répéter et qu'il n'avait pas besoin du studio pour vivre et que les membres de l'Association étaient ses amis et qu'il ne pourrait jamais rien en tirer.

— Je souhaite qu'il ait raison, dit Josh sombrement.

L'agent de Fifi rappela le lendemain, plus agité que jamais.

— Écoutez, Robin des Bois, grinça-t-il, vous feriez aussi bien de tirer vos fesses de la forêt de Sherwood. J'ai reçu des appels aujourd'hui de la Paramount et de la Metro... Ce *devait* être vos deux prochains boulots, au cas où vous l'auriez oublié. Arvey vous a débiné auprès d'eux et ils veulent rompre leurs engagements alors que nous n'avons encore rien mis sur le papier. Tous ces patrons de studio se serrent les coudes, vous savez. Est-ce que vous tenez à vous suicider? Je suis sérieux, Fifi. Tout votre avenir est en jeu et le syndicat ne peut pas défendre votre cause devant les studios. Restez sur *Miroirs* et vous retournerez aux spots publicitaires. Vous n'avez aucun droit sur ce film. Peu importe la façon dont vous tourniez ça pour vous justifier à vos propres yeux...

Le lendemain matin au petit déjeuner, la place de Fifi resta vide. Sous la porte de leur chambre, Vito et Billy avaient découvert une lettre de lui où les considérations terre à terre se mêlaient aux regrets les plus amers.

— Je ne peux pas lui en vouloir, dit gravement Vito. Il a été plus loin que je n'étais en droit d'espérer. Mais, bon Dieu de merde, si seulement nous avions pu le garder deux semaines encore...

— J'ai environ trente pages de notes sur les dernières bobines, dit Billy.

— *Combien?*

— Trente ou peut-être plus. Il a consacré beaucoup de temps à visionner le film tout entier. Il l'a passé et repassé et, chaque fois, il disait quelque chose que je prenais en sténo. Je pensais qu'il pourrait l'oublier... Parfois ça se répète, il y a aussi des endroits où il a changé d'avis deux ou trois fois mais tout est là. Je vais transcrire ça tout de suite.

Vito était transfiguré.

— D'abord, hurla-t-il, tu vas prendre un solide petit déjeuner! Une travailleuse a besoin de toutes ses forces. Je finirai les coupes moi-même, aidé par Brandy, Mary et les notes de Fifi. Bon Dieu, Billy, je t'adore!

— Maintenant, demanda-t-elle, maintenant, puis-je rappeler que je te l'avais bien dit?

— Absolument!

Au cours du petit déjeuner, Vito expliqua à Brandy et Mary ce qui venait de se produire. Il les avertit qu'il pouvait leur arriver la même chose.

— Je suis assez consciente de ma valeur, répondit doucement Brandy pour estimer que, Curt Arvey ou pas, je pourrai toujours m'en sortir. De toute façon, Vito, vous ne savez pas vous servir d'une table de montage. Pour rien au monde, je ne vous laisserai saloper le boulot. Il m'a fallu six ans pour obtenir ma carte de monteuse et je n'ai pas l'intention de vous initier au moindre de mes secrets. Ne vous en faites pas, nous ne quitterons pas le navire, nous y restons jusqu'à la fin. D'accord, Mary?

— D'accord, Brandy, dit Mary, répétant ce même mot qu'elle chuchotait des centaines de fois par jour depuis le début de l'entreprise.

A la mi-novembre, Vito eut enfin une copie optique entre les mains, Curt Arvey était alors à New York. Ses problèmes avec Vito n'étaient rien de plus qu'une escarmouche à côté de l'immense désastre que devait affronter le studio avec sa production principale, une comédie musicale truffée de vedettes tirée des *Pickwick Papers*, de Dickens. Le studio avait compté sur ce film de quinze millions de dollars pour les fêtes de Noël et le public des familles. *Pickwick* aurait dû être terminé depuis longtemps déjà mais il avait encore un mois de retard sur le calendrier et s'enlisait chaque jour un peu plus. On avait maintenant dépassé le budget de près de trois millions de dollars et le conseil d'administration d'Arvey l'avait sommé de venir s'expliquer à New York. On avait réservé 250 salles d'exclusivité pour *Pickwick*, toutes choisies parmi les meilleures. Mais, de toute évidence, plus rien ne permettait d'espérer qu'on respecterait ces échéances.

Vito appela Oliver Slean, le chef des ventes des studios Arvey :

— La copie zéro de *Miroirs* est prête, Oliver, annonça-t-il d'un air détaché. Maintenant vous pouvez la voir, si vous y tenez...

— Bon Dieu ! C'est...

Le chef des ventes était stupéfait de la promptitude avec laquelle on avait mené la post-production du film. Mais il parvint à réprimer cette réaction déplacée.

— Il faudra que je vous rappelle à ce sujet, Vito.

— Quand vous voudrez, répondit Vito.

Il savait que Sloan devait faire son rapport à Curt Arvey avant de dire un mot de plus.

Oliver Sloan eut du mal à entrer en contact avec son patron. Après une brève conversation, il raccrocha et se tourna en soupirant vers son adjoint.

— Arvey a dit de brûler cette foutue copie dès l'instant qu'Orsini aura passé le seuil de la porte et, lui, de le flanquer en taule.

— Qu'allez-vous faire ?

— Voir le film avant de le brûler, j'imagine. Mr Arvey n'était pas dans un de ses meilleurs jours.

Sloan appela Vito et organisa une projection pour le jour suivant avec l'enthousiasme d'un médecin légiste sur le point d'effectuer sa dix millième autopsie.

Le lendemain à deux heures, la grande salle de projection était à demi remplie par les grosses huiles responsables des services Ventes, Publicité et Promotion du Studio. Seize hommes en tout et quelques femmes car quatre d'entre eux avaient amené leurs secrétaires. Lesquelles, au nom de l'ancienneté et de la tradition, s'obligeaient souvent à venir assister aux projections des nouveaux films. Comme il n'y avait aucune grande vedette dans *Miroirs*, elles éprouvaient un intérêt limité pour le film proprement dit mais voulaient être les premières de la gent dactylographe du studio à découvrir ce qu'avait pondu le mari de Billy Ikehorn.

Les seize hommes, à leur habitude, n'exprimèrent aucune réaction audible, mis à part quelques toussotements et le craquement des allumettes. A la fin de la projection, les quatre secrétaires s'éclipsèrent rapidement et aussi discrètement que possible par une porte de service. Les hommes restèrent encore assis un instant, en gardant le prudent silence de rigueur. Cette fois pourtant, il sembla plus long, plus lourd que d'habitude. Tout le monde guettait la réaction d'Oliver Sloan. Enfin celui-ci se leva, fit un « Merci, Vito, on se verra plus tard », et sortit. Les autres lui emboîtèrent le pas en parlant de leurs affaires à voix basse. Certains ignorèrent totalement Vito, d'autres le saluèrent d'un petit signe de tête qui n'engageait à rien. Quand le dernier fut sorti, Vito se glissa rapidement au-dehors, suivit le couloir jusqu'aux toilettes directoriales, s'installa sans bruit dans un box et attendit. La première voix qu'il perçut fut celle d'Oliver Sloan.

— Bon Dieu! C'est la première fois que j'y arrive depuis quatre jours. Ce boulot vous constipe un peu plus chaque année.

— Plaignez-vous! Moi j'ai la courante... et ça fait une semaine que ça dure.

— Bon Dieu, Jim, Arvey nous en fera une attaque mais ce film va le sortir de la merde. On peut le projeter dans les salles réservées pour *Pickwick!* Bougre d'Orsini... quel film fantastique, merveilleux! Bougrement merveilleux!

— Ouais, ça pourrait coller, Oli, ça pourrait marcher. Combien de copies commandons-nous?

— Disons deux cent soixante-quinze pour plus de sûreté. Bougre d'Orsini!

— Pourquoi les filles sont-elles parties comme ça en courant?

— Gênées, je suppose. Elles étaient en panne de Kleenex. La salle était inondée de larmes.

— Les secrétaires... race émotive.

— Ouais, Bon Dieu, les *happy ends*, ça marche à tous les coups. Ces bonnes femmes, ça ne maîtrise pas ses émotions. J'ai cru que Gracie allait se mettre à sangloter pour de bon... Il a fallu que je la pince un vrai coup. Allez donc comprendre les femmes. Gracie se mange les ongles en guise de déjeuner et après la voilà toute sentimentale.

Vito en avait suffisamment entendu. Souriant comme un imperator victorieux, il quitta son box et, de l'entrée des toilettes, s'adressa aux quatre souliers bien cirés qui s'alignaient sous la porte des cabines.

— Ravi que le film vous ait plu, messieurs. Prenez votre temps. C'est ma tournée.

Valentine s'était affalée de tout son long sur son divan moelleux, savourant le privilège de reposer ses pieds après une journée frénétique à Scrupules. Une bonne brise de novembre soufflait par les portes ouvertes sur la terrasse. Elle savait que, d'ici, elle pourrait voir, dans quelques heures, la lune se lever. Quelle journée... Ce soir, une fois n'était pas coutume, elle ne proposerait à Josh rien de plus exotique qu'une pizza. Mais elle était épuisée au point de ne même pas trouver la force de passer une commande au téléphone.

Elle glissa dans une douce somnolence.

Le téléphone intérieur la réveilla une heure plus tard. Valentine aurait pu demander à la réception de laisser monter Josh sans l'avertir, mais elle s'y était refusée. L'idée lui déplaisait qu'il pût ainsi la surprendre. Il avait la clé de son appartement et c'était bien assez. Josh en avait conçu de l'ennui et même du chagrin, mais elle pouvait encore faire ce qu'elle voulait, non?

Encore groggy, elle se dit que ce soir, il n'avait pas l'air tout à fait comme d'habitude. Il semblait réfréner une sorte d'excitation, d'agitation intérieure. Ses cheveux étaient toujours aussi impeccablement coiffés, son costume classique à quatre cent cinquante dollars tombait parfaitement sur son corps bien bâti, mais ses yeux... Son regard sérieux et gris trahissait une sorte d'émotion dont elle ne saisissait point la nature. Elle l'examina plus soigneusement. Jusqu'au nœud de sa cravate qui fût sans reproches... Et pourtant, à le voir, on aurait pensé qu'il avait été jeté dans la pièce par un ouragan.

— Je suis trop lasse pour téléphoner, Josh. Peux-tu appeler pour avoir une pizza? Crois-tu que la grande taille suffira ou devons-nous prendre une petite en plus?

Sans prêter la moindre attention à ses paroles, il vint s'agenouiller près du divan où, toujours allongée, elle s'étirait en bâillant : après un petit somme comme celui-là, elle se sentait aussi vaseuse que si elle venait de franchir l'Atlantique en avion. Josh déposa des baisers sur son cou rond et blanc, dans le creux de ses bras, à cet endroit si tendre et diaphane, et puis sur ses yeux, et puis sur sa bouche, jusqu'au moment où il fut bien sûr qu'elle était totalement éveillée.

— Pas de pizza ce soir, très chère. Mets ta plus jolie robe. Nous dînons en ville. J'ai réservé une table au Bistro pour neuf heures.

— Josh!

Dans tout Los Angeles, aucun endroit n'était, comme le Bistro, susceptible d'être autant bourré d'amis de Josh et Joanne Hillman. Que pouvait-on faire de plus imprudent au monde qu'aller dîner au Bistro avec une autre femme que la sienne?

— C'est une surprise, dit Josh, en bredouillant un peu.

Il tenait la tête de Valentine étroitement serrée entre ses mains et la regardait fixement dans les yeux.

— Oh, pas le Bistro... Ce n'est pas de ça que je veux parler... Mais désormais, nous pouvons nous montrer en public où ça nous chante. J'ai arrangé mon divorce.

Sa voix vibrait d'une allégresse juvénile et aussi d'une sorte de forfanterie.

— *Ton divorce?*

Valentine s'était brusquement assise, manquant le renverser de sa position instable sur le tapis.

— Oui... en fait, ce ne sera vraiment réglé que dans six mois, et nous ne pourrons nous marier avant. Mais toutes les dispositions ont été prises...

Josh désirait le cacher à Valentine mais ça n'avait pas été simple du tout. Il y était pourtant arrivé : une femme, en Californie du moins, n'a aucun moyen d'empêcher un homme d'obtenir le divorce quand vraiment il le désire et qu'il est disposé à y mettre le prix. Et réciproquement d'ailleurs.

Valentine bondit sur ses pieds :

— Tu as décidé ça sans m'en parler? dit-elle d'un ton accusateur.

Elle crachait les mots d'une façon dont il ne l'aurait jamais crue capable. Son visage pointu était blême et convulsé de colère.

— Mais voyons, chérie, tu le savais. L'autre fois dans l'avion, je t'avais bien avertie de ce que je voulais faire. Tu pensais peut-être que je jouais sur les mots?

— Et moi, pensais-tu que je le faisais?

— Je ne comprends pas...

— Je t'ai donné une réponse très précise : un peut-être *définitif*. Impossible que tu l'aies oublié! Et, comme ça, avec un peut-être définitif, tu te lances à demander le divorce?

Valentine brûlait d'un mépris qui la faisait bredouiller. Elle tordait ses boucles comme pour les arracher.

— Mon cœur, quand une femme encourage un homme à ce point, il s'imagine bien sûr qu'en fait, elle pense oui. Je veux dire, c'est implicite, c'est sous-entendu. Ce n'est pas exprimé, voilà tout...

— Et merde alors! Comment *oses*-tu venir m'expliquer ce que j'ai voulu dire? Comment prétends-tu me faire croire que j'ai dit oui pour la simple raison que je ne t'ai pas dit vraiment, carrément NON? Pour qui me prends-tu donc? Pour une sainte Nitouche d'allumeuse? Une fille qui se protège derrière des paroles ambiguës? Qui refuse de s'engager mais se conduit comme une petite poupée soumise dès qu'un homme la met devant le fait accompli comme s'il lui offrait un cadeau? Tu te trompes de siècle mon ami.

Elle s'était dressée, tout embrasée de colère, outragée jusqu'à l'os.

Josh était médusé. Il avait tant l'habitude de voir les choses se plier à sa volonté qu'il en avait sous-estimé Valentine. Merde, il l'avait sous-estimée en fait depuis le premier jour...

Brusquement, il se détourna, resta un moment tête baissée, caressant machinalement du doigt le tour d'un abat-jour. Puis il parla enfin d'une voix tellement déconfite et mortifiée qu'elle ne put s'empêcher de l'écouter.

— Je ne supporte pas que tu te mettes en colère contre moi... il semble bien que je n'ai pas compris que je n'ai pas senti... comment il faut s'y prendre avec toi. Si je ne t'ai rien dit plus tôt, c'est pour une seule raison. Je ne voulais pas que tu te sentes responsable de mon divorce. Pas un instant, je n'ai imaginé que ça allait de soi... Jamais.

Il se tourna vers elle. Elle vit que ses yeux étaient remplis de larmes.

— Je t'aime tant, je t'aime tant, Valentine. J'en deviens idiot... Et toi, tu m'aimes aussi, n'est-ce pas?

Le cœur lourd, Valentine lui fit signe que oui. Elle devait l'aimer sans doute... Ou sinon, pourquoi seraient-ils restés si longtemps ensemble? Ce qui était fait était fait. Et pourtant, si elle lui avait répondu bien franchement non quand il lui avait demandé de l'épouser, tout ça ne serait pas arrivé... C'était aussi sa faute, elle n'aurait jamais dû se laisser piéger par son insistance habile. Elle se sentait aussi coupable qu'un enfant qui a mis le feu à la maison en jouant avec des allumettes... une maison pleine de gens qui n'avaient aucun moyen de se sauver. Elle était partagée entre trois sentiments : l'amour, la culpabilité et, sensation plus évidente encore, la colère, les prémices d'une immense, d'une profonde colère.

— Va-t'en Josh. Je dois repenser à tout ça. Et, de toute façon, je n'aurais jamais songé aller au Bistro avec toi — quelle idée abominable — tous ces gens là-bas qui savent que tu vas divorcer et puis qui vont nous voir ensemble.

— Et merde! Ce sera donc la plus mauvaise idée que j'aie jamais eue! Valentine, je suis en train de perdre la boule. Je t'en supplie, laisse-moi au moins commander les pizzas. Je ne te demanderai plus jamais qu'elle est ta décision, c'est juré.

Valentine hésita et finit par accepter à contrecœur. Brusquement, elle se sentait d'un appétit féroce. Qu'il fût sous le coup de l'amour, de la culpabilité ou de la colère, son estomac n'en cessait pour autant de fonctionner avec une précision toute française.

— Deux pizzas et qu'il y ait bien *tout* dessus, dit-elle de guerre lasse. Explique-leur que tu ne les paieras pas si jamais ils oublient encore les poivrons rouges.

Au cours de la première semaine de décembre, *Miroirs* commença sa carrière dans les deux cent cinquante très bonnes salles d'exclusivité qui avaient été sélectionnées pour *Pickwick*.

Avant même Noël, le film venait en tête des entrées, selon la liste hebdomadaire publiée par *Variety*. Vito jugea alors que les temps étaient mûrs pour rompre le silence qui continuait de régner entre Arvey et lui. Tous les soirs, Billy et Vito faisaient une virée en voiture dans Westwood. Ils se rassasiaient du spectacle des longues files d'attente qui s'étiraient, patientes et débonnaires, devant la salle où l'on donnait *Miroirs*. Ils avaient enfin le temps de se retrouver tous les deux. La résidence de Billy avait pratiquement recouvré sa sérénité d'autrefois et Vito comptait bien mettre sa propre maison en ordre.

Dans le bureau d'Arvey, le climat fut glacial. Son projet ayant été déjoué d'assumer la post-production de *Miroirs*, Arvey s'accrochait maintenant au film d'une façon plus possessive encore que d'habitude.

Miroirs était « son » œuvre désormais, tout comme il avait été, durant le tournage, celle de Fifi Hill : si Orsini avait pu faire ce film, n'était-ce point grâce à lui ? N'avait-il point su le distribuer juste à temps pour les fêtes de Noël ? L'imagination, voilà ce que devait être la première qualité d'un directeur de studio. L'imagination et l'audace.

— Vito, je place *Miroirs* dans plus de mille cinq cents salles à travers tout le pays dès la semaine prochaine, annonça Curt Arvey d'un ton sans réplique.

— Quoi ?

— Il faut voir les choses en face, Vito, c'est un coup de pot. En ce moment, ce sont les gosses qui font les entrées. Dans dix jours, ils retourneront à l'école et le film va s'écrouler.

Arvey grimaça de plaisir en voyant la figure de Vito.

— En attendant, je veux lui faire cracher un max. « Prends l'oseille et tire-toi... » N'allez pas me dire que vous n'avez jamais entendu parler de ça.

— Sincèrement, Curt, vous ne pouvez pas faire une chose pareille.

Vito sauta sur ses pieds. Il avait décidé de lui tenir le langage de la raison.

— Le film ne fait que démarrer. Après Noël, les parents de tous ces gamins iront le voir, les jeunes couples iront le voir, chacun ira le voir dans tout ce foutu pays. Si vous démolissez le plan de diffusion maintenant, si vous louez le film à des salles de second ordre, vous flanquez en l'air tout le battage qui se fait de bouche à oreille.

Le visage d'Arvey se ferma.

— En l'espace d'une semaine, vous allez vous retrouver avec une recette diminuée de moitié — peut-être plus encore — par rapport à ce que vous auriez obtenu en laissant le film où il est, en lui permettant de prospérer, de faire son trou, d'évoluer d'une façon normale. J'ai été parler aux jeunes qui font la queue ; il y en avait là qui venaient revoir *Miroirs* pour la troisième ou la quatrième fois. Curt, ces *files d'attente* constituent un appât aussi important que le film lui-même. Mettez-le dans quinze cents salles et, en moins d'une semaine, vous n'aurez plus la moindre queue nulle part. Mais, bon Dieu, vous ne comprenez pas ça ?

Vito s'était penché en avant, les deux mains appuyées sur le vaste bureau d'Arvey. Il ne parvenait pas à croire que l'autre pût mettre en doute un raisonnement commercial aussi élémentaire.

Arvey contempla Vito d'un air mauvais et rancunier. *Miroirs* lui appartenait, bordel, et il pouvait en faire ce que bon lui semblait. Ce n'était sûrement pas un gigolo de cette espèce qui allait lui dire comment diriger ses affaires. Comme il était agréable de le tenir aux couilles, pour changer.

— Vous pouvez bien penser ce que vous voulez, dit-il avec une nonchalance affectée, mais il se trouve que j'envisage les choses autrement. Du liquide. Du liquide tout de suite, voilà ce qui m'intéresse. Pas de tirer des plans sur la comète. Vous êtes un romantique, Vito, un romantique doublé d'un fripon.

Vito fut rapide comme l'éclair. Le regard meurtrier, il s'inclina de toute sa hauteur par-dessus le bureau d'Arvey et appuya sur la touche « Ventes » de l'interphone.

— Oliver? Ici Vito Orsini. Je suis avec Curt. Il a l'intention de faire durer *Miroirs* dans les salles où nous l'avons en ce moment plutôt que d'élargir la diffusion. Qu'en pensez-vous?

Cloué dans son fauteuil tournant, Arvey s'apprêtait à mugir dans l'interphone, mais Oliver déjà répondait :

— Il a 100 pour cent raison, Vito. Il serait parfaitement ridicule d'agir autrement. A long terme, ça nous ferait perdre des millions de dollars.

Vito lâcha le bouton et fusilla du regard un Arvey tout congestionné.

— Et votre conseil d'administration, Curt, qu'est-ce qu'il penserait de tout ça? Êtes-vous vraiment en position de claquer des millions de recettes, histoire de prouver que vous êtes le patron? Et *Pickwick*! Où en est-il? Je me suis laissé dire que vous vous étiez approprié cette idée avant que ça ne commence à tourner au vinaigre.

— Foutez-moi le camp, espèce de trou du cul, espèce... espèce de...

Trop furieux pour même continuer ses injures, Arvey pressa la touche de son secrétariat et se mit à glapir :

— Appelez-moi les vigiles, et tout de suite.

— Pas d'imprudences, Curt, pensez à votre ulcère.

Vito se coula hors du bureau, nonchalant, tel une grande panthère basanée. La secrétaire d'Arvey était atterrée. En passant devant elle, il lui envoya un baiser.

— C'est un peu tôt pour fêter ça, chérie. Il va s'en remettre, hélas.

Spider et Valentine étaient installés en vis-à-vis à leur vieux bureau. Il aurait dû régner entre eux un silence reposant, détendu, comme ç'avait été si souvent le cas au début ou à la fin de leur journée de travail. Mais cette fois, l'atmosphère était lourde de méfiance. Spider trouvait à Valentine l'air inquiet. Son nez insolemment retroussé pointait aussi délicatement qu'à l'habitude, bien haut sur son visage, mais ses grands yeux verts semblaient avoir perdu un peu de leur éclat, de leur scintillement agressif. Il connaissait bien sa Valentine : elle n'était pas heureuse.

De l'autre côté du bureau, Valentine le contemplait aussi. Elle le jugea fatigué. Vieilli, d'une façon que l'écoulement du temps ne pouvait seul expliquer. Il semblait bien difficile de raccorder l'image de cet homme du monde, de ce personnage distingué, raffiné, vêtu avec recherche, au souvenir du garçon blond et insouciant, avec son sweatshirt UCLA, qui lui portait ses bouteilles de vin en rentrant du marché, lui confectionnait d'innombrables sandwiches au fromage fondu quand elle était malheureuse et passait des heures à écouter ses disques de Piaf dans sa petite mansarde.

— Tu es seulement épuisée, Val chérie, ou bien est-ce que quelque chose ne va pas? demanda-t-il avec douceur.

Au son de la voix de Spider, Valentine sentit, à sa grande honte, des larmes commencer à lui picoter les yeux d'une façon parfaitement inattendue. Elle éprouvait une furieuse envie de se confier au sujet de Josh Hillman mais Elliott était bien la dernière personne de la terre à qui elle aurait souhaité en parler. Quelque raison mystérieuse, mais tout aussi péremptoire, devait la pousser à s'obstiner ainsi dans ce refus de lui laisser deviner l'ampleur de son engagement. En même temps que l'étendue, la persistance de son désarroi.

— Oh, c'est simplement ces bonnes femmes, Elliott. Tellement exigeantes, tellement difficiles à contenter. Elles prennent cinq kilos entre deux essayages et s'imaginent que c'est ma faute.

— Allons, chérie, tu sais bien qu'elles raffolent de toi. Et puis, tu n'hésites jamais à mener la vie dure à ces dames, quand elles se laissent aller à changer de mensurations. Voyons, tu es à l'origine de la moitié des régimes qu'on suit dans cette ville. Qu'est-ce qui se passe, en vérité? Le mystérieux inconnu te ferait-il des ennuis?

Elle se redressa, droite comme un I, inquiète, déjà sur la défensive. Toute envie de pleurer l'avait quittée.

— De quoi parles-tu?

— De l'homme de ta vie, celui qui te tient tellement occupée que je n'arrive plus jamais à te voir seule. S'il n'est pas correct avec toi, je tuerai ce fils de pute.

Il fut tout surpris de sentir ses poings qui se serraient, le moindre muscle de ses bras, de ses épaules, qui se bandait de fureur. Tuer ce fils de pute, tiens, voilà qui semblait une très bonne idée. Pas besoin de motif, après tout.

— Tu fais trop du suppositions, Elliott. Tu te laisses emporter par ton imagination.

Elle se mit à le harceler, soudain tout aussi furieuse qu'il l'était.

— Est-ce que je te demande pourquoi elles sont toutes aussi dingues de toi? Pas étonnant que tu aies l'air tellement ravagé... comment parviens-tu seulement à t'y retrouver, dans toutes tes petites amies? Le nombre a-t-il des vertus magiques, Elliott?

Elle était accablée par l'injustice de la situation :

— Et moi, je n'aurais pas le droit d'avoir ne fût-ce qu'*un* amant? laissa-t-elle échapper. Je n'ai aucun compte à te rendre, Elliott...

— *Foutre oui!* cria-t-il.

Il y eut un moment de stupeur. L'air semblait vibrer. Comment avaient-ils pu se monter si rapidement l'un contre l'autre? Ils ne parvenaient pas à y croire tout à fait.

Ils baissèrent un instant les armes, tout effarés, échangeant des regards furibonds.

Enfin, Spider parla :

– Ça ne doit pas tourner rond chez moi, Valentine. Bien sûr que tu n'a pas de comptes à me rendre. J'ignore pourquoi j'ai dit ça... Tout simplement, je suppose, parce que nous nous connaissons depuis si longtemps...

– Ça ne te donne toujours pas le droit de...

– Non. Oublie ça. D'accord?

Il regarda sa montre :

– Je suis en retard. A demain.

Il battit précipitamment en retraite et ferma la porte derrière lui. Valentine resta clouée dans son fauteuil, tout étourdie, désemparée, encore secouée par la violence de cette rafale émotionnelle qui venait d'être libérée dans l'air. Elliott lui avait fait des reproches sans y avoir le moindre titre, le moindre motif. Elle aurait dû se sentir en colère. Elle l'avait été déjà pour des raisons plus minces. Pourtant, ce qu'elle éprouvait, c'était... de la satisfaction. De la satisfaction? Oui, une indéniable satisfaction. Fallait-il qu'elle fût garce... Alors, comme ça, il estimait qu'elle avait des comptes à lui rendre? Un sourire involontaire vint éclairer son visage.

Vito voulait obtenir une « nomination » pour l'Oscar du meilleur film. Il avait d'abord joué avec cette idée, sans oser aller plus loin. Puis, dès qu'il eût vu la copie zéro, elle n'avait plus cessé de hanter son esprit. *Miroirs* était le meilleur film qu'il eût jamais produit. Il avait réalisé là une œuvre qui était beaucoup plus que la somme de ses parties, toutes choisies pourtant de main de maître. Ce film vivait, il avait sa pulsation propre. Il *fonctionnait* à tous les niveaux, du comique à l'élégiaque. *Miroirs* ferait date, il en était intimement convaincu, mais il lui manquait encore, pour vérifier sa croyance, la confirmation du monde extérieur. Tant que les critiques ne s'étaient exprimés, que le public n'avait réagi, que le film n'était porté sur les listes des dix meilleurs de l'année, il aurait été parfaitement vain de faire autre chose que rêver. Tandis que désormais, toutes les conditions étaient bien réunies : il pouvait passer à l'action.

Miroirs possédait tous les titres requis mais il lui manquait encore cette seule chose considérée comme réellement indispensable, pour qui prétend à l'une des cinq nominations aux Oscars : le soutien du studio. Le lancement d'une vaste campagne, un énorme battage, l'embauche de publicitaires pour l'occasion, voilà tout ce qu'auraient pu lui offrir les studios Arvey. Mais Vito ne se faisait aucune illusion. Curt Arvey ne mettrait plus un sou dans la promotion de *Miroirs*. En fait, Arvey se serait probablement – et même très certainement – rallié à cette idée de viser une nomination aux Oscars, s'il avait pensé que ce petit film avait des chances vraiment sérieuses de remporter un prix : un Oscar, cela représente en moyenne dix millions de dollars de recettes supplémentaires dans les salles. Seulement Arvey, tout comme Vito, devait bien constater que l'année écoulée avait vu produire un nombre considérable de films à super-budget et super-stars, tous épaulés par des studios puissants. Chacune de ces œuvres pouvait légitimement prétendre à l'Oscar. Une simple nomination pour *Miroirs*, ce n'était rien de plus qu'un peu de gloire pour Vito : Arvey aurait donné bien cher pour l'éviter, même s'il pouvait compter qu'un peu de cette renommée rejaillît sur sa personne.

Donc, c'était bien simple : il agirait seul.

Il médita sur la composition de ce groupe de quelque trois mille trois cents professionnels qu'on désigne pompeusement sous le nom d'Académie des arts et des sciences du cinéma. Ces gens, au nombre sévèrement limité, ont seuls qualité pour décerner les prix, et même pour désigner les films, les acteurs et les gens de métier qui peuvent ensuite prétendre à leurs suffrages. C'est un peu comme si l'on réservait à la seule population de Westport, Connecticut, le droit d'élire le président des États-Unis d'Amérique.

Les nominations pour l'Oscar du meilleur film sont les seules décisions prises par l'ensemble des membres de l'Académie. Pour les autres catégories, la sélection n'est faite que par la profession concernée, si bien que seuls les acteurs désignent les acteurs en lice, seuls les réalisateurs choisissent les réalisateurs en compétition et ainsi de suite. Le vote final, en revanche, est toujours émis par l'Académie tout entière, quelle que soit la catégorie concernée : s'il voulait décrocher une nomination pour le meilleur film, Vito devait donc tenter d'influencer tous les membres de l'organisation.

Quand un studio soutient activement un film candidat à la nomination, il organise à grands frais, pour tous les membres de l'Académie, des projections spéciales. Vito ne pouvait rien s'offrir de ce genre. Mais il n'avait point oublié la réaction des quatre secrétaires, lors de la première projection de *Miroirs*. Aussi donna-t-il tous ses soins à retenir l'attention des épouses, mères, sœurs, filles, tantes et cousines des membres masculins de l'Académie, lesquels dominent dans chacune de ses branches. Mettez les femmes de votre côté, se dit-il, ensuite elles feront le reste.

Vito envoya des invitations pour des projections en matinée aux femmes de ces quartiers résidentiels de Los Angeles, où les ingénieurs du son, les opérateurs, les monteurs, les réalisateurs de court métrage ont élu domicile. Chaque jour, de Noël à la première semaine de février — date où sont remplis les bulletins de vote pour les nominations — il y eut au moins trois, parfois jusqu'à sept projections de *Miroirs* : à Culver City comme à Burbank, à Santa Monica comme dans les régions les plus reculées de San Fernando Valley. La parentèle des membres de l'Académie pouvait bien amener toutes les amies qu'elle désirait, Vito s'en moquait éperdument. Il ne voulait qu'une chose : que ces femmes adorent *Miroirs*. L'« Opération Matinée », comme l'avait appelée

Billy, était une affaire compliquée sur le plan logistique. Vito devait trouver des salles de quartier disponibles dans l'après-midi, passer des accords avec leur directeur, emprunter des copies, les faire livrer, assurer leur retour, rameuter des projectionnistes.

— Comment ça va, chéri? demanda Billy.

Elle regardait Vito avec inquiétude. Même dans la fièvre du tournage, il n'avait jamais paru si préoccupé. Il s'obstinait — bien stupidement, trouvait-elle — à refuser son argent pour financer la promotion du film..

— Je suis tout à fait au poil, mis à part un vilain bruit cardiaque, ces mystérieux élancements dans la tête, mon côlon spasmodique et mes voûtes plantaires qui s'affaissent. Mais je n'ai pas à me plaindre, je crois bien que je recommence à entendre d'une oreille et hier, je ne me suis pratiquement pas trouvé mal de toute la journée.

— Es-tu seulement sûr que tout ça en vaille la peine? demanda-t-elle.

Elle refusait de se laisser prendre à sa tactique de diversion.

— Non. Bien sûr que non. A certaines matinées, il n'y a qu'une douzaine de femmes et, pour autant que je sache, ce ne sont que les voisines d'une invitée qui viennent par curiosité. D'autres fois, on frise la centaine. Bon, mais si je ne fais pas ça, personne ne le fera à ma place. Et si je ne tentais pas le coup, je m'en voudrais toute ma vie.

— Je crois que *Miroirs* sera tout bêtement sélectionné pour ses mérites, lança-t-elle.

— Comme j'aimerais que tu fisses partie de l'Académie...

Vito ne sut jamais comment ni pourquoi *Miroirs* fut l'un des cinq films sélectionnés durant la seconde semaine de février 1978. Mais ce ne fut point l'effet du hasard. Le film était également admis à concourir dans trois autres catégories : pour le meilleur second rôle féminin, avec Dolly Moon, pour le meilleur réalisateur, avec Fifi Hill et pour la meilleure direction de la photographie, avec Per Svenberg.

— Dieu soit loué, exulta Billy, tu vas pouvoir te détendre enfin.

— Tu es folle, mon petit. Maintenant que nous avons une fenêtre sur l'Oscar? Je n'aurais pu me détendre que si nous n'avions pas été sélectionnés.

Valentine n'aurait jamais pensé qu'une journée qui avait si normalement débuté pût s'achever dans une telle frénésie. Ainsi qu'elle l'avait prédit à Spider, la comédie avait commencé, mais ce n'en était une qu'aux yeux des personnes non impliquées dans l'affaire. La cérémonie de remise des Oscars devant être retransmise par satellite dans le monde entier, on pouvait évaluer son public à un peu plus de cent cinquante millions de spectateurs. Par bonheur, il était tout à fait impossible de se représenter une telle foule. Mais elles savaient bien, toutes les clientes de Valentine, que jamais tant de personnes à la fois ne les avaient jamais contemplées : cette idée n'était pas de nature à calmer leur angoisse ni à renforcer leur sérénité.

Maggie Mac Gregor qui, pour la première fois de son existence, décidait de s'offrir une robe spécialement dessinée pour elle, était la plus excitée de toutes. On la verrait interviewer les vedettes à leur arrivée puis elle serait en coulisses avec son équipe légère. Elle resterait donc à l'image pendant la plus grande partie de la retransmission.

— Je n'aurais jamais dû me lancer dans ce métier, Valentine, gémit-elle.

— Ne dites pas de bêtises, rétorqua Valentine — qui en avait soupé de toute cette journée. Plutôt que dans la peau d'une créatrice de mode, elle s'était sentie dans celle d'une nounou anglaise entourée d'une ribambelle de gosses parfaitement insupportables — si quelqu'un tentait de vous prendre votre job, continua-t-elle, vous le feriez mourir par le poison, n'est-il pas vrai? Alors taisez-vous donc et laissez-moi réfléchir.

A n'en pas douter, cette Maggie avait une silhouette difficile. Telle qu'elle se tenait devant elle, en petite culotte et soutien-gorge, son corps menu mais richement épanoui n'inspirait aucune notion de chic. Spider avait eu une idée de génie, le jour où il lui avait demandé de porter des toilettes discrètes, certes élégantes mais qui se fassent oublier. Seulement, ce qui convenait à un show hebdomadaire ne seyait point à une remise d'Oscars. L'événement était fascinant et Maggie devait se montrer à sa mesure, c'était affaire de loyauté envers elle-même et la chaîne qui l'employait. Derrière sa palissade de cils noirs, Valentine l'étudiait avec attention.

— Pouvez-vous relever vos seins d'une main, Maggie, et baisser votre soutien-gorge de l'autre?... Plus bas le soutien-gorge. Plus haut les seins. Humm. A la bonne heure. C'est parfait. Vos seins... Aguichants mais pas indécents. Merci, mon Dieu, de nous avoir donné l'impératrice Joséphine.

— Voyons Valentine, protesta Maggie, vous savez bien que Spider ne serait pas d'accord. Il ne me laisserait jamais passer à l'antenne en montrant mes nichons comme ça. Vous n'ignorez pas comme il est strict à ce sujet.

— Désirez-vous que je vous fasse une robe ou bien préférez-vous acheter du prêt-à-porter à Spider? demanda Valentine.

Elle plaisantait à peine.

— Oh, voyons, je veux que vous me dessiniez quelque chose de formidable, vous le savez très bien, mais êtes-vous bien *certaine*... je veux dire... n'aurais-je pas l'air... un rien vulgaire?

— Vous aurez l'air totalement, parfaitement élégante et sur cette robe la plus simple, la plus fluide, la plus raffinée, la plus sobre de toutes celles que j'ai jamais faites, l'unique parure sera votre poitrine, toute votre gorge jusqu'à la pointe des seins. Et quand l'émission sera terminée, des centaines de millions de gens auront appris deux choses :

qui a remporté les Oscars et que Maggie Mac Gregor a des nichons fabuleux. Et maintenant, filez. Mon assistante va prendre vos mesures et nous conviendrons d'un premier essayage pour dans deux semaines.

— Et cette robe si sobre sera faite en quoi? hasarda Maggie, tandis que Valentine se dirigeait impatiemment vers sa table à dessin. En mousseline noire, évidemment — sinon, comment pourrions-nous obtenir le maximum de contraste? Et surtout, Maggie, aucun bijou à part les boucles d'oreille, même pas un rang de perles. Nichons et mousseline, ça ne peut pas rater. Ça n'a jamais raté depuis des millénaires.

Tandis que Valentine esquissait rapidement une robe Empire décolletée — sans manches aussi, bien sûr, car Maggie avait des bras merveilleusement arrondis et aussi de jolies mains — elle se disait quelque part dans sa tête qu'elle aurait dû ressentir une ivresse qu'elle n'éprouvait point. Depuis le milieu de la matinée, ç'avait été un flot continu de clientes : des femmes célèbres dans le monde entier, des créatures si belles, des êtres si doués que c'était un plaisir de les habiller, un orgueil d'être appelée à créer les robes qui les montreraient à leur meilleur avantage, les toilettes qui mettraient leurs charmes personnels en valeur quand on les prierait de venir remettre des récompenses ou, peut-être, d'en recevoir.

Pourtant, en cette minute de triomphe, au cœur de cette fièvre créatrice, il régnait, quelque part dans l'esprit de Valentine, une sorte de malaise, une inquiétude qui la faisait, d'une certaine façon, se sentir mal dans sa peau. Ces derniers temps, elle s'était efforcée d'éviter toute introspection. Elle avait vécu au jour le jour, d'une façon superficielle, différant sans cesse, remettant à plus tard, gommant, écartant l'idée de prendre la moindre décision quant à son avenir. Comme on cacherait une lettre à laquelle on n'a pas répondu, elle espérait qu'ainsi les problèmes finiraient par se dénouer d'eux-mêmes. Ça ne semblait pas très bien marcher pourtant, songea Valentine en faisant la grimace : chaque fois qu'elle parvenait à se ressaisir, qu'elle se décidait à trancher, son esprit effectait aussitôt une retraite en bon ordre. Elle se retrouvait dans la direction opposée. Son imagination ne lui était point d'un meilleurs secours que sa raison : elle ne pouvait, même par caprice, se voir en Mrs Josh Hillman. Elle avait sans cesse devant les yeux cette vaste demeure sur North Roxbury mais ne pouvait s'imaginer en train de vivre dans une maison semblable.

Il y avait un rouage, quelque part en elle, un rouage essentiel qui ne s'engrenait point.

Comme promis, Josh ne lui avait plus jamais parlé mariage. Mais Valentine, de son côté, avait fini par lui dire qu'elle ne pouvait rien décider avant la remise des Oscars.

— Mais quel rapport cela peut-il avoir avec nous? avait-il demandé, interloqué et déçu.

— J'ai bien trop à faire pour songer à moi, Josh, et puis, de toute façon, tant que je ne saurai point le nom du vainqueur, j'aurai l'esprit tout occupé à formuler des vœux pour Billy et Vito.

Protégée par la frange de ses cheveux, la barrière de ses cils, Valentine se demandait s'il mesurait, comme elle, la faiblesse de cet argument ridicule, s'il voyait à quel point il sonnait faux.

C'était, en tout cas, la meilleure réponse qu'elle fût disposée à lui donner : il lui faudrait s'en contenter. D'ailleurs, il se gardait de la bousculer désormais.

En fait, Valentine sentait bien que ce n'était point l'ampleur de ses occupations qui l'empêchait ainsi de penser à elle-même. C'est plutôt qu'elle n'en avait jamais eu le goût. Sans doute le fatalisme irlandais prenait-il, en elle, le pas sur l'atavisme français : pour le meilleur ou pour le pire, c'était selon...

Sa cliente suivante était Dolly Moon : Billy avait insisté le matin même pour que Valentine dessinât à celle-ci la plus belle robe du monde.

Dolly arriva en compagnie de Lester Weinstock, l'homme des relations publiques que les studios Arvey avaient attaché à sa personne jusqu'à la remise des Oscars.

Une heure plus tard, les mensurations de Dolly notées, Billy venait enlever les deux jeunes gens pour les emmener dîner chez elle. Elle se sentait soulagée d'un grand poids, un peu comme une mère qui vient de voir son enfant participer pour la première fois à la kermesse de l'école.

— Eh bien, fit Spider en tendant à Valentine un verre de château silverado, il semble bien que Billy soit encore capable de nous étonner. Et même de nous mettre dans tous nos états... Comment diable vas-tu t'y prendre pour capitonner Miss Moon?

— Oh, je trouverai sûrement un moyen, répondit Valentine avec insouciance. C'est simple affaire d'imagination. Nul doute que c'est un peu plus délicat que le genre de choses à quoi tu emploies tes journées, Elliott, mais ça reste faisable.

Elle posa son verre, ôta sa blouse et enfila son manteau, prête à partir.

— Un instant, Val. Cette robe pour Dolly, voilà un truc pour lequel je pourrais t'aider... Dieu sait que tu as suffisamment de pain sur la planche. Assieds-toi donc une minute et discutons-en.

— Non, je te remercie, Elliott. Je saurai très bien m'en tirer toute seule et je suis en retard pour un dîner. Je ne peux pas rester une seconde de plus.

Elle parlait d'un ton sans réplique, dont Spider resta médusé.

— Tu ne peux pas? Ça, par exemple! Ce type te fait réellement tourner en bourrique, dirait-on! Il fait de toi ce qu'il veut, n'est-ce pas? Hé bien, je n'aurais jamais pensé vivre assez longtemps pour connaître le jour où... le jour où Valentine serait enfin apprivoisée. Sa voix était à peine sarcastique. Valentine y décela pourtant cette nuance et prit aussitôt la mouche.

— Que veux-tu dire, Elliott? Ma vie privée me regarde. Je croyais pourtant que nous nous étions bien mis d'accord là-dessus, voici quelques semaines, mais, visiblement, tu n'as pas pu t'y résoudre.

— Oh, je me fiche bien de tes petits coups en douce, Valentine. Tout ça me ferait plutôt rigoler, dit-il avec hauteur.

La colère jetait des cernes autour des yeux de Valentine.

— Tu es bien mal placé pour venir me parler de coups en douce... c'est à ça que tu consacres ta vie, Elliott. Quand j'ai réussi à te trouver ce boulot, j'ignorais que j'allais procurer à Beverly Hills son étalon de l'année. Sinon, peut-être aurais-je pu persuader Billy de te payer un peu mieux.

— Ah, ah! J'attendais ça! Je savais qu'un jour viendrait où tu te flatterais de m'avoir évité l'inscription au chômage. Écoute bien ce que je vais te dire, lui jeta-t-il avec hargne, tu te serais retrouvée sur le cul en moins de deux semaines si je n'avais fourni toutes ces idées pour faire un nouveau Scrupules.

— Il y a un an et demi de cela. Qu'as-tu fait d'autre depuis que te comporter comme un foutu chef de rayon? Un type qui s'est bombardé lui-même « arbitre des élégances »? Ah, mais figure-toi que ce qui donne tout son cachet à la maison, c'est mon domaine à moi. Seulement voilà, tu es trop mesquin pour le reconnaître.

Sa voix déchirait l'air.

— Ton domaine! Avec les profits de ton domaine, nous pourrions à peine régler la note de téléphone.

Il était fou de rage.

— Toi et ta blouse blanche, toujours à jouer les Givenchy, à te donner des grands airs, à faire ta mijaurée... Tout ça parce que tu as réussi à entuber des richardes pourries jusqu'à la moelle, à les convaincre de te commander leurs toilettes... Mais ne vois-tu pas que tout ça est porté par le restant du magasin? Et le restant du magasin, c'est moi qui en suis responsable! Une boutique ne se dirige pas toute seule, est-ce que tu ne peux donc pas comprendre ça? Sans doute es-tu au-dessus de ces choses, dans cette saleté d'air raréfié que tu respires à longueur de journée.

— Espèce d'ignoble, espèce de sale...

— Oh, oh, voilà notre Valentine sur le point de s'embarquer dans un de ses fameux coups de sang... Quand elle n'obtient pas ce qu'elle veut, la voilà qui devient Française jusqu'au bout des ongles. Et que je tape du talon, et que j'ai l'écume aux lèvres, et que je fais peur aux chevaux... Doux... Doux...

— Espèce de baiseur à la sauvette! Ça enfile tout ce qui se présente... Rien d'étonnant si Mélanie Adams t'a envoyé sur les roses. Et comme ça te ressemble bien, comme c'est bien ton genre d'aller choisir cette petite rien-du-tout pour en tomber amoureux... Une jolie frimousse parmi d'autres et derrière : le vide... Tout en façade et rien dans le ventre... Une poupée qui bouge, pas plus mûre que toi... et *c'était ça* l'amour de ta vie! Ça me fait plutôt rigoler, Elliott! Mon mec, lui, au moins, a quelque chose dans le ventre... Je me demande seulement si tu comprends ce que ça veut dire, avoir quelque chose dans le ventre...

— J'espère que ce n'est pas un type du genre d'Alan Wilton, Valentine, dit-il d'une voix rouillée, douloureuse. Où trouverais-je la force de te dorloter si tu avais encore une de ces liaisons tragiques avec une pédale?

— QUOI!

— Tu croyais peut-être que je ne le saurais jamais? Mais voyons, la moitié de la Septième Avenue était au courant. La chose a fini par me venir aux oreilles...

Ce fut comme si une dalle de pierre l'avait touchée en pleine poitrine. Elle ne put sortir un mot. Elle se tassa dans son fauteuil, chercha à tâtons son sac à main.

Spider se sentit brusquement accablé de honte, de la plus grande honte qu'il eût jamais éprouvée. Pas une fois dans son existence, il ne s'était montré cruel envers une femme. Seigneur, qu'est-ce qui lui avait pris? Il ne se souvenait même plus de la façon dont tout ça avait commencé.

— Valentine...

— Je ne t'adresserai plus jamais la parole, coupa-t-elle, d'une petite voix froide. Nous ne pouvons plus travailler ensemble.

— Je t'en prie, Val, j'ai été au-delà de ma pensée... Je ne voulais pas... C'est pur mensonge, personne n'a jamais rien su. Personne. Une fois, j'ai rencontré ce type et j'ai tout déduit par moi-même. Voyons, je t'en prie...

— L'un de nous doit quitter Scrupules.

Elle avait prononcé ces mots d'une manière qui ne laissait aucune place aux regrets, aux discussions, aux explications.

— C'est ridicule. Nous ne pouvons pas faire ça à Billy.

— Je m'en irai.

— Non, c'est impossible. Personne n'est capable de faire ton travail. Moi, en revanche, elle peut parfaitement me remplacer.

— Très bien.

Elle restait impassible et glaciale.

— Je ne pourrai lui en parler qu'après les Oscars. Elle a bien assez de soucis avec Vito.

— Comme tu voudras.

Valentine ramassa son manteau et sortit.

Spider l'entendit qui prenait l'escalier de secours, sans attendre l'ascenseur. Il resta une bonne heure assis dans son fauteuil, à caresser le cuir sang de bœuf de leur grand bureau. Comme si ce frottement léger pouvait le réchauffer :

Un jour dans dans la vie d'un producteur, le reportage de Maggie sur Vito, n'avait jamais été diffusé. D'autres sujets, plus actuels, l'avaient sans cesse remplacé. Au bout de quelques mois, on l'avait envoyé moisir en réserve, dans l'attente d'une tranche d'horaire disponible. Maggie avait fini par l'oublier presque, sentant maintenant qu'approchaient les Oscars et que divers studios se disputaient ses faveurs.

Une semaine après l'annonce des nominations, on avait commencé à organiser des projections des cinq films retenus dans la propre salle, merveilleusement confortable, de l'Académie. Celle-ci, qui porte le nom de Samuel Goldwyn [1], se trouve située sur Wilshire Boulevard, à la limite orientale de Beverly Hills.

Maintenant, il ne restait plus que trois semaines avant le scrutin. Vito savait que s'il devait tenter un ultime effort, le plus tôt serait le mieux : si l'émission de Maggie pouvait lui être utile, c'était maintenant ou jamais.

Il appela la jeune femme à son bureau.

— Maggie, quel être t'est le plus cher au monde?

— Moi.

— Et après?

— Vito, tu n'as pas honte?

— Absolument pas, dit-il en riant.

— Toi, tu veux quelque chose, répondit-elle d'une voix méfiante.

— Foutre oui, que je veux quelque chose. Je veux que tu fasses programmer ce truc que tu as fait sur moi pendant le tournage du film.

— Sacrebleu! Mais Vito, te rends-tu compte de quoi ça aurait l'air? Seigneur, je veux dire que ce serait l'opération publicitaire la plus éhontée... Même si j'en avais envie, je ne pourrais jamais faire une chose pareille.

— Et bien sûr tu en as envie, n'est-ce pas, petite Maggie?

Il s'obstinait.

— Eh bien sans aucun doute, Vito. Je veux dire par là que pour toi, je ferais tout ce qui est en mon pouvoir, mais...

— Maggie, te souviens-tu de ce dîner tous ensemble à la Boutique où tu as reconnu que tu étais mon obligée?

— C'est bien vague dans ma tête.

— Vague, tu ne l'as jamais été de ton existence... Mon tocard mexicain a fait ta carrière.

— Ouais, mais c'est ma présence d'esprit qui a tiré Ben Lowell de sa merde.

— Aussi Ben Lowell est-il ton obligé. Seulement, tu ne pourras

1. L'un des fondateurs de la MGM.

jamais le lui dire. En revanche, tu tiens aujourd'hui l'occasion de *me* renvoyer l'ascenseur...

— Tu irais vraiment jusqu'à me mettre le couteau sur la gorge?

Elle avait peine à croire que ce fût Vito au bout du fil.

— Bien sûr. A quoi servent donc les amis?

Il y eut un silence. Si elle pouvait faire une telle chose pour l'un de ses amis, Maggie marquerait si ouvertement sa puissance que tous les caciques de Hollywood seraient plus avides de ses faveurs que jamais... Vito savait que c'était bien à cela qu'elle était occupée à réfléchir et il entendait lui en laisser le temps.

— Bon, dit-elle enfin, je suppose que je pourrais en toucher un mot au Vice-Président qui s'occupe de la programmation. Peut-être arriverai-je à l'entuber... Mais je ne peux rien te promettre.

— Ton reportage ne saurait être plus actuel, dit Vito d'une voix encourageante.

— Espèce de sale Rital! Ne me parle pas d'actualité. De la magouille, voilà ce que c'est!

— Oh, Maggie, il y a vraiment une chose que j'adore chez toi, c'est qu'on n'a pas besoin de tourner autour du pot...

— Si jamais ça marche, Vito, tu seras mon obligé. Quoi qu'il arrive.

— Ça me semble plutôt correct. O.K., ça marche. Ainsi passerons-nous le reste de notre existence à nous envoyer et renvoyer l'ascenseur.

— C'est ça, dit Maggie, soudain prise de vague à l'âme. Bon, je ferais aussi bien de m'y mettre tout de suite. Si j'ai gain de cause, ça va déclencher tout un chambard dans la grille. Merde... Écoute, Vito, veux-tu faire mes amitiés à Billy? Je vais t'avouer quelque chose d'amusant : je l'aime réellement, figure-toi et jamais je n'aurais cru que ce serait possible un jour.

— Elle n'est plus jalouse de toi, Maggie. C'est peut-être la raison.

— Elle l'était donc? Tu parles sérieusement?

Au son de sa voix, on aurait pensé qu'elle venait de découvrir un cadeau aussi fabuleux qu'inattendu.

— Tu l'ignorais? Et moi qui croyais ma petite Maggie si futée.

— Futée à ce point, Vito, personne ne l'est jamais.

Après sa dispute avec Valentine, Spider Elliott s'était mis à compter les jours qui le séparaient des Oscars. Ils ne passeraient jamais assez vite à son goût : maintenant qu'il avait admis l'idée de devoir quitter Scrupules, Spider était pressé d'en finir. Mais, tant que Billy n'en saurait rien, il ne pourrait point se lancer dans la recherche d'un nouvel emploi. Aucun doute qu'il ne pût faire lui-même son prix dans n'importe quel important magasin : sa réussite à Scrupules avait été très remarquée. Ou alors, s'il voulait quitter le commerce, il pourrait toujours se remettre à la photo. Peut-être ici, sur la côte Ouest... A moins que Harriett Toppingham n'ait abandonné la vendetta : il pourrait, en ce cas, retourner à New York. De toute façon, il avait fait des économies. Alors, pourquoi ne pas s'embarquer sur un cargo, faire le tour du monde? Il pourrait aller en Chine... et même y rester... Oh, ce n'est pas le choix qui manquait.

Valentine? C'était une affaire classée. Elle était parfaitement inabordable. Il avait bien tenté de s'excuser à cinq ou six reprises, mais chaque fois elle avait quitté la pièce sans même lui accorder un regard ni lui laisser débiter son couplet. Il était pourtant disposé à tout prendre sur lui, en dépit des coups bas qu'elle lui avait, elle aussi, portés. Mais Valentine ne voulait même pas en entendre parler... Comme il avait raison, ce type qui disait qu'entre un homme et une femme, il ne peut y avoir d'amitié véritable. C'était une page de sa vie, voilà tout, et maintenant elle était bel et bien tournée. Tout ça était mort et enterré. Il fallait passer à autre chose. Il lui en coûtait, bien sûr, mais il finirait bien par s'en remettre.

Le temps passa. Spider n'arrivait toujours pas à secouer cette grisaille qui l'habitait. Cela n'avait rien à voir avec la colère, la douleur, le désarroi qui l'avaient saisi à New York quand Melanie l'avait quitté pour Hollywood et que Harriet Toppingham avait fichu sa carrière en l'air.

Car, ces sentiments-là, au moins, avaient des contours bien précis : il savait alors d'où venait son trouble. Tandis que, maintenant, le voilà qui s'éveillait en pleine nuit, qui restait des heures entières sans retrouver le sommeil. Il ruminait alors des choses qui, le matin venu, n'avaient aucun sens, il agitait toutes sortes d'idées étranges qui ne lui étaient jamais venues à l'esprit. Des pensées absurdes, toutes emplies d'une sorte de complaisance envers lui-même, du genre de celles-ci : qui se souciait vraiment de lui? Est-ce que tout le monde, en fait, ne s'en foutait pas éperdument? A quoi bon faire ce qu'il faisait? Cela changeait-il seulement quelque chose, quelque part? Que pouvait-il donc espérer? Bref, quel sens avait sa vie?

En trente-deux années d'une existence insouciante, turbulente et saine, Spider n'avait cessé d'avoir confiance en lui. Jamais, au grand jamais, il ne s'était permis de s'interroger sur le sens de sa vie. A ses yeux, il avait eu le bonheur inouï d'être issu d'une belle ovule comblée par le destin et d'un spermatozoïde agressif, lesquels s'étaient rencontrés durant la nuit requise, à la date opportune, dans le ventre qui convenait. Le hasard — une chance toute bête en vérité — avait présidé à sa naissance, plutôt qu'à la venue au monde de cet enfant tout différent qu'auraient engendré ses parents, s'ils n'avaient fait l'amour en cette nuit propice. Ayant connu la bonne fortune de naître, il avait accepté le monde tel qu'il était et puis il l'avait chevauché à grandes guides, tel un merveilleux destrier. Le sens de la vie? *La vivre!*

Mais voici qu'en ce début du mois de mars 1978, pour la première fois de son existence, il se réveillait tous les matins en se sentant mal dans sa peau. Prendre une douche, s'habiller, préparer son petit déjeuner, piloter sa voiture pour se rendre au magasin : c'est là, désormais, ce qu'il y avait de plus solide dans ses journées. Car ces tâches expéditives et routinières pouvaient encore absorber son attention. Mais, sitôt qu'il se mettait à travailler, il découvrait que ses réserves d'énergie, où toujours il avait puisé sans compter, ne semblaient plus éternellement renouvelables. Du moins était-ce la cause que Spider attribuait à ce qu'il appelait « son cocon ». C'est-à-dire l'impression de n'être plus relié comme d'habitude au monde extérieur. Dans son imagination, son cocon devenait une véritable sphère, matérialisée, tangible, comme ces boules transparentes où dansent au hasard des petits grains d'une matière inconnue. A cause de son cocon, les voix lui semblaient assourdies, la nourriture insipide, les contacts physiques moins réels, moins authentiques. Les choses perdaient tout relief.

Spider venait à bout de ses journées de travail en tâchant de se comporter comme il le faisait autrefois d'instinct, mais désormais par un effort de sa volonté. Seulement le cœur n'y était plus. Les clientes ne voyaient aucun changement mais lui savait bien qu'il n'éprouvait plus de plaisir. Un jour qu'il passait devant un miroir, il constata sans surprise que ses yeux étaient à peu près aussi animés que les eaux de la mer Morte.

Rosel Korman, la toute première vendeuse engagée par Scrupules, fut l'une des rares personnes à noter sa métamorphose. Sans en parler jamais, car elle était d'un naturel infiniment discret, elle se fit la réflexion que, s'il ressemblait autrefois à Butch Cassidy *et* au Kid réunis, il n'évoquait plus désormais qu'un pâle remake du film.

Billy prit également conscience de cette brutale retombée d'enthousiasme chez Spider. Elle se dit qu'il avait besoin de vacances : depuis juillet 1976, date de son arrivée en Californie, il n'avait jamais été absent plus d'un long week-end. Elle lui signala qu'en mars il y avait toujours de la poudreuse à Aspen et que ces dames pourraient très bien se passer de lui pour quelque temps.

— Il semble que vous aimiez vraiment bousculer les gens, répliqua-t-il. Et d'ailleurs d'où tenez-vous que je sais faire du ski?

— Les types dans votre genre savent toujours en faire. Maintenant, filez et que je ne voie plus votre figure d'ici trois semaines...

D'un point de vue de skieur, Aspen fut une réussite. Mais le cocon le guettait toujours. Un jour où il s'était retrouvé seul sur une piste, il avait marqué un arrêt, s'était pensivement appuyé sur ses bâtons et avait alors passé le paysage en revue. Oui, tout était là, bien en ordre : l'air transparent, la lumière crue du soleil, le calme craquant et velouté de la neige. Que souhaiter de plus? En d'autres journées semblables — avant son séjour à New York — il aurait vu, dans un tel moment de solitude, comme une confirmation des bienfaits de l'existence; il aurait mesuré toute l'étendue de sa chance : Spider s'était toujours montré avide de ces moments, très rares, où l'on peut skier en solitaire, où nul ne vient gâcher cette joie, troubler cette plénitude qu'on éprouve à faire corps avec la montagne. Mais pourquoi se sentait-il aujourd'hui si abandonné? Il avait piqué ses bâtons dans la neige, s'était lancé sur la piste, dans une course éperdue, comme s'il cherchait son salut dans la fuite.

De retour à Beverly Hills, il résolut de changer sa vie amoureuse. En moins d'une semaine, il se trouva une nouvelle fille. Une de plus. Aucun doute, songea Spider avec désespoir : plus il baisait et moins il éprouvait de plaisir. Tout cela lui parut soudain machinal, prévisible. Pourtant, il persistait à accomplir tous les gestes nécessaires – tous ces mouvements qui, dans le passé, lui avaient procuré tant de plaisir, un bonheur si merveilleusement simple, si plein...

Il comprenait enfin ce que voulait dire cet auteur qui prétend que tous les hommes, après le coït, ressentent de la tristesse. Il ignorait jusqu'au nom de ce philosophe dont il avait toujours pensé qu'il devait se tromper de partenaires. Mais voici qu'il éprouvait pour lui un certain respect.

C'était peut-être une question d'âge... Il ne s'était jamais soucié des anniversaires mais, après tout, n'avait-il point passé la trentaine? Ou alors quelque chose n'allait pas dans son corps... Le médecin de Billy le soumit à un check-up complet, après quoi il le pria de revenir dans ving: ans et de cesser de perdre son temps.

Il y avait autre chose encore mais il ne voyait pas comment y porter remède : il devenait sentimental. C'était du moins le qualificatif qu'il donnait à son état. S'il ouvrait un journal ou un magazine et qu'on y voyait un couple en train de célébrer ses noces d'or parmi ses enfants, petits-enfants et arrière-petits-enfants, il sentait des larmes lui monter aux yeux. Il éprouvait la même chose pour les types qui remportaient la super-coupe de football, les filles qui gagnaient des concours de beauté à la télévision, les adolescents qui arrachaient des petits enfants à des maisons en flammes, les aveugles qui décrochaient leur diplôme avec mention très bien, les gens qui faisaient le tour du monde en solitaire dans de petits voiliers. L'annonce d'un décès, en revanche, ou d'une catastrophe, bref, le train-train de l'horreur, tout cela le laissait parfaitement froid. Seules les bonnes nouvelles le faisaient fondre.

Il était quand même trop jeune pour la ménopause, songea Spider avec une anxiété croissante. Et aussi trop vieux pour faire une crise d'adolescence. Alors, de quoi foutre s'agissait-il?

Il se traîna jusqu'à la cuisine de sa merveilleuse garçonnière et se hâta d'ouvrir une boîte de velouté à la tomate Campbell. Si cela ne l'aidait point, rien ne le ferait.

Ça ne l'aida point.

15

LESTER Weinstock était le plus jeune employé du service de promotion de Curt Arvey. A le voir, on se croyait projeté dans le passé, retourné à une civilisation différente. Il suffisait de regarder sa bouille ronde et joviale, la broussaille des cheveux au-dessus des lunettes, son chaleureux sourire aussi charmé que charmant et charmeur, pour penser qu'il venait d'une époque plus innocente que la nôtre. Peut-être était-il l'un des Trois Mousquetaires – encore que trop potelé pour vraiment bien se battre en duel – à moins qu'il ne fût le jeune Falstaff avant qu'il n'eût pris tout ce poids. Il était aussi gros que grand, son pelage avait la couleur des ours en peluche et ses yeux myopes celle des yeux de votre chien favori, une sorte de brun attendrissant. Bref, il avait une physionomie aussi plaisante qu'indéfinissable. Qui d'ailleurs aurait su la décrire alors que son sourire attirait aussitôt le regard?

En voyant Lester, les femmes réagissaient toujours de deux façons différentes : certaines avaient envie de l'adopter, les autres désiraient que ce fût lui qui les adoptât. Comme sœur. Lester ayant une âme profondément romanesque, ces visées familiales ne répondaient nullement à ses attentes. A vingt-cinq ans pourtant, il n'était toujours pas découragé.

Quand Lester apprit qu'on le chargeait des relations publiques de Dolly Moon jusqu'à la remise des Oscars, il ne se tint plus de joie. Comme presque tous ceux qui ont fait des études de cinéma, sa grande ambition était de devenir réalisateur. Mais, dans l'attente de ce grand jour, il était assez réaliste pour mesurer l'étendue de sa chance : décrocher une telle mission après seulement un peu moins de deux années au Service de Promotion! Et encore : deux années passées tout au bas de l'échelle...

Il avait déjà vu *Miroirs*. Sandra Simon, beauté âpre et fatale, l'avait absolument séduit. Mais il s'était fait projeter de nouveau le film, en concentrant, cette fois, son attention sur Dolly. Au physique, ce n'était certes pas le genre de fille qui le faisait courir d'habitude : Lester rêvait toujours de femmes belles et fantasques, insaisissables et tristes, de fascinantes névropathes aux yeux hantés. Il n'y avait rien de hanté chez Dolly Moon mais Lester dut admettre qu'elle était une sacrée comédienne, une actrice vraiment épatante. Alors, il s'était offert une troisième séance : beaucoup, vraiment beaucoup trop rembourrée à son goût, côté pile et côté face. Mais enfin, il était censé lui servir de nounou. Non de flirt.

Cela faisait maintenant deux semaines qu'il était devenu l'attaché de relations publiques de Dolly. Il y avait gagné trois kilos (à cause de la cuisine de celle-ci) et aussi son premier cheveu gris (en raison du souci qu'il se faisait pour son état). Mais dans son univers soudain bouleversé, il lui restait encore un coin de ciel bleu, immuable, chaque fois qu'il songeait à la chère vieille grand-mère juive de Dolly. Car c'était elle qui lui avait si merveilleusement enseigné la cuisine!

Mais, quand Dolly entra dans les dernières semaines de sa grossesse, elle montra beaucoup moins d'enthousiasme à réaliser l'une ou l'autre de ses fabuleuses recettes. Non qu'elle eût perdu son appétit, comme elle devait l'expliquer à Mrs Higgens, sa propriétaire si tendrement dévouée qui était aussi l'épouse du chef des pompiers: seulement il lui devenait difficile d'approcher le fourneau d'assez près. Et, comble de malheur, elle ne pouvait aller manger dehors : la rougeole que lui avait inventée Lester pour tenir la presse à l'écart ayant été suivie des oreillons, lesquels ne seraient guéris que demain soir, juste pour la remise des Oscars. Ce n'était d'ailleurs point qu'on se bousculât pour lui demander des interviews. Mais Lester avait, trois semaines auparavant, décidé qu'il était dans les devoirs de sa mission de s'installer chez elle. Ceci au cas où elle aurait besoin de lui au milieu de la nuit pour une chose ou l'autre. L'emmener à l'hôpital, par exemple...

— Mais, Lester Weinstock, ce bébé ne doit naître qu'une semaine après les Oscars et c'est dans huit jours révolus! Tu ne fais rien d'autre que profiter d'une pauvre femme en cloque qui n'a même plus la force de dire non.

— Je suis un véritable démon avec les femmes, reconnut-il, épanoui. Hé, dis donc, tu sais comment faire du pied?

— Tu peux toujours m'apprendre, du moins dans la mesure où tes intentions s'arrêtent là, répondit-elle sagement.

— Dolly, mon cœur est pur, et puis tout ce qu'on pourrait faire d'autre serait mauvais pour le bébé.

Il éprouvait un sentiment très vif pour cette force cachée dans le ventre de Dolly qui, chaque nuit, dans le lit, le tarabustait, lui — Lester Weinstock —, le malmenait doucement comme si elle tentait de se faire un ami dans une situation nécessairement difficile. Tel le *Prisonnier de Zenda* cognant discrètement aux murs de sa geôle[1]...

— On jouera à se faire du pied plus tard, dit Dolly.

Lester soupira et parut se plonger dans ses pensées. Ils venaient à eux deux de vider une demi-bouteille d'alcool de framboise, après avoir dîné avec Mrs Higgens et son chef-pompier de mari. Et ils en avaient ainsi appris une bien bonne: un incendie avait éclaté dans l'après-midi au siège de la Société Price Waterhouse, dans les bureaux mêmes où étaient conservés les enveloppes des Oscars contenant le nom des gagnants. Mr Higgens leur avait tout raconté: comment on avait dû déménager le personnel, les archives et, aussi, les précieuses enveloppes pour tout installer au troisième étage dans un local voisin.

— Je crois qu'il faudrait se décider, murmura-t-il, après un long moment de silence.

— A quoi donc?

Dolly ne semblait que modérément curieuse.

— A te sortir de toute cette tension. Ce n'est pas bon pour le bébé.

— De quelle tension parles-tu, Lester?

— Celle de ne rien savoir au sujet des Oscars. Tu t'imagines peut-être le contraire mais je me rends parfaitement compte que tu es sous l'emprise d'une tension considérable, tout à fait excessive. Et peut-être dangereuse...

— Tu es vraiment adorable quand tu es ivre. Ote tes lunettes et viens me donner un bon gros baiser!

— C'est une tension excessive, effrénée, incessante, anarchique, insupportable, imméritée. C'est une tension permanente et monstrueuse, c'est une tension *intolérable*!

— Gros bêta... viens donc par ici.

— Bon, peut-être n'es-tu point tendue mais moi je le suis terriblement et ça n'a rien de bon pour le bébé non plus. D'ailleurs, lorsque je dors à côté de toi, il me réveille la nuit, tu comprends, et alors je commence à me faire du souci. Ce n'est sûrement pas ce qu'il souhaite mais il n'y peut rien, voilà tout. Il nous faut agir.

— Eh bien, faisons lit à part!

— Jamais de la vie! Quelle horrible idée! Demande-moi pardon, Dolly!

1. Produit par la MGM, le *Prisonnier de Zenda* fut l'un des premiers gros succès de Hollywood. Il a fait l'objet de deux *remakes*.

— Je suis désolée, Lester. Mais alors, que veux-tu dire? Et d'ailleurs quelle raison aurais-je de m'excuser. Je crois bien que je suis noire, moi aussi. Comment peut-on se saoûler ainsi avec du jus de framboise.

— On va... on va juste aller faire un p'tit tour jusqu'au 606 South Olive Street... D'après le père Higgens, c'est là que sont les enveloppes, alors on va juste y j'ter un p'tit coup d'œil. Ça te sortira au moins de cette tension. Pour une fois, tu dormiras bien cette nuit. Tu seras toute fraîche pour demain soir.

Quand ils arrivèrent à South Olive Street, ils se sentaient moins ivres — mais ils étaient loin encore, bien loin encore d'être dégrisés. Ils avaient atteint ce niveau d'ébriété où un projet qu'on a fait semble désormais gravé sur une table de pierre par les soins de Moïse en personne : il fallait bien évidemment soulager Dolly de sa tension, c'était un de ces devoirs qu'aucun citoyen responsable n'irait mettre en doute. Sous l'empire de l'alcool de framboise, ils se sentaient terriblement astucieux et résolus.

Dans le hall de l'immeuble, il y avait une table et derrière la table un gardien. Abruti de sommeil et d'ennui, il contemplait, fasciné, l'approche majestueuse de Dolly. Lester lui agita sous le nez un étui bourré de cartes en plastique et prononça d'une voix impérieuse :

— Je suis de la maison. Je dois vérifier des trucs...

— Votre carte, s'il vous plaît, dit le gardien.

Lester lui présenta ses cartes Diners Club et Visa.

— Non, la carte de Price Waterhouse.

— Bon Dieu de merde ! J'ai tant de ces machins qui se baladent partout. Où a-t-elle été se fourrer? Un instant, j'ai dû la ranger dans mon portefeuille.

Dolly brusquement crispa ses mains sur son ventre et poussa un hurlement rauque. Figés sur place, le gardien et Lester la regardèrent d'un air désemparé.

— Mon Dieu, chéri, j'ai juste envie de faire pipi... du moins je l'espère.

— Crénom, il y a urgence, mon vieux! dit Lester. Il faut que je la fasse monter jusqu'à mon bureau. Il y a des toilettes pour dames là-haut. Foutue saleté de boîte qui me force à la traîner dehors dans cet état ! Mais je ne pouvais quand même pas la laisser toute seule à la maison, pas vrai?

— Bien sûr, monsieur! dit le gardien, en désignant une porte d'ascenseur ouverte. Z'avez besoin d'aide?

— Non, je saurai m'occuper d'elle. Peux-tu au moins te retenir, mon chou?

— Oh, Lester, dépêche!

Tandis que les portes de l'ascenseur se refermaient sur eux, Lester se tourna anxieusement vers Dolly.

— Tu vas bien?

— Tu y croyais, pas vrai ? dit-elle avec un sourire malicieux. Alors, c'est que mon jeu est efficace !

— Je ne sais pas... Je ne crois pas... tu n'avais pas droit aux accessoires.

Les bureaux du troisième étage étaient bien tels que Mr Higgens les avaient décrits. Lester négligea les doubles portes de bois légèrement carbonisées, toutes frappées de l'emblème de la société, et marcha droit sur la quatrième porte à gauche, celle dont le chef-pompier lui avait parlé. Il sortit son couteau suisse et trafiqua un instant la serrure avec application.

— Tu es bien sûr de savoir faire ça ? s'enquit Dolly.

— Un peu de respect, je te prie, tu es en train de parler à un caïd. A l'université, on m'appellait le « crocheteur ».

— Vous autres, gosses de riches, vous avez tous les avantages.

— Autrement, comment veux-tu jouer au tennis quand tu as paumé la clé du casier à raquettes ?

Lester continuait à tripoter la serrure. Trois minutes s'écoulèrent. Trois longues minutes.

— Ne t'inquiète pas, Dolly. Je finirai par ouvrir cette porte, même si je dois le faire à coups de pied.

— Lester, il ne faudrait quand même pas en arriver là...

Dolly se tut brusquement et Lester rangea son couteau. Une femme de ménage venait d'apparaître au détour du couloir.

— Bonsoir, dit Lester, d'un air affairé.

— 'soir. Quel bazar, pas vrai ? Et personne m'en a seulement parlé. Je l'apprends tout juste. C'est agréable de trouver ça quand on commence son boulot, de la suie partout, des cendres, une véritable inondation... Quoi qu'y a donc ? La clé ne fonctionne pas ? Beau travail... laisser tout ce chantier et même pas vous dire quelle est la bonne clé...

Elle ouvrit la porte avec l'une des nombreuses clés de son trousseau.

— N'allez pas vous balader dans les autres pièces... y paraît qu'elles sont pas sûres.

Lester la remercia. Ils pénétrèrent tous deux dans le bureau et refermèrent la porte derrière eux. Lester pressa l'interrupteur près de l'entrée, à l'intention de la femme de ménage, puis, au bout de quelques secondes, l'entendant qui s'éloignait, il éteignit à nouveau. Vapeurs de framboise ou pas, il avait songé à prendre la torche qui était dans sa boîte à gants. Guidé par cette lumière, il alla sans hésiter vers le classeur qui se trouvait dans un coin de la pièce.

— Ça, je sais le faire... enfin, je crois. Tiens la torche, Dolly.

Il tâtonna un instant et parvint à ouvrir le grand classeur. Ils se regardèrent consternés : le meuble comportait cinq tiroirs, tous bourrés de documents.

— Et maintenant ? souffla Dolly. Qu'est-ce qu'on fait ?

— Ça tombe sous le sens. Elles sont à la lettre P... comme « Prix ». Tiens bon la lampe et surtout ne fais pas de bruit.

Lester ne trouva rien à la rubrique « Prix ». Alors il essaya F pour « Films ». Rien. Il remonta au A en se frappant le front. Fallait-il être bête: c'était sûrement répertorié à « Académie du Cinéma ». Nouvel échec.

— Merde, quel idiot je fais, elles sont forcément à la lettre O pour « Oscars ».

Elles n'y étaient point.

— A mon avis, souffla Dolly, si j'avais dû les classer, je les aurais mis à E pour « Enveloppes ».

Et c'est bien là qu'elles se trouvaient. Vingt et une enveloppes rigides et blanches, où l'on trouvait tout sauf les Hommages spéciaux et le Prix Thalberg[1]. Lester fouilla, tout en jurant entre ses dents: « Bordel... le meilleur scénario adapté d'une œuvre littéraire... bande d'enculés. Le meilleur film étranger... rien à branler. La meilleure composition vocale originale et son adaptation... on s'en fout comme de l'an quarante...

Lester, je crois bien que j'entends quelqu'un approcher, chevrota Dolly.

Elle éteignit la torche et la posa à terre, tandis que Lester ramassait toutes les enveloppes. Ils se tinrent complètement immobiles, alors que deux hommes passaient devant la porte. Ne les entendant point revenir sur leurs pas, Dolly risque un œil au dehors.

— Personne... tu peux continuer, Lester.

— Tu as perdu ma torche. Elle est partie rouler je ne sais où. Impossible d'allumer la lumière. Viens, on se tire.

L'escalier de secours, dont la porte, conformément au règlement, n'était jamais fermée, ne se trouvait qu'à quelques mètres de là. Pour une femme censée accoucher dans une semaine, Dolly jugea qu'elle avait le pied singulièrement agile. Quelques minutes après, ils étaient à l'abri dans la voiture.

— Oh, Dolly, où est donc ton giron quand j'en aurais tant besoin?

Dolly le regarda pour la première fois depuis qu'ils avaient détalé. Il y avait un étrange renflement au-dessus de sa ceinture — une bosse qu'il serrait à deux bras.

— Lester! Tu les as prises! Oh, comment as-tu pu faire une chose pareille? Nous voulions seulement jeter un coup d'œil. Oh, chéri! Ça par exemple...

Elle hurlait de rire, enfin libre de donner cours à son allégresse.

— Je souffre le martyre et toi, tu rigoles... dit Lester dans un hoquet. Il contemplait sa poitrine d'un air ahuri, sans oser desserrer les bras.

— Dolly... mais fais donc quelque chose! Je ne peux pas rester comme ça.

1. *Thalberg Memorial Award,* décerné pour contribution exceptionnelle à l'industrie du cinéma.

Encore incapable de parler, elle pêcha un grand sac à provisions en papier qui traînait par terre et, tirant les enveloppes du veston de Lester, elle les laissa tomber dans la pochette. Libéré, il mit le moteur en marche et cinq minutes leur suffirent pour se trouver loin des lieux du crime.

— Ne pourrait-on s'arrêter quelque part pour y jeter enfin un coup d'œil? suggéra Dolly quand ils eurent enfin retrouvé leur respiration.

— Dolly... tu n'as pas le sens de la fête, déclara pompeusement Lester. Il faut bien faire les choses. Ceci n'est pas un jour comme les autres: ce soir, nous avons fait l'Histoire...

— Et toute cette tension qui est censée me tourmenter?

— Patience, mon ange, patience. Ne faisons pas passer les considérations égoïstes avant les impératifs historiques.

Lester était toujours ivre mais il était parvenu au stade où l'on balaye tous les détails secondaires au profit des visions d'ensemble. De nouveaux horizons, de vastes perspectives s'ouvraient devant lui.

Au bout d'un long trajet, la silhouette du Beverly Hills Hotel se dressa devant eux. Lester n'avait encore jamais eu l'occasion d'emmener quelqu'un se faire interviewer au Polo Lounge du Beverly Hills Hotel: le Polo Lounge est un sanctuaire misérable et tout à fait surestimé qui, pour d'obscures raisons, conserve la réputation d'une splendeur totalement évanouie depuis vingt ans et plus. Mais Lester avait grandi dans la fascination de ce nom magique.

— Ce dont nous avons besoin tous les deux, Dolly, c'est d'une autre framboise... elle restaure le mystère et donne des ailes à l'imagination.

Il quitta Sunset Boulevard pour l'allée de l'hôtel, confia son auto à un voiturier et conduisit Dolly et son sac en papier jusqu'au Polo Lounge. La salle s'était un peu vidée en raison de l'heure tardive et ils purent obtenir une petite table sous une fenêtre entourée de plantes en plastique qui n'avaient pas connu le plumeau depuis dix ans.

— Deux triples framboises et un téléphone, commanda Lester au serveur.

Faute de connaître les lieux, il en savait les usages.

Le téléphone fut apporté aussitôt. Puis le serveur eut un entretien avec le barman avant de revenir avec deux pousse-café [1].

— Le barman dit qu'il est à court de votre truc... Ça ira à la place?

— Magnifique, répondit Dolly.

Étreignant le sac en papier sous son menton, elle s'efforçait de lire, à la faveur d'une lumière parcimonieuse, ce qu'il y avait d'écrit sur la première enveloppe.

Lester porta un toast à Dolly:

— A la meilleure actrice du monde, quel que soit le foutu résultat.

Ils vidèrent leurs pousse-café et Lester fit signe au serveur d'en apporter deux autres.

1. Aux États-Unis, il s'agit de divers digestifs mélangés.

— Oh, Lester, pleurnicha Dolly, tout compte fait, je n'ai vraiment pas envie de savoir ce qu'il y a dans l'enveloppe qui me concerne. C'est une si merveilleuse soirée.

— Je ne veux pas la gâcher.

— Mais cette tension, cette tension *intolérable* !

— Lester, si j'arrive à la supporter une nuit encore, tu pourras sûrement en faire autant.

— En ce cas veux-tu me passer le sac...

— Lester, Lester ! Que vas-tu faire ?

— Ne t'inquiète pas, je ne cherche pas le meilleur second rôle féminin. Ah, ah... tout au fond bien sûr...

— Qu'est-ce que c'est ?

— Le meilleur film, tout simplement.

— Oh, Lester, crois-tu que nous devrions...

— Cette question !

— Nous allons nous attirer des ennuis, j'en suis sûre, gémit-elle.

— C'est déjà fait. Alors autant bien en profiter.

Lester entreprit cérémonieusement d'ouvrir à petits coups l'enveloppe mal cachetée, en évitant soigneusement de déchirer la patte. Puis, avec toute la solennité des professionnels en ce genre de circonstances, il examina à travers ses lunettes le nom inscrit sur le feuillet.

— Hum, leur machine aurait bien besoin d'un nouveau ruban... *Miroirs*... MIROIRS ! Dolly, c'est *Miroirs*... on a réussi. On a réussi !

Dolly lui mit la main sur la bouche. On commençait à les regarder de tous côtés.

— Oye, oye, oye...

— Chcht, voyons...

Elle se mit à glousser.

Que je suis contente ! Mais que veux-tu dire par « *on* a réussi » ? Vito a réussi.

— C'est le film du studio, donc on a réussi.

— On ne va pas se battre. Tout le monde a réussi. Oh, Lester, il faut tout de suite le dire à Vito. Passe-moi le téléphone.

Des larmes de joie ruisselaient sur son visage. Mais, comme elle tendait le bras vers le téléphone, le pochon tomba par terre, répandant sur la moquette les vingt autres enveloppes. Lester ôta ses lunettes pour regarder au loin. Il vit qu'avec Dolly qui sanglotait sans retenue, les enveloppes éparpillées sur le sol et les deux nouveaux pousse-café menacés par le cordon du téléphone, leur petite table attirait de plus en plus l'attention.

— Dolly, ne bouge plus. Ne fais plus un geste. Laisse-moi remettre tout ça dans la pochette, compris ? Et pose ce téléphone. Non, merci garçon, inutile de mettre ce sac au vestiaire. Une petite bêtise, voilà tout, mais c'est réparé maintenant. Non, non, ce ne serait nullement plus commode. Apportez-nous donc simplement quelques bretzels. Dolly, pourrais-tu t'arrêter de pleurer ? On va croire que tu es en train d'accoucher. Bien, Dolly, c'est très bien. Bois ton gentil petit pousse-café. Voilà. Tout est revenu dans l'ordre, tout glisse comme sur des roulettes...

Il caressa distraitement la main de Dolly. Il se sentait brusquement dégrisé. Peut-être pas encore tout à fait mais d'avoir précisément ouvert cette enveloppe-là, de l'avoir vraiment fait, il se sentait tout secoué. Bon Dieu, ce n'était plus simplement une folle partie de rigolade. Non, tout ça était bien réel.

Dolly l'arracha à ses pensées.

— Oh, Lester, je t'en prie, laisse-moi appeler Billy et Vito. Et après, on va ouvrir tranquillement toutes les autres enveloppes et on va appeler tous les autres gagnants pour abréger leur supplice. Et ensuite tu pourrais appeler le service du télégraphe, et puis les journaux, les stations de radio, les stations de télévision... Lester, tu seras le plus célèbre de tous les publicitaires de la terre.

Lester recacheta comme il put l'enveloppe et posa le sac par terre entre ses pieds: là où dans son état, Dolly ne risquerait point de l'atteindre.

— Célèbre! Dis plutôt que je ne pourrais plus *jamais* travailler. Essaye de bien comprendre ce que je vais te dire, Dolly: nous sommes dans le pétrin et c'est entièrement de ma faute. On risque de ficher en l'air toute la grande soirée des Oscars.

Ne vois-tu pas qu'il faut un effet de surprise? Oh, bordel de merde, qu'est-ce qui m'a pris d'emporter ces enveloppes? J'ai dû avoir un moment de folie.

— Et si on les brûlait? dit Dolly avec compassion.

— C'est ça, ou bien les jeter aux ordures ou encore les vidanger dans les toilettes... ce qui veut dire que, demain matin, elles ne seront pas revenues à leur place. Le gardien et la femme de ménage n'auront aucune peine à donner notre signalement. Peut-être ne me reconnaîtraient-ils point, mais toi, ils ne risquent pas de t'oublier.

— Nous pourrions peut-être les... rapporter? dit-elle d'une voix tremblante.

— Un casse, c'est ça? Le deuxième de la soirée... Non, on se ferait prendre à tous les coups. D'ailleurs, la porte du bureau s'est refermée derrière nous, je l'ai entendue.

— Oh, Lester, je suis tellement désolée.

Elle avait l'air si malheureuse que Lester dut l'embrasser à plusieurs reprises pour la remettre un peu d'aplomb. Il ne l'avait jamais vue bouleversée à ce point.

— Ne te fais pas de souci. Je viens d'avoir une idée.

Il sortit son précieux petit carnet bourré de numéros d'abonnés non inscrits à l'annuaire, rien que des grosses légumes. Le service de promotion du studio avait toujours ces numéros sous la main. Lester les avait notés au cas où on lui demanderait un jour d'appeler un de ces caïds.

Maggie répondit d'une voix contrariée. Elle comptait passer une bonne nuit avant le grand show du lendemain, et voici que quelqu'un l'appelait sur sa ligne privée à minuit longuement passé.

— Lester Weinstock! Vous avez quoi? Vous avez QUOI? Où êtes-vous? Ce n'est pas une blague, hein, sinon... non, non je vous crois. Je viens tout de suite. N'APPELEZ PLUS PERSONNE AVANT MON ARRIVÉE! C'est promis? Je suis là dans dix minutes. Non, cinq.

Six minutes plus tard, Maggie se trouvait devant eux, ses cheveux en broussaille cachés sous un fichu, un manteau de vison passé sur sa chemise de nuit et son pantalon.

— Je n'arrive toujours pas à y croire, prononça-t-elle lentement.

Lester se baissa pour ramasser le sac chiffonné et l'ouvrit sous son nez pour qu'elle pût regarder à l'intérieur. Elle secoua la tête, contempla les enveloppes une deuxième fois, en cueillit une entre ses doigts, l'examina soigneusement, la remit dans le sac, secoua de nouveau la tête et dit: « O.K. j'admets. »

— Maggie, dit Dolly avec fougue, Lester ne m'a même pas permis de passer un seul coup de téléphone avant votre arrivée... il dit que vous saurez quoi faire.

Maggie était fascinée par tant de déraison, tant de naïveté: Dolly lapait tout tranquillement le dernier de ses trois pousse-café et semblait aussi délicieusement printanière qu'un pommier en fleurs. Avait-elle la moindre idée des implications commerciales de la remise des Oscars? Ne comprenait-elle point que cela représentait des millions de dollars de recettes publicitaires pour la chaîne? Sans parler, dans le public, d'un regain d'intérêt pour les choses du cinéma qui à lui seul représentait un nombre incalculable de millions de dollars...Ignorait-elle à ce point que la foule adorait le grand suspense des Oscars, comme si, par exemple, des élections nationales revenaient tous les ans?

— Il est préférable que vous me donniez ce sac, Lester, dit-elle. A moins que vous n'ayez envie de retourner chez papa-maman?

— Pourrez-vous garder le secret? demanda-t-il, éperdu.

— Lester, qu'importe l'étendue de votre sottise en cette occasion, vous avez été assez malin pour me prévenir et ceci compense cela. Non seulement Price Waterhouse va récupérer ses enveloppes mais, en tant que journaliste, je n'ai pas à répondre à la moindre question.

— Maggie, considérez-moi désormais comme votre obligé. Une chose seulement. Pourrions-nous jeter juste un coup d'œil dans l'enveloppe du meilleur second rôle féminin, par charité pour Dolly...

— J'veux pas, dit Dolly en gémissant, tandis que Maggie répliquait:

— Non, il n'en est pas question. Nous serions trois à connaître le nom du vainqueur et quand trois personnes partagent un secret, c'est comme si le monde entier était au courant. Ce serait dangereux. Dolly peut bien attendre comme les autres. J'espère au moins que vous n'avez ouvert aucune de ces enloppes.

— Bien sûr que non, répondit vertueusement Lester.

En disant cela, il pressait fortement le pied de Dolly entre les siens:

— Je n'ai rien fait d'autre que vous appeler.

— Vous irez loin, Lester. Je suis la première à vous le dire. Bon, maintenant, vous oubliez ça tous les deux.

— Pas un mot à quiconque, lui assura Lester.

— J'ai déjà tout oublié, dit Dolly.

— Voilà qui est bien parlé, dit Maggie. Et avant qu'un mot de plus ne fût prononcé, elle se rua vers la porte dans un grand envol de fourrure, le sac fermement serré sous son bras.

— Mais tu ne lui as rien dit pour *Miroirs,* dit Dolly d'une voix entrecoupée.

— Elle ne nous laisse pas jeter un coup d'œil, alors nous non plus, nous ne voulons point qu'elle sache... elle peut bien attendre comme tout le monde. Ce n'est que justice.

— Oh, Lester, ce que tu peux être malin...

Quelques minutes après, Maggie se trouvait chez elle dans sa cuisine. Sur le trajet du retour, elle avait évalué rapidement les diverses difficultés qu'elle n'allait pas manquer de rencontrer en restituant les enveloppes sans trahir Lester ni Dolly. Il lui faudrait déployer toutes les ressources de son prestige et encore, avec beaucoup d'adresse. Mais après tout, la société Price Waterhouse serait aussi soucieuse qu'elle au moins d'empêcher qu'on apprît le viol, avant le grand soir, du secret soi-disant le mieux gardé du monde. Oh, bien sûr, c'était une sale affaire, mais elle saurait s'en tirer.

Elle contempla les enveloppes rigides, alignées bien en ordre sur la table de sa cuisine. Sur le fourneau la bouilloire commençait à lancer toute la vapeur désirable.

L'une après l'autre, elle décacheta toutes les enveloppes à la vapeur, coucha les noms qu'elles contenaient sur un bloc, et les referma. Une fille devait savoir se démerder dans l'existence, songea Maggie. Oh, quelle joie se serait demain! Elle parviendrait bien à conclure une douzaine de marchés avant les douze coups de midi. Alors tout le monde dans cette ville lui devrait quelque chose. Et puis l'émission demain soir... Ce serait littéralement incroyable! Elle commencerait par faire ses pronostics... Il lui faudrait quand même se tromper quelquefois... Voyons, sur quelles choses? La meilleure réalisation sonore et le meilleur court métrage documentaire? Ça allait de soi: qui s'en souciait à part les quelques centaines de professionnels concernés? Un autre prix encore peut-être... La meilleure création de costumes? Broutille. Mais sinon... comment diable cette petite pouvait-elle tomber si juste? allait-on immédiatement penser.

Et puis, elle donnerait toutes les instructions nécessaires à ses équipes caméra pour qu'elles fussent toujours au bon endroit et au bon moment. Et elle saurait très précisément le temps à consacrer à chacune de ses interviews... Le ciel était visiblement du côté des travailleurs.

En arrivant aux cinq dernières enveloppes, elle sentit croître son excitation. Elle les ouvrit dans l'ordre qui serait celui du programme officiel. Maggie avait toujours pensé que la criminalité en col blanc ne pouvait aller sans un haut niveau de professionnalisme.

Elle ouvrit en dernier l'enveloppe du meilleur film. « Eh bien ça alors ! » Son cri de stupeur était tellement sincère et passionné que son chien de garde se mit à hurler dans le jardin. Elle était vraiment parvenue aux limites du professionnalisme, songea Maggie en décrochant le téléphone.

16

MAGGIE avait appelé depuis une heure déjà mais Billy et Vito commençaient tout juste à y croire vraiment. Oui, c'était bien plus que remporter une grande victoire au terme d'une longue course : cette nouvelle faisait réellement partie de leur existence. A force de se répéter certaines formules, ils pouvaient enfin assimiler l'événement, intérioriser leur triomphe.

— Tu es sûr qu'elle en était sûre? demanda pour la cinquième fois Billy. Non qu'elle doutât vraiment de sa réponse, c'était plutôt pour le plaisir de l'entendre.

— Absolument.

— Mais pourquoi n'a-t-elle voulu rien dire de la façon dont elle l'avait appris? N'est-ce pas étrange?

— C'est sa manière de procéder. Crois-moi, Maggie a des méthodes très personnelles.

— Oh, Vito, je ne parviens pas encore à m'y faire.

— Moi, si.

— *Miroirs* est le meilleur film...

C'était une affirmation. Une proclamation. Pourtant, dans sa bouche, ça ressemblait encore à une question.

— Peut-être, dit pensivement Vito. En fait, il est impossible de porter un jugement absolu sur un film. Tu peux prendre cinq marques différentes, les essayer et voir laquelle permet de faire les meilleurs gâteaux. Mais un film? Tout ce que ça prouve en réalité, c'est que telle œuvre, dans un peloton de cinq, a obtenu plus de voix que les autres. Comme dans une primaire aux élections présidentielles. Et si je peux me montrer aussi dédaigneux, aussi détaché et philosophe, c'est justement pour cette raison que nous avons gagné. Si nous avions perdu, je te dirais que *Miroirs* était incontestablement le meilleur et que s'ils ont décidé de donner le prix à un autre film, ce ne peut être que pour des raisons obscures, plus mauvaises les unes que les autres...

— Est-ce qu'un Oscar va vraiment te changer la vie? Ou bien n'est-ce rien d'autre qu'un gros pétard qui explose? Un peu comme si tu étais le Roi d'un Jour.

Elle avait posé cette question avec indifférence, comme en passant. Vito réfléchit un instant avant de répondre. Il le fit d'une voix lente, comme s'il s'adressait à lui-même.

— Pour chacun dans ce métier, ça *ne peut que* changer la vie.

— La vie intérieure aussi bien que la vie sociale. Définitivement. Je sais bien qu'au bout d'une semaine – merde, au bout de trois jours, en fait – la moitié des gens qui vont regarder les Oscars demain soir auront oublié qui a gagné quoi. Mais, de ce jour, je ne cesserai plus d'avoir mon Oscar à la boutonnière. Il sera toujours présent quelque part dans l'esprit des gens avec qui je suis en affaires. Ça ne changera rien aux problèmes quotidiens de ce métier; il y aura toujours le même climat de crise et d'angoisse, dans le style propre à chaque film. Mais cette ville est dans la main des grandes compagnies, et pendant quelque temps Hollywood sera à mes pieds! Ce fumier d'Arvey a réussi son coup avec *Miroirs* mais ce genre de chose ne m'arrivera plus jamais. A partir de demain, et pour un petit moment du moins, je serai intouchable.

— Et les contrats! Tu pourras imposer tes conditions...

— Dix Oscars n'y suffiraient pas, dit-il en riant. Reste que ce sera beaucoup plus facile que pour les derniers marchés que j'ai négociés. Mais plus de montage dans la bibliothèque, ça, ma chérie je t'en donne ma parole. C'est fini, ce genre de trucs...

A sa grande surprise, Billy se sentit sur le point de fondre en larmes. Ce fut plus fort qu'elle: un sentiment de frustration lui étreignait la poitrine.

Vito mit un moment à s'apercevoir de ce changement d'humeur.

Alors, il la serra très fort, baisa ses cheveux sombres, la berça dans ses bras jusqu'à ce qu'elle eût retrouvé l'usage de la parole.

— Je suis désolée... je suis tellement désolée... Quel sale moment pour se mettre à pleurer. Comme ça peut être stupide! Simplement j'ai... oh, j'ai vraiment adoré toute cette excitation ici... C'est une chose dont je faisais tellement partie, et maintenant c'est fini... Nous n'aurons plus jamais cette intimité... Tu n'auras plus jamais besoin que je travaille à tes côtés... Tu auras toutes les scripts professionnelles que tu souhaites... C'est si bête de ma part, chéri. Je ne voulais pas gâcher ton plaisir.

Elle se forçait à sourire mais la désolation se lisait sur son visage.

Vito ne savait que répondre. Elle avait totalement raison: *Miroirs* les avait placés dans une situation tout à fait exceptionnelle. C'était de ces choses qu'on ne connaît qu'une fois dans sa vie, un peu comme un naufrage. Il espérait bien n'être plus jamais contraint de travailler ainsi, avec une telle précipitation, dans une ambiance aussi démente et frénétique. Par miracle, on s'en était sorti mais il y avait au départ toutes les chances que ça ne finît en catastrophe. Et puis il ne voyait point Billy dans la peau d'une script-girl. Ça ne lui convenait pas, mais alors pas du tout. Et il était bien sûr qu'elle s'en rendait compte.

— Est-ce ta seule raison de pleurer, ma chérie? demanda-t-il tendrement. Il la pressait dans ses bras, léchant au passage les larmes qui coulaient sur ses joues.

— Comment peut-tu prétendre que nous n'aurons plus jamais cette intimité? Tu es ma femme, et aussi ma meilleure amie, mon amie la plus chère... nul être au monde ne m'importe autant que toi, il n'est personne que j'aime à ce point, personne qui me soit aussi proche.

Comme emportée par cette vague de tendresse qu'elle sentait déferler sur elle, Billy osa exprimer des pensées qu'elle lui cachait depuis des mois.

— Tu ne quitteras jamais ce métier, n'est-ce pas, Vito?

Il hocha gravement la tête.

— Ce qui veut dire que tu seras toujours sur la brèche. Un film à peine terminé, tu en mettras un autre en chantier... Car c'est ainsi que tu travailles depuis toujours: il te faut jongler avec deux balles à la fois — trois si possible — sans quoi tu n'es pas heureux...

Il acquiesça de nouveau avec, dans ses yeux, une lueur d'amusement, à cause du ton solennel de Billy.

— Je ne peux pas continuer à rester pendue à tes basques, n'est-ce pas, comme une petite fille qui s'est perdue sur un champ de foire et qui réclame son papa en pleurant... Bon Dieu... j'avais enfin trouvé le moyen de me faire des amis sur un plateau sans avoir besoin de me noyer à moitié dans un étang. Je t'ai aidé pour *Miroirs* mais ça ne suffit pas à faire de moi une professionnelle... J'en ai parfaitement conscience. Mais alors, franchement, que nous reste-t-il? Plus tu auras de succès, moins tu seras à moi. Demain soir, tu vas accéder à un tout nouveau statut professionnel. Mais *moi,* Vito? *Qu'est-ce que je deviens là-dedans?*

Il la regarda, désemparé. Il n'avait rien à lui répliquer. On ne saurait d'ailleurs répondre à ce genre de question quand on aime réellement son travail, quand on y donne le meilleur de ses forces...

— Quand nous nous sommes mariés, tu savais bien que j'étais producteur, ma chérie.

— Mais je n'avais pas la moindre idée de ce que cela impliquait. Qui diable aurait pu s'en douter? A toi, ça paraît tellement naturel... C'est ton rythme, tu t'y es habitué depuis des années. Et maintenant, merde, tu serais totalement incapable de mener une existence normale. A quand remontent tes dernières vacances? Et ne me parle surtout pas de Cannes. Ce n'était pas des vacances mais bien du travail.

Sur le visage de Vito, la sollicitude fit place à un air buté, obstiné, celui d'un homme qui se dit en lui-même: « Eh, bien, voilà, c'est ainsi que je suis, tu n'y pourras rien changer. » Billy s'en aperçut et se sentit gagnée par la colère.

— Tu t'es jamais demandé ce que ces tournages signifiaient pour moi?

Elle s'arracha à ses bras, renoua la ceinture de sa robe de chambre.

— T'accompagner ou rester chez moi, c'est du pareil au même. Je me sens aussi seule dans les deux cas. Et encore le tournage, ça n'est que la moitié de la question... Tu oublies toutes ces nuits où tu as des réunions pour le scénario, quand tu ne disparais pas dans une séance de montage. Je te fiche mon billet que le président de la General Motors ou de l'US Steel a des journées moins longues que les tiennes. Et quand tu ne travailles pas, c'est que tu penses à ton travail.

Elle suffoquait de colère.

Vito prit son temps pour répondre. Que pouvait-il lui promettre? De travailler huit heures par jour, de faire un film seulement tous les deux ans? Quand il ne travaillait pas sur un film, il se sentait plus mort que vif. Son visage aux traits accusés prit un air fermé, marmoréen, qui le faisait plus que jamais ressembler à une statue de Donatello. C'était bien là ce qu'il avait redouté en acceptant d'épouser Billy: ce lancinant désir qu'elle avait de tout posséder, d'imposer ses conditions, de le plier à sa volonté.

— Billy, je ne peux pas me refaire pour répondre à ta conception du mari parfait. C'est ainsi et ce sera toujours ainsi. Tout ce que je ne donne pas à mon travail, je te le consacre. Pour moi, il n'y a et il n'y aura jamais que toi. Mais je ne peux pas, en plus, te sacrifier mon travail.

Il avait dit cela d'un ton définitif et Billy en fut brusquement effrayée: jamais il n'avait semblé si loin d'elle. Un Vito lointain, c'était un Vito sans force, c'était comme une flèche abominable, qui se serait fichée dans son cœur. Mais elle percevait aussi l'écho plaintif de sa voix, la stridence de ses paroles à elle et sentait qu'elle avait été trop loin: elle avait oublié à quel point Vito lui appartenait, pouvait être son type.

Elle s'avança vers lui, lui saisit la main, retrouvant comme par magie son allure familière de chasseresse. La petite fille en colère avait disparu. En un clin d'œil s'était réajustée sa cuirasse de milliardaire, son armure de femme invulnérable, puissante et prédatrice.

— Je perds la tête, mon chéri. Bien sûr que tu ne peux changer. Je suppose que c'est une sorte de réaction nerveuse à cet Oscar... Sans doute suis-je tout bonnement jalouse. Je t'en supplie, cesse de me regarder ainsi... Tout va bien, ne fais pas attention, s'il te plaît.

Il s'était retourné pour la contempler, scruter son visage. Il ne souriait pas. A son tour, elle le regarda bien en face, offrant ses yeux superbes à son inspection. Elle s'était radoucie mais ne se dérobait point.

— Je ne pourrai jamais attendre jusqu'à demain, chéri. Il y a tant de réjouissances en perspective... Je meurs surtout d'envie de voir la tête d'Arvey. Il ne pourra absolument pas supporter ça, tu ne crois pas?

Elle cherchait à détourner la conversation et y était admirablement parvenue.

— Sans aucun doute, répondit Vito, le visage épanoui. Il n'en croira pas ses oreilles. Il va sûrement demander un nouveau comptage avant dc réaliser qu'il s'agit bien de son film. Je crois... je crois que je vais déjeuner avec lui demain.

— Quoi, avec cette pourriture? Mais pourquoi Vito?

— Devise de la famille Orsini: « Ne te mets pas en colère: venge-toi. »

— Tu viens tout juste de l'inventer — elle lui mordit gaiement l'oreille —, mais elle me plaît bien. Je crois que je vais l'adopter. Puis-je l'utiliser, mon amour?

— Bien sûr, voyons, tu es une Orsini.

Il l'embrassa, l'air intrigué. Elle lui rendit son baiser, d'une manière qui mettait fin à toutes les questions. Celles, en particulier, auxquelles elle ne souhaitait point répondre.

Le matin suivant, Billy arriva à Scrupules pour l'ouverture. Elle se jeta au cou de Valentine avec une chaleur dont elles furent toutes les deux étonnées.

— Je parie que vous serez contente de voir le bout de cette journée, dit Billy.

— J'ai beau être épuisée, j'attends vraiment ça comme une fête. Ce soir, ce sera enfin la minute de vérité. Pour vous. Et pour moi qui verrai toutes ces clientes porter mes créations en dehors des salons d'essayage.

— Pas toutes en réalité, fit remarquer Billy. N'oubliez pas qu'une bonne moitié de ces toilettes sont en fait destinées à des réceptions privées.

— Aucune importance.

— Où est Spider?

- Oh... allez savoir, dit Valentine avec indifférence.

— Est-ce là une façon de parler pour une associée? la taquina Billy.

— Cette histoire d'associés... Ça n'a rien d'officiel, vous savez, répondit vivement Valentine. Ce n'est qu'une façon de s'exprimer. Elle date du moment où je vous ai persuadée de l'engager. En réalité, ce n'est pas mon associé, Billy.

— Comme vous voudrez, ma petite chérie. Tant qu'il travaille pour moi...

Elles semblaient se faire des mystères, songea Billy, sans en percer la raison. Mais elle changea aussitôt de sujet. Après tout, elle avait ses propres soucis.

— Écoutez, je prends ma robe et je vous laisse à vos occupations.

—. Essayez-la encore une fois, Billy.

— Pourquoi donc? Elle est prête depuis une éternité et elle me va parfaitement. Je me demande d'ailleurs pourquoi je ne l'ai pas déjà emportée. Je devais être trop secouée avec ces histoires autour de *Miroirs* pour avoir les idées nettes.

— J'aimerais vraiment vous voir dedans encore une fois. Par acquit de conscience. Allez, faites-moi plaisir...

Valentine fit signe à l'une de ses assistantes et lui demanda d'apporter la robe de Mrs Orsini.

— Avez-vous jamais pris le temps de calculer notre chiffre d'affaires, rien que pour la remise des Oscars et toutes les réceptions qu'on va donner ce soir? demanda Billy tandis qu'elles attendaient ensemble. Moi, j'ai essayé et j'ai dû m'arrêter à cent cinquante mille dollars... Et il y a tant d'autres magasins. D'un certain point de vue, la remise des Oscars est destinée à faire travailler les commerçants de Beverly Hills.

— C'est bien naturel, répliqua Valentine avec suffisance. Ah! la voici!

L'assistante avait apporté un grand flot de satin moiré sans bretelles, finement plissé, d'un pourpre profond et subtil. Billy ôta ses chaussures pour enfiler le fond de robe en taffetas ajusté, qui empêchait le satin d'épouser par trop ses formes.

— Quels bijoux comptez-vous porter? demanda Valentine.

Elle s'était baissée pour remonter la fermeture Éclair de son fond de robe.

— Pas mes émeraudes, en tout cas, ça ferait trop arbre de Noël. Ni mes rubis: un rouge suffit... Ni les saphirs non plus: j'aurais l'air du drapeau américain. Je pense simplement à des dia... Valentine! Mais ce fond de robe ne va pas du tout!

— Restez tranquille un petit moment. J'ai dû faire une bêtise avec la fermeture Éclair.

Valentine rouvrit entièrement celle-ci et tenta à nouveau de la remonter. Cette fois encore, la fermeture se bloqua au niveau de la ceinture. Les mains de Valentine commençaient à transpirer.

— N'aurait-elle pas été au nettoyage par hasard? Voyons, c'est impossible: jusqu'ici ce dessous de robe m'allait parfaitement.

Billy était consternée.

— Qu'avez-vous mangé, Billy? demanda Valentine d'un ton accusateur.

— Mangé? Absolument rien, je vous assure! J'étais bien trop nerveuse pour manger. Rien que de penser à la nourriture me rend malade. Non, c'est quelque chose qui ne va pas avec ce fond de robe. En fait de poids, j'en aurais plutôt perdu.

D'une main preste, Valentine sortit son mètre ruban.

— Val, pour l'amour du ciel! Vous savez mes mensurations par cœur. Rangez-moi ce truc. Ça devient ridicule.

Loin de lui obéir, Valentine entreprit de prendre son tour de taille puis, après réflexion, son tour de poitrine. Elle marmonnait quelque chose en français.

— Quoi, que dites-vous? Cessez donc de parler entre vos dents et articulez, que diable! J'ai horreur de vous entendre parler français, comme si j'étais incapable de le comprendre.

— Je disais simplement, madame, que le tour de taille est la première chose qui s'en va.

— S'en va, s'en va, mais où donc, Seigneur? Est-ce que vous êtes en train d'essayer de me dire que j'ai perdu ma silhouette?

— Pas exactement: 4,5 cm de plus à la taille, 3 cm à la poitrine, voilà tout: la plupart des gens trouveraient que c'est encore là un profil tout à fait acceptable. Reste que vous ne pouvez porter cette robe sans ce dessous.

— Zut, dit Billy vexée. Évidemment, voilà bien cinq mois que je n'ai pas mis les pieds à mon cours de gymnastique. Depuis l'âge de dix-huit ans, j'ai travaillé comme une bête pour obtenir et maintenir ce corps et, quand je le néglige pendant cinq mois, voyez le résultat... ce n'est pas juste!

— On ne peut pas tromper Mère Nature, dit Valentine en souriant.

— Arrêtez vos simagrées. C'est une chose sérieuse. Oh, et puis merde, ce n'est pas la fin du monde. Ce soir je porterai autre chose et puis je vais me remettre à la gymnastique chez Ron. Tous les jours. Je dirai à Richie de m'en faire baver et, dans un mois, j'aurai retrouvé ma ligne.

— Dans un mois, ça commencera à se voir.

— Se voir?

— Se voir vraiment.

Valentine dessina dans l'air un ventre imaginaire qui se gonflait.

— Non mais, ça ne va pas, Valentine? Vous avez complètement perdu la boule, ma parole! Vous pensez peut être que Dolly est contagieuse? Dieu tout-puissant, on vous commande une robe de grossesse et vous voilà saisie d'une bébémanie délirante.

Valentine ne répondit point. Elle fronçait les sourcils d'un air entendu. Visiblement, elle restait sur ses positions.

— Vous êtes styliste, pas gynécologue. Vous ignorez totalement de quoi vous parlez.

Billy s'était mise à hurler.

— Chez Balmain, nous étions toujours les premières à le savoir, avant le médecin, et même avant la *femme* ! Le tour de taille est la première chose qui s'en va, c'est bien connu, dit Valentine, avec une passion contenue.

Son petit visage frémissait de certitude. Billy enfila ses vêtements de ville à la hâte, sans cesser de crier tout du long :

— Foutus Français ! Toujours aussi foutrement sûrs d'eux. Une belle bande de je-sais-tout ! On ne pense pas une seconde que ce fond de robe puisse ne pas m'aller... Non, c'est bien sûr que je suis enceinte ! Combien de temps oserez-vous soutenir une connerie pareille ? Un de ces foutus mannequins l'aura mis pour aller danser et puis elle l'a donné au teinturier. Faites votre enquête, vous verrez que j'ai raison ! Plus jamais je ne laisserai une robe traîner ici, ça vous pouvez en être sûre !

Elle s'apprêtait à sortir.

— Billy...

— Je vous en prie, Valentine, pas d'excuses ! Impossible de dénicher une robe convenable dans mon propre magasin. Merde, merde et *merde* !

Elle claqua la porte.

Valentine resta à contempler les flots de taffetas et de satin cramoisi qui gisaient sur le sol. Elle avait toujours son mètre ruban à la main. Elle savait bien qu'elle aurait dû se mettre en colère. Où était donc passé son fameux sale caractère ?

Au lieu de quoi, une larme roula le long de son petit nez pointu. Une larme pour Billy.

Curt Arvey était tout réjoui de l'appel de Vito. Ce salaud voulait donc se réconcilier, avait-il songé, féroce, en acceptant l'invitation à déjeuner. « Enterrons la hache de guerre »... Quelle façon merveilleusement originale de s'exprimer. Visiblement, Orsini avait compris qu'il avait passé les bornes. Maintenant il essayait de se rabibocher avant qu'il ne fût trop tard. La chose était bien claire mais Arvey n'en ressentait pas moins une grande satisfaction : qu'une personne avec qui il avait été en conflit aigu voici seulement quelques semaines, se mît à le solliciter, le courtiser, rien ne pouvait le ravir autant. Certes, *Miroirs* était en train de lui rapporter une fortune. Mais Vito serait bien fou de s'imaginer que ses vilaines combines en sentaient la rose pour autant. Tiens, s'il laissait Vito payer la note du déjeuner ? De toute façon, ils seraient bien forcés de se faire des amabilités le soir des Oscars. Ils avaient rendez-vous à Ma maison. Encore une jolie combine de Vito, songea Harvey. A la table voisine, Sue Mengers était en train de boire un daiquiri-banane. Dès l'issue du repas, toute la ville saurait qu'ils avaient déjeuné ensemble et supposerait qu'ils s'étaient réconciliés.

— Si *Miroirs* l'emporte, commença Vito, je crois bien que je vais faire un film à gros budget. Un créateur a besoin de diversité... et j'ai toujours rêvé de voir Redford et Nicholson dans le même film. Il y a un sujet qu'ils meurent d'envie de tourner, tous les deux... il reste à se mettre d'accord sur les prix mais je pense pouvoir me les offrir.

— Ça va comme ça, Vito. Je sais toujours quand on me dore la pilule. Redford et Nicholson... *Si* vous gagnez. Et vous savez comme moi qu'il n'y a pas la moindre chance. Et pourtant, Dieu sait que je le désire autant que vous... mais contre ces quatre grosses machines? Rien à faire! *Miroirs* est un petit film, ne l'oubliez pas. D'ailleurs, je n'ai jamais cessé de vous le répéter: les petits films ne gagnent pratiquement jamais. *Rocky* fut un coup de pot comme on n'en voit pas deux dans sa vie. Impossible en tout cas que ça se produise deux fois de suite. Ne vous montez pas la tête, vous n'en serez que plus amer ce soir.

Il avait retrouvé son ton protecteur.

— Peut-être aurai-je le vote des gens qui n'aiment pas les grosses machines, dit rêveusement Vito. Les professionnels savent bien qu'une grosse machine qui se casse la figure, ça signifie l'enterrement de six, huit ou même dix autres projets... Ce qui représente des milliers d'emplois perdus. Les films à gros budget qui ne tiennent pas leurs promesses — et nous en avons plus que notre part cette année — découragent le public. Tout le monde sait ça dans ce milieu.

— Rêvez, rêvez toujours, Vito. Mais pourquoi ne voulez-vous pas écouter la voix de l'expérience? Avez-vous la moindre idée du temps que j'ai passé à la tête de ce studio? Ça remonte à une époque où vous n'étiez pas fichu de distinguer un viseur d'un objectif. Et je n'ignore rien de la façon dont vous avez obtenu votre sélection... ces matinées pour les ménagères... Vous pensiez peut-être que je n'étais pas au fait de toutes vos combines? Mais entre une sélection et un prix... c'est une autre paire de manches, mon garçon.

Vito attaqua son soufflé au chocolat servi avec une assiette de crème fouettée glacée. Il mangeait avec circonspection tandis qu'Avery le dévisageait curieusement.

— Ainsi vous songez à acheter un truc? demanda-t-il enfin.

Cette crapule voulait lui demander quelque chose. Ce serait un plaisir de l'envoyer paître.

— Mm mm... un livre : le WASP[1]. Vous en avez entendu parler? Vous me prenez pour quoi? Un analphabète? Mon comité de lecture l'a adoré, Susan également. Personnellement, je n'ai pas le temps de

1. White Anglo-Saxon Protestant. L'Américain moyen, de vieille souche, par opposition aux minorités noire, juive et catholique.

lire mais je sais en gros de quoi il s'agit. Onze mois sur les listes de best-sellers... dans la mesure où on peut s'y fier et je m'en garde bien. Mais un million et demi de dollars... ils sont dingues. Personne n'ira jamais payer ça.

— Billy est folle de ce bouquin... Elle est prête à m'en acheter les droits. Si vous ne voulez pas de votre soufflé...

— Prenez-le. De toute façon, je ne dois pas manger de chocolat. Ainsi, Billy voudrait l'acheter, mm? Je parie qu'il y a un anniversaire en vue... Bien bien...

— C'est bon, Curt, d'avoir une femme qui croit en vous. Elle a presque autant de flair que moi. Vous croyez que *Miroirs* ne va pas gagner... Et moi mon flair d'Italien me dit qu'il sera vainqueur. Appelez ça une simple intuition si vous n'entendez pas mêler mes origines à la chose.

— Quand on dirige une boîte qui manipule plusieurs millions de dollars, on ne se fie pas aux intuitions aussi facilement que lorsqu'on a épousé une femme riche... Pardonnez-moi mais c'est la pure vérité. Nicholson et Redford... est-ce qu'ils ont réellement envie de faire ce film?

— Ouais.

— C'est bien simple, je n'arrive pas à y croire. Leurs cachets à eux seuls... Vous aurez déjà engagé cinq ou six millions de dollars avant même d'avoir acheté les droits. Vous parliez d'un budget de vingt millions... Non, Vito, ces affaires-là sont un peu trop grosses pour votre estomac.

— Écoutez-moi bien, Curt. J'achèterai le livre moi-même ou plutôt, Billy le fera pour moi. Et, si vous avez raison pour l'échec de *Miroirs*, je vous donnerai une option gratuite de trente jours.

— Quelle est la contrepartie?

— Si c'est moi qui ai raison, vous m'achèterez les droits d'adaptation de ce bouquin. Voilà.

— Un million cinq?

— Les chances sont contre moi. Vous pensez même que je n'en ai aucune. Mais ne vous faites pas de mauvais sang: si vous ne voulez pas courir le risque de vous tromper, j'achèterai ce livre et je trouverai bien un autre studio. Merde, ce serait trop long de commander un autre soufflé. Ils sont si sacrément petits.

— Vous mangez trop, Vito. Moi, je continue à penser que vous êtes une fripouille. Mais si vous tenez à conclure ce marché, je suis votre homme. Si vous n'y voyez pas d'inconvénient, nous pourrions rédiger un protocole d'accord sur-le-champ.

Il fit signe au serveur et lui demanda d'apporter un menu.

— Curt, Curt, voyons... vous pouvez avoir confiance en moi!

Vito semblait blessé.

— Alors que vous avez volé mon film? répliqua Arvey, tout en écrivant d'une main fébrile.

— Vous l'avez finalement récupéré.

— N'importe... je préfère avoir quelque chose par écrit.

Arvey et Vito signèrent tous deux le protocole. Le serveur et Patrick Terail, le propriétaire du restaurant, firent office de témoin. Puis Vito tendit le bras pour s'emparer du menu. Il commençait à le plier avant de le mettre dans sa poche quand Arvey le lui arracha des mains.

— Patrick le gardera pour nous, d'accord Vito ? Souvenez-vous que c'est le seul et unique exemplaire. Et je paie votre déjeuner. Autrement, il vous en coûterait un million cinq, *plus* quelque chose. Je suis en veine de générosité aujourd'hui.

Après sa visite à Scrupules, Billy rentra chez elle. Elle conduisait, tous les sens en alerte, espérant couvrir sans dommage la brève distance qui sépare Scrupules de Sunset Boulevard ; les occasions ne manquaient point en effet de heurter des piétons distraits. Elle se savait tellement en colère qu'elle redoutait de perdre tout empire sur elle-même.

Elle parvint à garder son sang-froid en parcourant la vaste demeure au pas de course sans échanger la moindre parole avec ses serviteurs. Elle traversa son salon, sa chambre, sa salle de bains avant de s'enfermer à clé dans son ultime refuge, la grande penderie. Il y avait là, au milieu d'un mur, une grande fenêtre en saillie avec une large banquette drapée de velours ivoire où s'empilait un monceau de coussins en soie, couleur d'anémone et de pavot d'Islande. Elle s'y laissa tomber, essoufflée par sa course, et se drapa dans un vieux châle tricoté dont elle ne s'était jamais séparée depuis que Tante Cornelia l'avait confectionné pour elle. Elle logea ses pieds froids sous ses cuisses, se croisa les bras et se fit aussi petite que possible pour tenter de se réchauffer. Cette pièce écartée était son repaire le plus secret. C'est là qu'elle se retirait toujours pour réfléchir. Il y avait aussi un téléphone dont elle usait seule et une sonnette pour appeler sa femme de chambre. Tant qu'elle se trouvait là, aucun de ses serviteurs n'osait la déranger.

Dans son humeur présente, Billy sentait qu'elle y aurait volontiers passé le restant de ses jours. Ce salaud l'avait prise au piège ! Oh, comme c'était commode, comme ça tombait bien, comme c'était merveilleusement agencé ! Piégée, Bon Dieu ! Elle était prise au plus vieux des pièges jamais conçus par l'homme. Dans la seconde où lui parlait Valentine, elle avait senti la trappe se refermer sur elle. Vito avait sûrement l'intention de faire d'elle une épouse italienne à l'ancienne mode : pondant sans rechigner bambino sur bambino, peut-être même apprenant à cuisiner avec des tas d'huile d'olive et des monceaux d'ail... Elle *grossirait* à coup sûr — tandis que lui irait courir la prétentaine de par le vaste monde, en se servant de sa qualité de producteur comme d'un talisman. Il viendrait parfois retrouver les siens, le temps d'engrosser sa femme à nouveau. Ah, quel diabolique fils de pute il se révélait d'un coup. Mama Orsini... qui aurait songé qu'elle, Billy Ikehorn, deviendrait un jour une Mama Orsini ?

Certes, elle aurait dû s'avouer qu'elle n'avait point pris la pilule depuis Noël. Mais elle savait bien que c'était impossible. Voyons, c'était impossible. Elle savait bien que...

Billy rejeta brusquement sa tête en arrière et partit d'un grand rire dans la pièce déserte. Oh, mais c'est que cette fois, elle s'était mise dans la merde jusqu'au cou! Elle avait vraiment fait les choses en grand. Comme bourde, c'était plutôt pas mal, non?

Nul besoin, pour Billy, d'être férue de psychanalyse pour comprendre et reconnaître sur-le-champ qu'elle l'avait fait exprès. Mais alors, si elle voulait réellement un bébé, pourquoi, l'instant d'avant, s'être comportée d'une façon tellement odieuse avec cette pauvre Valentine?

Billy se balançait d'avant en arrière. Elle était encore secouée de rire. Puis, les genoux serrés dans ses bras, elle réfléchit sur le fonctionnement de... voyons, était-ce le conscient? Le subconscient? L'inconscient? Elle ne s'y retrouvait pas très bien, ignorant les mots autant que les concepts... C'était là sans doute le seul domaine où elle ne suivait point la mode.

Il y avait bien longtemps qu'elle s'en remettait à ses impulsions, qu'elle se jetait dans toutes sortes de situations où il lui fallait ensuite se débattre mais dont, à la longue, elle avait toujours réussi à sortir d'une manière ou d'une autre. Avec plus ou moins de bonheur, certes, mais sans jamais préméditer ses actes. Préméditer? Il fallait bien reconnaître qu'oublier ainsi de prendre sa pilule pendant bientôt trois mois dénotait un certain esprit de calcul...

Billy osa caresser son ventre bien plat. Ce bébé serait une nouvelle conséquence de son incorrigible impulsivité. Comme... comme tout le reste de son existence. Elle promena ses doigts sur son sein droit puis le gauche. Elle les soupesa, par curiosité: plus ronds et, d'une certaine façon, plus chauds qu'ils n'avaient été depuis ses dix-huit ans. Comment une femme, surtout une femme aussi consciente de son corps que l'était Billy, avait-elle pu négliger des indices aussi élémentaires? A quelle espèce appartenait-elle pour se mettre avec tant de soin dans le cas d'avoir un bébé et pour refuser d'admettre ensuite qu'elle était enceinte? Et pourquoi cette attitude?

Bonne question.

Il y avait un bloc et un stylo sur la banquette. Billy les attira vers elle et se mit à prendre des notes. Elle serrait les dents, bien résolue à pénétrer les raisons conscientes de son comportement. Les causes profondes, elle les savait à jamais enfouies dans les ténèbres.

Première chose, elle ne se sentait point vraiment prête pour la maternité. Mère, elle ne serait plus cette femme insouciante qui n'avait jamais voulu assumer, sans retour possible, la moindre responsabilité.

Deux, elle entendait bien rester très, très longtemps une jeune mariée et prolonger les délices de sa lune de miel. A cet égard pourtant, elle avait échoué, dès avant son mariage, dans cette bataille qu'elle pensait mener contre *Miroirs*. Une épouse, elle l'était à l'évidence. Mais une jeune mariée? Elle n'avait guère connu cet état. C'est là une étape qu'ils avaient sautée.

Trois, elle voulait prendre elle-même toutes ses décisions, et au moment qu'elle jugerait opportun. A son gré. Selon son bon plaisir. Avec cette autorité dont elle jouissait depuis si longtemps. Elle n'entendait point se laisser surprendre par la Nature et que celle-ci lui fît violence. Bref, elle refusait de suivre les contraintes de l'existence. Mais alors, pourquoi n'avoir pas épousé l'un de ces hommes châtrés et soumis, décoratifs et amusants qu'une femme riche trouve toujours sur ses pas? Elle ne pouvait avoir choisi Vito par erreur... D'ailleurs elle le choisirait encore aujourd'hui, avec tout ce qu'elle avait appris à son sujet. Point seulement parce que c'était l'homme qu'elle aimait entre tous mais aussi parce que c'était le *type* d'homme qu'elle aimait. *Son* ascendant, *son* aptitude à décider, *son* indépendance, bref, ces choses qui permettaient à Vito, si souvent, de mener sa vie loin d'elle, c'était précisément les qualités qu'elle admirait avant tout... Elle ne pouvait le priver de son oxygène, l'étouffer de ses exigences. Il ne l'aurait d'ailleurs point toléré. Avec la maturité, l'existence prend quelque peu les couleurs du paradoxe, se dit Billy tristement.

Quatre. Elle entendait rester la première aux yeux de Vito, venir avant tous les autres, devenir le but suprême de sa vie. N'avoir jamais à le partager.

Et c'était bien le plus absurde de tout: elle l'avait en fait partagé dès le début, dès l'instant qu'elle l'avait connu... Partagé avec ses occupations. En revanche, sitôt qu'il s'agissait de tendresse, de confiance aveugle, ou même de simple chaleur humaine, il lui revenait toujours. Un bébé ne lui enlèverait certes point Vito... bien au contraire, un bébé, voilà bien une chose qu'elle pourrait partager avec lui.

Elle regarda les trois ou quatre mots clés qu'elle avait griffonnés sur son bloc. Une seule idée avait encore un peu de sens à ses yeux: c'est qu'à trente-quatre ans, elle ne se sentait guère préparée à la maternité.

Et puis, et puis... comme il semblait difficile, voire déchirant de répudier sa liberté. C'était sans doute son subconscient — ou bien s'agissait-il de l'inconscient? — qui avait pris la décision pour elle. Elle contempla le bout de papier, les quelques mots qu'elle y avait jetés. Alors, avec douceur, avec application, avec fermeté, elle les raya tous. Puis, à grands traits de plume, elle écrivit: CORNELIA ORSINI? WINTHROP ORSINI?

Elle étudia ces deux noms d'un air approbateur; elle se sentit gagnée par une sorte de fascination tendre, tandis que subsistaient en elle les vestiges, très affadis, de sa première surprise.

Une demi-heure s'écoula avant qu'elle ne sortît enfin de sa rêverie pour s'apercevoir qu'elle n'avait pas encore choisi la robe qu'elle porterait ce soir.

Quand Maggie arriva à Scrupules, elle venait de déjeuner avec un acteur. Elle lui avait doucement suggéré de ne rien signer — en dépit de l'insistance nerveuse de son agent — pour son prochain film avant la proclamation des Oscars. Cet acteur lui garderait une reconnaissance éternelle quand, son Oscar en main, il pourrait obtenir sept cent cinquante mille dollars de plus pour le rôle qu'il était tout près d'accepter vingt-quatre heures plus tôt.

Valentine tenait prête la robe de Maggie. Celle-ci n'aurait plus qu'à l'emporter dans la loge qu'elle occupait au Dorothy Chandler Pavilion, où se déroulait la cérémonie. Il y avait eu un ultime essayage quelques jours plus tôt, mais Maggie insista pour la repasser à l'intention de Spider. On alla chercher celui-ci.

Il arriva en arborant une pâle copie de son ancien sourire. Tandis qu'il regardait et palpait Maggie, il sentit son cocon s'amincir jusqu'à presque disparaître. Son sourire s'élargit.

— Je ne peux tolérer ça plus d'une fois par an, Mags. Sinon ton public cessera de te prendre au sérieux et ne songera plus qu'à tes seins. Bonne chance pour ce soir... et surtout *ne te baisse pas*!

Il l'embrassa machinalement et sortit. Sa gracieuse démarche laissait percer sa lassitude.

— On dirait que quelque chose l'a mis à plat, dit Maggie, inquiète.

— Sans doute les applaudissements, répliqua sèchement Valentine. Écoutez, ma toute belle, Colette vous aidera à quitter cette incitation à l'émeute pour la remettre sur son cintre. Et rappelez-vous: pas de bijoux. Ce soir, à l'écran, vous serez la plus ravissante de toutes. *Bonne chance!*

Valentine se retira dans la petite pièce où elle faisait ses croquis et attrapa le téléphone. Elle devait appeler Josh à tout prix. Celui-ci, la veille, l'avait à deux reprises appelée mais elle était alors trop occupée pour répondre. Puis le soir venu, elle s'était sentie si fatiguée qu'elle avait coupé son téléphone après avoir demandé au standard de prendre les messages. Il lui avait encore téléphoné ce soir-là pour s'entendre dire qu'elle ne prenait aucun appel.

Aujourd'hui, il avait récidivé tandis qu'elle s'occupait de Maggie. Lentement elle composa son numéro au bureau, en priant le ciel qu'il ne fût point rentré du déjeuner. Mais la secrétaire passa aussitôt la communication.

— Valentine! Comment te sens-tu? Tu dois être épuisée, ma pauvre chérie.

Sa voix était réellement inquiète.

— Oui, c'est complètement dingue par ici, Josh, mais j'ai aussi du plaisir, tu sais. Si seulement toutes ces femmes que j'aide à se faire belles n'emportaient pas, avec leur robe, quelques gouttes de mon sang...

— Chérie, penses-tu être trop fatiguée ce soir pour que nous dînions ensemble?

Il semblait aussi détaché qu'à l'habitude, comme s'ils n'avaient rien d'important à se dire. Valentine eut soudain l'irrésistible désir de repousser encore l'échéance, ne fût-ce que d'un jour.

— Pardonne-moi, Josh, mais je suis quasiment sur les genoux et ce n'est que le début de l'après-midi. Je n'expédierai pas ma dernière cliente avant des heures et, à ce moment-là, je n'aurai absolument plus ma tête à moi. Pas ce soir, chéri... demain. Demain, je dormirai tard. Peut-être même n'irai-je pas travailler du tout. Tu me comprends n'est-ce pas?... Josh?

— Bien sûr.

Le récepteur en main, Josh resta immobile plus longtemps qu'il n'en eut conscience. Il méditait sur l'avenir, quand ce serait son lot quotidien de rentrer chez soi pour y trouver Valentine. Un jour, cela deviendrait une routine, merveilleuse certes, mais une routine quand même. C'était inévitable, et il était assez lucide pour s'y préparer. Regretterait-il alors l'ivresse d'avoir mené cette double vie, regretterait-il les plaisirs d'une liaison qu'il avait su garder à l'écart de tous ces gens sérieux dont il était entouré dans son travail? Eh bien, quand ils se marieraient, aucun doute qu'il se rangerait pour la fin de ses jours. Un partage de biens en communauté, c'était assez dans une existence. Rangé... Curieux comme ce mot pouvait sentir le renfermé.

A l'extrême fin de cette après-midi frénétique, alors que, parées et coiffées, toutes ces dames avaient été convoyées à vive allure par une flottille de limousines de location, Dolly pénétra dans le magasin en se dandinant. Elle tenait à la fois du pudding et du rayon de lune. A ses côtés, toujours à moins de deux mètres, se balançait la masse inquiète et hirsute de Lester.

— Valentine, voici que je me sens de nouveau comme une vraie jeune fille, gazouilla Dolly.

— Vraiment?

Avec un sourire las, Valentine étudia son visage d'enfant si pur.

— Et par quel miracle, selon vous?

— Le bébé est descendu. Oh, vous ignorez ça? Deux semaines avant l'accouchement, le bébé descend pour se mettre en position. C'est affaire de quelques centimètres mais, sapristi, quel soulagement! Franchement, c'est comme si j'avais retrouvé mon tour de taille.

— Franchement, je peux vous dire qu'il n'en est rien. Lester, en revanche, a bien perdu cinq kilos...

Quarante minutes s'étaient écoulées et Lester avait absorbé deux Bloody Mary quand Dolly fit son apparition. Lester et Spider, qui l'avait rejoint, furent tellement ébahis qu'ils en sautèrent sur leurs pieds.

Au bout de son long cou, la petite tête ronde de Dolly semblait régner telle une radieuse étoile tout en haut d'une robe-nuage tourbillonnante, au faîte d'un tournoiement vaporeux, dont le gris bleuté reproduisait les douze nuances marine de ses yeux. Commençant bien sagement au-dessus de sa poitrine, il y avait un semis de brillants, des milliers de brillants scintillants qu'on avait cousus à la main. Elle avait le cou assez long pour qu'on ait pu l'entourer d'une collerette empesée, piquant accessoire, taillé en pointe à la mode élisabethaine. Ses cheveux avaient été ramenés sur le dessus du crâne et saupoudrés d'autres brillants encore. A ses oreilles enfin resplendissaient les gros diamants de Billy. C'était comme si de minuscules projecteurs l'avaient inondée de lumière, bien qu'il n'y eût dans la pièce aucun éclairage spécial. Les deux hommes restaient bouche bée d'admiration, comme saisis d'une sorte de respect religieux.

Chacun posté à une fenêtre de leur bureau commun, Valentine et Spider assistèrent au départ de Lester et Dolly dans la grande Cadillac noire louée par le studio pour l'occasion. Du sous-sol au grenier, il n'y avait plus personne dans le magasin. Ils agitèrent la main tous les deux, tout en sachant que le couple ne pouvait les voir d'en bas. Puis ils se tournèrent l'un vers l'autre, le visage encore illuminé du plaisir d'avoir joué un rôle dans une histoire de Cendrillon. Ils ressentaient un peu la joie d'un père et d'une mère qui voient leur fille s'en aller au bal.

C'était le premier regard bienveillant qu'ils échangeaient depuis de nombreuses semaines.

— Dolly va gagner, dit doucement Spider.

— Qu'est-ce qui te fait penser ça?

Valentine était intriguée par sa conviction tranquille.

— Maggie me l'a dit cet après-midi juste avant de s'en aller. Mais personne d'autre n'est au courant. Pas même Dolly. C'est un secret absolu.

— Oh mais c'est épatant! Quelle merveilleuse nouvelle, Elliott!

Valentine hésita une seconde puis, pour ne pas être en reste:

— Il se trouve que Vito lui aussi va gagner, annonça-t-elle.

— Hein, qui t'a dit ça?

— Billy, mais c'est également un secret absolu. Maggie le leur a annoncé la nuit dernière. Je suis censée ne le dire à personne; Billy me devait quelque chose, elle m'a révélé la nouvelle pour se faire pardonner, dit-elle sans autre précision.

— Maggie et ses secrets absolus, dit Spider ébahi. Mais, Bon Dieu de merde, Val, c'est absolument *magnifique*. Je commence à... Vito... Dolly... *le meilleur film*... mais... Valentine? Valentine? Voyons Valentine... qu'est-ce qui ne va pas? Pourquoi fais-tu cette tête? Mais pourquoi pleures-tu, sacrebleu?

— C'est que je suis tellement heureuse pour eux, dit-elle d'une toute petite voix contrite et fausse.

— Ce ne sont pas des larmes de joie, dit Spider d'un ton péremptoire.

Cette dérobade lui apparut comme une menace qui planait dans l'air, tout autour de son cocon. Il la vit prendre une profonde inspiration, comme si elle était sur le point de sauter d'un haut plongeoir, puis pousser un soupir frémissant. Elle se tourna à demi vers lui et parla si doucement qu'il crut n'avoir pas bien compris ce qu'elle disait.

Une folle angoisse le saisit aussitôt. Impatiemment, il lui secoua l'épaule:

— Qu'est-ce que tu racontes?

— Je dis que je vais épouser Josh Hillman.

— *Ah foutre non!* rugit Spider, sans prendre le temps de réfléchir. Son cocon avait éclaté d'un coup: lui seul entendit l'explosion, perçut la rupture de cette membrane invisible, ressentit la fin de cette dépression où il s'était enveloppé pour se protéger d'un choc qu'il redoutait depuis des mois.

A grand fracas, il retombait dans le monde réel. Un accès tardif de lucidité était en train de briser, de fracasser, de pulvériser toutes les barrières qui s'étaient dressées dans son esprit. Il apercevait la lumière au bout du tunnel. Tous ses sens en étaient revigorés, rajeunis. Il crut s'éveiller d'un maléfice. La tête lui tournait de bonheur: il savait enfin que son cœur était pris.

La pièce était maintenant plongée dans la pénombre et pourtant il lisait en Valentine plus clairement que jamais.

— Tu vas encore m'apprendre ce que je dois faire ou ne pas faire?

— Tu ne l'aimes pas. Tu ne vas quand même pas l'épouser.

— Tu n'en sais absolument rien, dit-elle avec un air de léger mépris.

Ah mais, c'est qu'elle était encore aussi stupide que lui-même autrefois. Cette chose qu'il comprenait maintenant de tout son être, il faudrait donc la lui expliquer, pour venir à bout de son sublime entêtement.

Maîtrisant son impatience, réprimant son ardeur, il arracha son regard de ses lèvres, le planta dans ses yeux. Il vit qu'elle était en plein désarroi mais toujours sur ses gardes.

— Je te connais au point que je n'ai même pas besoin de te regarder pour savoir que tu n'es pas amoureuse de Josh. Bon Dieu, est-il possible que j'aie été aussi idiot?

— Peut-être l'as-tu été, Elliott. Mais en quoi cela me concerne-t-il? En quoi cela concerne-t-il Josh?

— Je retrouve bien ma Valentine, telle que je m'y attendais... prête à se battre jusqu'à la limite de ses forces.

Il posa ses mains sur les siennes et les serra très fort.

— Viens donc par ici... assieds-toi sur le divan. Et maintenant, Valentine, tu vas m'écouter en silence. J'ai une histoire à te raconter.

Spider lui parlait sur le ton qu'on emploierait pour dompter un poney sauvage. Il y avait tant de choses dans son regard, une tendresse si résolue dans ses yeux d'azur et d'or, tant de sincérité limpide, un tel air de certitude triomphale que, pour la première fois de sa vie, elle abandonna toute réticence.

Sans mot dire, elle se laissa guider à travers la pièce. Ils s'assirent, les mains de Valentine toujours dans celles de Spider.

— C'est l'histoire de deux êtres, un jeune étalon frimeur et une petite nénette irascible, qui trouvait ce type d'une incurable frivolité. Ils s'étaient connus voici cinq ou six ans et, bien qu'elle désapprouvât totalement sa conduite, ils étaient devenus amis. En fait, ils furent même les meilleurs amis du monde. Ils s'éprirent et se déprirent — c'est du moins ce qu'ils croyaient — de diverses personnes qui ne leur convenaient point du tout. Mais leur amitié n'en fut pas touchée. Il leur arriva même parfois de se sauver la vie l'un à l'autre.

Il s'arrêta pour la contempler. Elle tenait ses yeux résolument baissés. Mais elle ne l'interrompait point. Elle restait parfaitement tranquille et Spider n'aurait jamais pensé que les plus folles spéculations s'agitaient en elle, que la stupéfaction faisait battre son sang. Elle regardait fixement ses mains, redoutant, au moindre geste, d'être saisie de vertige.

— Valentine, ces deux êtres ignoraient tout des longs détours de l'amour, des curieux chemins du cœur. Ils ne tenaient pas en place et toujours quelque chose les attirait ailleurs. Ils laissèrent passer les plus belles occasions. Ils étaient occupés au point de ne pas s'accorder la moindre chance. Quand l'un s'en allait à droite, l'autre partait à gauche. Mais, pendant tout ce temps, en dépit de ce déphasage ridicule, ils en étaient venus à ne pouvoir se passer l'un de l'autre. C'était une chose aussi ferme, aussi solide, aussi intangible que... que le Louvre.

— Solide?

Le mot sembla la tirer d'un enchantement.

— Solide? Comment oses-tu dire ça avec toutes ces filles que tu as eues, d'aussi loin que je te connaisse?

Elle parlait d'une voix mal assurée. Dans son regard, il y avait encore de la méfiance.

— Tout simplement, j'étais un jeune idiot. Et puis, s'il y eut tant de filles, c'est qu'aucune n'était la bonne. Il n'y en avait pas une dont je voulusse réellement. Et Dieu sait que tu ne m'as jamais découragé... aussi ai-je continué à chercher. Oh mais c'est toi Valentine, *toi* que j'ai toujours désirée, toi que je voudrai toujours! Bon Dieu, mais comment ne m'en suis-je pas aperçu plus tôt. Ça, c'est une chose que je n'arrive même pas à comprendre. Merde, j'aurais dû t'embrasser à la première occasion, là-bas, à New York. Ça nous aurait évité de tourner en rond pendant cinq ans. Cette querelle que nous avons eue... j'étais jaloux tout simplement... salement jaloux. Tu ne l'avais donc pas deviné?

— Pourquoi ne m'as-tu jamais embrassée là-bas, à New York?

— Je crois bien que tu me faisais un petit peu peur. Je craignais que tu ne prennes la fuite et cela, je ne le voulais à aucun prix.

— Et tu as toujours peur?

Elle avait dit cela d'un ton excessivement malicieux. Baissant enfin sa garde, emportée dans un tourbillon de joie, elle parvenait encore à se moquer de cet homme, cet homme qu'elle avait aimé depuis le premier jour, tout en refusant de l'admettre, trop fière et têtue pour disputer ses faveurs.

— Oh toi...

Il la serra dans ses bras, gauchement, presque timidement, puis il l'embrassa pour la première fois, baisant cette bouche ourlée qu'il connaissait si bien. Enfin, songea-t-il, enfin le pays du bonheur perdu, le pays du bonheur...

Au bout d'un moment, elle s'écarta légèrement.

— Tu as raison, Elliott. Aucun doute, on aurait gagné bien du temps.

Impulsivement, impétueusement, elle fit courir ses doigts sur son visage, touchant, touchant enfin cette chair qu'elle rêvait de caresser depuis si longtemps. Elle ébouriffa ses cheveux, ses favoris, elle pétrit, pressa, lissa la peau de Spider avec avidité, avec abandon, poussée par une passion trop longtemps contenue. Elle s'appropriait son visage, son odeur, le grain de sa peau, et ses yeux se fermaient de plaisir. Enfouissant son nez minuscule dans le cou de Spider, elle le renifla sauvagement, le mordit, le lécha, l'aspira, engloutissant ce festin viril, tel un petit vampire venu de France.

— Ah! espèce de grand idiot, attendre si longtemps... Comme j'aimerais te secouer jusqu'à ce que tes dents s'entrechoquent. Mais malheureusement tu es trop grand pour moi.

— Ce n'est pas entièrement ma faute, protesta-t-il. Cela fait des mois que tu es intouchable. Même si je l'avais voulu, je n'aurais pu arriver jusqu'à toi.

— Ça, on ne le saura sans doute jamais. Tu aurais pu essayer de m'embrasser plus tôt, imbécile heureux. D'ailleurs, n'essaie pas de te justifier. J'ai bien l'intention de te le resservir longtemps. Très longtemps...

Jamais il n'avait entendu le triomphe percer ainsi sous la menace.

— Aussi longtemps que nous vivrons tous les deux?

— Au moins...

La nuit s'installait. Seule une lampe restait allumée sur leur grand bureau. Spider entreprit d'ouvrir la blouse blanche de Valentine. Ses doigts, si agiles d'habitude, maniaient les gros boutons avec maladresse. Elle dut lui venir en aide : on aurait pensé qu'ils accomplissaient de tels gestes pour la première fois. Pourtant ils se déshabillaient l'un l'autre comme s'il leur était impossible d'agir autrement. Quand ils furent enfin nus, étendus sur le grand divan de suédine, Spider se dit qu'il n'avait jamais connu cette plénitude, cette parfaite communion. Les petits seins de Valentine, pointés haut, étaient aussi merveilleusement vivants, aussi mutins, arrogants que son visage. Le taillis de son pubis était plus frisé encore que ses cheveux mais il était du même rouge épicé. Bien qu'il n'eût encore jamais investi cet endroit, il s'aperçut qu'il savait déjà, pour y avoir souvent rêvé, son élasticité, qu'il connaissait le tendre fouillis de mousse rousse. Valentine, si vorace quand elle mordait son cou, gisait inerte maintenant, fièrement offerte à ses yeux avides, telle une princesse captive, butin d'une immense victoire.

Elle était d'une blancheur si lumineuse, contre le hâle de sa poitrine, qu'il la pensa fragile. Mais, quand il lui caressa les seins, elle tendit ses jeunes bras déliés et l'attira contre elle, jetant une cuisse satinée pardessus sa hanche. A son tour, elle le tenait captif.

— Reste... reste juste comme ça un petit moment, chuchota-t-elle, je veux sentir tout ton corps contre moi... je veux apprendre ta peau. Alors il ne bougea plus, proie impétueuse et tendre.

Ils reposaient sur le côté, pressés l'un contre l'autre, pouls confondus, souffles mêlés, attentifs à la passion qui affluait entre eux, qui les enveloppait d'une volute spiralée, telle une brume chaude se levant sur un lac. Bientôt ils furent submergés de désir. Ils étaient toujours immobiles mais ils brûlaient de se posséder, d'enfin se découvrir. Quand il fut bien sûr qu'elle appelait cet acte simple, irrévocable, qu'elle le voulait plus que toute autre chose en ce monde, il la pénétra d'un coup, sans complications. Elle était étroite. Elle râla de plaisir, une seule fois, puis ne fut plus aussi étroite. Il était serré en elle, parfaitement pris au piège. Perdu qu'il était dans son rêve enflammé, aucune puissance irrésistible ne l'entraînait à bouger en elle. Ce fut le bassin de Valentine qui se mit en mouvement, voluptueux, et bientôt le désir les emporta tous les deux. Une force les entraînait, exigeante et sauvage, un vertige les saisissait qui venait du corps mais de l'âme aussi bien. Ils avaient soif d'enfin se reconnaître, d'enfin se rejoindre, de ne faire plus qu'un. Ils réinventaient l'acte d'amour, tandis qu'au dehors finissait le crépuscule, chassé par la nuit de Mars.

Après quoi, ils se sentirent plein d'humilité — tels ces incroyants, qui brusquement, se font pèlerins — si grande était leur surprise d'avoir su créer ensemble cette chose entièrement nouvelle, cette situation que l'un et l'autre n'avaient jamais connue.

Valentine dormit longtemps, blottie dans les bras de Spider, telle une jonchée humide, odorante, de fleurs rouges, roses et blanches. Elle s'était confiée à lui dans le sommeil avec le même abandon que tout à l'heure, quand elle était éveillée. Spider aurait pu lui aussi dormir mais il entendait veiller sur elle. Sa surprise n'avait pas encore disparu mais il se sentait, en même temps, gonflé de certitudes : c'était bien Valentine et pourtant c'était une autre : en dépit de tout ce qu'il croyait savoir d'elle, il n'avait jamais soupçonné l'existence d'une Valentine capable de receler un tel trésor de douceur, de cacher une tendresse si pure et profonde sous ses dehors impétueux : le monde entier en restait merveilleusement étonné.

Voilà que leur bureau s'était changé en chambre nuptiale. Serait-il jamais capable, désormais, de parler affaires sans voir monter dans sa mémoire la pièce telle qu'elle était ce soir? Pourrait-il encore la regarder dans sa blouse blanche sans être saisi du désir de la lui ôter? S'il n'y parvenait point, se dit Spider en souriant, il leur faudrait sans doute redécorer la pièce... Et puis elle devrait changer de tenue de travail.

En se réveillant dans les bras de Spider, Valentine eut très simplement conscience de vivre le moment le plus heureux de sa vie. Rien ne serait plus jamais pareil. Le passé appartenait à une autre planète. La quête de ses racines était close. N'avaient-ils maintenant leur domaine à tous les deux, cette principauté qu'ils s'étaient taillée ensemble?

— J'ai dormi longtemps?

— Je l'ignore.

— Mais quelle heure est-il?

— Je l'ignore aussi.

— Mais... la télévision... les Oscars... nous avons sans doute tout raté.

— Probablement. Quelle importance?

— Aucune, bien sûr, mon Elliott à moi. Et puis, entre nous, il n'y avait jamais que deux cents de nos clientes environ sur la scène et dans la salle. Nous n'aurons qu'à leur dire à toutes qu'elles étaient merveilleuses.

— Vas-tu continuer de m'appeler Elliott jusqu'à la fin de mes jours?

Valentine réfléchit.

— Tu ne tiens pas absolument à ce que je t'appelle Spider, n'est-ce pas? Pourquoi pas Peter? C'est ton nom après tout.

— Non, grands dieux, non.

— Je pourrais t'appeler chéri... ou bien moussaillon... oui, j'aimerais mieux ça... moussaillon! Qu'en dis-tu?

— Tout ce que tu voudras... du moment que tu m'appelles.

— Oh, mon chéri.

Ils s'embrassèrent à corps perdu. Toute gaucherie les avait abandonnés désormais. Ils croissaient ensemble, tel un arbre puissant. Enfin Spider lui posa la question qu'il savait devoir lui poser :

— Que vas-tu faire pour Hillman?

— Il faut que je lui en parle demain. De toute façon, il comprendra en me voyant. Pauvre Josh... Mais, après tout, je ne lui ai jamais accordé plus qu'un peut-être définitif...

— Mais à la manière dont tu m'as annoncé la nouvelle, je pensais que tu avais déjà pris ta décision!

— Je n'avais encore rien décidé, enfin pas vraiment... Je n'y arrivais pas.

— Tu m'as donc révélé la chose avant de lui en avoir parlé?

— Ça m'en a tout l'air.

— Je me demande bien pourquoi.

— Je n'en sais rien.

Elle avait l'air aussi innocent qu'un petit séraphin. Spider décida de garder pour lui ses intuitions fulgurantes. Nul n'est censé poser des questions, quand on connaît déjà la bonne réponse.

Il rejeta ses boucles en arrière pour bien voir toute son exquise frimousse.

— Imagine un instant comme tout le monde sera surpris.

— Tout le monde à l'exception de sept femmes...

Ses grands yeux verts pétillaient de malice.

— Hé là, un instant! dit Spider, soudain méfiant. A qui en as-tu parlé?

— Comment irais-je parler d'une chose que j'ignorais encore? Je pense à ta mère et tes sœurs... elles savaient tout sûrement... du premier instant qu'elles m'ont vue.

— Oh! Valentine, adorable petite sotte! Ce n'est qu'un fruit de ton imagination... Elles pensent tout simplement que je suis irrésistible.

— Ah, mais tu l'es, moussaillon, tu l'es.

L'Académie des arts et des sciences du cinéma avait fini par admettre qu'entre les quelques grands moments attendus avec impatience, il serait bon de donner un peu de punch à la cérémonie des Oscars. Ceci à l'intention du public de la télévision : plutôt que des mises en scène fastueuses ou solennelles, ce que réellement souhaitaient voir ces centaines de millions de spectateurs, c'était des visages. Des visages célèbres surpris en ces instants où tout un chacun pouvait s'identifier avec elles : moments d'attente, de tension et d'épreuve, minutes d'espérance ou de déception cachée, périodes de nervosité ou de bluff, secondes triomphales où la joie déborde.

Les officiels avaient autorisé les membres de l'équipe de Maggie — tous revêtus du smoking de rigueur — à se poster au parterre du *Dorothy Chandler Pavilion*. Ils étaient équipés de micros mobiles, de caméras légères et leur travail en serait changé : au lieu des brefs cadrages habituels sur telle vedette perdue dans une rangée de spectateurs (parfois accompagnés d'un zoom sur le battement de cils d'un œil célèbre, si rapide que le public n'en était jamais rassasié) il y aurait cette année-là, une véritable débauche de très longs gros plans. Le public pourrait même saisir au vol des bribes de conversations dans les moments de détente.

Les hommes de Maggie se comportaient avec tant de discrétion, ils se mêlaient si bien aux spectateurs que, très vite, ceux-ci ne remarquèrent plus leur présence. Tous installés près de la scène par commodité, les gens de cinéma sélectionnés pour les différents Oscars en oubliaient presque qu'ils passaient en direct.

Quand Billy et Vito parvinrent à leur rangée, Maggie avait depuis longtemps fini d'interviewer les vedettes à leur arrivée. Du moins purent-ils se faufiler à leur place avant l'ouverture des cérémonies. Maggie se tenait alors dans les coulisses. Elle s'était déjà entretenue avec les présentateurs dans leurs loges — la plupart tellement noués par le trac qu'ils l'avaient accueillie avec un déluge de paroles. Maintenant, elle s'était retirée avec son réalisateur dans la cabine de contrôle pour donner le feu vert à son émission.

Les spectateurs qui assistent à la remise des Oscars sont véritablement piégés : le ciel lui-même ne saurait venir en aide à un individu qui, tout le temps du spectacle, ressent l'envie furieuse de satisfaire un besoin pressant. Pour ces gens-là, pas question de temps morts ni de spots publicitaires.

Billy, pour sa part, ne cessa de rêvasser tout le temps que dura la première séquence, où l'un des cinq chanteurs sélectionnés pour l'Oscar de la meilleure chanson effectua une prestation absolument interminable.

Elle se savait maintenant sur le point de toucher au mitan de sa vie et ne voulait pas que cela se fît dans la bousculade. Elle n'avait nullement l'intention de s'accrocher à son petit univers, de continuer à se comporter en accapareuse, en dominatrice. Elle ne voulait plus s'efforcer de tenir toutes choses sous sa loi, de les contrôler, de les capturer comme on ferait d'un ballon qui s'échappe. Le moment était venu au contraire de larguer les amarres, de se laisser porter par les vents, de survoler en paix de nouveaux paysages, des étendues vastes et ensoleillées, en gardant une main légère sur les commandes. Au fait, y a-t-il des commandes dans un ballon, ou bien s'agit-il d'un gouvernail, de filins ou d'autre chose encore? Qu'importait après tout, se dit-elle, du moins ne serait-elle point seule à bord. Il y aurait le bébé et puis un autre suivrait, bien sûr; elle était fille unique et ne permettrait point que son enfant se trouvât dans la même situation. Peut-être trois enfants au total? En se dépêchant, elle aurait le temps de les avoir. Et puis non, se dit-elle, c'est ainsi qu'on devient avide et possessif, qu'on veut tenir son petit monde en place, s'arranger un univers bien comme il faut. Et alors on s'attire des ennuis... Donc ce bébé d'abord, et puis elle verrait. Ou plutôt, ils verraient tous les deux, Vito et elle...

Et si elle jouait vraiment le jeu, après tout? Si elle devenait, l'espace de quelques années, une Mamma Orsini? Peut-être s'apercevrait-elle qu'elle adorait ça? Elle envisagea la chose avec circonspection, mais se mit aussitôt à frissonner. A l'abri de cette fécondité providentielle, elle pouvait certes très facilement s'abandonner aux délices de la maternité. C'était d'ailleurs sans doute inévitable. Mais elle commençait aussi à trop bien se connaître — et il était juste temps — pour s'imaginer qu'une maternité tardive, dans un futur incertain, pourrait jamais lui suffire. Et si, ne pouvant imposer sa férule à Vito, elle tentait de balancer cette impuissance en tenant ses enfants sous sa loi? Ou plutôt son enfant... ou peut-être ses enfants... Aucun doute que ce ne fût tentant. Mais comment une telle chose pourrait-elle se produire? Vito n'appartiendrait jamais qu'à lui-même et ses enfants finiraient bien par lui ressembler... C'était là une donnée essentielle, qu'elle avait acquise depuis peu. Que ça lui plût ou non n'y changeait rien : il lui faudrait apprendre à s'en accommoder. Définitivement.

En fait, le seul être au monde pour qui elle viendrait toujours en premier, la seule personne qui ne cesserait jamais de lui appartenir, c'était elle. C'était elle-même...

Elle fut distraite de ses pensées par les images qui apparaissaient sur l'écran géant des Oscars. On annonçait le nom d'un vainqueur — serait-ce encore Edith Head, qui remportait ainsi son neuvième Oscar? Non, il ne s'agissait point d'Edith, cette fois, mais d'une autre créatrice de costumes: Dieu, quelle idée avait donc eue cette bonne femme de si mal se fagoter, avec cette cotte de mailles bardée de sequins, justement ce soir? Billy reprit son vagabondage intime.

Au cœur même de son existence, elle se trouvait placée devant un vaste dilemme, incontournable, qu'elle aurait pu résumer en une phrase: si elle voulait rester avec Vito — *et elle le voulait* — sans éprouver trop de rancune ni de jalousie, bref sans ressentir autre chose que les chagrins et les tensions propres à tout mariage, il lui faudrait se trouver un centre d'intérêt dans la vie, une passion qui n'eût rien à voir avec lui. Serait-ce là, par hasard, ce compromis sur lequel Jessica s'était montrée si évasive?

Nul besoin de dresser une liste, façon Tante Cornelie, pour savoir — entre tous les centres d'intérêt que le monde lui offrait — où allait sa préférence. Tout montrait qu'il s'agissait de Scrupules. N'en avait-elle pas eu l'idée? N'avait-elle pas porté le magasin à bout de bras jusqu'au moment où il était devenu rentable? Certes, elle avait manqué tout gâcher. Mais elle avait compris à temps que quelque chose n'allait pas et alors elle avait choisi Valentine pour y remédier. Que Valentine se fût pointée avec Spider, lequel eut assez d'imagination pour révolutionner l'entreprise, voilà qui serait demeuré sans effet si, elle, Billy, ne s'était engagée de toutes ses forces dans le projet dès l'instant qu'il eût montré la direction à suivre. En d'autres termes, elle dirait volontiers qu'elle avait, selon la formule consacrée, un vrai talent de manager.

Billy cessa un instant de se tresser des couronnes: on annonçait la remise du Prix de la Meilleure Photographie. Svenberg avait été désigné parmi les cinq meilleurs de l'année et elle sentit qu'elle retenait sa respiration. Crénom: c'était John Alonzo. Pauvre Per. Mais, après tout, il était tellement heureux de figurer dans les publicités du film... Et puis il avait déjà remporté deux Oscars.

Encore une chanson, d'un style tout à fait Radio City Music Hall des années 50 — mais où donc allaient-ils les dénicher?

Billy crépitait d'idées, on aurait dit un feu de bengale lançant des étincelles: il y avait encore bien des femmes riches, qui vivaient beaucoup, beaucoup trop loin de Scrupules, dans des villes semées aux quatre coins du monde. Rio était mûr... Zurich également... Milan... São Paulo... Monte-Carlo: toutes cités où pullulent les femmes très riches, très blasées, très élégantes. Et puis Munich. Chicago. Dallas. Ou bien Houston.

Et New York. Ah, New York... Un jour, lors d'un déjeuner, il y avait peut-être six ans de cela, Gerry Sturz lui avait expliqué qu'elle ne voulait point ouvrir de succursales à son magasin Bendel's. En dehors de New York, il n'y avait pas assez de femmes dans tous les États-Unis, disait-elle, qui fussent capables de comprendre ni d'approuver les conceptions commerciales de Bendel's. Billy serait ravie de lui infliger un démenti. La démarche de Scrupules était moins confinée dans l'avant-garde que celle de Bendel's : on pouvait la modifier, l'infléchir, l'adapter à l'esprit de toutes les capitales. Une seule chose importait : qu'il y eût, dans le pays concerné, une large classe privilégiée.

Ces perspectives l'excitaient au point qu'elle sentait des fourmis dans le bout de ses doigts. Toutes ces villes qu'il lui faudrait visiter, ces emplacements à reconnaître, ces offres à formuler pour l'achat des terrains, ces accords à conclure, ces architectes à découvrir, à engager. Tous ces décorateurs aussi avec qui on devrait discuter. Et puis les usages des gens fortunés du cru, qu'il faudrait étudier.

Les nouveaux Scrupules seraient différents de tous les autres magasins de la terre, mais toujours cousins pour l'essentiel, du Scrupules de Beverly Hills. Il faudrait embaucher des vendeuses, engager des directeurs de magasins, trouver de nouvelles acheteuses. Sur la trame fournie par Scrupules, on broderait sans cesse de nouveaux raffinements, innombrables. C'était la tâche d'une vie.

Billy frissonna de bonheur. Elle comprit qu'elle ressentait ce que devait éprouver Vito chaque fois qu'il se lançait dans la préparation d'un nouveau film : il n'avait alors pas moins d'amour à lui donner, à elle mais aussi plus de passion à consacrer à une tâche qui n'avait rien à faire avec elle, voilà tout, et ne menaçait en rien sa position. Oh, comme tout cela était merveilleux ! Mais chaque chose en son temps. Ou bien le ballon deviendrait trop lourd, retomberait, et s'écraserait au sol.

La voyant perdue dans une sorte de rêve, Vito la poussa doucement du coude : on s'apprêtait à rappeler la liste des metteurs en scène désignés pour l'Oscar du meilleur réalisateur. Billy fut aussitôt sur le qui-vive, surprise d'être tendue à ce point. C'est qu'elle adorait Fifi... Les deux présentateurs — Bon Dieu, qui pouvait bien les avoir choisis ? — semblaient plus soucieux de faire des blagues, d'ailleurs bien mauvaises, et, de plus, mal apprises, que de s'attaquer aux enveloppes. C'était du pur sadisme. La lecture des cinq noms lui parut prendre cinq minutes. La manipulation des enveloppes, traditionnellement maladroite, dura une éternité. Était-il humainement possible que deux individus normaux fussent incapables d'ouvrir une seule enveloppe ? Fioro Hill... Pauvre Fifi. Mais pourquoi Vito sautait-il ainsi sur ses pieds et... mais c'était Fifi ! En apercevant sa silhouette familière qui accourait sur la scène, méconnaissable dans son élégant smoking de velours marron, Billy se demanda si elle avait jamais su le nom complet de Fifi ou bien si elle était seulement trop perdue dans ses pensées pour avoir fait le rapprochement.

Dieu soit loué, une autre chanson... Interlude. Si seulement elle avait apporté un bloc et un crayon... Non, non et *non*! Ç'aurait été une erreur grossière. Exactement la chose à ne pas faire. Si, saisie d'un accès de convoitise, elle se mêlait d'inscrire le nom des villes où elle rêvait d'installer les petits enfants de Scrupules, Billy savait bien que, dans l'heure suivante, elle serait pendue au téléphone: impérieuse, égoïste, elle assènerait des ordres aux agents immobiliers, elle se jetterait sur les emplacements les plus convoités, déjà follement impatiente de commencer, avide de voir ses projets prendre corps. Mais elle avait assez changé désormais, songea-t-elle gravement, pour mesurer avec quelle aisance elle avait déjà commis une erreur de ce genre. Mieux, elle avait changé au point de vouloir éviter que cela se reproduisît.

Rapidement, mais sans complaisance, Billy passa en revue une partie de ce qu'elle avait dévoré dans son existence. A commencer par la nourriture, il y avait bien longtemps. Puis, à New York, tous ces types... Ensuite, à l'époque d'Ellis, ces années dorées qu'elle avait passées en voyage, avec ces maisons à ne plus savoir qu'en faire, ces bijoux innombrables – et tout cela lui arrivant si jeune qu'elle s'était sentie rassasiée avant même d'avoir atteint trente ans. Puis les vêtements, ces monceaux de toilettes, dont elle n'avait jamais porté que le dixième. Puis des hommes encore, à commencer par Jake, dans le pavillon près de la piscine, et après tous les autres dans son atelier de peinture. Elle avait possédé, englouti trop de choses, vraiment trop, et bien souvent des choses si fades qu'elle les avait avalées sans mâcher. Mais elle savait aujourd'hui où elle voulait aller. C'en était fini de ces temps de convoitise jamais satisfaite. L'avenir était aux choix conscients, aux partis judicieux, aux priorités. Comme c'était bostonien de sa part! Tout bien pesé, elle n'avait donc pas entièrement oublié Boston...

Billy résolut de ne plus commettre l'erreur de décider seule, en secret, de l'avenir de Scrupules, et de répudier son avidité d'autrefois. Elle devait perdre l'habitude de céder à tous ses caprices. C'est qu'elle n'était pas assez douée pour ça, voilà tout. Il fallait avoir son talent de manager pour accepter de le reconnaître.

Valentine et, plus encore, Spider, seraient donc associés à toutes les décisions. Elle les nommerait tous deux vice-présidents des nouvelles succursales, et aussi de la société holding qui serait créée. Elle revaloriserait leurs salaires, et augmenterait leur pourcentage sur les bénéfices. Qui sait? Il se pourrait même que Spider retrouvât du coup son enthousiasme, en oubliât sa morosité...

Un fort pinçon de Vito la ramena au vaste auditorium surpeuplé. « Qu'est-ce que Dolly peut bien fabriquer? » lui souffla-t-il et il désigna l'actrice qui, jusque-là, était restée sagement assise, à quelques rangs devant eux.

On allait remettre l'Oscar du meilleur second rôle féminin. Les deux présentateurs venaient d'arriver sur le podium mais ils restaient cloués sur place, totalement muets. Sur leur beau visage se lisait la stupeur et le désarroi. Ils contemplaient Dolly Moon, qui, debout dans la travée, tenait des propos inaudibles. Un gros bonhomme s'extirpait lourdement du fauteuil voisin. C'était inconcevable. Peut-être s'agissait-il d'une espèce de contestation, d'un numéro à la Marlon Brando. Mais à contretemps.

De tous les points de l'auditorium, les gens s'étaient tournés vers Dolly. Ils sentaient que quelque chose s'était déréglé dans ce spectacle bien huilé alors qu'aurait dû régner un suspense plein de ferveur. Selon la tradition, en tant qu'actrice sélectionnée, elle aurait dû rester bien tranquillement assise, en effectant un air absent, serein, tous les traits en repos, dans un calme maîtrisé, prête à partir d'un rire faux si l'on annonçait un autre vainqueur, sinon à s'abîmer lentement dans une joie incrédule.

Au lieu de quoi, elle était debout et parlait d'abondance, d'une voix à la fois douce et fébrile. Quelques secondes suffirent au producteur de Maggie pour faire braquer sur elle une caméra légère et un micro. Certains spectateurs du *Dorothy Chandler Pavilion* ne pouvaient saisir tout de ce qu'entendit alors le public de la télévision et nombreux furent ceux qui se dressèrent à moitié pour tendre le cou dans sa direction.

— Voyons Lester, mon chéri, ne te mets pas dans tous ces états. Ce n'est jamais que la perte des eaux... Nous avons encore bien du temps devant nous... Oh! bonté divine, cette pauvre Valentine, j'ai gâché sa robe!

Maintenant elle remontait l'allée, suivie de près par la caméra portative, l'homme au micro toujours à ses côtés. Comme le dirait Billy plus tard, il aurait été sans doute beaucoup plus élégant — et beaucoup plus fascinant en tout cas — de la filmer de face. Mais le caméraman sut repérer un plan inoubliable: Dolly vue de dos, avec la tache humide qui grandissait sur sa robe d'écume et le liquide amniotique qui ruisselait derrière elle sur la moquette tandis qu'elle se dirigeait vers la sortie, tout cela valait bien un millier de cadrages sur son visage. Dolly, d'ailleurs, ne courait pas vraiment. Elle tournait la tête de tous côtés, s'adressant au public ébahi:

— Pourriez-vous tous regarder s'il n'y a pas une boucle d'oreille par terre. Je crois en avoir perdu une. Elle a dû rouler sous vos pieds. Voyons, arrête Lester, il n'y a vraiment pas de souci à se faire. Simplement, que tout le monde cherche la boucle d'oreille... C'est un diamant de onze carats et je ne suis pas certaine qu'il soit assuré... Quoi donc, Lester? Mais non, voyons ne sois pas idiot, pourquoi irai-je dire que c'est un faux? Billy ne porte jamais de faux diamants! Non Lester, je ne peux vraiment pas marcher plus vite. Ne vois-tu pas que ça monte? Non, je t'en prie, n'essaye pas de me porter, je pèse plus lourd que toi.

Oh! sapristi, ça ne devait pas se produire avant une semaine... et voilà que ça se déclenche. Je n'avais pas l'intention de faire *ça* ici...

Et elle gloussa sans pouvoir s'arrêter. Dans des millions de salons, de par le monde entier, des hommes et des femmes hurlaient de rire. Depuis le début des temps historiques, on n'avait jamais vu pareil accès d'hilarité que lorsque Dolly Moon effectua, ce soir-là, sa mémorable sortie.

Tout le temps qu'avait duré la scène, Billy était restée en état de choc. La figure de Dolly quand elle était passée devant elle! Elle n'oublierait jamais cet air extasié, cette expression d'impatience. Elle semblait absorbée par une tâche essentielle, alors même qu'à sa façon candide (qui, toujours, semblait lui réussir au bout du compte) elle affrontait une situation embarrassante. Dolly, sa Dolly, possédait la clé de l'énigme: elle avait attendu, patiemment, et puis un beau jour, ça s'était produit. Qu'importait qu'elle se fût légèrement trompée dans ses calculs... Personne, comprenait enfin Billy – pas même elle – ne pouvait gouverner totalement son existence.

C'était peut être préférable après tout... Non d'ailleurs qu'elle eût le choix! Ainsi, avec tous les moyens dont elle disposait, il existait encore des domaines où elle n'avait aucun pouvoir de décision... Exactement comme tout un chacun... Comme c'était passionnant! Et puis quel soulagement! Elle eut la sensation que des liens très étroits se détendaient quelque part, dans cette région de son être qu'elle avait toujours considéré comme son estomac mais qu'il lui faudrait sans doute traiter avec un peu plus d'égards désormais.

Tout le monde s'était mis à quatre pattes pour retrouver la boucle d'oreille. Quand enfin la bousculade s'apaisa, les présentateurs annoncèrent l'Oscar de Dolly. Pleurant de rire, Fifi se précipita pour le recevoir à sa place.

Maintenant, les animateurs en étaient arrivés aux Oscars du meilleur acteur, de la meilleure actrice et du meilleur film. Vito étreignit la main de Billy. En attendant la remise du prix du meilleur acteur, il se prit à réfléchir à la distribution des grands rôles masculins de WASP. Au cas, bien sûr, où Redford et Nicholson ne serait pas libres... Quant à Billy, elle se laissait porter par son ballon, au gré des vents. Y avait-il eu des cas de jumeaux dans la famille de Vito? Pendant que la meilleure actrice prononçait son laïus de remerciement, Billy commença à se demander s'il faudrait traduire « Scrupules » en portugais pour le magasin de Rio ou bien laisser l'enseigne en anglais. Vito, de son côté, tentait d'évaluer le pourcentage des bénéfices qu'il serait en mesure d'exiger sur son prochain film.

Il y eut un instant suspendu, où la fièvre des Oscars atteignit son paroxysme: les présentateurs sortaient des coulisses et s'avançaient sur le devant de la scène afin de lire la liste des cinq longs métrages retenus pour le prix du meilleur film. Vito se mit à transpirer. Et si Maggie s'était trompée? Bon Dieu, il devrait alors acheter les droits du roman sur ses bénéfices de *Miroirs*, qui commençaient à s'arrondir. Mais qu'est-ce que ça pouvait foutre, après tout? Il haussa les épaules en souriant : qu'elle se fût trompée ou non — et Maggie s'était-elle jamais trompée? — il lui fallait le sujet de ce livre à tout prix. Vito en avait la certitude: il était écrit qu'il le produirait.

Billy ne connut point cette panique de dernière minute: Dolly l'avait appelée le matin même à la première heure, incapable de garder plus longtemps le secret de la grande nouvelle. Elle lui avait raconté toute leur folle équipée. Mais Billy n'avait pas voulu en parler à Vito. Elle soupçonnait qu'à ses yeux, son Oscar serait en quelque sorte diminué s'il savait que deux séries de gens avaient ouvert l'enveloppe avant la remise effective des prix. Tout comme elle ne lui parlerait point du bébé avant demain, quand serait un peu retombé son triomphe. C'est que Vito adorait les bambini et ce genre de nouvelle risquait de ravir la vedette à n'importe quelle distinction professionnelle. Quand elle sentit la main de Vito se crisper sur la sienne, Billy se dit qu'elle devait se montrer loyale: Wilhelmine Hunnenwell Winthrop Orsini ne saurait disputer les feux de la rampe à l'une quelconque de ces petites statuettes plaquées or que, dans sa sagesse infinie, distribuait l'Académie.

— Crois-tu qu'on finira par retrouver ta boucle d'oreille? chuchota soudain Vito, au moment où les présentateurs entamaient la lecture de la liste des cinq films sélectionnés assortis du nom de leurs producteurs respectifs.

— Oublie ma boucle d'oreille, répliqua Billy — elle l'embrassa en plein sur la bouche. Nous avons d'autres chats à fouetter.

Imprimé aux Etats-Unis, 1981